日本人の歩む方向

馬場久雄

中央公論事業出版

まえがき

平成28（2016）年に、『愛する大日本国民の歩む方向』という書を出版させて頂いた。その初版発行以来、早や五年の歳月が流れている。その間には数多くの出来事が発生してきている。

前著については、言葉足らずなどにより、読者諸兄諸氏には幾つかのご迷惑をお掛けした可能性があったのではないだろうか。そのような危惧の念が今でも拭い切れていない。確かに、何人かの読者様より次のような貴重な励ましのお言葉を頂いている。例えば、「この本は非常に情熱的ですね」、「エネルギーをすごく感じるよ」、「よくぞ書いてくれたね」とか、「元気を頂いた」、あるいは、ある学生さんからは「卒論の一部に参考文献として引用させて頂きます」など。望外の喜びである。しかしながら、その一方で、筆者自身としては気掛かりな点や不十分な点について、完全には拭い切れていない。なぜなら、そのような思いが募ると共に、新たな別の事件、事故もしくは社会現象が発生してきているからである。

そこで、筆者としては前著内容の要諦もしくは本質を踏まえつつも、新たな現象を加味して、題名も新たに『日本人の歩む方向』と変更し、改訂版を発刊させて頂くことに踏み切った次第である。それにより、読者諸兄諸氏にとって、より読み易い内容になるようにと心掛けたつもりである。これらの点を斟《しん》酌《しゃく》頂ければ幸いである。

令和3（西暦2021）年1月吉日　馬場久雄

日本人の歩む方向◇目次

を招く／入国条件緩和の逆効果／容疑者の取り逃し騒動／報道媒体などでの性の氾濫／甘やかし過ぎによる弊害／来日外国人の増加問題／来日外国人の増加計画に対する疑問／外国人の入国もしくは入学に係わる弊害／外国人留学生の受け入れ時における判断基準の曖昧さ／当局が外圧に屈した背景／来日外国人による失踪事件の急増／異性との交際

第一章　我が国民が目指すべき主義

自由主義

我が国が自由主義を採るべきかあるいは全体主義、または共産主義もしくは社会主義を採るべきかと問われるならば、迷わず自由主義を採ると答える。理由は次のとおりである。「なお、ここでは、特別な場合を除き、特定政党を意味していないことを明言させて頂く。あくまでも主義思想、価値観などを主体に観た場合について述べているものである。併せて、政党名などは時代が進むに伴い、変化し得るからである。そもそも我が国は自由主義を採るべきか、あるいは共産系もしくは社会系主義（以下、しばしば全体主義という）を採るべきであろうか。確かに、全体主義の下では、部分的な社会保障制度に注力してくれているように観える。あるいは、経済的弱者や一般主婦向けするような事柄に助力してくれているようにも観える。しかしながら、我が国の戦後における全体主義系政党が政権与党となった場合の実績内容を観ると、内政問題にしても残念ながら、極めて心もとない状況であったと言わざるを得ない。例えば、同党が与党になれば、当然の如く、同主義系の諸外国の入国条件を大幅に緩和したり、同系の国債を大量に購入したりしてきている。このようにして入国してきている大量の外国人が、入国後に、数々の犯罪を引き起こしたり、滞在期限をとうに過ぎても我が国内で手引きしている同国人の悪行により、雲隠れして不法滞在してきている。そうして、我が国内で様々な凶悪犯罪が増大してきているという実例が数多くある。また、外交問題に係わる対応手腕については、内政問題以上に心もとないと言わざるを得ない。更に、その全体主義系に属すると観られる諸外国を俯瞰《ふかん》すると、それらの国々の殆どが、彼等の初期の理想から遠く逸脱してしまってきている。なぜなら、建国当初に彼等の政治的もしくは思想的な敵であった軍国主義に、彼等は自身の言動によって、彼等自身があたかもその主義の蟻地獄に陥ってしまったかのように観えるし、そのように強く考えられ得るからである。これは恐らく彼等にとっては想定外であり、予期しなかった精神的板挟み（ジレンマ）ではないだろうか。彼等自身は未だ気が付いていないかもしれないが。彼等の苦悩の一端はそのような所にも存在し得るであろう。また、全体主義と自由主義との思想が正反対であることは、億千万人と雖《いえど》も否定し難いところであろう。従って、筆者は次のように考える。すなわち、前述のような状況であるにも拘わらず、そのような社会的矛盾に対して反対を唱える方々が極めて少な過ぎるように思われるのである。併せて、後述の理由から、自由かつ民主主義を採るし、そのような選択をせざるを得ないのではなかろうか、と。

自由主義のここでの定義及び範囲

自由主義とは周知のように、各個人の自由な活動を重んじる主義であり、国家が個人の社会的活動に制限を加えない主義である。しかしながら、ここで同時に、自由とは各個人の言動もしくは言行に対する責任を伴うものである。これは、正しい人間社会である以上当然のことである。現時点における我が国の昨今の「責任」については、甚だ心もとない状態であるといえる。例えば、通常の一般社会生活において、一部の精神的に未熟で真の善悪の区別のできない者や愚か者によって引き起こされた自己中心的、私利私欲的、自分勝手もしくは独善的な言動により、精神的身体的に傷つけられ、あるいは取り返しのつかない状態に至らしめられた犠牲者の何と多いことであろうか。その被害者等の中には幸いに命は取りとめたものの、精神的衝撃もしくは外傷性精神病〔1〕(トラウマ)となり、生涯苦しみ続けなければならない状況に陥《おとしい》れられた人々の苦しみや憎しみは、どれほど大きいものであったろうかと想像するに余りある。もちろん、事例によっては、自殺に追い込まれた者も数多く存在してきている。

ところで、我が国は明治時代より先の大戦での敗北までは、国民のほとんどすべてが国家神道であった。もちろん、これは、当時の国策に強く影響されていたことは周知のとおりである。例えば昭和初期の小学校及び家庭向けにおいては、学校または家庭用として「修身」教育などのいわゆる道徳系、すなわち心の教育が男子女子に拘わらず実施されていた〔2〕。ちなみに、その著書には次の例話が記載されている。「お猿の学校(修身書一、よく学びよく遊べ)」、「山の兎《うさぎ》(同二、時刻を守れ)」……「金太郎(同六、元気よくあれ)」、「三匹の豚(同八、行儀よくせよ)」……「親兎と子兎(同十二、親を大切にせよ)」、……「獅子と野兎(同二十四、人に迷惑をかけるな)」……など。これらの例話は、その発行年より現代においても、全く変わることがなく、色あせることもない。人間が世の中で(国内外を問わず)力強く生き抜いていくための善かつ珠玉の基本的必須条件とも言い得る智慧がちりばめられているのである。この極めて素朴ではあるが、根本的かつ基本的に重要な、多くの社会生活をより善くするために守らなければならない事柄、すなわち、「道徳」がちりばめられているのである。ところが、前述の敗北と共に、連合軍総司令部(GHQ)による当時の絶対命令により、それらの「修身」の教科書のほとんど大部分は黒塗りにされてしまい、その内容を読み取ることができないほどの状態にされてしまったのである。しかしながら、それから長い年月を経た現代においては、人類として人間として共通事項であるとも言い得る前述の「道徳」とその例話などは、少なくとも幼稚園もしくは保育園、小・中・高校（またはそれ以上）において、早急にかつ大いに復活させても善いのではないだろうか。なぜなら、これらのことは人道的及びその他の観点からしても何ら悪いことではないからである。悪いことでないならば、善いことである。ならば速やかに実行あるのみである。直ちに国会に上申し審議して頂き、悪行でない善なる項目または箇所は法文化すべきであると共に、施行を開始して頂きたいものである。なお、例えば、２０１３年頃の安倍内閣及び文部科学省では、道徳教育の幾分かの復活を計画しているようであるが、今後の進捗状況の度合いを注視静観していきたいところである。

先ほどの修身の話に戻ろう。当時、我が国では、「建国の精神」……「孝」、「兄弟姉妹」、「国体の精華」……「業務」、「徳器」……など。我が国の成り立ち、国との係わり方、仕事、親、兄弟姉妹との係わり方など。やはり、家庭、地域、社会、国家の中で力強くかつ一歩一歩と生き抜いていくための基本的に必須かつ善なる道徳心が、じっくりと時間を掛けて、幼児たち及び児童たちに、彼等彼女等の心の奥深くに、正しく沁み込まれるように教えられていたのである（例えば[3]）。それにも拘わらず、戦後では、それらの中の現代にも通用可能な自由かつ民主主義的な部分のそれらはほとんど何も教えられてきていないと言い得る。つい最近になって一部検討されているようにも聞かれるが。

全体主義（共産系社会系主義）のここでの定義及び範囲

本書で言う全体主義とは、共産主義及び社会主義を意味している。周知のように、前者の共産主義とは、財産を私有したり、子孫に伝えたりすることを認めず、資本主義が必ず滅びると主張する主義である。また、後者の社会主義とは、資本主義の社会を合理的に改革して階級をなくし、勤労階級のために、民主的な社会を実現しようとする主義である。前述した自由主義と反対の思想に位置するのは共産主義であり、その両者のいわばほぼ中間的に位置するのが社会主義とも言い得る。しかし、我が国のこれまでの戦後の経緯をみてみると、社会主義系は自由系と共産系の約50％の位置というよりも、むしろやや共産系に近い主義で今日まで来ているように観られるし、そのように考えられ得る。したがって、共産主義と社会主義は大略、一つの集合体としてまとめることができるとも考えられ得る。それ故、このような観点に立つと、それらの全体主義は自由主義とは反対の思想であると言い得る。権力と権威とを併せ持った一部の者たちが、いわゆる指導者もしくは最高指導者としてトップの座を占めている。そして、彼等の下に、思想、言動、生活様式などのほとんどすべてが、抑圧もしくは抑制され、規定され、統一化され、いわゆるピラミッド型の組織を構成するものである。したがって、そのような組織に属する国家、社会、地域、家庭はすべて、基本的に、その最高指導者及び指導者層の意見、思想、指示に絶対的に従わなければならない体系となっており、それらに反対することや批判することは基本的かつ根本的に不可能な体系となっているものである。この主義からして、そのようにならざるを得ない。

この全体主義は、いわば上級に位置する特権階級による上位者から下位者に向けて指示・命令するという流れの、いわゆるトップダウンの典型的な縦型の単一組織形態である。したがって、ある課題が決定されたならば、そのトップが指示内容を改めない限り、もし不合理、不条理もしくは矛盾する課題が決定され命令された場合であっても、当然のことながら、その多くの部下たちは反対も反論もできない。したがって、部下たちがその指示・命令の内容に対し、充分に納得できずに矛盾を抱いていたとしても、その指示された課題を実行に移さなければならないという板挟みに合うことも免れられないのである。また、ピラミッド型組織のため、各々の段階もしくは階級での特権階級における権力争いも熾烈なものになりやすい。反面、特権階級以外の中間階級及びそれ以下の階級に属する人民は、日々を過ごすには安心、安楽かもしれない。なぜなら、自分たちの今日、明日、明後日、そして将来の公的な面に関しては何ら深刻に考える必要に迫られないからである。つまり、これらの人民は、日々の目先の自分たちの身の回りの生活あるいは仕事などだけを考慮及び憂慮していれば済むからである。すなわち、これらの人々は国家、社会、地域、職場などが指示する通りに言動していれば、ほとんど安楽に一生を終えることができる可能性が高いとも言い得るであろう。

しかしながら、この場合、それら一般人民の属する広い環境において、当然の如く強制的かつ強力な情報管理及び教育管理などが実行される。したがって、各種の状況を事前に何も知らされていない一般人民は、国家、社会、地域などによって意図的に流されたデマ、噂もしくは情報などに飛びつきやすく、流されやすい。しかも何ら疑うことなく盲信しやすくなることもまた事実であろう。それらのデマ、噂もしくは情報などが、事実のみならず真実であるならばともかく、嘘で固められた捏造《ねつぞう》である場合には、周辺の家庭、地域、社会及び国家並びに多くの諸外国に対し、様々な弊害や悪を垂れ流すことに繋がってしまうという危険性もまた、秘められているもしくは潜んでいる可能性を有しているのである。それ故、本来ならば、一般人民は、それらのデマ、噂もしくは情報が真実であるか大嘘のでっち上げであるか、を正確に見極める判断力が求められるのである。ところが、実際は、前述したように、その党、政府、軍、宣伝部、工作部、その他の部署や部隊にとって都合の悪い情報は、一般人民の耳目に知らせないもしくは情報として入力させないように、当該部門によって、すべて強制的かつ完全に制御されて遮断され遮蔽されてしまうことが常態化してしまうのである。時には力ずくによってでも遮断されてしまう。そのため、彼等彼女等一般人民は真実の姿もしくは状況を全く知ることができなくなってしまうという危機的状況下に置かれてしまうのである。しかも、この悪弊に対する批判などしようものならば、たちまち当局により強制的に身柄を拘束され、留置場などに入れられ、詰問攻めに遭うことであろう。このような様々な弊害は、明らかに非民主的であると共に、全体主義体制における実質的な主要かつ不可欠な「顔」もしくは現実面の一部であると言い得るのである。

２００９年の衆議院選挙に関して

例えば２００９年秋の衆議院選挙において、自民党及び公明党の連立与党が大敗した。代わって、民主党、社民党及び国民新党の3党連立政権が勝利し与党となった。それまでも例えば、小泉氏以降、3氏及びその各内閣が、いずれも次々と総理大臣及び各大臣という大役を担って舞台に登っては約1年もしくは1年未満で降りていった。我が国民は、世界から我が国をみた場合に、そのような不安定、不名誉かつ弱々しい印象を強く与え得る国内政局を再三観せられてきたのである。我が国では当時、米国大統領選挙戦でオバマ氏が優勢と報道されるや否や、彼及び彼の支持団体が主張してきた標語「変化（チェンジ）」の波にただ乗りしあるいはその標語をしばしば援用し、我が国内の衆議院選挙戦開始に向けて、民主党、社民党及び国民新党の三党は協力して選挙を戦っていた。国民のほとんどは、それまでの自民党及び公明党による政権与党としての運営方法の一部などに対し辟易していた。このため、民主党のマニフェストによれば、種々の無駄な予算を削減すれば、その分（約数千億円ないし数兆円が浮く予定）を雇用創出、社会保障、介護などの多くの課題に投入できるはずであった。あたかもバラ色の明るい新たな社会がこれから開けるかのような妄想を国民に強く訴えていた。ところがあにはからんや、現実は真逆に、明るいどころか、国民の心をより暗くさせるような社会現象が次々に現れてきたのである。例えば、事業仕分けの課題については、その状況が初めてテレビ等の報道媒体を通じて公開方式で国民に知らされたこと自体は新規性を有していたものの、結果として、それによる捻出額は高々約一千億ないし二千数百億円程度だった。すなわち選挙前に彼等が豪語していた捻出額の数分の一ないし数十分の一程度にしか達しなかったのであった。要は、国民の少なくとも過半数が期待していたほどではなかったのである。実際に、当時の報道によると、民主党の選挙公約の項目内容の約66・7％（国の総予算の組み換え、八ツ場《やんば》ダム、年金制度改革、議員定数削減）が具体化していない状態であり、残りの約33・3％（子供手当、高速道路無料化）は途中で内容を変更したり、試行実験後に中止したりの状態で終わった。ちなみに、この当時の同党幹部は同報道にて次のように語っている。「政権交代直後の2年前にできなかったことが今できるはずがない。今の民主党に、八ツ場ダムを中止できるだけの体力は残っていなかったということだ」〔4〕と。これは、一種の開き直りとも受け取れ得るが、そうであるならば、実現不可能な項目は始めから加えるべきではなかったのではなかろうかと思えるが、如何なものであろうか。

言動は議員諸氏の魂なり

そして、その後、沖縄県普天間米軍基地の移転問題で、当時の民主党政府は同県知事及び同市長などとの間での合意が得られないどころか、当時首相の鳩山氏が那覇空港を降り立つや否や、非常に多くの同県民が「怒り」と書かれたプラカードを掲げて、同与党に対する怒りを露《あら》わにしていたのである。尤《もっと》も、この県民の中には、彼等彼女等を煽動する中国系及びその他の国内外の共産系社会系労働者、学生、主婦などのアルバイトとして雇用された入国者や事前に仮住まいしている者たちが参画している可能性は極めて高いと考えられ得る。そのしばらくした後、就任から数か月も経たないうちに、同氏はその大役を辞任した。議員自体を辞めることをも公言していた。同党を支持された方々は、このように早期に辞任してしまうような首相を選出し、不安定というような誤解を招きやすい政党を選択した意図は全くないと思われるが、如何なものであろうか。当然の如く、このことは、直ちに世界の諸外国報道機関により採り上げられた。それのみならず、彼は、自らの議員辞任の公言を翻し、同党内部の諸問題に関して、再び報道機関の前にしばしば登場するようになっていった。何という自らの言葉に重みのない方かということを、自ら全国民のみならず世界中の多くの政府、閣僚、要人などに負の印象を与える形になってしまった。果たしてご本人はこのことに気付いておられるのであろうか。恐らくご本人も彼の周囲の方々も、何らお気付きではないのであろう。

そもそも種々の政党を支持してきている国民の内の過半数は、その選挙の開票結果によれば、それまでの自民党主体政権を支持してきていた。しかしながら、自民党も公明党も当時は共にいくつかの問題を有してきており、国民は、それまでの両党の連立与党政権の一部の方々が引き起こす様々な不祥事や怠慢と言い得る出来事と共に、それらに伴う一部の方々の開き直りなどに辟易していたのである。それらのため、従来まで与党を支持してきた人々の一部や野党支持者が、彼等与党をヒノキ舞台から降ろすことにしたのであろう。しかも、当選者の得票数に関して大差がつけられていたのである。例えば、ある長期的展望に立ち熟慮した上で、善行かつ最重要なる国家事業の課題を成し遂げるためには、極論するならば、大迫力、大決定《けつじょう》を持って、例えば、意見の相違する組織や集団に対しても、それを成就するためには激論を交わすことも遠慮すべきではない。このように、現代の我が国は、国家としての根本的または基本的に必須の心構えの観点において、極めて危惧の念を抱かざるを得ない状況下にあるといえよう。

温暖化問題

また、民主党はその選挙戦に勝利したにも拘らず、民主党新党首に選出された鳩山氏は総理就任後まもなく、国連会合にて英語で華々しく、「我が国は二酸化炭素を２０２０年までに１９９０年比で25％削減する」旨を表明し、結果として一見派手な花火を打ち上げたかに観えた。この数値は当時の世界における同分野での最高値かもしれない。しかしながらその一方で、同首相の無謀な目標がいかに非現実的であるかを如実に示しているのが、環境省の中央環境審議会の公表した試算であるという〔5〕。それによると、当時の現状からして25％削減は達成困難であるという。省エネ化を推進するうえで、排出削減は当然必要だが、それが足かせとなり、かえって我が国の活力を削ぐことのない目標設定が求められる旨を述べている。同氏は、そのような国連発言での重要性を十二分に認識された上で発言されたのであろうか。ちなみに、２０１４年12月３日の「ＣＯＰ２０１４」会議にて、米国と中国の両首脳が合意しいくらか前進した旨を発表していた。これにより、前述の鳩山氏の表明がほとんど影の薄い形に観えてしまった。もっと慎重かつ確実性のある、自ら発言したことを確実に成し遂げられる内容に絞り込み、更に、その内容で大丈夫か否かを充分かつ慎重に検討した上で公表して頂きたいものである。国家の首相たる大役を担っておられる方は、そのお役として最低限そのような沈着冷静さ及び現実性を常に有していることが、資質に係わる必要条件の一つではないだろうか。このような資質を予め備えるかもしくは事前努力は少なくともしておいて頂きたいものである。そうかといって、第68代総理（１９７８～１９８０）の大平正芳氏のように寡黙になってほしいとまでは言わないが。なお、大平氏は、鳩山氏のように不要なことはほとんど公言しなかったようである。

本件に係わり、例えば、２０１７年６月２日の報道によると、米国大統領のトランプ氏は温暖化に関する国際合意のパリ協定からの脱退表明をしたもようである。これに対し、仏や独などの欧州の幾つかの首相は反対している。筆者はこれに関して次のように推察している。すなわち、トランプ政権は中国、ロシア、北朝鮮及びその他の国々を意識して、核実験の再開を計画し始めている可能性が高いのではなかろうかと。

世に悪の種はつきまじは不可避か

我が国には古より、「水清ければ魚棲まず」という諺がある。また、安土桃山時代の大盗賊の石川五右衛門（１５５８～１５９４）が京都三条河原で刑に処せられる際に、「石川や浜の真砂《まさご》は尽きるとも世に盗人の種はつきまじ」（歌舞伎、並木五瓶『楼門五三桐《さんもんごさんのきり》』）と詠んだと伝えられている〔6〕。つまり、理想の社会としては、もちろん、悪を撲滅した方が、世のため、人のため、社会のためになることは、良識があり善悪の弁別のできる自由かつ民主主義の国家圏における数多くの国民には容易に理解のできることであり、認めないわけにはいかないところであろう。しかしながら、この現実の世の中は、悪を断っても、断っても、ほとんど毎日もしくは毎週の如く悪人、悪の組織、悪の集団または悪の現象などが次から次へと現出してきているのである。もちろん、これらの場合、外圧や外力に起因する影もしくは闇の影響をも考慮せねばならない。この社会現象はなくすことができないのであろうか。確かに、読者諸兄諸氏も十二分に認識されておられるように、例えば毎日、我が国内外のニュースにほんの少しばかり眼を向け着目しただけでも、そのどこかで、あるいは1週間、1か月間もしくは1年間あたりの悪行事件（例えば、スリ、万引き、強盗、恐喝、幼児への虐待、振り込め詐欺、保険金詐欺、嫌がらせ、大嘘のデマ、大嘘の宣伝、ストーカー、セクハラ、パワハラ、住居侵入、放火、殺人、大嘘の開き直り、交通違反、廃棄物の自宅内や指定場所以外への不法投棄、廃棄物の不法溜め込み、脱税、公共料金横領または着服、企業内における公金横領または着服、賄賂、サイバー侵入もしくは破壊攻撃、コンピューターウイルス攻撃など）の発生件数は、数え上げたら枚挙に暇《いとま》がないほどである。しかし、これは、近年たまに言われたことかもしれないが、人間の体内には、特に成人になると、良性の腫瘍細胞のみならず、極めてわずかな比率の癌細胞も共存しているのが医学的に普通の状態であるとの見方も知られている。体力、気力、温度、気圧などの身の回りの環境条件などが低下し悪化するに伴い、何らかの悪さを引き起こす病原体が増殖して体に悪影響を及ぼし病気に至る可能性があると言われてきているからである。従って、筆者は次のように考える。すなわち、現代社会はこのような現象に類似しているかまたは無関係でないと言えないことはないと言い得る。つまり、極めて少数の悪の分子は、通常の活力ある集合（例えば、社会、国家など）にとって、「不可避」または「必要悪」なのかもしれない、と。

エントロピーの法則

なぜなら、逆説的に、今、ある集合Aが存在しかつその集合

Aに属する各々の人間aがすべて「正直で平和主義的で合法的かつ非暴力的であり、しかも善人」であると仮定する。この時、その集合Aというのは、前述したように、我々が日々生活し、暮らし続けている現実世界では、全くの単独で存在し、生きていくことは不可能であるし、あり得ないことであると言い得る。例えば、この関係は、数百万の種から構成される生物が日々生きている生態系とそれらの循環もしくは食物連鎖の関係をみれば矛盾しないであろう。また、例えば、仏教における法華経の世界にたとえるならば、「諸法無我《しょほうむが》の原理」（この主旨は「すべてのものは互いに関係し合いもしくは互いに繫がり合っている。したがって、あるものがこの現実の世界で、単一にて存在し続けることはあり得ない」ということ）に相当すると言い得る。そうであるならば、その集合Aと異なる別の集合Bが少なくとも存在しなければならないことになるであろう。なぜなら、この現実世界には、ほとんどのもしくはいかなる国や地域においても、結果として、悪人もしくは極悪人もまた実在してきているからである。今、この集合Bに属する人間bは「嘘つきであり、違法的、反社会的または暴力的な行為を実行し、かつ悪人」であると仮定する。この場合、集合Bは、集合Aに比較して、一般的にエントロピー（自然科学系、工学系、農学系、薬学系及び医学系等における各々のある状態を表す状態量の一つ。乱れやすさの度合とも言い得る）またはエネルギー準位（もしくは水準）がより高いと考えられ得る。そして今、集合Aと集合Bとが互いに隣り合うか、隣接するか、互いに距離的に近づくか、または境界もしくは国境を接するような場合を考えることにする。そうすると、この場合、一例として、「拡散の法則」が適応できると考えられ得る。すなわち、時間が経過すると共に、集合Bに属する人間bは集合Aの領域内に侵入、侵攻または侵略してくると考えられる。例えば、ここで金属もしくは化学などの反応過程の一つである拡散現象を想定してみると分かりやすいかもしれない。というのは、科学技術の世界において、例えば物質Xと物質Yとが部分的に一部が溶融し得る程度の温度下にて反応した場合、その両者XとYのそれぞれの接触表面領域またはその部分において、各々の構成分子または一方の分子は、巨視的には相互または一方向に拡散していく現象がいくつかの系にて厳密に実験的に確認されてきているからである。このことから、前述の分子のように、周囲から例えば温度という外部エネルギーが与えられると、その接触表面領域に存在している分子、すなわち人間は、より活性化もしくは活動的な状態へとより高められて、精神的及びまたは身体的な総合的または力学的エネルギーが高められることにより、移動もしくは侵入しやすい状態へと高められる。これは、科学的合理性に矛盾しないであろう。

従って、筆者は次のように推察する。すなわち、集合A内の人間aは、侵入、侵攻または侵略してくる集合B内の人間bたちの言動によって、時間（もしくは年月）の経過と共に、ｂの性格（すなわち、嘘つき、偽善的、違法行為的、反社会的または暴力的であってかつ悪人）へと、次第に染まっていくまたは悪の影響を受けていく比率が増加していく可能性が高まっていく、と。あるいは、互いの国境が接する場合、前述の「拡散の法則」により、先述の集合Ａの国は集合Ｂの国によって侵入、侵攻、侵略され、時間もしくは年月の経過と共に、集合Ｂの思想及び言動に染まっていく確率が次第に大きくなっていく、と。まして現代は、廉価な民間航空機が相互の国々を容易に航行できる時代であると共にインターネット全盛の時代でもある。それと共に、前述の悪の情報に係わる拡散速度もまた、従来と比して驚異的に増大してきているのである。その傾向が今後とも継続されると予測され得る。前述において、例えば、この現実世界と比較検討してみよう。ここで、前記集合Ａは我が国、人間ａは我が国民である。そして、前記集合Ｂは我が国の周辺（距離の遠近には無関係）、地政学的に位置する数々の外国及び地域。人間ｂはそれらで生活し活動する平均的もしくは標準的な人民である。そうすると、現状は極めて危機的な状況及び状態にあることを示唆していると考えられるのである。それ故、この危うい状況から脱却するには、一体どのようにすればよいのであろうか。それに対し、筆者はこう考える。すなわち、彼等の集合体及びそれに属する人間ｂ以上に、我々自身が自らを活性化させ、または活動的に精神及びまたは身体を働かせると共に、今ある物や資源を十二分に活用し応用し、創意工夫することである、と。

第二章　我が国民の精神的逞しさの復活とその育成

我々の先祖が置き忘れてきたもの

我が国は一応自由かつ民主主義とはいうものの、現在は、骨の髄まで民主主義が完全に沁みついているとはひいき目にみても言えないのではないだろうか。確かに、先の大戦後及び高度経済成長を成し遂げた約1960年代ないし1970年代以降、我が国は、経済力についてはある程度身につけたことであろう。当時、我が国は世界第二位という経済標高（仮称）に登りつめている。しかしながら、その反面、我々は気を引き締めること及び気概を保ち続けることを忘れてきてしまっている。なぜなら、経済面では、いわば、勝ち組には入れたものの、「勝って兜《かぶと》の緒を締めよ」というような心構えが殆ど消失してしまったかのよう観えるからである。従って、筆者は次のように考える次第である。すなわち、その経済成長期より現代に至るまでの殆どの我が国民は、平均的に食べるものも着るものもなく住む家もない、というないないづくしの貧乏のどん底にあった状態を全く忘れてしまったかのようである。これは、全国の各家庭の大黒柱である両親、祖父母またはその他の人たちが、代々、深刻な大貧乏国であったという事実を子供や孫たちに伝承してきていないためであろうと。

ところで、今の若者たちには信じられないかもしれないが、事実として、君たちの曽祖父母、祖父母たちは国中が貧乏のどん底にあった中でも歯を食いしばって、君たちのご両親、子供たちが自分たちよりも文化的なもしくはより人並みな生活が送れるようにと念じつつ、日々働いていたのである。全国の殆どの家庭で、曽祖父母、祖父母たちは同様に自分たちを犠牲にしていたのである。例えば、日々のごはん、野菜もしくはおかずを何とか購入したり入手してきたのである。しかも、自分の食べる量は昨日より少なくしてでも、君たちのご両親には万遍なく行き渡るようにと、お腹が少しでも一杯になるようにと、毎日毎日額に汗して一生懸命に働いてきたのである。例えば、それが証拠に、戦時中などは「月月火水木金金」の七曜表が建前上、伝えられ、巷で囁かれ実施されていたのである。つまり、日曜日のような休息日はほとんどなかったのである。もちろん、これは極端な例だが。だから、全国の多くの子供たちが学校へ行きたいと親にせがんでも、行かせてやるためのお金を工面することさえ難しかった。そういう時代だったのである。

しかし、その一方で、我が国全体がこのような大貧乏の時代であっても、全国民の一人ひとりの心はまだしっかりした柱を誰もが持っていた。そして何が善で何が悪かの判別をはっきりと言うことができたし、それを実行できたのである。それはどうしてであろうか。それは、当時の大人たちの多くが自分の子供たちのみならず、周囲の他人の子供たちに対しても同様の善なる優しさと同時に子供向けとして、善悪の弁別ある振舞いをしてきたからである。つまり、あらゆる悪いことはしてはいけないし、善なることを進んでしましょうよ、という教育と精神と行動や注意などが示されていたから可能だったのである。従って、筆者は次のように考える次第である。それは、各家庭の父親がその家庭の中心となって、（ときには祖父母も支援して）精神的にもその家庭の大黒柱となっていたからである。ところが、その後、次第に、それまでの国家としての貧乏の度合に比較して、世界にも前例を見ないほど、あまりにも短期間に経済的豊かさの度合が急激に成長し増大したために、あるいは別の言い方をするならば、あまりにも経済成長速度が早すぎたために、我が国は国家として、社会として、地域として、家庭として、個人として、他の重要なことを、敗戦直後に置き忘れてきてしまったのである。それは何であろうか。我々の眼には見えないものであり、手や足で摑んだり触れたりすることもできないものである。……。そう、「精神」もしくは「心」である。「心」の教育である。更に付け加えるならば、我が国の片寄りのない善なる文武両道を堅持する、強靭で粘り強くかつしぶとくて柔軟性を有する国家の大再建をするべき重要な時期に、その実行を怠りかつ忘れてきてしまったのである。これは国家として、社会、地域、家庭、個人のいずれの次元においても極めて重大な危機の一つである。もちろん、ここで、文武の「武」とは、昔の刀などは意味していない。

そこでまず、心の問題から考えてみよう。

善悪弁別不可能症候群

最近の数十年間もしくはここ数年間において、我が国の国防上の秘密を某国の男女の間諜に、いとも簡単に機密情報を提供したり漏洩したりする事件が多発してきている。この極めて軽薄で無知蒙昧な行動はどうして起こるのであろうか。確かに、機密や秘密の情報は高額な価値を有している。そのため、何らかの手段を用いて他国や他者に提供もしくは漏洩すれば、その見返りとして、当然多額の金品が保証され期待できるであろう。しかしながら、省庁や通常の真面《まとも》な企業であるならば、当然、機密もしくは秘密保持の順守義務が所属員もしくは従業員の全員に課せられているはずである。従って、このような違法行為を実行するならば、明確かつ当然に危険（リスク）が伴うことになるはずである。それにも拘わらず、ある程度の経験を有した中年以上の男女をはじめ、青年男女の各一部の者も、その悪行に踏み込んできてしまっているのである。なぜなら、その理由の第一は、やはり、当事者もしくは犯人が、目先の多額の金品または賄賂、様々な誘惑、偽装結婚、ヘッドハンティングなどによる高額年収の提供などの諸魅力に負けたためであろう。第二は、その犯人の友人、知人もしくは先輩、同輩、後輩などに漏らしている者も少なくないようである。あるいは昔のよしみ等の理由で、それらの違法な秘密情報を提供する行為を依頼や要求された場合に、その相手に対して、明確に「いやだ（ノー）」という拒否のできない自分自身の心の弱さでもあるであろう。従って、筆者はこのように考える。すなわち、これらの当事者もしくは犯人は、前述の様々な手段により依頼や要求された場合に、安易にそれに応じることが、その後の自分自身の浅はかなる行為に起因している、と。現在所属している企業、組織、社会または国家などに与える悪の影響及びその甚大なる悪の波及などを十二分に考慮していないか、そこまで気付かない者が殆どであるように考えられる。従って、目先の自身及び自身の家族の経済的利益の観点だけから、いとも簡単に単純に教示するか、もしくは提供してしまうという極めて愚かで悪行の浅はかなる行為に起因している、と。この傾向は、極めて残念ながら、現在まで減少してきているとは言い難い。

何と愚かなことか。何と軽薄で無知蒙昧な行為であろうか。内容によっては、売企業行為、売国行為と言い得るであろう。そのような違法な機密漏洩をした実行犯及びその要求または強要をした犯人の両者は、自らの顔を鏡に映して、その時の自らの心に問うて深く懺悔《さんげ》すべきであろう。尤も、迅速に真心から懺悔できるような真の人格者ならば、始めからそのような悪行や悪業には踏み込まず、実行などせずに、その相手に対し、明確に拒否、拒絶または断っていたことであろう。それができなかったからこそ、このような悪の道もしくは悪の蟻地獄へと次第にのめり込んでしまったのであろう。このような一部の者は、尻軽で愚かな、金品などの誘惑に対して極めて弱く、それらの誘惑に簡単に目が眩んでしまう傾向もしくは性向にあると言い得る。しかも、残念なことは、このような当事者自身は、ほとんどもしくは全く悪行をしたという自覚、自覚症状及び罪悪感を持っていないことである。あるいは、それどころか、何ら悪びれずに、例えば、「このようなことは、我々の周辺の誰もがやっていることではないか。なぜ私や我々だけが逮捕されなければならないのか」などと、逆に当局に対して開き直るという悪例の何と多いことか。彼等彼女等は、恐らく、自らが実行した悪の行為に対し、善悪の弁別が不可能なまたは承知しているにも拘わらず嘘をついている、という、いわば、「善悪弁別不可能症候群」もしくは「日本病症候群」（いずれも仮称）の保菌者もしくは保持者の一人と言い得る。これは、何とか早急に治療しなければならない。

つまり、その当事者の犯人像としては、自分自身の目先の利益しか追うことのできない、真の本音の部分では気弱な、自己中心的で、人格的に極めて器の小さな、愚かで風見鶏的な性格者が浮かんでくるし、そのように考えられ得るのである。このような該当者は国内外の有識者及びそうでない者を問わず、あるいは社会的肩書の有無や学歴の高低とは全く無関係に数多く実在してきている。このことは極めて残念なことであるが、厳正に対応し対処しなければならない。これらの犯人たちの中の少なくとも日本人に関し、特に、事前にもしくは結果的に我が国家、都道府県及びそれらの各自治体並びに企業などに損害を与えたような事例については、極論するならば、売国行為、反社会的行為及び売企業行為の、いわば悪の実行者もしくは協力者と言えないことはない。このことは、特に注意または警告させて頂きたい。我が国の国家、都道府県及びそれらの各自治体並びに全企業や各種の組織や団体という各体内の病巣や癌《がん》細胞の撲滅のためにも。もちろん、犯人たちの中の外国人については、該当する法律に基づいて裁かれることになるであろう。

これらのほとんどすべての事柄は、日々種々の業務に携わっておられる方たちが、まさに直面しているその業務、仕事または任務をもし実行すると仮定したならば、その実行内容が善か悪かの判断ができないからではないだろうか。あるいは、その判断能力が著しく欠落・欠如しているかまたは著しく低下、劣化もしくは老化しているためではないだろうか。確かに社会人となったからには、職位の高低に拘わらず、それには無関係に、自身の属する我が国の省庁、全国都道府県、それらの各自治体、教育機関、企業もしくは各種組合などで知り得た秘法や機密・秘密事項に属することを、例えば、勤務時間帯終了後の飲食会や親睦会などの場においても、安易に軽率に他人または他国へ直接的間接的に話すべきでないし、それらの情報を提供すべきでないことは、現代においては、我が全国民の責務であり、少なくとも我が国の社会人としての常識である。しかし、それでもなお、金品、地位向上または名誉の肩書などの提供や授与による誘惑に誘導されてしまう老若男女が後を絶たない。なぜならば、それらの誘惑を受けた者は心の隙間や欲望の油断を衝かれるからであろう。従って、筆者は次のように考える。すなわち、それらを受け取る見返りとして、加害者は、禁止事項である機密書類や図面などを紙もしくは電磁媒体などを用いて複写するなどして社外や他国の友人、知人、元の組織に属する上司、指示者、依頼者、上層部または指令部などに見せたり、売ったり、譲渡したりする悪行に踏み切ってしまう、と考えられ得る。そして、その加害者もしくは犯人は、善悪の弁別不能者、弁別能力の未熟者、それらの欠落者もしくは未発達者たちであるか、悪行・悪業であることを予め承知の上で、金銭的に得をするために実行したか、自己中心的である可能性が高いであろう。または、視野が極めて狭いか、気が小さいか、弱いか、悪の誘惑に極めて弱いか、正義を守るための対決する真の勇気を有していないのか、もしくは、対決の仕方が未熟であると考えられ得る。あるいは、全くの無知なのかなどのいずれかの表れであることを、逆に、その犯人自身が証明しているようなものである、と断言しても過言ではないであろう。つまり、その犯人は秘密情報の要求者と、善かつ正義を守るために対決する真正なる勇気の無さの表れといっても差支えない。場合によっては、数十万人ないし100万人程度もしくはそれ以上の従業員、部員または部隊などからなる大組織を相手に、唯一人で対決もしくは戦うことにもなりかねないからである。しかしながら、社会的または国家的正義を守るという心の大黒柱が彼にできているならば、何ら恐れる必要はない。「億千万人と云えども吾行かん」である。善及び正義のために対決もしくは戦うならば、そこには必ずや、神仏がご守護ご加護してくださるのである。もちろん、その内容によって、結果が現れるまでの時間はそれぞれの事案により大幅に相違するであろうが。

このように、正義を守るためにはあるいは正義を貫くためには断固として譲れない事態や場面が、必ずや億千万人の各々の人生の中で幾度か出現してくるはずである。現代の我が国の議員、公務員、民間人、企業人、集団、組織、個人などを問わず、このような勇気ある行動を執れる者が果たして一人として実在するのであろうか。先の大戦以前あるいは幕末以前ならばともかく。これらのことは、個人、家庭、学校、職場、社会、地域、国家でも、そして対外国でも同様である。すなわち、各個人が自身に日々ふりかかってくるあらゆる現象に対して善と悪の区別ができないために、その区別をつけることを避けるために、あるいはその判断を意図的に覆い隠してしまうがために、それを規模的に拡張・拡大した家庭、地域、社会そして国家もまた、そのより正確かつ迅速なる判断ができないのである。その結果、結論あるいは詰めが非常に遅れてしまうと共に曖昧になってしまうのである。それがために、各種の外交交渉を含め、以前よりも我が方の優位に立ち難い事例が増加してきているように考えられるのである。そして、真に自由でしかも民主主義の国家、社会もしくは家庭では、ほとんどの事例において、それぞれ、自分自身もしくは自身と同意見の群、集合体もしくは組織に反対する相手もしくは相手方の家庭、地域、社会及び国家が存在し得るし、その存在も許容され得る。だからこそ、公正で民主的な選挙制度が必要であり、ある議題に係わる賛否採決の必要性が存在するのである。この場合、当然のことながら、一方の側の意見が、公正に、例えば90％ないし100％賛成を得ることができれば何ら問題は生じない。しかしながら、多くの場合、紛糾するのが常である。従って、例えば3分の2（約66・7％）以上とか4分の3（75％）以上で可決されることが一般的に実施されてきているのである。

価値判断の上位に経済的損得を置いた弊害

ところで、我が国は、1945年7月26日付ポツダム宣言により、軍事力の保持が完全に否定された。これに伴い、経済貿易活動しか生きる道が残されていなかった。それ故、我が国は、経済のみに生きがいを見出し、あたかも「経済鉄道」という仮称を付けることができ得るような施設工事を、国民のほとんどが全力を挙げて実行してきたのである。そして、その線路上に、我が国民を一人残らず乗せた列車を、将来という名の仮想停車駅を目指して、一生懸命に突っ走ってきたとも言い得る。これにより、いわゆる、時間を横軸にとり、かつ、例えば国民総生産（GNP）を縦軸にとった場合に、国民の努力により、正の勾配もしくは右上がりの傾向を堅持しつつ、経済が順調に成長してきたのである。ところが、経済という概念には善悪という要素は明確には含まれていない。というよりも、それは、具体的には、お金の使用目的などに依存するためであろうし、国や企業がより豊かになるために製造したり販売したりするためであろう。いずれにせよ、予算やお金を活用するもしくは執行するまたは稼ぎ出す側の者にとっての着眼点の基本は、損か得かの弁別もしくは判別が主体となるであろう。それ故、我が国は先の大戦後、国家再建に関する優先順位を、先の宣言をも考慮しつつ、実質的にほとんど経済分野のみに集中し第一目標とし、それを目指して頑張ってきたのである。すなわち、同大戦後より現在に至るまでの間、ほとんど経済分野のみを優先的に注力してきたため、「善悪の弁別」よりも「損得の区別」の方が価値判断の順位として上位概念の位置を占めてきてしまったのではないだろうか。そして、それがほとんどすべての分野においても物事の判断の基準に影響もしくは波及してきてしまったと考えられ得るのである。このため、確かに経済面に関しては活性化されてきたであろう。そしてこの傾向は、我が国家、与野党を含め各省庁、全国都道府県、それらの各自治体、全産業分野、地域、社会、家庭、そしてそれらを構成する国民に至るまでほとんど変わりがない。しかしながら、それがために、国の指導者たる為政者、特に、二番手、三番手以降及び第二世代、第三世代などの為政者が、「損得の区別」よりも「善悪の弁別」の方を上位に置くことを復活させるという大局的判断及び善なる勇気を有して立つこと及びそのための方策と小中の各学校での義務教育と高校などの各段階におけるその反映した教育を怠ってきたのではなかろうかと推察され得る。従って、筆者は次のように考える。すなわち、それがために、今日の我が国の世界水準と比較した場合の精神面における僅《わず》かな低下諸現象における種々の一端が表出したきた、と。

無責任さ及びいじめの悪行とそれらの改善

最近の男女の無責任さには目に余るものがある。例えば、年少組では学校においては自分よりもできる子、できない子もしくは言動の緩い子に対して、一対一でなく、ほとんどの場合、加害者もしくはここではあえて犯人と称するが、その犯人である少年男女の方が被害者の数よりも通常多くの悪の仲間（もしくは悪の手下）を引き連れて、直接的にまたは間接的に（他人にやらせたり、電子媒体などを使用して）いじめ、嫌がらせ、直接の身体的もしくは精神的暴力を行っている事例が横行してきている。小、中、高、大学等においても同様ないじめや嫌がらせの事件が発生している。それらの犯人は社会人になってからも、当然その性向、性癖または先天的もしくは後天的な習慣は止まらないかまたはなくならない可能性が高いと言い得る。その犯人像としては次のように言い得るであろう。すなわち、その犯人である彼等や彼女等が同世代並みの通常の知識を備えていると仮定したとしても、幼少時代に家庭内もしくは学校等における小集団内での言動による暴力・虐待を自らが受けてきたこと。兄弟姉妹内での両親の強い期待に沿えなかったこと。両親もしくは親の過剰な愛情（溺愛や過剰愛）を受けてきたこと、または逆に稀薄な愛情しか受けてこなかったかあるいはそれが皆無であったこと。両親からの兄弟姉妹との比較に耐えられなかったこと。自らの知識、心身の障害による不安、育児不安、経済的不安等による本人の持って生まれた器以上の出世欲（例えば収入増に関する欲望）を求める心とそれらが満たされないことに対する焦りや憤りがあったこと。更に、年齢を重ねて、老人の域に達する人々またはその域を超えた人々の一部にも同様のことは言い得るであろう。

問題は、なぜこのような一部の人間が、嫌がられ迷惑がられる自己中心的な悪い性格になってしまったのかということである。それは、一言で言うならば、前大戦後以降、両親あるいは祖父母などの少なくともそのうちの一人が（家族の中のできれば当然父親が中心となるべきであろうが）子供たちに向かって、機会あるたびに善悪の弁別もしくはその仕方を教示してこなかったからである。あるいはその度合や能力を心に刻み込むこと、刷り込むこともしくは身に付けることの重要性を示してこなかったためとも言い得る。すなわち、真心からの慈悲心や愛情を持って、直接はっきりと根気よく絶えることなく、継続して教示するべきことを常々怠ってきたからである。子供たちは、それまでの目に入れても痛くないほどに親から可愛がられてきた乳児期に比べ、何かと興味を抱き、何かといたずらをしがちな幼児期に怒られれば、始めは驚いて泣き出したり反発したりすることであろう。なぜなら、怒られること自体が初めての体験なのだから。しかし、それでもよいのだ。例えば幼児や年少者ならば、その時は、当然のことながら、愛情あるいは慈悲の心を持って、素手で軽く手やお尻を叩いて、今、目の前の自分の子供のしたこと（行為）は悪いことだからすぐに止めなさいよと声を出し、かつ素手で手先などを優しく軽く叩くことにより注意を喚起せねばならない義務が親にはあるのだ。この場合、顔や頭や体の重要部位を叩いてはいけないのは当然のことである。どのような若い親であっても。親自身がまずそのことをはっきりと強く認識しなければならないのである。但し、この子供が青年男女や大人になったときの将来像の子供のことを考えて行なう、善なる慈悲や思いやりに基づく優しい行為と悪意の虐待とを勘違いしてはならないことは言うまでもないことである。それを、親は、例えば、電車、バス、街中、集団の中あるいは親しい親または親子同士の井戸端会議などでは、あたかも親自身の見栄を張るかのように、恰好をつけて、言葉だけの注意に終わってしまっていることが少なくないと言わざるを得ない状況下にあると言えるのではないだろうか。だから、子供たちは目の前の現象が変わると、または数十分ないし数時間経つと、先の怒られたことをすっかり忘れてしまい、何度も同様のことを繰り返してしまうのである。従って、血圧を上げてカッカと怒り、自らの寿命を確実に縮め続け、しかも老化を加速させているのは、概ね他ならぬその子供たちの母親や父親たちあるいは祖父母等ということになるのではなかろうか。日々一つひとつの出会う現象の積み重ねとそのときの親（父親、母親もしくは祖父母などを問わず）の子供たちもしくは孫たちに対する対応の過度の甘さ、曖昧さもしくは愚かさが、将来のその子供たちもしくはその孫たちの青春期における親や祖父母などに対する反抗の現象もしくは反作用となって返ってくるのである。そして彼等や彼女等が結婚して、自らが次世代の新たな親になった暁には、自分たちが両親や祖父母から学んできたこととほとんど同様な誤った子育てをしてきてしまうのである。

まして、現代は核家族化が既に進行してきてしまっており、むしろ定着化してしまっているとも言える。そのため世間の数多くの若い夫婦は、平均的には、人生の先輩である両親や祖父母と同じ屋根の下で実生活している可能性は極めて低いと考えられるため、子供たちの数多くの泣き声や病気などに直面した場合、ほとんど右往左往し狼狽してしまうのではないだろうか。確かに若い夫婦は、自らはその時代の最新の知識や情報を友人、知人、学校、社会、最新の電子機器または電子媒体（例えば、パソコン、スマートフォン、タブレット）などから迅速に入手できるであろう。また、その入手方法は、彼等の両親や祖父母よりも格段に速いであろう。それ故、逆に、その若者たちからみると、年配者たちのそのような行動速度に対して、幾分かの苛立ちを覚えやすい傾向にあると考えられる。しかしながら、現実の世の中というものは、そのような物理的な速さだけでは解決されない様々な（古典的ともアナログ的とも言い得る次元の）事柄も実在し続けるのである。一般的に、年配者というのは若者に比較して、より頑固である傾向が強い。それがために、前者は若い人たちのような新しい流行に対する平均的な対応速度または反応速度の遅い傾向がみられる。

年配者の知恵

ところが、一方、年配者たちには、若者たちには身に着けることが極めて困難と思われる、実体験から心身に沁みついたもしくは刻み込まれ刷り込まれた様々の「知恵」というものが実在し、それを保有しているのである。これが、若者たちの最新の知識と競合するかまたは時として凌駕する場合もあり得るのである。従って、筆者はこう考える。すなわち、若者たちは、年配者もしくは老人の深い知恵を安易に軽蔑したり無視したりしてはならない。家庭、地域、社会や国家に関しても同様である。このような面からも「敬老」や「長幼の序」という言葉が古より存在してきているのである。今日の我が国における毎日の生活の、職場、現場、などの仕事場や学校などでの判断基準は、善悪の判断よりも損得の方がはるかに高位置を占めており首位を占めているのが実情であろう。このことは、その個人個人の問題をより大きな集合体へと拡張し拡大した家庭、地域、社会及び国家でも充分に類推（アナロジー）させ適用させることは不可能ではないと考えられ得る。要するに、世間では利益をもたらすことは実行してもよいが、損失を招くことは決して実行してはならないという考えあるいは不文律が、基本的に優先してきてしまっているのである。ここに、大きくかつ危険な落とし穴が潜んでいるのである。そしてこの極めて重大なことについて、我が国のほとんど誰もが気付いておられない。恐らく我が国家、社会、地域、家庭そして個人も気付いておられないのではなかろうかと観られるし、そのように考えられ得る。これは、いわば国家的病気もしくは国家的症候群、言い換えれば、日本病（症候群）の一つと言い得るであろう。なぜならば、経済的観点というのは、いわば一次元的な見方である。従って、１００年、２００年、……５００年という長期的、多次元的かつ大局的な観点に立って考えるならば、その一次元的見方はかなり危険性を伴うと共に早計であり愚かな考え方の一つとも言い得るであろう。あるいは、洞察力を備えたごく一部の人々は気付いているのかもしれない。しかしながら、そのような人たちは極めて少数なので、そのような指摘や発言をするや否や、逆に村八分にされるか、陰湿ないじめやいやがらせを受けるか、もしくはその人の所属する職場や学校などの自己の所属する旧来の保守的な集団や組織などからその窓際へと居場所を移動させられたり、解雇される羽目になるかもしれない。従って、それを恐れて発言をしないし行動を起こさないでいる可能性も否定できないであろう。現実に大衆報道などでも、このことをここ数十年間、ほとんど採り上げたことがないように観える。

日本病症候群の例

なお、参考ではあるが、２０１１年７月に雑誌〔1〕で報じられ公表されたオリンパス事件において、ある欧米の有識者が別の場で次のように発言していた。すなわち、「日本は、今あまりに官僚的で旧態依然とした対応を行ない、国際社会の関心に答えていない」と。この事件は、一つの民間企業に関する事件であって、明らかに政府とは無関係な問題に観える。しかしながら、この事件も、結局は、本件に直接関与した当時の経営者等が善悪の判断ができなかったか、あるいは諸悪莫作《しょあくまくさ》（もろもろの悪い言動をしないこと）の深い意味合いを理解せずにもしくは無視し軽視して、実行し続けた可能性が高いと推測されるために発覚したのではないだろうか。確かに、当時の経営者級の方々であるならば、一般的な社会常識を有しておられるはずであろう。しかしながら、それにも拘わらず、このような経済面での事件が後を断たない。なぜなら、企業である以上、利益を求めるのはある意味で必然かもしれないからである。とはいえ、数多くの株主や社会に対して虚偽の報告をすることにより、社会を混乱させることに関しては問題があるであろう。その結果、当該分野の違法行為の深く底なしの沼地へと次第に自ら足を踏み込んでいき、仮に、途中でその違法な悪行もしくは悪業に気が付いたとしても、その沼地から結局、彼等自身が抜け出せなくなって、もがき苦しみ続けたのであろうと推察されるのである。従って、筆者は次のように考える。すなわち、この事件もある意味で、前述の日本病の一つに属すると言い得る、と。だから、国家的、社会的、地域的、家庭的緊急事態が生じた場合に、それぞれの集合体の次元に応じて、直ちに迅速かつ大局的立場に立ち、正しく善であって、勇気ある強い指示・命令や行動が出せないし執れないのである。それは当然であろう。なぜなら、我が国家の一部が、その保菌病患者たちにより構成されているのだから。

この病状を治療するためには、この菌を何とかしなければならない。その具体策としては、例えば次の方法が考えられ得る。第一としては、この事件をうやむやにしないことである。第二としては、法的罪状を例えば、2013年時点より現状に沿った内容にすること。第三としては、より具体的な奉仕的労働を加味するとか、または、国民が嫌がるものの危険のない業種における社会奉仕労働を体験してもらうことも反省手段の一つではないだろうか。それのみならず、少なくとも約1500年ないし2000年の実績を有する正しい宗教に基づく信仰の重要さを教示することも必要条件の一つと考える。また、近隣諸国やいくつかのいわゆる大国との軍事事項を含む国防交渉、領海・領土・領空、技術情報、産業または経済などの外交もしくは国際交渉においても、世界に平和をもたらしかつ同時に我が国へも国益をもたらし得るような包容力、柔軟力もしくは強《したた》かさがほとんど観えないのである。これは、いくつかの国は実行している常套手段なのだが。これでは、我が国にとって、絶対に招くことのできない最悪の事態を阻止または防止することさえ困難であろう。それ故、常に最悪の事態を予め想定して、これだけは絶対に避けねばならないという、より具体的な危機意識、危機管理意識及び最悪事態の防止策の深い洞察、検討、対策並びに交渉の模擬実験もしくは模擬訓練は、事前に絶対に何回も繰り返し実行しておかなければいけない。

神仏への感謝の念とその言動の不足

リーマン・ショック以降、日本は戦後最大ともいわれる不景気を味わった。確かに、そのショック後には多くの大企業が大幅な赤字を計上したり、中小企業の多くは倒産の憂き目に遭っている。しかしながら、この程度のことは別に何ら驚くに値しないであろう。なぜなら、先の大戦での敗戦直後や、その戦前もしくは明治以前はこのような軽い程度ではなく、心底、国家全体が経済的に大貧乏状態を呈していたからである。しかしながら、それにも拘わらず、我が全国民は、それを更に大きく上回るだけの自国の歴史と文化などに対する極めて大きな自信と気高き誇りと精神的な粘り強さを伝統的に常に持ち続けて来ていたのである。それは、老若男女のすべての国民が伝統的に心の中に強く持ち合わせていたからである。言わば、我々、老若男女の一人ひとりが、我が国及び国民の「伝統の（継続の）力」を強く備えていたからである。これに対し、現代は、例えば1910年代の明治末期から大正初期の当時と比べて、庶民の生活水準に係わる経済的豊かさまたは実生活上の便利さなどの点では天国と地獄ほどの開きがあるのではなかろうか。確かに、現代はその当時と比べて全国民の平均所得水準がとてつもないほどの大金持ちになっていると共に、暮らしやすくなってきている。筆者の推定で大略1万倍程度の富裕さを有しているように観える。しかしながら、我々の多くは、このことに対する神仏への誠実なる感謝の心が殆どないし極めて少ない。または否定しているしほとんど見受けられない。しかも、我が国民全体が平均的相対的に富裕になってきたにも拘わらず、精神的に堂々としておらず、心にゆとりがなく落ち着きが乏しい。この落ち着き度合というのは、必ずしも、例えば大陸に居住していることなどとは、本質的もしくは基本的に無関係であろう。なぜなら、それは、国、全国都道府県及びそれらの各自治体、社会、地域、家庭、個人のいずれもが、本当に真に長中短期の各々に関し、人間社会において日々の生活を送る上での、必要かつ文化的な通常の平均的エネルギーを確保するには今何をすべきか、という対策とその実行が求められていることに関連してくるからである。

天皇制の意義

我が国は先の大戦後、新憲法に基づき、天皇陛下を日本国民統合の象徴としてきている。戦前と比較して今日では陛下の報道を見聞する割合は、特集番組、特集記事またはニュースを通じて比較的増えてきたかもしれない。陛下のご希望により、我々国民との距離をより短縮されたいとのお気持ちからであろうと思われる。しかしながら、その重要度は、我々国民の目に見えない精神面において、特に大きいものがあると考えられる。というのは、今日までのところ、政界その他の分野では、減少してきているとはいえ、相変わらず派閥が存在してきているからである。また、我が国のように人口あたりの政党数が多いのも先進国の中では異常の部類に属するのではないであろうか。従って、筆者はこう考えるのである。すなわち、これは、裏を返せば、我が国民は「心」もしくは「精神」が強靭でなく、あたかも背骨のないイカやタコのような軟体動物またはコンニャクのような物に相当すると言い得るし、その可能性はあながち否定し難いと言い得る。我が国に、もし真正なる自由かつ民主主義が確立されているならば、本来、各政党内部での本質的な相違に基づく派閥闘争などは存在し得ないはずであるかまたは限りなくゼロに近いはずであろう。それにも拘わらず、その闘争が実在してきている。また与野党間の対立も相変わらず激しい。なお、例えば、2012年8月に、当時与党（民主党）の野田首相に対する問責決議案が可決される直前の野党の裏側の挙動をみても、それ以前の公の言動不一致の実状が事実として観られた。もしも仮に天皇制をなくすような一部の過激勢力が発生したならば、我が国は政治的、国防的、防災的及び治安的に混乱を来してしまい、その結果、大統領制または主席制を選択しなければならなくなってしまうであろう。それ故、天皇制は、我が国にとって、そのような極めて不安定な状態または全体主義になるのを正常に抑止し防止し続けていると共に、全国民に対し、民主的に大きな希望と勇気とを与え続けている、という大いなる精神的な軌道修正機能を有する存在であるとも考えられ得るのである。天皇皇后両陛下、そのご皇族及びご親族などの方々は、法律上のみならず実質的に、まさに我々全国民の象徴であると言えるであろう。これらのことは、いずれも億千万人の目に映るような物質的または商品的なこととは全く次元の異なる精神的な世界の話であるが、極めて重要なことの一つである。だから尊いことなのである。それ故、より上位に位置付けられなければならないのである。

先ほどの話に戻ろう。それに約3000年間もの永きにわたって続いてきた天皇制には、我々全国民の血肉の中に尊崇の念が代々にわたって受け継がれてきているのである。これは、まぎれもない歴史的に重大な事実である。現在も、近い将来も、更に遠い将来にわたっても同様であるのは至極当然のことである。天皇制は、我が全国民の建国以来約3000年及び未来永劫にわたる共有及び共通の財産（特に、精神的及び心象的財産）とも言うことができるのである。我が全国民にとって、この大いなる幸福をもたらす精神的共有かつ共通財産は、他の国々から、仮に何と言われようとも、何と批判されようとも、妥協するわけにはいかない誇り高きかつ偉大なる財産の一つであり、かつ決して消滅させることのできない制度の一つである。このことは、全国民の老若男女の諸兄諸氏は、子孫に語り継いで頂きたいし、恒久的に維持し続けていって頂きたい。そして、それぞれ一人ひとりの心の奥にしっかりと刻み込み刷り込んで頂き、必要に応じて、いつでもどこでも、そのことを取り出せるように、引き出せるようにしておいて頂きたい。それ故、本来ならば、全国の各家庭及び文部科学省が率先して、全国都道府県における各自治体の全教師が改めてそれらに係わる教育を受けて頂きたいものである。しかる後に、それらの全教師により、幼稚園児もしくは保育園児、小・中・高校生等の生徒または学生に対し、例えば歴代の天皇陛下の名前を諳《そらん》ずることができるようにして頂きたいものである。すなわち、「第1代・神武《じんむ》、第2代・綏靖《すいぜい》、第3代・安寧《あんねい》、第4代・懿徳《いとく》、第5代・孝昭《こうしょう》、第6代・孝安《こうあん》、第7代・孝霊《こうれい》、……」（各天皇）（例えば[2]）というように。現に、欧米のみならず、数多くの自由と民主主義の国々では、小学生に対して自国の歴代の国王、女王もしくは大統領の名前を暗記させているほどである。それが良識ある自由かつ民主的国家ならば、当たり前のことなのである。

　それにも拘わらず、同省及び関連省庁はそのような当たり前の実践を戦後、特に、GHQによる直接統制の解除後、全く怠ってきているように国民からは観えるのではないだろうか。確かに、連合軍による統制下では、それに従わねばならなかったであろう。しかしながら、その時から現代までは既に充分な年数が経過しているのである。それにも拘わらず、何ら改善されてきていない。というのは、これは、当局が意図的にこの課題を避けてきているかもしくはそれから逃げ続けてきているからであろう。従って、筆者は次のように考える。すなわち、これは、かなり我々の自由の歴史及び国民に対して、ある意味で罪深く、または抑圧的なことの一つであろう、と。つまり、換言するならば、そして、極論するならば、当局が国家機関であるにも拘わらず、我等が愛すべき全国民の将来を担う希望にあふれた少年少女や青年男女に対して、根本的必須教育の一つを怠ってきた可能性も否定できないと言い得るからである。それほどの重大な欠陥もしくは欠落事項の一つとも言い得るのである。また、この現象は、別の見方をするならば、この種の基本的かつ根本的基礎教育の一分野を消滅もしくは消失させようという陰の複数の強い力かもしくはある強い外力及び内力の存在が見え隠れするどころか、かえって浮き彫りにされて観えてくるのである。この陰の外力及び内力となった原因の一つが、1960年（昭和35年）の安保闘争ではなかろうかと推察され得る。

我等の永い歴史を捨て去ってきた大罪に対する猛省の必要性

我等が愛する全国民の連続した自らの貴重で重大なる約３００年の歴史を、特に戦後は、あたかも、ちぎっては捨て、ちぎっては捨てて、今日に至ってきているように観えてならないのである。これほどの怠慢行為及び我等の愛する母国の歴史と文化財産を踏みにじり粉砕する行為の一つがあるであろうか。確かに、我等の永く尊い歴史をちぎり捨て去れば、一見、たった一回の先の大戦における敗北に係わる様々な負現象を忘却の彼方へ押しやることはできるであろう。しかしながら、それは、譬《たと》えるならば、一時的にその記憶をタンスに収納しておくだけの行為に他ならないのではないだろうか。なぜなら、それと類似の現象が再び目の前に現れたり出遭えば、忽ちにして思い出すことになり得るからである。そして、もし他国にそのような実例が存在するならば、その国はもはや独立国としての尊厳も誇りも存在し得ないであろう。しかも、これらの事項を、我々国民の少なくとも過半数が善意を持って強く更に強力に当局に対して指摘しかつその改善を要求しなければ、今後も将来もずっと、我等自らの国家の歴史を日々の生活に何ら活用せずに、応用せずに、捨て続けていくというような重大な過ちを犯す可能性が大きいと言い得るからである。それ故、筆者は次のように考える。すなわち、我々はその危険性及び危機感を抱かざるを得ない、と。そして、その結果、関連当局によるこの回避もしくは危険行為が、全国の少年少女及び青年男女の我が国の生きた歴史と文化を十二分に教えてもらえないことによる、その歴史と文化離れ、それらの軽視並びに政府及び関連各省庁、ほとんどすべての大衆報道及びそれらの機関に対する不信感及び期待感の無さに基づく諦めに近い感情を助長している要因の一つになっていると言えないことはないであろう。そして、これらのことが、我が全国民の、今後及び将来の大きな担い手となり、希望の光となり、かつ活力の源となる彼等彼女等の心のまたは精神的大黒柱または背骨の成長の一部分を著しくもしくはかなり阻害し抑止してきているとも言い得る、と。

一方、前述の事柄を含めたいくつかの内容が再び教えられるならば、彼等彼女等生徒または学生諸氏は、それぞれの天皇と古代から現代までにわたる（及び将来も絶えることなく継続する）各時代背景を連想し想起させながら、我が国の歴史と文化の重みとその中から様々な知恵と知識とを、そして我が国民としての誇りと自信とを養いかつ培っていくことができると言えるのである。更に、それらの教育に基づいて培われた精神や智慧を育成し醸成し応用して、各個人、地域、社会及び国家が成長していくことができるのである。そうなってこそ、その次に位置づけられるところの、世界への善なる貢献をしていくことができる余裕が生まれてくるのである。そしてまた、外国へ出張した際や、外国の高校または大学などに文化、芸術、体育もしくは各種学問分野を通じて、留学するなどの機会もまた、近年ないし将来にわたりますます増え続けてきている。しかしながら、そのような潮流に反して、その当事者たる青年男女はその出張先や留学先の国々で知り得た、取引先の人々、留学先の教師、友人、知人、ホームステイ先のご家族などから、例えば、「あなたの国の代表的な歴代の天皇陛下は誰ですか。その方の名前は何というんですか」とか、「歴代の天皇の中で、貴方個人が好きな方または尊敬する方は誰と誰ですか。その理由は何ですか」などというかいくつかの質問を矢継ぎ早に浴びせられる場面にしばしば出会うことは充分にあり得るであろう。そのような場面で、外国の青年たちは即座に、自国の王、女王もしくは大統領の名を挙げることができるであろう。それに引きかえ、我が国の青年男女の場合は、ほとんどが即座に応えることができずに大恥をかくと共に顰蹙《ひんしゅく》をかってしまうのではないだろうかと容易に予想されるのである。つまり、このような場合に、我が国のほとんど推定で約90％以上の青年男女は、即座に応えることができずに赤面してしまうことであろう。あるいは口ごもり戸惑ってしまうということがしばしば風に乗って聞こえてくるのである。このような状況に対し、例えば欧州の王国各国の青年男女は自国のそれらに対して即座に応えられることができるという。この後者の状況こそが世界的には常識水準（レベル）なのである。ところが、我が国の青年男女の平均水準は極めて心もとないと言わざるを得ないのではないだろうか。

この違いは一体何なのだろうか。どこに原因があるのだろうか。それは、各家庭での両親もしくは祖父母のいずれかによる各家庭教育または伝承及び少なくとも義務教育並びに高校までの段階における全国都道府県の各教育委員会や全国の小中高の各学校による教育と伝承が戦後に途絶えてしまったことにあると考えられ得る。したがって、これらを早急にもしくは迅速に回復し、正常な状態に戻さなければならないのである。それ故、文部科学省、全国都道府県、それらの各自治体及びそれらの各教育委員会などの責任はこれから将来にわたって極めて重大である。なぜなら、我が国のこれからの将来を担っていく青年男女の心意気は、各家庭での心の教育努力はもちろんのこと、それらの各教育委員会と共に、それらに属する関連の担当者、全教員及び全教師による情熱をもったそれらの教育再生の努力と実行力の如何に懸《か》かってくるからである。

自国の歴代の天皇（陛下）の名前ですら、空でスラスラどころか、ほとんど応えることができない少年少女や青年男女のみならず、彼等彼女等の両親及び祖父母でさえも多いというのは、極めてお恥ずかしいしお粗末な事態で、そのようなお国柄と言い得る。問題は、なぜこのような不甲斐ないまたは情けない状態に陥ってしまったのかということである。それは、一言で言うならば、そのような教育が実施されてこなかったからである。あるいはその類の系統的な教育を当局が抑止もしくは抑制し抑圧してきたからであろう。その当局である旧文部省及び文部科学省は、恐らくこのような主旨の反論をされるであろう。そのようなことは我が省の担当ではなく、それぞれの家庭で個々に教えられるべきものであると。

しかしながら、その考えは一部間違っておられるのではないだろうか。なぜならば、一つには、このような基礎教育は、遅くとも小学校一年生から開始されるべきであるし、最小限でも義務教育の期間は継続的に声を上げて教えられるべきであろう。というのは、少年少女の同世代の集団の中で大声を上げて読誦すること自体が極めて重要だからである。二つには、このような基礎教育は、現代における各家庭のような少人数の環境下では長続きしないからである。まして現代は、戦前と大きく異なり、平均的には核家族化がほぼ定着化してしまい、一組の若い夫婦家族と一緒にその両親や祖父母が同居している三世代や二世代の家族というのは全国でも極めて稀な部類に属し得るからである。これでは、子育てや子供の日常の面倒を見ることで心身ともに手が一杯な夫婦では、そのような教育を子供たちにしてあげられる精神的かつ時間的な余裕などほとんど無きに等しいからである。三つには、始めは分からない子供同士であっても、同世代の例えば同じ学級の生徒同士ならば、何ら恥ずかしいことではないからである。そして、子供は我が国のみならず、世界の宝である。その子供たちに自分たちの住んでいる国の象徴である歴代の天皇の名前を教えること自体は果して悪いことであろうか。否、それ自体、何ら悪でも悪行でもないはずである。悪でないならば、善である。

ならば、国や同省に要望したい。国や同省は我が全国の子供たちにその教育を含めて、自国の象徴と歴史や文化や芸術などに大いなる誇りがもてるような正しく善なる方向へと導いてあげる重大なる責務の一つを担っておられるのではないだろうか。確かに日々業務で手一杯であろうことは容易に想像できるところであろう。しかしながら、もしそれを担っておられるならば、担当部局の諸兄諸氏におかれては、そのための再教育や再自覚を促された方が良いのではなかろうかと考える次第である。我が国は、もう少しそのような、より正しくかつ善なる指導の軌道へと導く確固たる強い決意と実行力とを国民に示して頂きたいと希望するものである。ところで、前述した如く、我が国の歴代天皇の名前を暗誦し暗記し学び覚えること自体は善であるから、即、実行してもよいのではなかろうか。それでもなお、悪と言われるならば、その正当な理由を述べて頂きたいのである。仮に暗誦することが即、軍国主義につながるという極めて一部の過激思想系の諸兄諸氏がおられるならば、それは余りにも短絡的であり、幼児性を有しており、早合点であり、視野が狭いと言わざるを得ない。そして、それは更に、彼等彼女等の自らの出身国の歴史及び文化などを根底から否定するという、これから将来の時代を担っていく子孫に対する罪深さ及び全国都道府県に居住しておられる全国民の約3000年間及びそれ以前から脈々と継続してきている我が全国民の各先祖を冒瀆する行為またはそれに相当する行為の一つとも言い得るのである。したがって、覚えること自体は何ら悪ではないのであるから、それは勧めても善いはずである。善いならば、直ちに国会での承認を得た後、実施すべきである。たとえ万が一、外部から何かを言われようが、それは全くの内政干渉の一つであるから、その旨だけを返答し、他の一切は応える必要はなく、無視すればよいことであろう。

密かに進行し続ける我が国の共産化の危機

また、国民からは、例えば、2009年途中より2012年12月途中までの民主党政権も、それ以前までの自民党・公明党政権も、いずれもがそれら以前の自民党（単独）であって、より政治的に準安定していたと言い得る時代とはかなり変質してきているようにみえる。すなわち、その変質度合の原因は何かと考えると、それは以前の自民党単独政権時代から自民党及び公明党の連立政権時代へと移行し、更にその連立政権が民主党、社民党及び国民新党との選挙戦に敗北した結果、いわゆる民主党系の政権時代に入っていったことによるためであろう。ただし、2012年6月に消費税増税法案が可決成立し、かつ、民主党内が小沢派と反小沢派とに分裂する可能性が高まった。したがって、民主党系の政権時代に入ったというのは時期尚早であろう。その後、2012年に、同党から小沢派が離党し、新しい生活の党を結成している。なお、民主党は2016年3月に解散し、三党に分裂した。更に、その内の、例えば民進党は2018年5月に解散し、次の三党に分裂している。すなわち、「国民民主党」、「希望の党」及び「立憲民主党」に。何と目まぐるしいことであろうか。これでは、一般国民としては、彼等がいくらご立派な発言をしたとしても、彼等に安心して政権を任せるという気持ちを湧出させるのはかなり困難なのではあるまいか。ちなみに、前述の期間を含めた約40年間を振り返ると、それぞれの時代の政権与党が、特に東京五輪が開催された1964年頃から、あるいは中国の第2次共産革命（本書での仮称。1966~1976年。いわゆる彼等の言う文革）以降から、日中国交回復の下に、次第に、我が国の中国化、すなわち中国式共産主義化に染められてきているように観える。すなわち、一部の国会議員をはじめ、全国都道府県及びそれらの各自治体の議員、企業、財団・社団法人、各産業の労働組合または協同組合関係者、教育関係者などのほとんどあらゆる分野における各々一部の人々が、あまりにも精神的、経済的、食料的及びその他の面で、彼等中国の真の目的及び深淵なる大陰謀もしくは大軍拡戦略の策謀をほとんど把握できていないにも拘わらず、極めて表面的皮相的でかつ盲目的な友好感覚（ムード）のみに流されつつ、共産主義化に染められ洗脳されてきてしまっているように考えられるし、そのように強く感じてならない。

しかも、それらの懸念事項が現実に社会現象として具体化しまたは染まりつつあるという、極めて危険な状態に落ち込んできているのである。更に、親中国系訪問団が訪中した際に、ほとんどと言ってよいほど、自動的に次の見学コースを見せられることであろう。それは旧日本軍によるかつての現地での（彼等の主張する）戦闘行為（但し、年を追うごとに、真実から次第に離れて、より大きく誇張されてきている傾向が強く観られる）を極めて誇張して展示した記念館である。そして、その記念館にて、訪問団は第一の決定的な精神的カウンターパンチを受けて、一回目の精神的ノックダウンを受けることになるのである。それが、我が国からの訪中団に対する彼等の主目的もしくは洗脳戦術の一つなのである。この強烈な衝撃を、日本からの訪中団に与えておくことで、彼等の陰謀目的または戦略戦術の一つは易々と達成されてしまうのである。なぜなら、この第一のパンチによって、訪中団一行の帰国後、彼等中国の様々な蛮行や悪行に対し、我が国からの強い反対、反発、非難もしくは鋭い反論などの声明もしくは主張などの一切合切を拒否できる状態にしてしまっているからである。いわば、あたかも彼等による精神的かつ衝撃的な麻薬注射をされてしまったためとも言い得るのである。それはまた、このような状態にされた我が国の保菌病患者たちの帰国とも言えないことはないのであろう。その結果、そのように洗脳されてしまった諸兄諸氏らは、彼等中国による最近のあらゆる種類の悪行、蛮行もしくは愚行の繰り返しに対し、世界に向けて何らの強く鋭い真の正義に基づく反対、反論、反駁及びその声明、明確なる正義の対決姿勢及びそのための善かつ勇気ある対決姿勢を打ち出せないような骨抜き状態にされてしまったと考えられるのである。それればかりか、中国などに対する科学的及びその他の充分なる証拠を具備している場合でさえも、批判や反論が絶対的に必要不可欠な瞬間や時点に、その当事者たちは物陰に隠れてしまい、あるいはその時点以前まで所属していた政党から離党や脱党などして、その煙たい案件や事案から遠く逃げ去ってしまってきているのである。

このような腰砕けかつ背骨の無きに等しい一部の議員、役人、企業人などがあまりにも多過ぎる。そして、我が国がそれらの加害者である当事国を糾弾する命題、課題に関して議論し始める段階になると、たちまちその問題に係わる議員らは、それらの楯の後ろやその物陰に自身の身を隠してしまうのである。その上で、それらの極めて厳しい外交もしくは安全保障または国防上の問題とほとんど無関係な分野へ脱兎の如く逃亡してしまうのである。つまり、より低次元かつより安定で、しかも自身に災いの及び難い、換言するならば、いわば、自らにとって痛くも痒くもないような分野にである。そうすることにより、当事者にとって、より安心安全な、例えば、経済、増減税、金融、もしくは社会保障などの当たらず障らずの次元の問題や課題で、与野党や他党を批判して、再び息を吹き返すし、自身の議員としての資格に必死にしがみつき、かろうじて、その延命をはかるのである。そのような状況や政争運動の状態を何度も何度も繰り返し続けて行くならば、その集団や党派は次第にかつ急速に、しかも、限りなく活力が減退し衰退し、弱体化し劣化し老体化し老朽化するのではないだろうか。確かに、そのようにすれば、単なる皮相的な目の前の事務的業務は無難にこなし得るであろう。しかしながら、本質的もしくは根本的問題の解決は永久に得られず、しかも、その力が培われることはないであろう。なぜなら、その問題の核心から逃避もしくは逃亡するため、または、それによる準反作用的なものが生じるからである。従って、筆者はこのように考える。すなわち、その集団や党派は若々しく活力に満ち溢《あふ》れると共に、立派な壮年、婦人や実年などとしての落ち着きを有しつつ、充分なる善悪の弁別が可能であり、超横綱級の堂々とした国際的な言動と勇気を持って大目的を遂行し達成させることはほとんど不可能になるであろうと。つまり、議員としての俸給だけはしっかり頂戴しておきながら、国家として一番重要かつ重大なる善悪の弁別の態度が、世界中から注視されている最中に、雲隠れしてしまうのである。このようなことを繰り返しているから、世界のいくつかの国々から我が国家並びに国防面や防災面での信用度、及び政府または与野党の正義を守るための姿勢と決意の一部の姿勢に対し、疑問を生ぜしめてしまうか、またはそのような気持ちを抱かせてしまいがちになると考えられ得るのである。この悪状況は、我が国家として極めて重大問題の一つである。これは、いわば、日本病の中の成人病の一つと言い得る。従って、これを真剣に「治癒」しなければならない。だからこそ、我々全国民が善なる一致協力をし合って、この深い病《やまい》の治療を早期にかつ迅速に開始せねばならないのである。

話が少しそれてしまったので、元に戻そう。従って、その第一のパンチによるノックダウンを受けた後に、いくつかの見学コースを見せられたことの衝撃度が大き過ぎて、その後に見学した内容などは、後日になったら、ほとんど記憶から雲散霧消してしまい、記憶に残っていないことであろう。それが、彼等同党、同政府、同軍などの主目的なのである。しかも、その内容は、彼等が周到な大陰謀、軍事戦略及び戦術も含め、それらの下で十二分の時間を掛けて創り上げてきた、極めて誇張された悪徳内容であると言い得るのである。従って、これらの事柄の部分的誇張内容については、我々は惑わされることがあってはならない。もちろん、相互に確定されている真実については認めねばならないであろう。従って、我が国民の一人ひとりが、自分の頭の中で思いや考えを巡らせて、今後とも、じっくりと彼等の真実の姿、言動もしくは言行をも注意深く監視し続けねばならない。ところが、多くの人々は、その肝心なことやそれらを考えることなどの習慣もしくはその対策行為などを避けているように観えて仕方がないのである。だからといって、決して、ここで諦めてはいけない。諦めないで粘り強く警戒心を抱きかつ厳しい警戒体制を敷いた上で、注意深く監視し、かつそれらの対処法を実行し続ける習慣もしくは行為を是非ともつけようではないか。なぜならこのまま、この安易な流れに対して歯止めを掛けないままでいると、あるいは、急停止（ブレーキ）を掛けて、方向修正のための再検討をし直さないと、我が国、防衛省職員、官僚、全国都道府県及びそれらの各自治体における議員、財団・社団法人、企業人、教員、労働者などのあらゆる分野の職業人各位が、しだいに共産・社会主義化していくのが必至だからである。その結果、我が国が共産系もしくは社会系主義化に向かってしまう可能性及びその危険性が極めて大きいと考えられ得るからである。

この極めて危険な傾向の潮流原因は、前述した我が国民の過半数が、「心の」または「精神の」強靭性もしくは柔軟性などを持たずに、しかも背骨のないイカやタコのような軟体動物あるいはコンニャクのような物に相当する心持ちに既になってしまっている可能性が高いことを意味していると考えられ得る。すなわち、我が国の舵《かじ》取りを行なうべき重責を担っておられる国会議員諸兄諸氏が、公正にみて正しく善であってかつ長期的な国家目標、理念及び具体的な国家の方針並びにそれを実行するための、例えばロードマップなどを予めお持ちなのか否かが不安なのである。更に、それのみならず、それに沿って各目標を達成させるべく、実行する力が本当に伴っているのかが極めて気掛かりな場合がしばしば観られるのである。しかも、これらの傾向を放置しておくまたは避けてしまうことは、我が全国民の文化と歴史と技術などのそれぞれ約３００年の時間を掛けて培い累積されてきたものを、いとも簡単に捨て去ってしまうということに相当し得るのである。

このような行為は果して善行と言えるのだろうか。否、決して言えないであろう。確かに、行動を何ら起さなければ、関連当局は安楽に日々を過ごすことができるであろう。例えば、日光東照宮における三匹の猿の如く。「見猿、聞か猿、言わ猿」に固執するならば、……。しかしながら、場合によっては、人々に対し、消極的にならざるを得ないこともあり得る。だが、我々は「必要かつここぞ」という時には、「世の為、人の為に自ら進んで善なる大事をする」ことも忘れてはならない。なぜなら、このような不徳かつ不善なる行為は、たとえて言うならば、国家として怠慢であると共に、次のようにも考えられ得るからである。つまり、金銭や宝石類とは交換不可能なほどの、極めて貴重なる国家的財産ともいうべきエネルギーまたはその仮想塊もしくは仮想粒子を、あたかもシュレッダーによってズタズタに分割、裁断してしまい、それらの切りくずまたは残渣《ざんさ》をゴミ箱の中へ無慈悲にも廃棄してしまうことと同等だからである、と。あるいは、我が国民の世界的次元から公正にみても、善良なる面をも消滅させ、根絶させることにも相当するると言い得るからであろう。もちろん、終戦直後の当時、当局の担当の方々は、連合軍総司令官マッカーサーの命令あるいは指示が絶対であったため、それを拒否することなど現実的に全く不可能であったであろう。しかしながら、あれから幾年を経た現代においては、誠実かつ真剣に再検討し、見直し、それらを実行に移すべき絶好の時期が到来したと考える。この時期を逸してはいけない。そして、過去において、巷の大衆報道などで、「戦後は既に終わった」という主旨の文言や会話がしばしば言われたり流れたりした。また、その頃に、日米安保条約の相手方である米国から、いくつかの打診があったにも拘わらず、当時の我が政府は、それらの中のいくつかの事案を拒否してきたという経緯があったのである。つまり、我が国として、折角の自由と自立の機会をみすみす逃してしまったという失態があったのである。

国家教育省（仮称）創設の提唱

そこで、筆者は、この機会に是非とも、我が国政府に対し次のことを提唱もしくは提案させて頂きたい。すなわち、現在の文部科学省とは別に独立した国家的教育を専門的に行なう、例えば「国家教育省」（仮称）を創設し、今後及び長期将来（少なくとも２００年、５００年またはそれ以上）にわたって継続的に絶えることなく、世界の平和境（仮称）建設を大前提とし、かつ我が国及び全国民のために積極的に教育活動することを目的としたい。ここで、この国家教育省とは何か、その概要を説明したい。これは、指導する側も指導を受ける側も、例えば、国会議員及び通常の民間人を含む全国民を対象とする。当初の最大人数は約１００名ないし２００名とする。そして我が国民が今後10年、20年、50年、１００年、５００年というような今後の永きにわたり、善なる日本人魂、国際性、国際感覚及び日本語を決して消滅・死滅させないための教育方法を構築することが大目的である。しかも、真に少なくとも我が全国内に通用する指導者たる成人を養成・教育するための専門的国家機関としたい。その具体的必要条件の一例としては次のとおりである。すなわち、

一、約30歳以上の心身共に健康で正常な成人を対象とすること。但し、通常の会話や対話が可能ならば、障がい者も可能。

二、当人を含めて、少なくとも過去四世代ないし五世代にわたって、我が国の国籍を有する者であること（外国で働きまたは学んでいる邦人も同様）。

三、我が国家、国民のための各分野における自由と民主主義に基づく指導者養成機関であること。

四、これらの指導者は、互いに独立した個人でありかつ平等が要求されること。従って、彼等彼女等は互いに派閥を

つくることは禁止される（もちろん、友人関係は自由）。

五、善悪の判別力、判断力及び悪と（少なくとも精神的に）対決できる勇気を持ち続けることができること。

六、賄賂、買収または脱税等の悪行を拒否すること。

七、悪行をせずに、善行を守り推進するための強い意志と頑固さとを有していること。

八、広い視野と我が国の歴史・文化の少なくとも基本的概要水準は理解し保持していること。

九、国際性を有していること（必ずしも外国語の会話力は要求されないが、我が国以外の自由主義国家圏に属する少なくとも2か国の歴史及び文化に興味を有していること）。

十、それまでに蓄積された過去の肩書、実績、専門分野などは、参考とされはするが　評価規準には含まれないこととする。そして、それらの有無により、他の同僚たちと何ら差別されることはないこととする。

十一、第一次目標は世界の平和境建設を目指すこと、第二目標は我が国の法律を遵守すること、これらは宣誓書と共に口頭にて誓って頂く。

などである。

従って、一日でも一か月でも早く元の善なる正常状態に戻すようにすべきではないだろうか。最初に全国の各家庭から始めようではないか。男女を問わず少年少女の時期より、正しく、両親を尊敬し、家庭、地域、社会、全国都道府県及びそれらの各自治体、そして我が国家の歴史と文化などを愛し尊敬する（但し、過ちは将来への教訓として活かす）ようにしようではないか。そのためには、精神的基礎教育について、大いに情熱と力と予算とが注ぎ込まれねばならないであろう。その意味では、現在までの文部科学省（旧文部省）及び日教組などによる先の大戦後の方針、実施、政策及びその内容に対しても、真のより自由と民主主義的な方向へと転換を目指して頂きたい。そのような意味において、我々自身の両親を尊敬し、我が国家及び歴史と文化を愛し尊敬するための精神的もしくは心の教育に注力または同教育の時間を増やすような方向転換へと実行しかつ推進して頂きたいものである。そして、これらの実行を通じて、我が国の約３０００年にわたる永い歴史と文化と技芸などに対し、深い尊敬及び歴史の重みと自戒の念とを重視する教育をし、それらを是非とも我が国家、全国都道府県、それらの各自治体及び各家庭に復活させ反映させて頂きたいと考えるのである。一方、我が国の歴史と文化に基づいた、新しい国造りに関しては、まだまだ全国民の一人ひとりの次のような心構え自体が不充分ではないだろうか。そのように観えるし、考えられて仕方がないのである。すなわち、善い所はしっかりと維持し温存し活用し、誤った所は決して忘れず、しかも教訓として活かしつつ、再び新しい国造りを開始していくというような。あるいは、例えば、向こう50年ないし100年もしくは500年程度の大志並びに大局的かつ長期的展望に立った気概と勇気と挑戦する心及びそれらの実行力などが。確かに、別の形態として、例えば、世界向け及び国内向けの各種遺産の保護には注力し始めてきているのではないだろうか。しかしながら、眼には見えない精神に係わる「心の遺産」に対する注力またはエネルギーはほとんどゼロに等しいと言い得る。なぜならば、政府、文部科学省などの関連省庁、与野党、大衆報道（テレビ、ラジオ、新聞、インターネットなど）のあらゆる分野の過半数が、後者に関しては強い制動（ブレーキ）を掛けてきたため、と言い得るであろう。

従って、筆者は次のように考える。すなわち、我が政府及び関連省庁、全国都道府県、それらの各自治体及び各家庭は、何としてでも、その向上心、精神的な潜在意欲を少年少女及び青年男女以上の全国民が着実に一歩一歩押し上げていけるような、あたかも心に関する正しく善なる方向の軌道へと着実に導いてあげる必要性及びその責務があると考えるのである。この現実の世界または世の中では、我々人間が通常の生活をする上で理想とするすべての条件を完璧に備えたもしくは満足する環境や地域などは、まずあり得ないはずである。あるいは、あり得ないと心得ていても矛盾しないであろう。ただ、そのような理想に近い環境や地域社会を目指して、我々は、日夜努力を続けているのである。このことは当然、悪行でなく善行である。

だから、その理想または理想的な平和境の建設を皆様と共に目指すという大いなる希望と努力は失ってはいけない。

第三章　我が国のエネルギーの安定確保

資源エネルギーの大競争時代に突入

我が国は一般的には資源のほとんどない国という定評がある。しかしながら、本当に十二分に深く調べ尽くしているのであろうか。しかも、広範囲に慎重に粘り強く科学的に、例えば電磁気的などの手段による調査をし続けているのであろうか。我が国はどのように対応すべきか。もっとも、例えば、2012年に日米合同海洋調査隊が南太平洋の海底からメタン・ハイドレートというエネルギー源の一つとなり得る存在領域を発見したもようである〔1〕。ただし、2012年後半頃の時点では、無臭化などの精製技術は途中段階であり、商品化については更にまだ多くの改良の余地や段階もしくは工程が残されているようである。なお、メタンハイドレートに関しては、2017年12月の報道によると、次の問題点を有しているようである。例えば、米国カリフォルニア州では、当時、ビルなどの建設ラッシュに沸いており、経済が活気を帯びていた。ところが、それにも拘わらず建設用の「砂」が不足しているという。なぜかというと、本件と併行して、あらゆる目的のエネルギー源となり得るメタンハイドレートの掘削により、海底の空洞周辺における亀裂に次々と砂が入り込んでいく等の現象により、砂の採掘が困難になってきているからである。その結果、そのコストが急上昇してきたからである。確かに、同国は広大な砂漠を保有している。しかし、この砂は細か過ぎて、建設用のコンクリート材には不向きであるという。その為、やむを得ず、米国は隣国カナダより「砂」を輸入してきているのである。結果、「砂の価格」が従来よりも約30％値上りしている。この社会現象の波は、我が国にとって他人事ではないであろう。なぜなら、近いうちに同様の現象が我が国でも発生してくると充分に予測されるからである。重要な点は、水や空気と同様に、我々日本人は古来より一般的にタダと思い込んでいた「砂」（及びその他の同類物）が、換金可能な経済力もしくはエネルギーを秘めていたことが現実の姿として教示されたことにある。従って、我が国にとっても、諸外国より「砂類」を輸入する場合は、このような関連諸国の建設もしくは軍拡等に伴うコンクリート類の需要動向に注視しておく必要があることを意味し示唆しているのである。但し、予め我が国が国内向けの防災及び防衛用の分を保持しておくことは当然であろう。

その一方で、中国は一般漁船または調査船（それらの船体は鋼鉄製。つまり、万が一、彼等側からみた敵が、領海侵犯といって機銃掃射や上空から空襲をしてきても、彼等の船体もしくは船舶が簡単に沈没しないように、しかも予め彼等にとって、ほとんど何らの損失も被らないような十二分に使い古した中古船を使用してきていると考えられ得る）などに見せかけ、かつ現役及びまたは退役軍人や暴力団員などによって一般漁民に見せかけた服装で偽装（カムフラージュ）して、軍艦や、戦艦の隊列を組んで、自国の調査船を囲むようにして防護し、周囲からは見えないようにしながら、夜間、明け方、昼間を問わず、調査、掘削準備または掘削自体を実行してきているのであろう。もちろん、それ以外の国々もその可能性が常に存するため、より厳しい警戒体制の継続が必要不可欠である。しかし、その一方で、現実問題として、我が国の側の監視及び警備する実行隊員の数があまりに少なすぎるという問題は、併行して、早急に解決されるべきである。既に彼等は例えば日中中間線で中国側にある平湖石油ガス田は本格的開発から10年以上（つまり1995年以前）前から実行してきているのである[2]。但し、海底では、当該ガス田が我が国の領海・領土と繋がっている可能性も高いのではあるまいか。だから問題なのであろう。我が国の政府及び関連省庁はこのまま、彼等の為すままに見過ごすのであろうか。もっとも、その海域で、彼等がガス田などを試掘していた時期は遅くとも前述の1995年以前程度であったのだから、1969年以来2005年の帝国石油の歴代10人の社長が試掘権を申請してきたにも拘わらず、当時の政府、外務省、特に資源エネルギー庁がそれらの申請をことごとく拒否しつづけてきた[3]ということは、我が国家的次元からみた場合、歴史的にも失態と指摘されても仕方がないのではあるまいか。

燈台下暗し

すなわち、これらの問題が現代に至るまで延々と係争の火種となってきているその大本は、その当時の前述の各担当部門が何らかの善なる先手先手を打って、我が国の方に優先権をもたらしておくべきであった点にあるのではないだろうか。返す返すも残念至極である。確かに、我が国は、資源に関しては、昔から、特に、明治時代頃からは外国より輸入することばかりを考えかつ実施してきている。しかしながら、当時の政府及び官僚各位の真の我が国を想う洞察力、決断力、実行力、勇気、危機意識、不退転の実行力などの総合力の不足、欠落もしくは欠如が、今日のこの問題の原因の一つとなっている可能性を完全否定することは困難であろう。なぜなら、この敗北案件は、別の次元からみると、「灯台下暗し」とも言い得るし、かつ、そのように考えられ得るからである。それ故、筆者は次のように考える。すなわち、このような近隣諸国との海洋・海上事件を通じて、逆に、我々の領海や海底、領土及び領空を再度、真摯に調査をし直す必要があると。そうすれば、我々が想定しなかったような天然資源がそれらの水域や地域などに埋蔵されている可能性もあり得ると。そういうことを、神仏さまが、彼等との衝突事件を通じて、我々全国民に強くご教示して下さっているのである、と。

我が国の資源を恒久的に狙い続ける諸外国

また、諸外国は、彼等の所有する陸海空軍、ミサイル軍及び宇宙軍並びにその他向けの動力用エネルギーなどが絶対的に不足しているために、例えば、北方領土、北海道、日本海側、尖閣諸島、東シナ海、太平洋側などの各周辺における我が国の領海内に海底資源を求め、海底調査を実施して、今後とも強引にその海域に掘削基地を建設し始めてしまう可能性は否定できないと強く予測され懸念される。そのためにも、我が国の東西南北に係わる全領域、全海域、全空域の守備体制と警戒体制は現在もなされているが、決して気を抜くことなく、真の同盟国の協力をも仰ぎつつ、恒久的になお一層守っていくべきである。なぜなら、それらの掘削基地を拠点として、海上・海中・海底の海軍基地及び空軍基地をアメーバ的に拡大し拡張して建設を続けていく危険性も考えられ得るからである。反日系を含む彼等の各国及び各組織はその悪行をより実行しやすくするために、旧日本軍による被害状況を絞り出し、部分的に捏造《ねつぞう》し、しつこくしつこく更に執拗に誇大にしかも膨張させたデマを創出してきている。そして、書籍や新聞もしくはインターネットを通じて、悪意に満ち満ちた罵詈雑言の、宣伝（プロパガンダ）を流布し続けてきているのである。その危険な実例の一つが、例の南沙諸島の人工埋立工事であろう。これは周知の如く、東南アジア諸国、台湾、太平洋及び我が国を標的にした軍事基地そのものであろう。すなわち、彼等はここを彼等の海軍、空軍、海兵隊、攻撃用ミサイル発射などの海上及び海底の発信基地とする狙いであろう。この事実は、我が国にとって、ほぼ南西方面からの極めて大きな軍事的脅威の一つとなるであろう。決して見過ごせないかつ油断できぬ事態である。我が国内では、何でもかでも野党が国防に関して反対するため、その隙を突かれて、周辺各国から、好き勝手な、やりたい放題の軍事的八方塞がりの標的にされてきてしまっているのである。このような意味において、野党といえども、事案によっては、責任の一部は大きくかつ重い場合もあり得るであろう。本件は、彼等中国がその建設を暗暗裏に開始した当初より、米国及び我が国は反対を表明していた。だが、その影響力が大きい米国などはもう少し強く中止を主張すべきではなかったのではないだろうか。確かに、滑走路建設の完成当初には、中国は民間航空機を背景にして操縦士や客室乗務員（キャビン・アテンダント）などが、笑顔で記念撮影をし、軍事転用はしない旨を何度も何度も外国のマスコミに強調していたものである。しかし、あにはからんや、我々外国人は彼等に完全に騙されたのである。つまり、大略二千年来継続してきている各種実例にも見られるように、彼等は結果的に世界各国に対して大嘘をついてきたのである。なぜなら、逐日、同島に各種軍事用の大中小機器が設置され増設されてきているからである。従って、筆者のみならず、同国を除くアジア及び世界の諸国が考えていたように、当時のオバマ政権は、第三国などの協力を得てでも、その建設を完全に中止させるための強力な説得をすべきであったのではないだろうか。この点に関しても、同政権時代は中国に対し、極めて消極的であったと推察され得るのである。残念な事である。そしてまた、オバマ政権のそのような弱点を見抜き熟知している、例えば、米国ワシントンや同国内の他州で活動している数多くの中国系米国人の間諜が次のような行動を開始したと推察されるのである。すなわち、同政権の体質を見抜いた直後に、同政権の弱点を彼等の党本部へ逐一報告し続けたことであろう。そこで、同本国では、米国の監視などが緩和される時期及び時間帯を巧みに狙い、その弱点を逆用しつつ、前述の建設を世界各国から非難されようが、それを全く無視して、同建設を続行してきたと考えられるのである。なお、この傾向は、例えば、２０２１年1月以降の米国バイデン政権（民主党）になっても、彼等が同様の横行闊歩する可能性はかなり高いと、筆者は観ている。

中東などでの紛争による我が国への影響

２０１１年3月に、エジプトのムバラク政権の崩壊に連動して、リビアのカダフィ政権は同年3月11日時点で、準内戦状態に陥った。同政府軍（実質的な指揮者は彼の息子たち）は同国の反政府勢力に対すると共に同国自身のライフラインを空爆した。この結果、それ以前と比較して、原油価格が高騰した。同年3月11日時点で、例えばレギュラーガソリンは1リットルあたり約１４６円程度というそれまでの過去最高値まで高騰している。この価格が更に高騰する可能性は充分に予想され得る。実際、例えば２０１４年9月時点で、それは1リットル当たり約１６０円台半ばまで上昇しているのである。ただし、２０１５年3月時点では、約１３０円台ないし１４０円台に戻ってきてはいるが。なお、ちなみに、国連安保理（国際連合安全保障理事会）は、同年3月17日にリビアの空域制限を承認[4]している。また、国連の自由主義国家圏の主要国では、カダフィ大佐の海外資産の凍結を開始した。更に、同年5月27日にフランスのドーヴィルにてG８（8か国首脳会議）首脳は、リビアの首都に大規模空爆し、カダフィ大佐の即時退陣要求を宣言した。そして、前述の如く続いたリビアの内戦状態は反政府軍が追い詰めた結果、同軍の銃撃がもとで同大佐の死亡が確認された。これにより、同年8月下旬にカダフィ政権は崩壊し、先の空域制限は解除された。その後、例えば2018年10月23日には再びレギュラー・ガソリンが1リットルあたり160円に値上がりしている。このため、トラックやバスなどの業界はもちろんのこと、通常の車利用者も痛手となったであろう。このように、石油やその加工品は我々の日常生活に直接間接に影響を与え続けてきているのである。

また、同年4月18日頃、東日本大震災のための援助として、中東のクウェート及びサウジアラビアは原油を、カタールは液化天然ガスを、それぞれ、我が国に対し無償での供与を決定してくれた。これらの背景としてはいくつか考えられるであろう。がしかし、ともかくもありがたいことである。感謝しなければならない。今後、少なくとも彼等が困難な現象に出会った場合には、我が国としても何らかの温かい支援または恩返しをすべきであろう。そして、それらの援助が被災地に公平かつ可及的速やかに提供されることを望みたい。

更に、2012年1月19日の報道によると、イランは、米国や欧州連合（EU）に対して、核開発に関する（外交）交渉をする用意があると言ってきた。しかし、欧米側はその交渉を拒否するとの声明を発表している。どうも、欧米側は、戦争の準備に入っているのではあるまいか。なお、イランは、場合によっては、ホルムズ海峡を封鎖すると言ってきている。ちなみに、この海峡は我が国にとっても重要な原油輸入航路になっているのである。同報道によると、米国及び欧州諸国は、「イランが国際原子力機関（IAEA）の査察を無視して核（兵器用）開発をしている件」に対する制裁措置として、イランからの石油輸入を拒否するように、と各国に依頼した。その結果、

①（国連における常任理事国の）ロシアと中国の2か国及びインドは、制裁自体に反対し、かつイランからの石油輸入を継続するという。

②当時我が国の与党民主党は、昨日（同年1月19日）に来日した米国政府の交渉団と協議した。そこで、日本は「例外を認めてほしい」旨を米国に伝えたという。しかし、米国側はこれを拒否した。そのため、現時点（1月20日）では物別れとなった。今後の成り行きは不透明である。このことは、換言するならば、あたかも暗色の中にも明色を認めよ、と言っていることと類似し得る。この考え方もしくは態度を拡張するならば、同年1月時点での我が政府は、欧米側及び相手側の両者からの信用を失いかねない可能性があり得る。もちろん、米国は石油（もしくは原油）産出国の一つであるのに対し、我が国は石油非産出国の一つであるという決定的相違点が存するが。要は、この事案を通して、我が国の善なる正義を重んじる基本方針が骨の髄まで

沁み込んでおり、かつ、心根がしっかりと大地に根付いて、微小たりともぐらついていないかどうかということが国際的にも試されているとも言い得るのである。その後、これに関連して、例えば2019年6月13日の報道によると、中東ホルムズ海峡近辺にて、日本向け積荷タンカー2隻が攻撃され、損傷を直接受けるという海賊事件に巻き込まれている。折りしも、当時首相の安倍氏が米国とイランとの仲介役として、緊張緩和のためにイランを訪問している最中に発生した。これに対し、ロンドン大学（経済学部）教授のファウルズ・ゲルゲス氏は、「今回の事件は、事態がエスカレートするように仕組まれていることを示唆する不吉な前兆である」旨を語っておられる。

ちなみに、前述の事項は、2019年に米国（トランプ政権）とイラン政府とが緊張している中での事件であった。

ところで、話は変わるが、例えば、中東のイスラエルは周囲を多くの異教徒の国々に囲まれており、しかも自国が産油国であるとは考え難いのにも拘わらず、陸、海、空など各軍の活動用、運搬用及び一般国民の一人あたりの民生用の燃料エネルギー及び電気、ガスなどの生活エネルギーのそれぞれを、どのようにして確保し続けているのであろうか。我が国にとって、極めて興味があり、かつ参考となるため、場合によっては、それらの情報を提供してもらうこと、もしくはそれらに関する情報交換の必要があるかもしれない。同様に、我が国は、日本海、東シナ海及び太平洋沿岸などは、例えば国防線であると共に、エネルギーを供給してもらうための航路生命線であるとも言い得るであろう。このような意味において、前述の彼の国による南シナ海の軍事用人工島の造成、攻撃用ミサイル発射基地、海上・海底の海軍空軍基地及びそれらの軍港などは、我が国向けの民間原油等の運搬船に係わる自由航行の妨げとなるであろう。更に、通行税などを納付させられる可能性は否定できないかもしれない。それらは全て、我が国内における種々の物価の高騰として、全国民に影響してくるのである。従って、筆者は次のように考える次第である。すなわち、この国際法的に違法な造成関連一式は、我が国にとっての国防上の脅威のみならず、我等全国民の石油系、電気代系及び食料を含む石油加工品系など殆ど全ての分野に関連してくる案件なのである。なぜなら、それは、我々の日常生活に係わる数多くの公共料金やほとんどの食品代の値上げにも繋がる問題が内包されているからである。それ故、婦女子の方々を含む全国民は無関心でいられないはずなのである。

我々は、もう一度、原点に戻って、公海での調査と併行して、我が国の全国沿岸の領海内、領土内（及び公海の一部を含めて）を、従来以上に多角的かつ高度な技術を導入して、再度見直すべき時期が既に来ているのではないだろうか。確かに、

10年後、50年後、２００年後、５００年後の我が国の資源確保のために、積極的な事前調査活動を開始することが必要不可欠であろう。しかしながら、我が国では関連課題に係わる論争がチグハグであったりして、その日数が無駄に費やされているかのように観えるし、そのように感じられる。なぜなら、公正にみても、善行と思われる提案議題に対し、与野党が一致協力して、迅速かつ強力に推進するための結論が短期間に出てこないからである。しかも、一部の議員に至っては、そのような状況の論争自体をあたかも楽しむかのように、悠長にしておられる場合にしばしば出合うからである。その一方で、諸外国の議会方式は、議論の前に、各議員へ根回ししておき、かつ、反論がないように、一発で採決できるようにしている。この両者の採決までのスピードの大差が、その後の我が国と他の幾つかの国々との間の様々な競争力に関して、大きな差（場合によっては敗北）となって現出してくるのである。従って、筆者は次のように考える。すなわち、ここでも、関連当局の許認可を早期に得て、迅速なる実行動を起こすべきであろうと。しかも、当局は諸外国の眼を見過ぎて、過度の遠慮をすることなく、善行目的のためには、大いなる勇気と決断力と実行力などを発揮して頂きたい。我が国の置かれた世界的観点からの現状において、審議等にあまり悠長な時間を費やしているほど時間的余裕はない。従って、その期間にまたまた他の国々に先を越され、かつ、先に掘削権を奪取されて、それらの国々へ莫大な国民の税金を支払わなければならなくなることや、そもそも彼等が、自身の軍備拡張などのために、我が国への売却などは全く考慮していないことまたは売却自体を完全に拒否する可能性が充分にあることは、予め十二分に念頭に置かねばならない最低限の前提条件の一つであろう。よって、後悔することにならないとも限らない。それ故、この点については、くれぐれも予め十二分に注意及び警戒をして、あわてることのないような実務対策手段を幾つも講じておくべきであろう。

この資源エネルギー分野は、いま再び熾烈なる大競争時代に突入しているのである。だから、時間との勝負なのである。従って、我が国の与野党が互いの足の引っ張り合いをしている間に、近隣諸国を含む様々な大国やその他の多くの国々が、我が国内の政局の混乱を絶好の機会（チャンス）の一つと捉え、しかもそれによる漁夫の利を得て、あるいは火事場泥棒的に、喜び勇んで、我が国をどんどん追い抜いて行き、追い詰めていくと共に、先に進んでいるのである。特に、自国の開発や発展に目覚めた世界中の途上国は、眼の色を変え、我が国の数倍ないし数十倍も必死になって、現状よりも高い大目標を掲げて突き進んでいるのである。だから、彼等彼女等のその心のエネルギーに、善なる意味で、負けてはならないのである。逆に、我が国は、ある意味新鮮なる、その心と行動のエネルギーとを教訓として受け止め、その両エネルギーを、我々の今後及び将来への活力源の一つに変換して有効に活用していくべきなのである。

井の中の蛙になってはいけない

ところが、このような諸外国の抜け駆け行為とも戦略・戦術とも言い得る行為に対して、肝心の我が国の与野党の過半数もしくは一部の方々はほとんど気が付いていないのか、見て見ぬふりをしているのか、国民を惑わす言動をしているように観える。あるいは我が国の国益を故意に損ねさせようとして、彼等の味方をしているのか、極めて疑問と矛盾と不快感さえも禁じ得ない場面や現象にしばしば遭遇するのである。この事態は、与野党共に、党派を超えて早急に改善して頂きたいと強く希望するところである。更に、我が国の領海や領土に東西南北の方向から、様々なかつ理不尽なる理由を捏造して、侵略して、そこに彼等の勝手な固有名詞を付加して、彼等や彼等と外交または軍事関係のある諸外国の文部省もしくは文部科学省などに相当し得る省庁に圧力を掛けて、そこは、本来、彼等の領海や領土であるというような大嘘で悪のでっち上げを実行して、印刷化し書類化し教科書化して、身勝手に発行頒布してしまう可能性が極めて大きいし、先述したように、いくつかの国々では既に実行してきているのである。従って、これらの大嘘及びまたは悪行は、我が国の全公務員及び全民間人を問わず、互いに大いに協力し合って、強く防止、阻止及び停止させねばならないのである。

それ故、もたもたしている無駄な時間や低次元の課題などに執着している時間や日数など、そもそも、原則的に存在し得ないであろう。時間そのものを十二分に我々自国の手の中に収めて、かつ、十二分に活用できない国は、我が国自身を含め、先進国及び開発途上国を含む多くの大小の国々からどんどん追い抜かれる可能性が高まるであろう。そしてその冷徹かつ冷厳なる現実に気が付いたころには、世界の下位の集団もしくは集合の順位の群（グループ）にまで降下してしまっていることになるのである。そのような最悪の状態に陥った中で、例えば、「俺はこの組織の中での大親分（ボス）なのだ」などと威張り散らしたところで、あるいは権威や権力を見せびらかしたところで、国民の誰も振り向いてくれないであろう。まして、世界の主要国も同様であろう。かえって、自らの愚かさを世間にあるいは世界に露呈するようなものである。だからこそ、「井の中の蛙大海を知らず」だけにはなりたくないし、なってはいけない。

油断は禁物

このように、我が国内での混乱や足の引っ張り合いなどを相変わらず、し続けていて果して善いのであろうか。確かに、他愛のない課題も含め、議論し合うのは悪いことではない。しかしながら、物事を進めていくには、必ず時間的制限があってしかるべきであろう。なぜなら、無制限に時間を掛ければ常に良策が生まれるという絶対的保証は期待できないからである。多くの事例を観ても、平均的には議論百出で結論が出ない確率が極めて高いからである。しかも、そのような我が国内での混乱中に、他の数多くの国々が我が国を追い越して行く可能性の大きいことは火を見るより明らかであろう。従って、筆者は次のように考える。すなわち、それらの課題を一日でも一時間でも早く、悪でなく善なる判断をし、より迅速なる審議をし、採決した後、最も迅速に、善なる実行に移すべきである、と。そして、そのように実行に移した国が、勝利等という狭い了見よりも、広義のより平和かつより安穏なる境地の国家及び社会と国民などを得ることができるのである。その結果が、周辺国家や世界の平和へもつながるし貢献できるのである。ただし、ここでも注意を要する。すなわち、万一、例えば、ある経済分野で勝利の群、集団もしくは集合になれたと仮定しよう。すると、勝利者とは、いわば、ある分野に存在する仮想の山頂に登攀《とうはん》できたことに相当し得るであろう。しからば、その後は、下るかまたは転落するかのいずれか一方の流れしかないことは明らかであろう。しかも、例えば、我々が通常、下山する時には、登る時以上に慎重に行動しなければ、膝や足腰を傷め易いものである。そこで、我々は、それと同様に、一つの教訓を学ばねばならないことになる。それは、「勝って兜《かぶと》の緒《お》を締めよ」である。我が国並びに我が国民は、常に、「油断は禁物である」と肝に銘じるべきである。それと共に、「すべての外国（大国、小国を問わず）の長所を学び、短所は実行してはいけない教訓として学び、決して侮《あなど》るなかれ」とお伝えしたい。そして、同時に、我が国自身は、仮に良い結果が得られたとしても、神仏及び当該担当部門や担当者等に感謝を忘れないことと、驕慢や傲慢な心にだけは絶対になってはいけないことを申し添えたい。すなわち、我々としては、我々のこの大地（ただし、自国領土の面積を他国と比較して優劣を競うことなどは必要ないが、本来の自国領を守ることは最低限の責務である）及び領海内に関して、国際法により認められている２００海里（排他的経済水域のことであり、海洋法の国連条約に基づいて設定された経済的な主権が及ぶ水域。沿岸国は、この法条約に基づいた国内法を制定することで、自国の基線（海）から約３７０キロメートル〔5〕）以内の自らの海域、深海底などを含め、再度見直す必要があると考える。

我が国の、以前より現在に至るまでの政府与党の一貫した姿勢、すなわち、我が国の防災的、国防的、国家エネルギー資源の新発見などとそのための継続的努力と、それらの各々の大目的を必ずや達成し獲得するのだという強い執念が極めて不充分もしくは稀薄であるように観えて仕方がない。つまり、歯がゆいのである。それとも、防災も国防も資源エネルギー類もまた、他のものと同様に、天から雨が降るように、我々は、のほほーんと、ふんぞり返るだけふんぞり返って、部下を顎《あご》で使うだけ使って、怠けることだけを考えていれば、それで本当に良いのであろうか。または、自らは何の努力をせずとも、天から自然に、もしくは誰かが、または外国が無償や有償で容易に、かつ、我々が依頼または要請する度に、適度な金銭さえ支払えば容易に守ってくれたり与えてくれたりするとでも安易に考えているのであろうか。否、そのような極めて愚かな亡国論的、売国奴的、風見鶏的または堕落的考えの空気が充満していると は、俄かには信じがたいし信じたくもないであろう。金銭さえ支払えば、何でもかでも、いつでも、どこからでも、我が政府の意向のままに、それらを自由に入手できるとでも考えているのであろうか。確かに１００年前や２００年前ならば、資源は現在よりもある程度豊かであったとも考えられ得る。しかしながら、現代は周知のように、世の中もしくは世界はそれほど甘くはないはずである。なぜなら、たとえ大金を積んでも、相手側の国内事情、我が国に対する強い敵対心、敵愾《てきがい》心、反日教育に基づく反日感情の育成強化、及びその伝播、並びに憎しみ的もしくは嫉妬的意識、政治的不均衡、国際情勢などにより、状況は常に変化し変動してきているのである。そのため、相手側としても、我が国の期待や希望的観測とは裏腹に、我が国の依頼や要求の内容をことごとく拒否し拒絶してくる可能性は、あらゆる事例や場面において、常に充分にあり得るはずなのである。ちなみに、例えば２０１５年９月において、我が国からインドネシア国への新幹線及びその関連技術の売り込みの件に係わり、中国との受注競争において、結果として、我が国側が敗北したこともその実例の一つとして挙げることができ得るであろう。また、例えば、２０１７年７月27日または28日の報道によると、我が国の漁獲量の減少に伴い、東アジアの数か国とそれに関する会議の開催を我が国が提案したものの、相手側（反日系諸国）より「時期尚早」との主旨で拒否されているのである。このあたりの読みや先見を見誤ると、失敗や失態を起こしかねないのである。従来までのように我が国内の日本人対日本人の競争事項ならば、ある程度の読みや予測が可能であったかもしれない。だが、現代及び将来は、日々刻々と、彼等の心が変化してきているのである。東、東南、中央の各アジア、欧米、中東、豪州、アフリカ諸国、その他も同様である。それ故、筆者は次のように考える。すなわち、我が政府、関連当局、多くの企業人及びその他の方々が、常に警戒心を持って、相手側の心や言動の動向に注視し観察し続けていないと、我々自身が全くの想定外である負の現象に出会ってしまうと共に、初期の期待や予想を見誤り裏切られる可能性が極めて大きくなるであろうと。もしこれらのような現状に気付いておられないとするならば、それこそ経済における金銭のみを崇拝する単なる拝金主義国へと転落しかねないであろう。そして、このような主義の国は、世界から最も軽蔑され得る型の一つなのである。まず、このことは、再認識しかつ心の奥深くにしっかりと刻み込み刷り込んでおく必要があるであろう。一旦このような考えに囚われて落ち込んでしまったならば、我が国は、例えば明治時代以前のような、現代と比較すれば経済的に大略1万ないし数万分の1程度の大貧乏国であったにも拘わらず、勇気と気概で世界を見渡すことができたと共に大局を見通すことのできた「真の精神大国」へ復活するのは、ほとんど不可能に近い状態になると言わざるを得ない。それと共に、もしそうであると仮定するならば、それは驕慢もしくは傲慢この上ないことである。我が政府与党が何党であろうとも、このような驕慢または傲慢でかつ善にして正義なる大局的かつ大目的意識の極めて乏しく欠落しているかもしくはほとんどなきに等しい心持ちにだけは、決してなってほしくないと心より切望するものである。

なぜなら、もし我が国が前述のような環境や状況に陥ってしまったならば、そこでは、必要以上に、外部のもしくは外国の状況や情報に、常に依存し続けなければならなくなるからである。そして、例えば、我が国家として損失が見込まれざるを得ないが、善及び正義を守るためには、相手側に譲歩するわけにはいかない、あるいは、極端な場合、論争などを含めて対決せざるを得ないような選択肢も幾分かは残しておくという勇気、気概、活力、反発力または団結力が次第に失われていく可能性が大きくなることであろう。そこには主体性、勇気、善悪の弁別力や自主独立という確固たるものは存在し得なくなる。あるいは、それら自体の存在価値が喪失してしまうであろう。このような状況もしくは環境は、国家として極めて異常であり、危険かつ危機的であると言わざるを得ない。

第四章　我が国の食料の安定確保

我が国は食料自給率65%を目指せ

現代において、我が国は諸外国からの食料その他の分野における輸入量及びその比率が相変わらず高い。なお、本書では、特別な場合を除き、食料とは、主食及び副食を含む全体を対象とする事とする。ところで、この量もしくは比率は果して改善できないものであろうか。もちろん、天変地異などにより、緊急輸入の協力を依頼せざるを得ない事態が発生した場合はこの限りではないが。すなわち、輸入量もしくはその比率の著しく大きな外国依存離れをする必要があるのではないだろうか。確かに、我が国は、例えば、農業、酪農、漁業などの分野に関して、特に、その依存度が高いようである。また、近年は、温暖化現象及び近隣諸国による漁獲価値の著しい目覚めなどのためもあり、その競争が従来以上に激化してきている。更に、前者による気候不順などのために、ほぼ毎年、幾つかの地域で甚大に近い被害が発生してきているのである。それらの各事象について、当局は、当然、鋭意努力されてきていることであろう。しかしながら、そのような現実面のみならず、一方では、それらの各分野に直接携わる方々の高齢化及び若者の後継者の減少化も由々しき問題であろう。なぜなら、それは、いわゆる我が国全体の人口減少問題にも係わり得るからである。また、諸外国との食料に係わる自由貿易の促進が活発化してきている現代において、一般的に国内産品の価格が輸入品のそれを上回っているがために、消費者が良質な国内産であるにも拘わらず、それを購入したがらないか、もしくは、その購入を控えて、より安価な輸入品に手を出したがる傾向が残念ながら続いてきているためでもあろう。あるいはまた、多くの大衆報道などが、若者たちに向けて、むやみに煽動するかの如く、過度の受験塾の宣伝やクイズ番組関連などを通じて、単なる知識を詰め込むことがこれからの若者たちの人生にとって重要であるかのような幻想、錯覚もしくはある種の誤ちを植え付け、犯し続けてきている可能性が完全否定できないからでもある。従って、筆者は次のように考える。すなわち、これらの諸事情がそれらの就業人口の減少化を助長し続けてきている一因であるようにも推察され得ると。それ故、上述の事項をも考慮して、我が国は食料自給率の向上を緊急の重要課題の一つと位置付ける必要があるであろう。

鳥インフルエンザ・ウイルス事件

例えば２０１０年1月22日に宮崎県その他の地域にて発生した鳥インフルエンザ・ウイルス騒動による、鶏、その他の家畜類に関する大量殺処分かつ関連地域、自動車及び施設の広範囲にわたる大規模な消毒作業も、その根本原因が一般国民には観えてこなかったのである。もちろん、これは推定であるが、この騒動もしくは事件が天災のみならず人災である可能性も完全否定できないのではなかろうか。その疑問が依然として消失し得ないのは気掛かりな点である。

一方、前述の鳥インフルエンザ事件に関して、筆者の疑惑とは全く独立して、既に調査または疑問視していた方がおられた。ジャーナリストのフルフォード氏である。彼は、ご自身の著書〔1〕の中で、次のように説明しておられる。すなわち、鳥インフルエンザ（２００7年及び２０１１年）及び口蹄疫（２０１０年）の両問題共に家畜類が対象ではあるが、某組織の生物兵器による陰謀の可能性を示唆されている。同氏は、併せて、その発生場所が宮崎県であることに注目されている。つまり、もし仮に、この口蹄疫の流行が「『日出国の王家の地』を舞台にしたウイルス兵器の壮大な実験だったとしたら……」と、強い危機感を抱いておられる。なお、その後も、例えば、２０１4年12月29日の年の瀬に、ニュースとしてはあまり大きく取沙汰はされなかったものの、やはり、同じ宮崎県内にて鳥インフルエンザ・ウイルスが検出された鶏の約4万２０００羽が処分されたというニュースが入った。その後、山口県でも鶏の約3万７０００羽にウイルスが検出されて処分されたという。２０１２年1月25日ないし26日の報道によると、我が国内の某大学教授が発見したといわれている「鳥インフルエンザに係わる病原菌Ｈ１Ｎ１新型インフルエンザ・ウイルス〔2〕」が、従来までヒトには感染しないといわれてきたが、哺乳類にも感染することを突き止めたらしい。そのことを同教授が外国の専門雑誌に投稿したところ、その編集部から、詳細を公表するのは約6か月待ってほしいとの依頼があったという。理由は、その内容が公表されてしまうと、世界中の過激派組織（テロリスト）及びその他の悪の組織または集団などにより悪用され、重大で危険かつ危機的事態が引き起こされる可能性が充分予想され得るためとの主旨のことであった。この研究内容の詳細情報が悪の某組織、集団または国々へ流れて、試作実験されてしまうのではないか。その病原菌が仮に悪用されて、近い将来に、世界の諸国及び我が国へばらまかれ得るという危険極まりない可能性が皆無であるという保証はないのである。我が政府も医療分野を含めた各種分野における厳格な防感染及び防衛の各体制を早急に、例えば厚生労働省、防衛省及びその他の関連省庁などが強くかつ真摯に協力し合って、構築することに取り掛かって頂きたいと切望する次第である。なお、例えば、２０１７年12月時点にて、養鶏場のみならず、国内の主な動物園でも鳥インフルエンザ対策が実施されている。また、厚生労働省では、少なくとも次の事を計画しているという。すなわち、国内で発生した場合には靴底の消毒。そして、隔離。更に、最悪の場合は当該動物園の閉鎖を。

ところで、２０１０年3月頃に発生し、同年4月20日に、宮崎県にて家畜牛の口蹄疫伝染病の事件発生が公になった。この病原体は口蹄疫ウイルスである。感受性動物は牛、水牛、めん羊、山羊、豚、鹿、猪などの偶蹄目であり、我が国では、法定伝染病に指定されている[3]。報道によると、事件当初、当時の農林水産大臣のA氏は次のような主旨のことを記者団に語ったと伝えられている。「口蹄疫は人間には感染しないのでそれほど心配しなくてもよいだろう」と。しかし、同氏はその時、同じ党員の別の選挙応援に出かけていたという。恐らく彼は、経済や政治などの分野では充分な知識を有しておられるのであろうが、獣医学や医学のような分野のそれらについては、専門分野ほどではなかった可能性もあり得るであろう。反面、その専門知識を有しておられたと仮定するならば、一般的な医学的観点などから、感染速度や感染が進行し拡大していった状況下での危険度合などについては、直ちに想定できていたはずであろう。それにも拘わらず、迅速な対応策を指示できなかったもしくは困難であったということは、とりもなおさず、最悪の事態などはかなり予測困難であったのではあるまいかと推察され得るのである。そのような最悪の事態を回避するために、彼の側近、補助者、支援者などまたはその関連分野の省庁の官僚などから対策情報は得られなかったものかと悔やまれてならない。ここでも、危機意識、危機管理対策、その体制及び関連部署もしくは部門との協力体制、信頼関係、実践力及び実行力などが見出し難いのである。極めて残念なことである。

そしてこのことが、やがて大衆報道（マスコミ）により大きく採り上げられ、ほぼ3か月後の２０１０年7月頃には、その処理に係わる基本工程の一つである、消毒作業や汚染牛を埋める土地または場所の確保さえも極めて困難な状況に追い詰められていってしまった。その結果、事態は急速に悪化の一途を辿りかつ拡大していったのである。当時、国民にとって、政府と宮崎県との対策交渉は充分円滑に進んでいるようには観え難かった。この頃には、件の担当大臣のA氏は更迭されて別の方に代わっていた。恐らく当時の民主党幹部の諸兄諸氏が当該県民や当時与党であった同党に対する国民の不満、反感もしくは不信感等を回避するために打った手段であろうことは、国民の誰の眼にも明白であった。そして翌２０１０年7月4日に宮崎県より終息確認が発せられた時点において、殺処分された牛、豚、水牛は実に約29万頭にも達していた。畜産関連の損失は１

４００億円、関連損失は９５０億円とされている[4]。善なる手段と危機感とを持って先手先手または早目早目に次々とそれらの対策及び実行を迅速に講じていれば、畜産業界、畜産家、消毒作業担当者、消毒液を付近に散布された一般市民、及び彼等の乗用車、トラックなど、そのための交通規制をしてくれた当局の人々など、数え上げたら何千人、何万人が、このような大きくかつ好まざる事態に振り回されないで済んだのではあるまいか。少なくともその対応に振り回される度合はより軽減され半減された可能性が高くなっていたのではないだろうか。

だからこそ強調したいのである。「善行や善事（の目的）に関しては、常に先手必勝である」と。ただし、「悪行や悪事に関しては、決して行ってはいけない」と。なお、この両者の参考または同等なこととして、次の格言を読者諸兄諸氏に贈らせて頂きたい。「諸悪莫作《しょあくまくさ》」と「衆善奉行《しゅぜんぶぎょう》」を。これらの意味は、それぞれ、前者は、もろもろの悪や悪行をしないこと、そして後者は、善または善行などの善根を積むこと。たとえ小さな事柄を一つでもよいから、善いことを地道に積み重ねることである。

前述の事件は、同県にとってはもちろんのこと、国家的次元からみても、それらの損失や損害をより低減させるべき課題の一つであろう。従って、今後は充分な対策を講じる必要があるであろう。ところで、この事件は本当にいわゆる天災であったのであろうか。なぜなら、突然、降って湧いたような事件に観えたからである。今後、ある長くない期間を設定し検証してみる必要があると考える。なお、本件に関しては、前述した如く、フルフォード氏[5]によると、自然災害ではなく、人為的な工作事件である可能性を示唆されておられる。従って、筆者は次のように考える。すなわち、ここまで家畜類に大被害が生じてしまい、かつそれらに対応した当局及び多くの人々に混乱をもたらし、その傷口を拡げてしまったのは、本件対策に係わる（火事にたとえるならば、初期消火に相当するところの）善なる目的または目標に対する「先手必勝の原則」を、本事件当時の政府がより正しくかつ迅速なる指示を怠ったことも主原因の一つと考えられなくはないであろう。つまり、目の前に次々と現れる新たな重要かつ困難な事象もしくは現象に対する先の見通しができない、見通す体制または能力が不充分かもしくは不足していると言えないことはないであろう。従って、見通す度合が甘かったと批判されてもやむを得ないのではなかろうか。政権を取って間もないからとか、政権能力が不足していたからという可能性は否定し難いのではなかろうか。なぜなら、俸給を頂戴している以上は、本職（プロフェッショナル）である。ましてや、通常の民間企業人ではないはずである。議員諸兄諸氏の一人ひとりが国家・国民を真により正しく善い方向へと導く重責を担っておられるはずなのである。だからこそ、世間一般の普通人よりも名誉と年俸がより高いとも言い得るのである。従って、特別な理由のない限り、公には弱音などは吐かないで頂きたいものである。

また、例えば、２０１１年1月28日の報道によると、その数日前より、鳥インフルエンザ・ウイルス事件が宮崎、鹿児島、愛知の各県及び北海道で発生した。先述の２０１０年5月より約8か月後の発生である。北海道大学の某教授によると、これらの原因は北方からの野鳥の死骸によるものらしい。数年前の場合は南方からの渡り鳥によるインフルエンザやアジア大陸方面からのようであったが、今回は北方からの可能性が高いようである。ただし、いずれも正確なところは未だ不明のようである。なお、２０１３年4月3日の報道によると、中国の上海市及び安徽省で5人の犠牲者が出ている。分析の結果、ウイルスの増えやすさを決める特定遺伝子がヒトの細胞表面に感染しやすく変異していることが分かったという。このような事態発生の一方で、どうもこの事件はキナ臭いように思われる。当局でも、是非、本件関連事項の裏付け調査もしくは捜査を開始して頂きたいと思う。なお、フルフォード氏は、この事件は自然災害ではなく、人為的な闇の工作活動による可能性が高いことを示唆されている[6]。

温暖化問題

前著以降より現在までの地球温暖化の推移について、大雨もしくは台風と暑さとの2分野について、その概略を時系列的に振り返ってみたい。

第一に、「記録的大雨もしくは超大型台風」に関しては、報道によれば次のとおりである。例えば、２０１７年7月13日には九州北部の福岡県が「記録的大雨」に見舞われ、土砂災害が発生した。翌２０１８年7月6日から12日にかけて九州北部、瀬戸内海、四国の一部及び大阪にて「記録的大雨」が発生し、「西日本豪雨」と命名されている。この場合は河川の氾濫により、堤防の決壊、住宅街への濁流による浸水及び土砂崩れなどが発生し、該当する広域の景色が一変してしまった。より具体的には、多くの町が濁流に飲み込まれ、各住宅の一階天井まで冠水してしまった。同年9月5日には、大型台風21号により、関西、中部及び北海道で大きな被害が発生した。なお、当局では、事前に、暴風、高潮、土砂災害及び河川の氾濫などに対する厳重な警戒を全国に呼びかけていた。それにも拘わらず、この台風21号は我が国内の75地点にて最強最大の瞬間風速を記録している。例えば、関西空港、和歌山県及び徳島県では時速約58メートルに達した。その為、関西空港では浸水などが発生すると共に、タンカーが連絡橋に衝突したため、その橋が切断され、ズレてしまったほどである。また、同年9月30日には、台風24号が発生した。この時の中心気圧は９５０ヘクトパスカル、風速は毎秒45メートルと超大型である。このため、九州・宮崎県では河川が氾濫し、多くの住宅地で床上浸水被害が発生した。この台風の進行経路途中の、例えば、首都圏では、ＪＲ在来線は20時以降の運転を全て取り止めている。２０１９年７月３日には、九州が記録的大雨となり、土砂災害の危険性が極めて高いとして、宮崎及び鹿児島の両県は約１１２万人に対して避難指示を発令している。更に、同年10月12日の報道によると、台風19号が静岡県及び関東へ上陸する見込みであり、同日13時での規模は次のとおりであった。すなわち、大きさは大型で、中心気圧は９４５（発生時は９１５）ヘクトパスカル、瞬間最大風速は毎秒60メートルと超大型であった。このように現在の台風は、約40年ないし50年前と比較すると、規模において、ほぼ決定的に相違していると考えられる。なぜなら、海面水温の上昇により、かなり強力かつ大型化してきているからである。この点は、我々一人ひとりが特に注視し、警戒すべき事項の一つと考える。なお、本件台風被害に係わり、政府は当時、激甚災害等の適用を行なっている。

第二に、「(災害レベルの）暑さ」に関しては、次のとおりである。例えば、２０１８年７月23日は、埼玉県熊谷市で「災害レベルの暑さ」とされる41・１℃を記録している。また、翌２０１９年５月10日には、例えば、九州から関東にかけて、５月だというのに、それらのいずれの都市でも27℃ないし30℃の真夏日となっている。しかも、５月26日には、真夏でないにも拘わらず、北海道で39℃超となったのをはじめ、全国各地が猛暑となり、熱中症に見舞われる事態になっているからである。

第三に、諸外国に眼を向けると、次の実例を挙げることができるであろう。まずは、スイスのピゾール氷河である。報道によると、ここは約１９００年頃には氷の厚さが１００メートルであったものの、現在では２ないし３メートルまで激減してしまっている。そして、５００か所以上の氷河もあと数年で全て融解してしまうという（２０１９年９月23日の報道）。また、デンマークのグリーンランドの氷１２０億トン（東京ドームの９６００杯分）が既に融解している（同年11月22日の報道）。更に、スペインやイタリアのベニスでは、海面上昇による床上浸水が多発してきている。

以上のように観てくると、現時点では、約１９７０年頃の温暖化の状況と現在のそれとでは、決定的に変化してきてしまったと言えるのではないだろうか。確かに、我々は自身が生活している全国各地の地元自治体を通じて、基本的生活及び人権は平均的には守られてきていることであろう。それと共に、以前より、国際的な気候変動枠組条約締約国会議（ＣＯＰ）を通じて、我が国を含む世界各国に対して二酸化炭素量の削減目標などが要請されてきている。しかしながら、その実施状況は未だ十分ではないように観えるし、そのように考えられ得る。しかも、関連当局のコンピュータ予測によると、我が国の殆どの大都市は、この温暖化現象により、洪水ないし浸水の想定区域内に包含されているのである。従って、この世界現象が顕れる以前の、元の良好状態に戻すことは、恐らく極めて困難である可能性が大きいと、筆者は考える次第である。なぜなら、我々の地球表面を覆っているオゾン層に巨大なホール（穴）が開いてしまった以上、これを科学的に閉じることは極めて困難であると考えられるからである。ただし、１９００年代末期まで拡大し続けていた南極上空のオゾンホールは、２０５０年頃に消失すると予測している研究グループはある。その報告によると、今後しばらくは大規模なホールが残るものの、２０２０年頃より縮小し始め、２０５０年頃には１９８０年水準まで回復するとの予測結果が得られたもようである。この予測が確かならば、同ホールの消滅が期待されるであろう。しかし、これとは逆に、今後数十年間にわたり、同ホールの大きい状態が継続されるという専門家の予測も他方では報告されているようである。また、仮に、フロンなどがその予測モデル以上に関連各国にて使用された場合には、同ホールの回復は更に遅くなることも報告されている。これは自明であるが。……。そして１９９２年時点での南極付近におけるオゾンホールの面積は約２５００平方キロメートルであったという。ちなみに、筆者の試算によると、この面積は、例えば、米国とロシアの各々のそれを単純に足し算した値（約９８３万及び約１７００万の合計約２６８３平方キロメートル）に偶然にも大略一致しているのである。……。ところで、２００５年以降現在までについては、ほぼ１９８０年当時の世界のオゾン総量を規準に考えた場合、約マイナス３％と、僅かながら減少傾向が見え始めているようである。この傾向が、現在及び将来にわたり継続してほしいと切望するのは、もちろん、筆者だけではないであろう。しかしながら、この僅かな朗報も、世界の軍事大国及びその他の幾つかの国々が、今後、ミサイル発射もしくは原水爆などの各種軍事用実験を実行したり、万が一、実戦争が勃発したならば、この希望的回復時期は瞬く間に遠ざかってしまう可能性は否定できないであろう。そして、この場合、その危険性の要因も秘められ潜在していると、筆者は考える次第である。なお、２０１９年２月２日の報道によると、米国は「ロシアの新たな巡航ミサイルが中距離核戦力全廃条約（ＩＮＦ、米国とロシアとの間に締結された軍縮条約）違反に当たる」として、ロシア側にミサイル廃棄などの是正措置を求めたようである。その前年（２０１８年）10月に、米国大統領トランプ氏は「我々は本条約を守ってきたのにも拘わらず、ロシアはそれを守っていない」旨を主張していた。これに対し、ロシア大統領プーチン氏は２０１８年12月に「米国からは違反だとする証拠が示されていない。当該条約の破棄には反対だが、そうであるならば、ロシアとしても、それに応じた対応を執る」旨の反論をしている。この為もあってか、核保有五か国会合でも、核軍縮に向けた共同声明の採択は、残念ながらできなかった。従って、オゾンホールに係わる前述の研究グループ予測の希望的回復時期は、残念ながら、かなり遠のく可能性が高くなってきているという危惧の念を抱かざるを得ない。それ故、筆者は、残念ながら、その回復がほぼ完了し、そのホールが極小もしくは殆ど皆無になる迄は、我が国を含む世界各国の異常気象現象が大幅に低減する可能性はかなり小さいと推察している。その為にも、我が政府には、その対策及び実行力が求められるであろう。

なお、2021年2月の報道によると、次のとおりである。すなわち、シベリアの永久凍土もまた、温暖化により、融解し続けている。そのため、地元ロシアの地質学者等が、その氷河下にずっと眠っていた凍土を採集して分析した結果、「ウイルス」が見つかった。しかも、これは、短時間のうちに、大略1000個に急増したようである。このような氷河融解現象が新たなウイルス事件もしくは災禍にならねばよいが。……。我が国の当局は、これらの事態にも、十分注視し、かつ、強い防疫体制を構築する必要があるであろう。

我が国の食通（グルメ）及び食品ブームの落し穴

ところで、我が国では約1990年代頃から食通（グルメ）もしくは食品ブームが起こり、その流行または症状とも言い得るが、それは現在までも継続している。これに係わり、我が国の報道媒体では全国都道府県及びそれらの各自治体などにおける農産物、畜産物、水産物などのタレント諸兄諸氏による宣伝、競争、競技会（コンテスト）、食通旅行などの記事や番組が目白押しであり、それらのいずれもが、ある程度の視聴率や関心度を維持してきている。その料理、食品または菓子類など各種の競技などにおいて、外国における世界的な食品の味覚度、芸術度、視覚度などに係わり、種々の上位の評価を受賞したことなどにより、それら数多くの産地が全国的及び世界的な名声を得たことは大変喜ばしいことである。

しかしながら、その一方で、例えばテレビ番組における芸能人もしくはタレント（以下、芸能人という）諸兄諸氏などを通じて、それらの、あまりにも特定の牛、鶏、マグロやウナギを含む肉類、魚類、果物などを宣伝し過ぎたことにより、国内のみならず、世界中の（それまでは、ほとんど無関心であった）数多くの外国における複数の組織や団体を刺激し、目覚めさせてしまったのではないだろうか。または大いなる嫉妬心などを生ぜしめることになってしまった可能性も否定できないのではないだろうか。確かに、それらの食品類は、当業者が様々に工夫し、開発し、研究してきているため、味覚度、芸術度などが次第に洗練され、向上してきているであろう。しかしながら、我が国の芸能人諸兄諸氏らが「おいしい」、「おいしい」と単純に安易に、鶏や魚の如く、ピーチクパーチクもしくは口をパクパク開けながら、またはその番組の制作者や責任者等のご指示もあってか、繰り返し発言し続けるものだから、逆に、そのような我が国の食通事情を取材した番組を通して、外国における、彼等自身のご先祖様以来一度も食したことのないような、彼等にとっては奇妙奇天烈《きてれつ》な食材であっても、彼等にとっては巨利を貪れる源になるという邪念を起こさしめてしまった感は否めないであろう。なぜなら、それがために、彼等にとっては、それまで眠っていた関連分野における数多くの人々の脳神経を目覚めさせてしまい、そのように強く認識させてしまったからである。従って、筆者は次のように考える。すなわち、その過度の宣伝功罪のためもあってか、世界中で我が国の芸能人諸兄諸氏及びそれらの番組責任者たちにより必要以上に放映、報道、公開されたうちの有名銘柄と持ち上げられた食材や料理に係わる原材料の世界的な買い占め競争が猛烈なもしくは爆発的な勢いで始まったと言い得るのである。それに伴い、それらが短期間のうちに世界的な値上がりという激しい潮流を引き起こしてしまった可能性も否定できないのではあるまいかとも考えられ得るのである。その結果、世界で近年の食通ブームのほぼ最先端諸国の一つとして走り続けている我が国の当該関連業界自身が、あたかも自らの首をじわじわと絞めつけてしまうこととなったのみならず、我が国の国民の一般消費者の殆どすべての首をも自ら絞めつけてしまったという、笑うに笑えない現象（いわば、我が国にとっては、不都合なまたは負の世界的な循環現象とも言い得ること）が起こっているように考えられるし、そのように観えるのである。併せて、某国及びまたは某過激派系組織が、我が国のそれら種々の有名銘柄の食材の産地を標的にした生物化学的テロを何らかの悪の目的を持って実行に移したのではあるまいか、という疑惑も完全否定し難いのである。

また、あまりにも多くのテレビなどの放送局で、食事、調理及び食料品に係わる番組を過剰に採り上げてきていることや、アジア各国の現地に多くの合弁会社、協力会社及び関連会社などの工場や支店などが設立されて、多くの商品類が販売されてきている関係もあり、例えば、中国などでは、我が国の都道府県などの自治体に関連する商標や、我が国内では数十年前から著名標章として登録されている商標であっても、同国内では、別の出願人であっても何ら障害なく登録されてきてしまっているようである。これらは、おそらく関連する法令の存在することを仮に承知していたとしても、金儲けまたは手数料などを我が国の企業側などに要求し奪取したいがために、悪行を承知の上で、または悪行を悪と微塵も感じることなくして、闇雲に出願するというような仲買人（ブローカー）が陰で互いに意図的に、我が国の感覚とはけた違いに、数多く蠢《うごめ》いていると考えられ得る。

諸外国から食料輸出停止された場合の我が国の対策法

ところで、例えば、２０１０年8月ないし9月頃にロシアは、猛暑で広大な小麦畑が損害を被ったことを理由に、外国への小麦の輸出を禁止すると発表し、それを実施した。このこともあって、我が国の大型店舗や小売店では、小麦製品であるパンやその他多くの食料品類が次々と値上がりし、我が国の食卓をも直撃した。また、２０１２年7月10日の報道によると、この数日前から、米国の中部及び南部（例えばカンザス州）では猛暑に見舞われているため、大豆畑が大打撃を受けているという。その結果、我が国の関連種類及びそれらの各種加工食品に係わる分野が多大な悪影響を受ける可能性が発生してくるものと考えられる。

その一方で、例えば京都大学ｉＰＳ細胞研究所所長の山中伸弥氏を中心とする研究班は、世界的に有益で先端的な技術ｉＰＳ細胞（人工多能性幹細胞または誘導多能性幹細胞）を開発された。その医学及び医療分野における多大な応用が近い将来に向けて期待されている。また、米国航空宇宙局（ＮＡＳＡ）で学ばれた玉川大学農学部の某先生の研究室が、ＬＥＤ（発光ダイオード）照明技術を活用したレタスなどの葉もの植物の栽培方法に成功した。アジア諸国などからの情報提供依頼や問い合わせがきているという。また、２０１０年9月19日のテレビ報道によれば、世界で初めて、実のある植物としてイチゴの栽培にも成功していた。なお、ＬＥＤは低消費電力の光源として、様々な分野における照明用器具として商品化されてきているため、今後の活躍が期待されるであろう。そこで、まずは、関連する企業や団体などが世界中への工業所有権の出願手続を早急に完了させ、諸外国にそれらの秘法（ノウハウ。以下、秘法という）が盗まれないように厳重な情報漏洩防止対策を維持して頂きたい。工業所有権を通じての情報提供は世界経済の活性化手段の一つとして貢献できることであろうから、やむを得ないであろう。しかしながら、工業所有権の関連法に明確に侵害もしくは抵触していながら、開き直って頭からその実施を否定する無法国家、組織もしくは団体なども実在しているご時世であるから、これらと秘法の管理、監視、対処もしくは対応の方法などを、国際的に関連する諸外国と協力しつつ、世界公正的に厳格に順守して頂くようにせねばならないであろう。少なくとも我が国は、自主的にかつ他国とは独立して、対処及び対応策を構築すべきであると考える。

外国の食料品事情

２０１５年1月14日の報道によると、例えば、中国での食料に係わる道徳（モラル）の崩壊例が紹介されていた。同国では共産系社会系主義及び大衆路線を目指しつつも、次のような目に余る惨状が続いている。このため、同国人の知識人たちでさえ、自国の食料品に対して不信感を抱いている。そのため、自主的に外国品に切り換えて購入してきている。例えば、湖南省公安（警察）当局により摘発された悪質販売業者は、既に病死した豚を、保険会社から事前に情報を得て承知しておきながら、農家から死亡済みの豚を正規価格の30％で購入していた。そして、検疫合格証については、検疫当局に賄賂を渡して取得していたのである。その後、その死亡豚をソーセージ、肉まん及び食用油などとして加工し実販売していたのである。同国公安当局は、このようにして一万頭（一千トン）以上の豚肉を押収している。犯人グループは7年間で約19億円を売りさばいていた。これ以外にも、例えば、２０１３年には、ネズミやキツネなどの肉を「羊の肉」として偽装販売したため、９００人以上が地元当局により摘発されている。偽装工作事件は、この他にも数多くの実例が挙げられている。例えば、ゴミ処理場自体や、その不衛生なゴミの敷地や丘の上で何頭もの牛を放牧したり、シシカバブにネズミ肉を使用していたり、汚染粉ミルクなどの様々な非衛生的な事件が続発してきているのである。ちなみに、ネズミやノミの体内にはペスト菌という感染症原因菌の一つが生息しており、それを媒介としてヒト（場合によっては犬もしくは猫）にも感染することが知られている。歴史的には、西暦５４１年にエジプトで、１３４６年には欧州にて黒死病として知られ、推定で５０００万人が死亡し、１８５５年にはインド及び中国にて、それぞれ、大流行し、多数の死亡者が出たことが世界公知となっている。我が国では、ペスト菌発見者の一人である北里柴三郎氏の指導により、１９２６年以降の発生例はないとされているものの、国際化が急増している現代では、引き続き、油断は禁物である。また、２０１６年10月4日付の中国・東方網（もしくは、２０１７年2月2日）の報道によると、次のとおりであった。例えば、２０１５年には、下水油などを用いた食品で1万人以上が死亡している。それまでも毎年、下水油は２００万トンないし３００万トンが使用されてきていることが分かっている。当時、中国人自身が「食用油は恐い」と述べており、自衛策を講じているほどである。同国専門家によると、例えば、２０１７年2月時点では、同国当局による取締りが始まり、偽物食品が炙《あぶ》り出されている過渡期にあるという。これからは、同国生産者の意識が変わるのではなかろうか、と述べている。もちろん、そのように希望するところである。しかしながら、我が一般国民の平均的見方としては、彼等人民の約60％が農業に従事されている現状では、すぐさま約１００％が改善されるとは、俄《にわか》には信じ難いし、考え難いのではないだろうか。従って、筆者は次のように考える。つまり、現時点で、彼等の大手輸出先の一つである我が国としては、全国民の一人ひとりがこの実状を十二分に理解し認識した上で、対処する必要に迫られるであろうと。

外国製の偽食料品が大量に海外へ違法輸出

更に、同日（2017年2月2日）の報道によると、例えば、中国では、次のような様々な異常で危険極まりない偽の悪徳商品が大量に輸出されてきている。その第一例は、アフリカのナイジェリア国のスーパー（マーケット）でナイジェリア国民が購入した中国産米を炊《た》いてみて、初めて、その異常に気が付いたのである。そこで、その消費者の訴えを受け付けたナイジェリア当局が調査したところ、その米には「ジャガイモ、サツマイモ及びポリ（エチレン）袋」の3種類が含まれていたのである。同当局は直ちにその容疑者を逮捕している。第二例は、中国内で随一のブランド米は一年間で105万トン生産され、1000万トンが流通している。しかし、このうちの約90%は偽物であるという。なぜなら、これらは普通の米に香料及び工業油などを混ぜて偽装工作をしていたからである。その一方で、最高級品はそれらの約30倍という高値で販売されているのである。ちなみに、中国の一般消費者は次のように言う。『中国の食品には不安がある。というのは、中国のお米には生産地や生産者が記載されていないからよ』と。また、第三例としては、「人の毛髪と砂糖と塩酸」の3種類を混ぜて、偽醤油を製造・販売していた事件である。更に、第四例としては、「ポリ（エチレン）袋の欠片《かけら》を若芽《わかめ》」として偽装工作して製造販売していた事件などがある。これらの悪行実例を挙げたら、枚挙に遑《いとま》がないほどである。全くあきれ返ると共に、危険極まりない食品類が我が国を含めた世界各国に向けて輸出されてきているか、またはその可能性が極めて高いのである。なお、2015年4月24日に、同国の安全食品法の改正案が可決されている。これにより、食べることのできない原料を使用した食品及びまたは使用済みもしくは回収済みの残飯などを原料とした食品などの生産は禁止されることとなるが。……。果して今後及び将来において、彼等の本土の隅《すみ》から隅までの地域内にて、その改正案が本当に遵守されるのであろうか。我々も冷静にかつ医科学的な警戒心をもって注視していきたいところである。……。だが、このように淡い期待を抱いていたにも拘わらず、残念ながら、それ以上の規模と言い得る、「新型コロナウイルス事件」（本書では、「事件」と呼称する）が2019年12月下旬頃に同国武漢市で発生した。当初、国連世界保健機関（WHO）は大した事はない旨を発表していた。そして、2020年1月頃の記者会見では、「冷静にして下さい。中国も対応しているのだから」という主旨の結論であった。同国政府が対応しているのは理解でき得る。しかしながら、当のWHOスタッフの発言は、世界各国の一般人である億千万人がテレビを視聴したり、その後の各社の新聞報道などを通じて、それを知得した場合、同機関が明らかに同国に阿付《あふ》迎合もしくは曲学阿世しているのが、見え見えの記者会見であった。……。なぜなら、彼等スタッフの会見発言とは裏腹に、仮に極論させて頂くならば、そのような甘い見解を下している間にも、瞬《またた》く間に、中国内はもちろんのこと、世界の関連各国へと感染者及びそれによる死亡者が急増していったからである。ちなみに、例えば、２０２０年12月時点においても、本件の収束宣言は発せられていない。……。この事件は継続中である。

温暖化現象

その一方、例えば２０１０年９月６日は、気温が35℃以上の猛暑日であった。この年は、我が国内の多くの都市で過去最高気温や年間累積猛暑日数の更新を記録した。そのため、雨の降らない（日照り）日数が異常に多くなってきている。このことにより、米、麦などの穀物類及び野菜類の大きさが例年よりも小さく、実ができていないという。また、健康な鶏、豚、牛などの多くの家畜類も熱中症に苦しめられている。全国の動物園で飼育されている動物たちも我々人間と同様に猛暑に苦しめられている。現に、厚生労働省によると、同年７月１日から８月15日までの間に、我が国の乳用牛９５９頭、肉用牛２３５頭、豚は６５７頭、ブロイラーは28万９０００羽、採卵鶏13万９０００羽が熱中症とみられる原因で死亡し廃棄されている[7]。これは、我が国及び全国の該当自治体の水準からみても、無視し得ない損失及び損害と言い得るであろう。従って、早急の対策が求められる。また、参考として、その後２０１３年７月ないし８月にも猛暑が続いた。気温は国内で過去最高の40℃を記録した。これらの観測値からしても、恐るべき温暖化がひたひたと音を立てずに、我が国全体はもちろん、世界全体的にも着実に進んできていることを如実に示している実例の一つと言い得るであろう。その後も、この傾向は続いており、例えば、２０１５年５月27日には、我が国の東北以南での各主要都市での最高気温は、春の時期だというのに30℃またはそれを超えていた。また、この同時期に、南アジアのインドでは、熱中症のために約５００人が亡くなられたという。痛ましいことである。あるいはまた、２０１８年４月下旬には、関東及び北陸以南の各地で殆ど30℃を超えた。夏季でないにも拘わらず、真夏日になっている。我々一人ひとりの身体が未だ夏向けの体調になっていないにも拘わらず、外気温だけが、あたかも先走りして、上昇しているため、熱中症などに患り易くなるであろう。併せて、それら各地の上空には、ＰＭ２・５及び黄砂なども一因してか、淡黄色系をした日がしばしば観られた。これらの現象も温暖化の影響を受けている可能性が高いと考えられ得る。その後の本格的な夏期に向けて、我が国のみならず世界の人々が現代及び将来の気象と気候に警戒すべきであると共に、その対策に取り掛かるべきであると考える。ところで、同様の失敗を繰り返さないためにも、国、全国都道府県及びそれらの各自治体が関連する酪農家や畜産農家などに向けて充分なる指導や協力をして頂きたい。それと共に、我が国内全体に共通する、例えば熱中症対策書もしくはその対策手順書のような、より現実的なマニュアルを作成して配布もしくは配信するのも一法ではないだろうか。更に、該当する全国都道府県及びそれらの各自治体における各農業協同組合または集団や個人の酪農家や畜産農家などを対象とした対策講習会などを開催し、それらの智慧及び知識が浸透するように、対策の一助にして頂きたいものである。

その一方で、世界的には次のような傾向も観られる。例えばあのブリックス（ＢＲＩＣｓ、すなわち、ブラジル、ロシア、インド、中国の4か国、または更に南アフリカ共和国を加えた5か国）諸国、中東、アジア、南米などの国々は、経済力の上昇に伴い、急速に工場建設や森林伐採を増加し促進させ、軍備をも増強してきている。そして、これらの背景の一つとしては、軍需品及びそれらの素材の需要と供給、それらに伴う製鉄所、精錬所、造船所の建設、ミサイル発射実験または核実験及び関連諸国によるこれらの継続的もしくは断続的な実施、売り込み及びまたは買い付けなどが起因していることは否定し難いところであろう。また、各国の現政権が代われば、事態がどうなるかは予測し難いところである。国際的約束（例えば、温暖化対策の課題も含め）も反故《ほご》にされるかもしれない。ただし、天変地異が発生した場合は明らかに別であろう。残念ながら、反故の件については、筆者の予測が当ってしまった。というのは、例えば、２０１７年6月10日頃に米国トランプ政権は、以前のオバマ政権時代に締結した地球温暖化対策（ＣＯＰ２０１４）から脱退する旨を明言したからである。これに対し、当時、欧州連合（ＥＵ）などが反対しているものの、少なくとも同政権が与党である間は、恐らくそれを撤回する可能性はかなり低いと思われる。なぜなら、この背景として、中国、ロシア、北朝鮮などの幾つかの国々による大軍拡化の推進があるためであろう。従って、筆者は次のように考える。すなわち、米国としては、それらの国々に対抗するために脱退した可能性が高いと。但し、２０２１年1月以降の同国バイデン政権は、ＣＯＰ２０１４に復帰するとのことである。

防災及び食料不足対策のロードマップ作成とその実行の必要性

そこで、我が国としては、例えば今後3年ないし4年計画で次の建設を開始すべきではなかろうか。我が国の全国都道府県の各地におけるいくつかの海岸もしくは河川からある一定距離を隔てた地点もしくは地区の山腹、高台、地上または地下に、いわゆる「山腹農場」もしくは「地下農場」とでも呼び得る施設を少なくとも数か所ずつでも建設すると共に、それに携わる青年男女を育成または養成すべきではなかろうか。確かに、前述の「山腹農場」もしくは「地下農場」とは別に、極めて一部の地域にて、建屋またはビル内部やその屋上などに農業用ハウスを建設して、実際に、野菜や果物を生産して販売している企業はわずかながら存在しているようである。しかしながら、これらは全国的には大規模水準にはほど遠いであろう。そのため、その対策は可及的速やかに実行へと移されるべきであろう。なぜなら、この温暖化は来年も再来年もそして将来も、年間平均気温に関して、夏期は恐らく約34℃ないし35℃以上の気温となる猛暑の平均日数がより増加していく傾向になると予測され得る。その一方で、冬期は逆により寒くなる寒冷の平均日数が年ごとに漸次増加する傾向がそれぞれあると考えられ得るためである。更に、夏期ないし秋期は、台風、暴風雨や竜巻などの威力が以前より次第に増加し、他方で、冬期は、積雪量、吹雪または暴風雪の度合、頻度もしくは平均日数が増加していく傾向にあると考えられ得るからである。但し、その一方で、例えば、2012年6月26日の某テレビ「教科書にのせたい！ナゾを科学で解明SP」によると、前述のような傾向の中にも、地球低温化現象を予測している学者も居られるという。真偽のほどはまだ一部不明のようであるが、その学者によると、いわば「ミニ氷河期」が来るであろうという。例えば、西暦1600年代の寛永大飢饉、1700年頃の元禄飢饉、1700年代中期の享保・天明の各大飢饉、1800年代の寛政及び天保の大飢饉などが、この「ミニ氷河期」に該当するという。この現象は、太陽の黒点の数に依存する。黒点の数が多いと太陽活動が強く、その数が少ないと弱い関係にあるという。そして、太陽の活動が弱くなると、有害物質が、我々が日々活動し居住している、この地球表面に降り注いでくる。この後者の現象は、天文学系の学問分野では周知である。そして、彼によると、その活動が弱くなる周期は、1950年ないし2011年の期間において、約11年ないし13年であるという。なお、この低温化現象については、世界的にも賛否両論が存在している。現時点では、相対的に、温暖化の方が支配的であり、有力視されていると思われる。

従って、筆者は関連当局へ次の事項の実施化を切望し、そのように向かうことを希望する次第である。すなわち、例えば、農林水産省、国土交通省、防衛省などと全国都道府県及びそれらの各自治体、各地元公共及び民間の各団体並びにその他の関連機関が互いに協力して、将来の我が国の食料確保に関して是非検討し、期限を定めてロードマップなどを作成し、それに沿って実行に移して頂きたいと。もちろん、環太平洋戦略的経済連携協定または環太平洋パートナシップ協定（TPP）との関連を考慮しつつとなるであろうが。そのための人手が真に不充分であるならば、例えば、6か月もしくは12か月などの期限を設けて、政府、全国都道府県及びそれらの各自治体が協力しつつ増員の実行へと移して頂きたい。その結果が良好ならば、更に拡大実施に移行するなどを考慮すべきと考える。また、前述した医学の一分野及び人工植物栽培の一部の成功に対して共通して言えることは、少なくとも次の二項目ではないだろうか。

第一に、これらの新技術を我が国の例えば農林水産省、厚生労働省などの関連省庁が協力し合って、資源の乏しい我が国の国家的事業に水準を引き上げていくこと。

参考として、前者については、発見者の山中教授が２０１２年度の著名な各賞を受賞されたことに伴い、当時の野田政権も、かなり強力に支援することを約束したもようである。今後に期待したい。なお、米国では、既にこの発見の重要性に着目しており、その実用化をも強力に推進しているとのことである。我が国も幅広く強い善なる支援を継続すべきであろう。更に、提案させて頂けるならば、次のことも指摘しておきたい。すなわち、我が国は、毎年、全国のどこかで、例えば、春雨前線、台風、秋雨前線、豪雪、暴風雪などの時期に、河川の氾濫、床上・床下浸水、田畑及びまたは道路の冠水、土石流の町村や田畑への流入などの大被害を被ってきている。したがって、これらの現象に伴って起きる、農作物、家畜、漁業及び日常生活一般などに係わる自然災害のすべてを、その時代における可能な範囲で、限りなくゼロに近付けることもしくは収束させることができないものであろうか。


我が国の全国都道府県及びそれらの各自治体における田畑、山林などを、これからの50年、２００年、５００年先の将来に向けて、自然及び人工災害から守るための、例えば約４か年計画の実行計画表もしくはロードマップを作成した方が却《かえ》って合理的で善いであろう。そして、それに沿って、各地域の土地の部分的もしくは全面的な補強、補修または追加の可能性の有無について検討し、更に実験・実証の確認などをも実施して、対策に役立てると共に成果を上げていきたいものである。

温暖化に係わる初の適応計画案

例えば、２０１５年10月23日の報道によると、我が国の環境省及び農林水産省は20世紀末との比較において、我が国の21世紀末の気温予測を公表している。それによると、厳しい対策の場合は平均１・１℃上昇し、最悪の場合は平均４・４℃上昇するとしている。同省などの計11省庁は自然災害等の増加を前提として、被害の軽減策を盛り込んだ適応計画案にしているという。例えば、農業分野では、高温に強い品種の米や野菜を導入すること。比較的低温の地域では果樹栽培にすること。あるいは、災害分野では、堤防やダムの管理の徹底及び低リスク化を目指す町作りなどである。これらは、今後、是非、計画案で終わることなく、期限を設定して、更なる実行段階へと円滑に移行して頂きたいと願うものである。

開発もしくは開拓者の顕彰

第二に、そのような開発者もしくは開拓者が我が国よりも高い年俸を提示されて外国に容易にスカウトされて外国へ頭脳流出することのないように、または、その度合がより低減されるようにして頂きたいものである。しかも、その技術の秘法が外国に盗まれないように、かつ、奪取されないような対策及び体制を構築することはできないものだろうか。更に、その努力した内容の質の度合に応じて身分が保障されるように支援するとも配慮した方がよいのではないだろうか。確かに、現状では、例えば、文化の日などに社会貢献度の顕著な方々が毎年表彰されてきている。しかしながら、その一方で、一般的もしくは平均的傾向としては次のことが言い得るであろう。すなわちより純粋な研究分野に属する方ほど、そのご当人は、研究自体については卓越した知識・知見をお持ちであろうが、その反面、イデオロギーや危機管理意識などに対しては、やや気に留めておられないか比較的関心度が低い可能性がわずかながらあり得るであろう。なぜなら、過激派組織や仮想敵国などは、常に自国にない優秀な情報、頭脳もしくは技術を持った者を欲しているかもしくは標的として狙っている可能性が極めて大きいからである。あるいは、彼等は、それらの優秀者を標的にして、工作員や間諜を送り込み、その秘法や機密情報を略奪し強奪しに来る可能性は否定できないからである。従って、筆者は次のように考える。すなわち、前述の点に関しても、併せて警戒せねばならない。我々は、我が国の開発者等を、我が国の財産の一部として保護もしくは支援していくべきであろう、と。ただし、開発者ご自身の自由意思もまた尊重されるべきであろうが。

食料に係わる自給率向上と活性化を目指せ

我々国民は、昔から義務教育などを通じて、我が国は資源の乏しい国と教えられてきている。それにも拘わらず、諸外国が本来の我が国の領海などから海底資源を掘削し続けている。この矛盾は一体何なのだろうか。この我が国の自ら堂々と世界に主張可能な資源開発が他国に奪取され続けているその実状にただ指をくわえて電話などで反対を唱えるだけでよいのであろうか。相手が侵害した際に、何十回も何百回も侵害された各時点で、毎回毎回文書を通じて、本当に相手国に対して、正式な抗議文書を送達し続けているのであろうか。その文書類は過去分を含めて、十二分の警備及び警戒体制下で、完全かつ安全に保存され保管され続けてきているのであろうか。そして、それのみならず、我が国も自国領海内で、積極的に掘削を迅速に開始すべきではないだろうか。確かに、時代に応じて、それぞれに対処されてきたではあろう。しかしながら、現実は、事ほど左様にはいっていないように観えるのである。なぜなら、我が国自ら汗をかき努力して、自らの領域内に実在する陸・海・空の宝の山や海（海底を含む）に着目することなく、海外もしくは外国へ、電話、ファックスもしくは電子メールなどの電磁媒体を使用して瞬時に事や事案を解決し終了させてしまうことに慣れきってしまっているためではなかろうか。これもまた、経済第一主義を実践してきたことの弊害の一つであり、かつ、その弊害に殆どすべての人々が気付いていないという症候群に罹《かか》っていることの証左の一つとも言い得るからである。戦前と比較して、現在の我が国は、防災、国防、資源エネルギー、国土、食料、国土開発などと共に、猛暑、旱魃、暖冬、台風、風水害、豪雪、寒波などの年間を通じての異常気象にしばしば見舞われてきているのである。このため、政府としては、全国民が安心して生活や活動できる環境や状況の確保、かつ飢餓状態からの絶対回避または阻止などの実効性のある政策が必要となると共にそれらが求められるであろう。従って、筆者は次のように考える。すなわち、少なくとも先の終戦後より現在までは、我が国は経済第一主義の路線を好むと好まざるとに拘わらず歩んできているのである。このため、自国で食料を生産することに対する奨励や支援の割合が、諸外国と比較してかなり低いように観えると。つまり、食料が不足するなら、外国のお得意先もしくはその企業などに金銭を支払ってその外国から輸入すれば、問題は解決するではないかと。あるいは、石油衝撃（オイル・ショック）や何々衝撃（ショック）が起ころうとも、または、世界の某地域で局地戦争が勃発して、原油または食料などの価格が高騰しても、政府関係の人たちがそれらの対象国に土産を持参して、我が国だけはお手柔らかにと契約を取り付けに出かければ、すべて何とか事が済むと相変わらず考えておられるのであろうか。このような対応方法が今後もずっと継続されるとすると、国家として常に主体性が維持されないかまたはその度合が極めて乏しくなることであろう。その結果、何事に対しても落ち着きを失い、いわゆる状況主義国家に陥ってしまうと言い得るのではあるまいか。その実例の一つが、先のイラン制裁に対する、その当時の我が国のあたかも抜け駆けとも言い得る行為ではないだろうか。また、２０１０年夏期に、ロシアは旱魃に見舞われたなどの理由により小麦に関する外国への輸出を中止しているのである。我が国における標準的な主食、副食その他に相当する食料生産国は近年及び今後についても、ますます、自国民の食料確保に主眼や主力を置く傾向が強くなってきている。更に、例えばトウモロコシなどはエネルギー変換が可能となったため、外国はますます輸出を躊躇する傾向にある。なお、例えば２０１２年7月中旬に米国中南部が旱魃に襲われて小豆類が被害を受けている。このため、いずれ近いうちに我が国への悪影響も避けられないであろう。

それ故、我が国は、今まで以上に、従来の農林・水産・畜産などの分野における生産方式の考え方の一部を、真剣かつ大幅にしかも抜本的に改善すべき時期に既に来ていると筆者は考えている。そして、食料自給率は少なくとも65％を目指し、それが決して夢物語ではなく、机上の空論に終わることなく、例えば4年ないし8年計画のロードマップがまず作成されるべきであろう。そして、それに沿って、我が国の大地にしっかりと根を下ろし、固定化させ実現化させかつ安定化させるための対策及び工夫を講じつつ、併行して迅速に実行すべきと考える。

期待というものは常に裏切るものである

これは、たとえ２０１３年にＴＰＰへの交渉参加が決まり、かつ２０１５年10月5日に大筋合意に達したとはいえ、それとは独立に、併行にかつ継続して、自給率対策を実行し続けるべきと考える。この交渉問題自体も将来、各国の政権交代、様々な困難、障害もしくは急ブレーキが掛かり、我が国にとって様々な難題や危機が全く訪れないと誰が保証できるであろうか。誰が断言できるであろうか。否、誰も保証も断言もできないであろう。将来のことについては、神仏のみぞ知るである。だからこそ、将来のその想定外となり得る危機的かつ危険な厳しい状況を国家として是が非でも避けるために、その最悪の防止策を今から先手先手もしくは早目早目に講じておかなければならないのである。そのような善にして高水準かつ高次元の事項を常に考え、しかも、現実に法制化に向けて実行していくことが、国会議員諸兄諸氏の本来的な存在意義もしくはその価値の一つではないであろうか。なお、前述のＴＰＰ交渉は今後も注目していく必要があろう。ちなみに、前述のように筆者が予測していた事態が具現化した。すなわち、その当時の評論家諸兄諸氏の過半数は、ＴＰＰ及び、別件の、当時、米国大統領選挙の結果予測に係わり、その流れに沿って事態が順調に進行していく旨を述べられていた。しかしながら、あにはからんや、現実には、圧倒的に優勢と見られていた民主党ヒラリー・クリントン氏が共和党トランプ氏に、逆転敗北したのである。それに伴い、トランプ氏は先のＴＰＰからの脱退を宣言している。これは、まさに、当時の我が国の大衆報道や評論家諸氏の殆ど全ての予測及び意見などは、世界水準における大きな変化や事態がひとたび発生すれば、彼等彼女等の予測や意見などは、足元を完全に抄《すく》われてしまうこともあり得るという事の典型例の一つと言えるし、そのように考えられるのではないだろうか。

我が国の教訓並びに今後及び将来への実践課題

それ故、筆者は、この場合を含めて、次のように考える。すなわち、我々としては、負の参考として、例えば江戸時代や明治時代などにおける農作物の凶作時期の状況や、かつて隣国の毛沢東が強力かつ強引に推進させて失敗した「大躍進運動」の原因及び結果を研究し探求することも有益手段の一つであろうと。我が国の今後及び将来の農林・水産・畜産分野などにおける、実行してはいけない例または回避すべき例の一つとして、それらを含むいくつかの具体的項目の調査及び研究結果などを抽出し、それらを教訓として活かすべきであろう。そのために学ぶことは、逆に今後や将来のどこかの段階で、我が国にとって大いに役に立つ時期が到来する可能性があると考えられるからである。

我が国は、食料を輸出している諸外国の政策もしくは戦略に基づく何らかの事情で、今後及び将来にわたり、我が国向けの食料輸出が緊急に停止または中止された場合に備えて、せめて我が全国民が餓死しないための国策を今から迅速に地道に着実に確立しておかねばならないのではないだろうか。確かに、現状でも幾分かは各自治体にて、緊急事態発生時に対応するための最小限の備蓄はされていることと思われる。しかしながら、短期間に立て続けに、例えば、国内の複数箇所で大被害を受けたとしても、その約60%を賄《まかな》える程度は、予め準備しておきたいものである。なぜなら、例えば第一の理由は、輸入しているいくつかの主要国が局地戦争もしくは戦闘や内戦状態に巻き込まれたり、天変地異または大災害を被ったことなどにより、我が国への輸出や供給が完全に停止してしまった場合のためである。また、第二のそれは、我が国自身が天変地異、風水害、猛暑、旱魃、冷夏、暖冬、厳冬、火山の噴火、土砂崩れなどの大災害などもしくは仮想敵国（群）やいくつかの過激派系組織の襲来や攻撃を受けた場合、田畑、山林、漁場または畜産場などが壊滅的被害を受けた状態となり、今日、明日、明後日の作物や食料が被害を受け、収穫が不可能になった場合などのためである。実際に、我が国の過去を振り返ってみると、例えば、天明の大飢饉（1782～1788年）の場合には、1783年7月6日の浅間山の大噴火も原因し、その前年からの冷夏による大凶作もあって、現在の我が国の総人口よりもかなり少ないと推察される当時の総人口の中の、推定約2万人という数多くの死者もしくは餓死者が出た[8]という事実が存在しているからである。

それ故、筆者は次のように考える。すなわち、もし今後及び将来において、外国から我が国への食料輸出がたとえ部分的にせよ停止または中止された場合を、我が国は予め想定しておかねばならない。しかも、我々は同時に食料に関しても外国に約70%ないし90%と大きく依存し続けているのである。この状態は、国家として異常な状態であり、かつ食料面に関して「砂上の楼閣」そのものである。このような危険かつ不安定極まりない状態にありながら、目先の個人的または個々の企業的な利益ばかりを追求するようにしてきている政府、民間企業などの各々の方針もしくは方向性の一部は、抜本的に改善されるべきではないだろうか。このままの状態を放置しておくならば、いずれ有事の際には食料危機が現実化し得るであろう。したがって、この流れは是非とも改善しなければならないし、善なる方向へと変えねばならないと。我が国を愛するが故に、更に極論させて頂くならば、それらが未だに成就できていないかまたはその足掛かりさえ確実に観えてこないかあるいは摑《つか》んでいないのは国家として怠慢ではないだろうか。または国家を維持し発展させていくための長期戦略の優先順位を一部間違えてきたか、または勘違いしてきているのではなかろうか。あるいは、国家としての歳入の使い道の優先順位の一部が誤っていたのではあるまいかと危惧され得るし、そのように考えられ得る。一言で言わせて頂くならば、「国家としての気合い及び危機感」が非常に不足または欠落していると言い得るであろう。換言するならば、国家としての長期（たとえ世界情勢が激動の時代であろうとも、あるいは不景気であろうとも、少なくとも１００年ないし５００年単位の防災、国防、食料及びエネルギーなどを主体とする）戦略が不充分であると。更に、それらを実行するための具体的手順もしくは戦術に係わる確立と、それらを期限付きで完了させるのだという善なる強い執念及び信念が不足または欠落しているように観えてならないのである。この点は、極めて不満足であるし残念である。なぜなら、我が国民であるならば、真に本気を出せば成就できる能力を誰もが有しているにも拘わらず、例えば、政府や官僚が本気を出しているとは考え難い事例がしばしば見受けられるからである。本当はもっともっと発揮できる能力を備えておられるにも拘わらず、である。但し、２０１３年9月頃からは、それ以前よりも景気及び活気がいくらか上向いてきたように思われる。しかし、経済的にはまだ日銀短観や産業界の見通しなども考慮せねばならないようであるが。

中国の文革前後の食料事情と、現在及び将来までも続く彼等の闇工作活動

ところで、高文謙氏[9]によると、中国では、１９５９年ないし１９６１年の3年間の困難期に中国国庫の食糧が不足し、「多くの」餓死者が出ていた。しかし、ここでは、その具体的な死者数は記載されていない。著者の高氏が母国で重要な党中央文献研究室に勤務されその業務に携われていた際に、その具体的な人数を承知していなかったというのはにわかには信じ難い。恐らく、彼は母国からの彼自身を含む家族や親族などへの弾圧、拉致または報復などを恐れての故に、具体的な数字をあえて記載しなかったのではないかという推測も成り立ち得るであろう。但し、櫻井よしこ氏の著書[10]の中の２００４年1月に中国にて出版（ただし同年3月発売禁止）のユン・チアン及びジョン・ハリデイ著『マオ　誰も知らなかった毛沢東』（上下、講談社）によると、１９５８年から１９６１年までの毛沢東による大躍進政策により、（中国）全土での農民の２０００

万人ないし4000万人が餓死したという。事実、その一方で、当時、同国共産党のナンバー2であった劉少奇は、少なくとも3800万人の農民が餓死あるいは過労死したと語っている[11]のである。それにも拘わらず、その実態は当の中国の一般人民に対してさえ教えられてきていないのである。ただあるのは、反日教育及び途絶えることのない、かつ、現在までも継続されてきており、しかも、将来にわたっても延々と続く大軍拡最優先政策である。その具体例としては、原水爆実験、核兵器の増産化、核搭載攻撃型ミサイルや同ロケットの高速かつ連続多数発射の開発兼増産である。

更に、東アジア・オホーツク海・日本海・東シナ海・東南アジア及び我が国の多くの関連する島々とそれらの沿岸を含む太平洋海域・空域への大進軍政策、反日戦略戦術及び沖縄県と九州以北とを分離させようとする猛烈なる悪行及びその卑劣な陰謀と戦略戦術の数々である。しかも、ほぼ1990年代（もしくはそれ以前）ないし2000年代頃より、同党及び同国は隣国の韓国や東南アジアを含むアジア諸国、欧米諸国、太平洋諸国、中東諸国、アフリカ諸国、中南米諸国などをも丸め込んで、我が国に対し、反日感情、反日のための部分的に歪められ誇張化された歴史認識を強要し押しつけ続けてきているのである。このように、その問題を次々に歪曲しでっち上げ採り上げて、我が国に対する雪隠《せっちん》詰めとその関連工作に係わる悪の戦略戦術を実行してきているのである。これらの悪行は、単に外国からの悪のエネルギーのみならず、我が国内に多くの間諜を送り込み、滞在させてばらまき続けてきているのである。例えば、彼等は全国の関連する都道府県内の各種の官公庁、大学、銀行、企業、団体、組織のみならず、それら内部の会員並びに全国に散在する飲食店、商店、語学学校、書店などを通じて悪の噂を流し続けると共に、自国の悪評判記を除去する悪意の戦闘宣伝活動（プロパガンダ）を実行し続けてきている可能性は否定できないと考えられる。極めて警戒を要し続けると共に、我が政府、国、全国都道府県及びそれらの各自治体は、恒久的にそれらの対応策を迅速に講じるべき重大なる事態の一つであると考える。

近代におけるロシア再編成までの略史

また、同様に、1989年11月3日に来日した際の講演で、1975年度ノーベル平和賞を受賞した旧ソ連のアンドレイ・サハロフ氏（1921～1989、旧ソ連の水爆の父及びペレストロイカの父とも呼ばれる）は次のことを訴えておられた。同氏によると、ロシア革命（1917年）は、当初の「革命の理想は高かったが、権力至上の破滅の道をたどった。その権化がスターリンだった」と指摘されている。そして同氏は「ソ連国家委員会（カーゲーベー〈KGB〉）の資料で、1941年までに1900万人が殺され、うち700万人が銃殺された。

当局の弾圧は、今も続いている」と話している。更に、「ソ連経済の破滅的状況は、絶対的な政治、産業の独占が元凶。（ソ連）一般人民は何も知らされず、その中で一番、破滅への道を感じ取っていたのはKGBだった。それが、ペレストロイカ（組織し直すこと。建て直すこと。再編成）の始まりとなった」と分析されている[12]。この前者の処刑に係わる事実は、経済状況と共に、旧ソ連時代から現ロシア時代に至る同国の一般人民に対しては、情報の遮断などのためにほとんど知らされていないかもしくは学校などで教えられてきていない可能性が極めて大きいと考えられ得る。また、1997年の報道によると、ロシアの「十月革命が起きた1917年から1987年までに6200万人が死亡……そのうち4000万人は強制収容所で死亡した……レーニンは社会主義国家建設のために400万人の命を奪い、スターリンは4260万人の命を奪った……」と、その記事は述べている[13]。そして、ボリシェヴィキ（多数派。1903年のレーニン派によるソビエト共産党）が1917年に（ソビエト自身の）自国民に対して仕掛けた戦争、つまり、内戦、粛清、飢餓、集団化が6600万人もの犠牲者を出した[13]としている。

ウナギ等の稚魚の養殖などに拘わる権利取得の必要性

一方、例えば2011年2月2日の報道によると、我が国の某大学研究員が世界で初めて「ウナギの稚魚の養殖」に成功している。シラスウナギは、南太平洋のマリアナ沖で数年掛けてフィリピン群島の東側を北上し、更に、我が国の太平洋側を北上するということまでは既に分かっているという。しかし、ウナギの生態などの完全解明については、2015年3月時点では未だ部分的に不明のようである。これも我が国内はもとより全世界に向けて、その養殖方法などに関する研究開発と共に工業所有権をまず取得すべきと考える。その中の特に技術的秘法については、その道の専門家や法律家などと相談し検討されて、今後とも、いかなる小さな事項の発表についても、極めて慎重にかつ注意して対処すべきと考える。ちなみに、前著発売直後より、中国系漁船団がこの海域及び航路に沿って、ウナギ漁に出航している。彼等はその際、底引き網を使って大量のウナギ漁をしている。その結果、我が国はそれまでの多大なる基礎努力も空しく、ウナギ漁による収穫量が激減し続けてきている。極めて残念なことである。当局におかれては、何とか改善方法を見出して、より厳格なる対策を講じて頂きたいと切望するところである。

諸外国から我が国への輸出中止通告に対しても、慌てる必要なし

また、例えば、2011年4月3日より、中国は、福島第一原発における放射能汚染事故のため、我が国及び日系企業から

の一部の物品に関する輸入を全面的に中止している。これに対し、当時の我が政府は同年4月18日頃に「中国に冷静な対応をするように」と伝えたというが、そのような期待をする方が無理があり、馬の耳に念仏であろう。しかも、上品な文言によって微妙に反応するほどの繊細な神経を有する一枚岩の人民でないことは、現在では、世界常識の一つである。

そのような彼等の性質や本質を全く知らないのか、もしくは、知ろうとしないのは、我が国だけではなかろうか。特に、与野党の一部の方々のみならず、全国都道府県及びそれらの各自治体の議員諸兄諸氏の一部の方々ではないであろうか。もちろん、財界人、産業人もしくは企業人、文化人、教育者、研究開発者などの一部の方々も同様と考えられ得る。したがって、我が当局の方々もまた、基本的にこのことを心得ていた方がよいのではないかと思われる。ちなみに、2013年8月下旬ないし9月上旬にかけて同原発の汚染水タンクから汚染水が一部漏れ出す事故が発生した。これにより、韓国も被災地産の食料輸入を全面的に禁止した。彼等の声明によると、放射能の値が基準値以下であっても中止するという。それは同国の自由であろう。だが、その背景には、同事故のみならず、最近の反日強硬派による彼等の国家主義の目覚め及び反日の中国系などからの煽動、誘惑、誘導もしくは意向が極めて強く反映され影響されている可能性も否定できないと考えられ得る。更に、その意向をそのまま真に受けて、十二分の真偽の調査や検討をすることなく、鵜呑みにしているため、強く影響されている可能性もまた完全否定し難いところであろう。

物価調整政策に改善余地の可能性あり

2010年ないし2011年頃だと思われるが、その当時のテレビニュースに、我が国のある県のかなり広大な面積を有し、美しくて瑞々《みずみず》しく、見るからにいかにもおいしそうで豊かに成長した新鮮なキャベツ畑が一面に広がっている情景が映っていた。その季節は夏頃であったと記憶している。ところが、その畑の所有者である比較的若年（30歳代半ばくらい）の日焼けした男性が、自家用のブルドーザーに乗って、自らが育てたキャベツをそのブルドーザーで押しつぶして全てを破砕していたのである。何と無慈悲で勿体ない行為であろうか。確かに、彼としては生活費を稼ぎ出すために、これらのキャベツは、ご自身が手塩にかけ、愛情を注ぎ何か月も費やして、照る日も雨の日も風の日も耕し成長させてきたはずであろう。しかしながら、それにも拘わらず、彼はその全てを破砕してしまったのである。その状況を目の当たりにした同テレビ記者が、「なぜ、こんなことをするんですか」と彼に尋ねた。すると、その男性はこう答えた。「なぜなら、こうしないと、（キャベツの）売価が暴落してしまって、肥料代にもならないんだよ。もちろん、利益なんぞ出るわけがない。だから、やむを得ずやっているのさ。俺だってつらいんだよ。誰が好き好んで、こんなことをやるもんかね」と。従って、筆者は、次のように考える。すなわち、その結果が、全国の国民生活を苦しめることに繋《つな》がってきているのであると。例えば、その後の２０１８年1月下旬に寒波が襲来した際には、キャベツを含む多くの野菜類が被害を受け、それらの価格は2倍ないし２・３倍も値上がりしたのである。それ故、これ以上、同じ失敗や失策を繰り返してはならない。これらの過去の実例を教訓として、その原因を徹底的に究明し、根本的対策を創出しなければならない。そのためには、例えば農林水産省はもちろん計画されていることと思われるが、全国都道府県及びそれらの各自治体の関連部門やすべての農業協同組合などの諸団体も積極的に立ち上がらねばならないのではないだろうか。お上から何かを言われるかまたは指示などがあるまで何もしないで待っているだけでは、何事も始まらないはずである。このように、農業分野においても、善行及び善なる業務は先手必勝なのだから。善行に関しては特別な場合を除き、決して消極的になってはいけない。自らが主体性を持ちつつ、大いなる勇気を持って積極的に言動すべきである。

食料の長期保存及びその管理体制の改善例

想い起こしてみると、このような「極めて『もったいない』行為」または、別な視点から、あえて言わせて頂くならば、彼の心情も分からないではないが、その結果としての「罰当《ばち》たりの行為」は、この実例に限ったことではないのではないだろうか。確かに、ご自身が所有する土地の食料をどのように処理しようが、その所有権者の裁量に任されることなのかもしれない。しかしながら、道義的には矛盾しているのではあるまいか。なぜなら、それ以外の、例えば、米を含む穀物類、魚類、果物類、その他の類についても、たまに大豊作または大豊漁になった年などは、いくつかの地域で、時たま、このような「悪行」（ここでは、あえて、そのように言わせて頂くのでご了承願いたい）が実行されてきているからである。そして、このことは、筆者のみならず、例えば、河上肇氏はご自身の著書[14]の中で、これに関連することとして、既に、米価調整について次のように指摘されているのである。すなわち、「……近ごろ（筆者注・１９１６年頃）わが国に行なわれた米価調整なるものがそれである。米がたくさんできるということは実によろこばしい事で、現にこれがためには全国各府県に農事試験場などを設けてしきりにその生産増加を奨励しているのである。しかるにたくさんできると値段が安くなる。しかも安くなっては農家のもうけが減るというので、政府はいろいろに骨を折って、今度は米価をつり上げるくふうをしている。一方には日々の米代の支払いにも困っている者がたくさんある。……それに政府は、米の値段を高くするために、委員会などを設け、天下の学者実業家を寄せ集めて、いろいろと骨を折らねばならぬというのであるから、実に矛盾した話であるが、しかしこの一例によってみても、今日の経済組織の欠陥の那辺《なへん》にあるかはよくわかる。……多数貧民の需要に供すべき生活の必要品は、少し余分に造ると、じきに相場が下がってもうけが減るから、事業家はわざとその生産力をおさえているのである。しかして余の見るところによれば、これが今日文明諸国において多数の人々の貧乏に苦しみつつある経済組織上の主要原因である。」と。

従って、筆者は次のように考える。すなわち、前述のキャベツである野菜とお米との単なる種類の相違はあるものの、現代における我が国内の食料生産状況は、1916年頃のそれと、本質的には何ら変わっておらず、何ら改善されてきていないのではあるまいかと危惧されるのである。あるいは、食料生産体制もしくはその方式及び食料生産後の農家の支援とその収穫した食料のほとんど絶対的に安全なる長期保存方法などは、全国的規模に関し、一部を除き、ほとんど政府により強く支援されてきていないのではあるまいか、という懸念を抱かざるを得ないように観えるのである。だから、生産調整は、ある程度はやむを得ないかもしれないが、その余剰分については、例えば大型の長期保存可能な倉庫（地下、地上、山腹及びまたは地上約20メートルないし30メートルに位置し得る建屋内）などを早急に建設すべきであると。そのためには、他の用途との兼用もあり得るため、農林水産省のみならず、例えば、国土交通省や防衛省などの横方向の省庁とも互いに誠実に協力し合って、向こう50年や100年はそれらの実行が頓挫したり中止になったり崩壊したりしないように（あるいは50年後に、新たな鉄骨と交換したり、追加もしくは補強的に付加できる建設的な空間をも残して）、建設を検討し開始して頂きたいものである。そのためにも、早期かつ事前に鉄鋼などの必要関連資材や素材などを入手し、かつその経路などを確保しておかねばならないであろう。

なお、ここで言う長期保存及びその管理体制とは、次のことを意味している。例えば3年ないし4年間の春夏秋冬の期間においても、それらの貯蔵された食料は腐らず、カビの発現がなく、種々の欠陥または短所を発生させることがないことを。照明（LEDを含む）、温度、湿度、気圧などを調整し得る人工または天然の倉庫（地下、地上、山腹及びまたは地上約20メートルないし30メートルに位置し得る建屋内）や洞窟（自然を改善改良した人工の洞窟など）の衛生面については充分に整備され改善・改良された環境下に置かれるべきであろう。換言するならば、誠実なる全国都道府県の生産者により生産され収穫されるなどしたすべての食料品は、十二分に全国民などの生命に生かされる環境に置かれる権利を有するとも言い得る。但し、我が国内外で天変地異や戦禍などが発生した場合、それらの当該地域や国へ、可能な範囲で、支援や寄付をすることはもちろん善いことであろう。従って、政府、農林水産省、防衛省及び国土交通省などが互いに協力し合って、全国都道府県に、それぞれに、国営もしくは公営及びそれらの各自治体の農業協同組合などが管轄する貯蔵庫を増設、新設もしくは創設すべきであろう。もちろん、各自治体はある程度必要最小限の施設を有しているであろうが。そして、これらの準公共施設に対し、略奪、強盗、放火、破壊などの犯罪や事件の被害に遭わないための、例えば、防犯カメラ付きで、しかも無人でなく、複数人による護身用武器やスマートフォンなどを携帯した、警戒、警護、防犯及び保安体制を各地元警察とも協力し合って強化させることは最低限必要な条件の一つではないかと考える。

以上のように、我が国は毎年、全国のいずれかの地域に、おいて、様々な災害に見舞われてきている。そこで、梅雨期、猛暑期、台風期、洪水期、暴風雨期、災害期、降雪期、厳冬期、寒冷期などの大荒れの四季においても、可能な限り、我々全国民の被害度が極小であり、かつ、何らの不安、飢餓もしくは飢饉などの悪状況に追い込まれない方法は果たして残されているのだろうか。確かに、政府を始め関連省庁では、その都度、懸命に対応・対処してくれていることと思われる。しかしながら、我が国内はもとより、世界各地では洪水や氷河、グリーンランドの大規模な氷解、オーストラリアの長期の山火事、干ばつによる農作物の不作などがあたかも同時多発的に起ってきているのである。それらの諸現象は直接間接的に我が国の食料事情にも影響を与え続けてきているのである。なぜなら、これらの現象はいずれも、例の温暖化による悪影響やその他の不確定要因による重大なる災害や事件が増加してきているためだからである。このような現在において、当局や我々が従来と同様な対策感覚でいたならば、これからの混沌とした激変の時代には、まるで対応できない状況下に追い込まれると強く予測され得るからである。従って、筆者は次のように考える次第である。すなわち、例えば、政府（与野党を含め）、全国都道府県及びそれらの各自治体のそれぞれの各位は、従来以上の善なる覚悟と決意とを持って頂き、今後は、例えば、約4年ないし8年毎の更新の各計画のロードマップなどを作成し、それらに沿って、よりよい方向と、より強い情熱と決意とを持って、具体的に改善もしくは改良する実行動を起こして頂きたいものである。もちろん、我々全国民の一人ひとりも、これらの善なる結果に対しては前向きに協力すべきであろうと。

第五章　我が国の産業的安定

リコールと（動物）インフルエンザ

２０１１年1月30日の報道によると、当時のトヨタ自動車は当局に約１２０万台のリコールを申請したという。ところで、この案件は、同自動車を構成する部品の製作をより安価で量産的かつ強力に合理化を推進し実行してきたために発生したと伝えられている。具体的には、トヨタの場合、ある一部の機構部分に係わる集積型部品を他の一部の機構部分にも共通するように開発したために、少なくとも1個の部品のある箇所が故障した場合に、結果として約１２０万台というような大規模なリコールに繋がってしまったようである。これと一部類似するように、先述の鳥インフルエンザ事件の場合も、より安価で量産的かつ合理化を強力に推進し実行したために、鶏がそのインフルエンザに罹った際には、数十万羽台という大規模ないわばリコールに相当することに繋がったとも言い得る。これは、別の見方をすると、鶏小屋の所有権者がその単位床面積あたりの被飼育鶏の数（いわば、「鶏口密度」（仮称））を異常に高くしたか、もしくは、鶏を狭い小屋に、過剰に詰め込んだ事による反作用の可能性もあり得るのではないだろうか。確かに、そうすれば、単位時間あたりの卵量をより多く生産させる事が可能になると共に、卵を安定的に数量と売価を維持させることも可能になり得る。しかしながら、その詰め込みもしくは（いわば、）鶏をラッシュ状態にし続けてきた結果、例えば、その小屋内ではインフルエンザが発生し易い最悪の状態に置かれていたと推察され得る。なぜなら、当の鶏たち自身にとっては極めて息苦しい高密度かつ高密閉状態（いわゆる「禁三密状態」）を遥かに超えた異常過密状態）に置かれ続けていたと推察されるからである。従って、筆者は、次のように考える。すなわち、この場合、小屋内の鶏の1羽ないし2、3羽がインフルエンザに患《かか》った際は、忽《たちま》ちに、その百倍ないし数万倍の鶏が罹患《りかん》するという爆発的感染状態に至ってしまった可能性が極めて高いと。後者の鳥インフルエンザ事件は、その後も続き、２０１２年2月20日には和歌山県などへと拡大していったが、関連当局などの賢明な努力により、無事に終息宣言を発することができたもようである。なお、２０１３年4月3日の報道によると、この鳥インフルエンザでは、中国の上海及び安徽省で5人の犠牲者が出ている。2人が死亡し3人が重症という。同国の当局から我が国の国立感染症研究所に鳥インフルエンザ・ウイルスの遺伝子情報の提供を受けて、同所が分析した結果、ウイルスの増えやすさを決める特定の遺伝子がヒトの細胞の表面に感染しやすく変異していることが分かったという。なお、その後、例えば2019年2月6日の報道によると、岐阜県を含む5府県にて、豚インフルエンザが発生している。その時点では、ヒトには感染しないようであった。そうとはいえ、該当豚が殺処分されている。これも単なる流行性感冒（インフルエンザ）ならまだしも、何かキナ臭い気がしないではない。例えば、ある不審者が何らかの病原体（ウイルス）をばら撒《ま》いた可能性が完全否定できるならばよいのであるが。……。この意味からも、筆者は、次のように考える。すなわち、当該地を含む全国の関連地域について、不審者の監視及び警備、並びに、野生動物（例えば、猪など）からの感染に警戒及びその体制作りを強化する必要があると。更に、2020年12月2日前後にも、宮崎県にて鳥インフルエンザが発生したもようである。

また、同年2月2日のテレビニュースによると、中国のインターネット上に、講談社による漫画、小説等の著作物が無料で見ることができるように掲載されてしまっていたことが放映され公にされた。これに対し、同社は、法的対抗措置をも辞さないと表明している。しかしながら、法的措置のような紳士的処置で、彼等が真正に反省しかつ損害賠償を支払うとは到底考えられないことであろう。たとえ万が一、公式の声明にて彼等がご立派なことを言おうとも。同社は、彼等の邦人系企業に対する本音の部分をより深く調査し対処した方がより有効的なのではなかろうかと思われる。しかしながら、そうとはいえ、可能な限り、法的手段などで毅然たる態度・姿勢を持つと共に、それを示すべきではないだろうか。少なくとも正式な文書により異議申立はすべきであろう。ただし、彼等は、同社の反論が国際的視野からみても論理的に正しくかつ民主的で公正であると仮定しても、それを平気で根底から否定し拒絶し、覆し、かつ暴力的批判をしてくる可能性は否定できないであろう。例えば、武闘による仕返しなど。そのため、十二分な警戒心、警戒手段及びそのための実効的な対応準備が必要となるであろう。

同国は、自由と民主主義を旨とする、いわゆる自由主義国家圏とは政治形態が全く正反対なのである。その目指す方向はいわば180度正反対である。この根本思想の我が国との基本的相違は、我が国の老若男女の誰もが常にかつ今後の幾世代をも超えて恒久的に自ら心の中に刻み込み刷り込んでおかねばならない。子孫に各家庭で言い伝えていかねばならない最低限必要事項の一つである。すなわち同国は個人の自由と民主化とを完全に拒否し否定し、抑圧し弾圧しかつ拒絶する国家形態であることを、第一に基本的に念頭におかねばならないし、心に深く刻み込み刷り込んで置かねばならない。従って、この現実から、同国は、いわゆる自由主義国家圏における標準的な正義及び善を有する理性というものを頭から全く否定し、徹底的に無視してきているのである。換言するならば、自由主義国家圏における法律を真っ向から無視するという無法的かつその行為を自ら何らの反省もすることなく実行し続けてきているのである。あるいは、我が国の一般国民の感情を意図的に好んで逆撫でしたがる、加虐的（サド的）で、典型的伝統的に、闘争心を時にひた隠し、または、時にむき出しにする嫉妬心の塊の、悪賢く、独善的人民性を有していると考えられ得る。そして、彼等は面子《めんつ》を保つためには、不正や不義の断行を全く惜しまない帝国主義的で覇権的かつ独裁的で膨張的なる共産系社会系主義の国家であると言い得る。しかも、それらと同時に、彼等は現在も将来も不変に、アジア制覇はもちろんのこと、更に、それを含む世界制覇及び宇宙空間の軍事的制覇を目指す無法民族の塊であると言い得るであろう。公的な場では、嘘を含めてご立派なことを広く言い放ち続けることがしばしばあるであろうが。決して騙されてはいけない。特に、欧米諸国はもちろんのこと、彼等以外のアジア、中東、アフリカ、大洋州、中南米の各諸国の方々も同様に、彼等の言動の裏、すなわち、真実及び本音を読み取る訓練と鍛錬とその努力を是非とも実行し、それを継続させねばならない。

更に、例えば２０１３年3月の同国の全人代にて、新国家主席となった習近平氏が今後、国際法を学んでいこうという主旨の声明をしていた。しかしながら、２０１３年時点で約13億人を有する同国の党、政府、軍、各部隊、工作部、諜報部などを含む末端の人民にまで、国際法を遵守するということの意義、重要性及び必要性などが、同国の指導と教育などにより、心底、彼等人民の隅々にまで心に沁み込み認識されるまでには、今後、少なくとも約１００年ないし１５０年程度の時間が必要であろうと、筆者は予測している。従って、我が国の国会議員、全国都道府県及びそれらの各自治体の議員諸兄諸氏はもとより、全国民や海外で生活し勤務し活動しておられる方々の全員が彼等の言動に常に注視し続けねばならないであろう。また、悪辣な行為を起こした場合には、国家として当然のことながら（欧米では当然であり、その他の一部の国家圏であれば、なおさら、「目には目を」の戒律に基づいて当然のこととされるであろうが、そこまで極端に走らないまでも）、慎重さを考慮すべきである。しかしながら、場合によっては、勇気をもって実効的な（例えば、少なくとも文書などによる）対抗措置を、局所的または部分的にも辞さないという覚悟を抱くべきではないだろうか。これは国家として当然のことであろう。そうすれば、後世の我が国民の子孫から、該当する時代の政府、内閣、与野党、関連する各省庁などが歴史的にも讃嘆されることになるであろう。

我が国と世界との均衡を目指せ

前述のトヨタの話に戻ろう。例えば、２０１１年2月12日前後の報道によると、米国の某長官がその約1年前の２０１０年1月ないし2月の時点では、「トヨタ自動車は（電子制御系に）問題があるので買わないように」と米国連邦議会で公言しておきながら、約1年後のその日には、その言葉の意味を１８０度翻して、「問題がないので、（自分の）娘にはトヨタ自動車を買うように」勧めた旨を公言していた。この裏には、当時、米国の三大自動車会社がいずれも大赤字を計上しているという状況下にあった。そして、我が国の主要自動車企業による新型の電気自動車（いわゆるエコカー）を含めた売上実績が彼等のそれを追い越していたために、いわゆる「トヨタ叩き」が行なわれたという可能性も完全否定することは困難であろう。そして、その一年間に、米国のＧＭ（ゼネラル・モーターズ）社及びクライスラー社などの大手各社が電気自動車に係わる開発、生産、販売を始めてから売り上げが順調に伸びて黒字に転換したため、この発表となった可能性は充分に考えられ得る。これは、諺に曰く、「青は藍より出でて藍よりも青し」あるいは、「出る杭は打たれる」のたとえに通じるとも考えられ得る。つまり、先の大戦での我が国の敗北後より現在に至るまで、彼等（米国）の深層心理としては、我が国の親分もしくは親方的または兄貴的な上位意識が、相変わらず常に極めて強いのであろう。であるから、彼等の立場、目線もしくは概念からすると、自分たちの弟分または弟子に相当しかつ位置し得る我が国が、親分もしくは親方または兄貴分の能力を超えた言動もしくは結果を見せつけられると、彼等は激昂し怒り心頭するのであろう。これは、ある意味において、やむを得ないことかもしれない。この点は、我が全国民は世界的次元から観た場合には、神仏よりの計らいと受け止めて、決して短慮して怒らず、有り難くかつ柔和で柔軟な心を持って受け止めた方が良いのではなかろうか。我が国の総人口、国力及び全世界次元での総合的均衡（バランス）からみても、その方が現状ではより妥当であろうと考えられ得る。

別の言い方をするならば、あるいは、たとえて言うならば、江戸時代１７０１（元禄４）年における江戸城内の松の廊下での浅野長矩《ながのり》（内匠頭《たくみのかみ》）と同様な怒りを爆発させてはいけない。辛いであろうが、じっと我慢し忍辱の心を持って、その場を耐えねばいけない。ただし、ただ単に耐えるのではなく、同時に、その問題点の解決策を後で自身でまたは仲間もしくは協力者と共に探求し、かつ、その対応方法及びその実行に心身の労力やエネルギーを注ぐべきである。つまり、そのような追い詰められた場面であっても、「ありがたい」、「ありがたい」と自身が念じながら、神仏に感謝してみたら如何であろうか。そしてまた、前述のような彼等の深層心理は、我々全国民の老若男女にとって予め念頭に置いておかねばならない必要事項の一つであると考える。このような事は、経済分野においても同様に、有限もしくは適正な限度が存在し得る。例えば、世界市場での一企業の売上占有率は約65%程度を超えてはいけないという不文律もしくは「経験限界」（仮称）が存在していると筆者は観ている。その比率を超えると、如何なる国の企業も、その他の世界の幾つかの国々より、苦情が多発し、様々な手段により叩かれ始めるであろう。従って、その当事者は、その可能性が急に高まる事を予め十分に予測しておくべきであろう。すなわち、筆者は次のように考える。つまり、我が国の各企業も、世界での売上占有率が約65%未満までならば、世界各国から、何とか許容され得ると。そして、幾つかの経済産業分野においては、第三者もしくは第三国が参入できる余地を残しておいてあげるべきではないだろうか。そのような大きな寛容の心が、個人、家庭、地域、社会及び我が国として、これからの時代は、益々その精神及び心構えが要求されてくるであろうと。

従って、我が国の政界はもちろんのこと、各分野の産業界の頂点に立っておられる数多くの会長職や社長職などの大役を担っておられる諸兄諸氏の方々もまた、このような彼等米国の心の奥底もしくは深層に潜在している心情もしくは心理を、特に、彼等の「心」の本音もしくは奥底を感じ取る努力をされることが常に必要不可欠であると考えられ得るのである。つまり、政治も経済も商売もある面から観ると類似していると言い得る。従って、あたかも高速道路上での自動車運転にはある技術と経験とを要するのと同様に、その車の基本性能をも予知しておくことが求められるであろう。そして、例えば、いま自分自身の所有するまたは賃借した車の発揮できる実際の最高時速が１８０キロメートルであって、更に、一般道路から高速自動車道に入ったと仮定しよう。だが、この場合、そうだからといって、いきなり強く加速して１８０キロメートルの速度近くまで上げる人は皆無であろう。当然そこには法定制限速度（例えば時速８０キロメートルとか１００キロメートルなど）が指定されているはずだからである。

つまり、何を言いたいのかというと、こうである。世の中または世界の中で活動するためには、いくら自由主義社会といえども「常に限度」または「有限」というものが存在するということを言いたいのである。前述のたとえ話で言うならば、最高時速が仮に１８０キロメートルだからといって、その実用上の１００%を出力させれば、当然大事故を誘発するであろうし、その前に、パトカーなどにより停止命令を受けることであろう。あるいは、その運転手はもちろんのこと、周辺の車とそれらに乗っている人々、更に、周辺の設備や器物をも破壊し損壊させる可能性が極めて大きくなるであろう。まして、例えば冬期の吹雪、暴風雪、暴風雨もしくはアイスバーンなどの悪条件では尚更であることは、各分野の諸兄諸氏も充分にご了解済みのはずである。そして、その車自体もまた、消耗、劣化及び燃費も急激に増加することであろう。だから、運転もしくは活動、行動する場合には、常に減速（ブレーキ）を掛けるかまたは掛けられる状態に保持しておくことが必須条件の一つなのである。この減速を掛けることなく加速（アクセル）ペダルを踏み続けた一例が、先述した先の大戦時の旧我が軍であったとも言い得るのではないだろうか。そして、この状況をかつての中国首相の周恩来は、当時の我が国のことを「暴れ馬のようだ」と揶揄《やゆ》していたが、ある分野での見方もしくは一部の方々の、特に当時の平均的な精神面においては、当たらずとも遠からずと言い得るであろう。

　いずれにせよ、前述のトヨタと米国との当時の件に係わり、嗚呼《ああ》、いつになったら我が国は真の自由と民主主義を有する立派な独立国家の一つになれるのであろうかと嘆息せざるを得ない。とはいえ、もちろん、同盟国との協調は必要であるが。神仏さま。世界の中の真正に誠実で地道に活動し、働き、家事をし、奉仕し、アルバイトし、勉学などをしている個人、家庭、地域、社会及びそれらに該当する世界の諸国及び地域と共に、我が国をお助けください。お救いください。

　このような、いわば日本企業叩き、ひいては日本政府叩きのやり方は、国により表面的には相違するものの、米国も中国もあるいはロシアも大同小異ではないだろうか。ただし、米国と中国及びロシアの両国群とは、我が国に対する目的や質が本質的に相異することは明白であるが。

　この他に、例えば、米国トランプ政権による関税引上げ（２０１８年より２０１９年６月頃まで続いた外交交渉）に伴う、我が国への経済的圧力なども、その類例として挙げることができるであろう。ただし、その具体的提示内容等については、同政権側の交渉演技力のうまさに依存している可能性は完全否定できないかもしれない。

安易で愚かな入国緩和実施に基づく各種災いの急増

　ところで、ここ数年以降、前与党の旧民主党を含めた、それ以前からとも推察され得るが、入国条件の緩和政策などにより、中国人を筆頭にアジア、中東、アフリカなどの諸国の個人や団体が、我が国に観光旅行、研修及び留学などを建前上の目的として来日する人数が増えてきている傾向にある。ちなみに２０１３年の一年間の外国人の入国者数は、約１４１５万人（前年比で２８９万人増加）に達した[1]という。ただし、例えば彼等中国人による我が国での買い付けに対しては、現在及び将来にわたり、警戒心及び対策を念頭に置いておく必要があるであろう。なぜなら、彼等もしくは彼女等の買い付けというのも、同党、同政府、軍、宣伝部、工作部、諜報部、その他からの指示や命令を直接間接に受けている可能性が皆無であるという保証はないと考えられ得るからである。もちろん、それらの一部には、ご本人の意思または親戚などより依頼された者もいるであろうが。

そして、彼等彼女等が持ち帰った、例えば家電製品の一部は、自国の各地元における電気電子系等の企業（実質的には国営）や党、政府、軍などによって徹底的に分解、調査されて、その類似品またはラベルを中国製に貼り替えただけの物品をも含めて、彼等自身による開発新製品として販売する可能性は完全否定し難い。我が国及び欧米諸国の自由かつ民主主義の国家圏であるならば、当然のことながら、そこには国際的工業所有権問題が存在するし、そのことを互いに国際標準程度もしくはそれ以上に認識しているはずである。従って、当局専門家の国際常識によれば、もしそこに工業所有権の抵触もしくは侵害問題が存在すると仮定するならば、相手方との交渉、または場合によっては、裁判での和解もしくは判決を通じて、その際には実施料またはそれに相当する対価の支払いを前提とした契約交渉が進められて至極当然であろう。

また、前述の類似品の販売と並行して、諸外国の各企業などは、我が国のそれらのあらゆる商品を分解して、国際常識水準において、それらと同一もしくは酷似した製品を、我が国の企業の数十倍もしくは数百倍存在し得る各企業の部下たちに指示命令し大量生産させることであろう。そして我が国以外の例えば中央・東南・南の各アジア、北朝鮮、中東、欧州、北米、オセアニア、ロシア、アフリカ、中南米などの諸国へ売込み続けることであろう。しかも邦人系企業の価格を念頭に置きつつ、我が国よりも意識的に徹底的な安価で、かつ大量（例えば、我が国の企業の約10倍ないし１００倍程度の数量）に中国製として販売してきている可能性が大である。この場合、我が国や欧米などでは、例えば厳密に工業所有権に係わる審査が行なわれるが、中国では、我が国との間の工業所有権に係わる問題が発生しても、相手方の中国企業（といっても、彼等のほとんどは実質的に共産主義国家による国営的であろう）の一部は必ずと言ってよいほど、彼等自身の国家窓口に、演技をしつつ、泣き込み、裏側の某権力を借りに行く可能性が極めて高いであろう。その際には恐らく賄賂も要求されつつ、しかも彼等企業側は口の上では、あたかも偽善なることを行なっている、またはこれまた極めて大である。それどころか、反対に、我が国企業の方があたかも何がしかの悪いことをしているかあるいはしてきた、と疑いを持たれるような事実無根のでっち上げの大嘘を「反論している」等という主旨の大嘘を平気で訴える可能性が強く主張してくるのが一般的または平均的であり、それが、彼等側の標準的な常套手段なのであろう。

すなわち、我が国側または我が国の企業側が、我が国と中国の両者当事者間の正式な契約に基づいて、自由と民主主義国家圏における世界標準的にも正当かつ常識的な請求をしようとした途端に、彼等は、それまでのニイハオに象徴される皮相的な友好的態度を豹変させる可能性が実在してきている（過去の数々の被害実例より）のである。このことに対し、次のあらゆる産業界並びに地方公共団体、政府関係者及びそれらの各管理者級の方々は、これらの危険が常に伴う事を、予め、肝に銘じておかれた方がより無難ではないだろうか。すなわち、民間の個人、小、中、大企業を問わず、農業、工業、商業、漁業、鉱業、旅館・ホテル業、出版業などの役務（サービス）業、不動産業や森林業など。同時に、その危険の可能性が極めて高いことに対する備えもまた、十二分に整えておくことは至極当然のことであろう。

秘法（ノウハウ）の固守

そして何よりも個人、企業、公共団体、各種組合など及び政府は、一時的なそれぞれの目先の利益に目が眩み、数十年、数百年ないし、それ以上掛けて、代々受け継いできて苦労してきた個人、店舗、工場、小・中・大企業、各種業界、団体、全国都道府県及びそれらの各自治体、並びに国家におけるそれらの秘法（ノウハウ）を、いとも簡単に漏洩、提供、開示もしくは譲渡して良いのであろうか。確かに、相手側より「是非教えてほしい」または、「入手してほしい。貴方の条件は全て飲むから」などと何度も要求され、それら全てを「駄目だ」というのは一見、困難と思われるかもしれない。しかしながら、我々は高々、例えば、公務員の平均年俸の約20倍ないし２００倍程度の金銭で、結果的に、我が国の経済成長を支えてきた秘法を、一時的であれ、偽の微笑、おだて、酒、熱烈歓迎などの単なる形式的、儀礼的、一回もしくは二回程度の皮相的または派手な接待、もてなし及び賄賂などにより、惑わされてはいけない。動揺してはならない。また、不必要に全所有権を売却したり、情報を漏洩・開示もしくは譲渡すべきではない。なぜなら、彼等彼女等が真に欲しているものが何なのかを、我々自身が確証をつかみ、理解し、必要なものは固守するという基本鉄則を維持した上でなければ、そのような安易で愚昧《ぐまい》な妥協の行動は執《と》るべきでないからである。あるいは、そのような悪の誘惑の話は、始めから聞かなかったと、自分自身に強く言い聞かせるのも一方法だからである。従って、筆者は次のように考える。すなわち、我が国の政府、全省庁、全国都道府県及びそれらの各自治体や、あらゆる産業界、例えば鉱工業界、農林業界、酪農畜産業界、水産業界、教育界、金融界、銀行業界、財界、電子通信業界、医化学業界、国防などの機密情報を、我が方は決して提供してはならないし流出させてはならないと。

従って、これらの情報を直接外国に漏洩したり別の日本人や第三国人などを介して他国に、特に非同盟国に、情報を流した者に対しては、より重い罰を科すべきであろう。ちなみに、諸外国では、その機密情報を要求した者も含めて、その当事者が既に退職した後であっても、その犯した罪の重さによっては遡及されているようである。その悪行や我が国や企業への裏切り行為が、たとえ万が一、国会議員や地方自治体議員などの諸兄諸氏であろうとも全く同様である。更に、奪取させてはならないこともまた、極めて当然かつ基本的な責務であり事柄である。果たして、現時点での我が国、政府与野党、全国都道府県、それらの各自治体、各財界、全企業、公共団体、教育界、各種組合などで、これらを実際に決定《けつじょう》し警戒行動を実施できる方は、一体何人居られるのであろうか。

すなわち、これらの重要な秘法や秘密もしくは機密情報を、たとえ旧知の友や他企業の先輩もしくは師匠や団体に漏らしまたは知らせたなどの者は、それらの漏洩の罪を犯したことになるわけであるから、必然的に悪行を犯したことになる。従って、これらの罪または悪行を犯した者もしくは悪の集団は、当然、罪を追求されるべきであろう。そして、これらの悪行の罪の大きさもしくはことの重大さを悟らしめんがために、場合もしくは内容によっては、現行の法律の中に、その重要度を更に反映させるべき法改正の時期に既に来ていると考えられる。この場合、それらの秘密情報を外部へ提供した実行犯のみならず、その悪の提供を示唆または明らかにもしくは暗に要求した者、唆《そそのか》した者もまた、その罪に問われ、追求されるべきであろう。そしてこの場合、国内外の個人、複数者、組織もしくは団体を問わず、社会的な肩書が数多く有るかないかに拘らず、当事者同士の経営責任者間で交わされた同意書もしくは契約書などの類が存在しない限り、またはそれらが存在したとしても法律を犯さない限り、あるいは既存の法律（例えば、いわゆる独占禁止法など）における罰則規定などに抵触して、罪に問われるか否かは、法律により、明確にされるべきであろう。

また、それらの中の少なくとも秘法に関しては、彼等に見学させてはいけないし、まして、文書、設計図、内容書などを提供すべきでないことは当然である。なぜなら、機密事項の保持義務及び順守は、ひいては我が国家の安定、安泰及び安全保障などに著しくかつ直接的に大きく貢献しているからである。逆に、これらの重要な機密情報を、金品、名誉、地位、土地もしくは財産の供与などとの見返り如何に拘らず、軽率に、安易に、後先を考えずに、仮想敵側や犯人側に見せたり流出させたり漏洩したり盗み出す行為が悪である事は明白であろう。従って、それを実行する者は、当然のことながら、売国行為、売企業行為などの違法行為に該当することであろう。このような罪を犯した場合、我が国と政治体制が逆の全体主義国家圏に属する人民が前述と同様な行為を実施したならば、必然的に、例えば、各種の警察当局に拘束されるか、または、軍人ならば、軍法会議などに掛けられるであろう。その結果、粛清という美名の下で、思想再教育、拷問、または極端な場合、何らかの刑に処せられてしまうこともあり得ないことではないであろう。実際、外国の一部では近年（例えば２０１３年12月ないし２０１４年1月）、処刑された実例もあるようである。しかも、それらのいくつかの国々では、その実刑に係わる容疑者または犯人のみの罪に留まらず、その事件もしくは犯罪自体と無関係な彼の家族、親族などの関連一族もまた処刑されてきているのである〔2〕。もちろん、これは、極端な実例ではあるが。

それ故、前述の仮想敵側に秘密または機密情報を（外部を含め）流出したり、漏洩したり、盗み出したりした者は、よほどの強い反省と強い懺悔《さんげ》、かつ彼及び彼女自身の犯した重い犯罪行為の数倍の善行または菩薩行と社会奉仕などを実行して、我が国がより善くなるために、より大きく貢献しなければならないはずである。そうでなければ、彼等彼女等によって受けた多くの個人の被害者、企業、地域、社会、各自治体、全国都道府県もしくは国家の怒りは収まるものではあるまい。更に、最近とみに増えてきたのは、国防、軍事、原子力、電気電子、通信、金融、保険及びあらゆる分野における先端科学技術、医学、生物学、化学、薬学、農学、水産学及び多くの工学分野などの国家水準もしくはそれに相当し得る高水準の機密または秘密情報の被害及び被奪取などの事件である。それらの中でも特に目立つのは、サイバーテロもしくはサイバー攻撃及びそれらに基づく被害事件である。例えば２０１１年9月19日の報道によると、三菱重工業のコンピューター80台がウイルスに感染したという〔3〕。これらの犯人像としては、国内に限らず、世界中の無法者、過激者、過激派集団もしくは組織、過激派国家を対象として捜索すべきであろうことは、世界中の自由かつ民主主義国家圏の多くの国民にとって疑いのないところであろう。

だからこそ、我が国の政府、国家機関、全国都道府県、それらの各自治体、全国の公共団体、財界、教育界及び企業などは、これら各々の職場環境における機密事項の保持義務を守った者に対しては、むしろ積極的に、その他の社員に対する善なる教育的波及効果の向上化及び健全化のためにも、大いなる表彰をして称えるべきではないだろうか。彼等彼女等は、まさに体当たりで、敵に対し、「千万人と雖《いえど》も我行かん」の精神及びその勇気を持って戦った勇者だからである。この気高い精神を持って、これを実行するためには、経済的損得よりも、少なくとも大局的かつ深遠なる善悪の正しき弁別力、洞察力及び勇気がなければ実行できないことだからである。現在そして将来の我が国の政府及び全国民に真に求められるべきものは、まさに、この善悪の正しき弁別力と真に勇気ある善の実行力なのである。そして、それらは経済的損得よりもずっと上の最上位に位置付けされるべき重要事項であり、かつ、後者に取って代わらなければならないものなのである。

この善悪の正しき弁別力と勇気と実行力とがなければ、個人、団体、企業、財団、公共団体、公共機関、各自治体、全国都道府県もしくは政府は、それぞれ、恫喝し挑発してくる数多くの悪辣で狡猾な外国企業や外国政府との交渉駆け引きにおいて、ごり押しされ続ける可能性が大となるであろう。あるいは、精神的に潰されかねないという危険性が常に存在するかまたはそれらの危機的状況に追い込まれかねないのである。そして何よりも、それ以上に重要なことは、前述のような、目先の経済的な損得または利潤に係わる分野にのみ神経やエネルギーをすり減らして、善悪の弁別を付けようとせずにいるならば、そのような個人は、ご自身の内部から朽ちていくことであろう。また、同氏は、悪と対決する真の勇気を持ち続けることができなくなるであろう。その為、更には、善なる勇気を実行に移すことのできない小心者揃いを全国的雰囲気もしくは環境に仕立て上げてしまうかもしれない。前述のことは個人のみならず、家庭、地域、社会、団体、企業、財団、公共団体、協同組合、公共機関、教育委員会、各自治体、全国都道府県及び国家にも充分適用可能である。そして、これらの各々の周囲からは、何らの期待も抱かれないという個人や集合体に成り下がってしまうことであろう。それと共に、それらの品位もまた、戦前まで我々の先祖の誰もが持ち合わせていた水準よりも低落することであろう。その結果、極限的には無用の長物なる個人や集合体に至ってしまう可能性は完全否定できないであろう。

それ故、我が国としては、これらの外国との種々の交渉における駆け引きの現実の場において、決して怯《ひる》まず、負けることなく、圧倒されることなく、粘り強く対応し対処する必要があるのである。しかも、我が国がいくらかでも優位を保持し続けられるように、または少なくとも負けないように導くべきである。この場合（たとえ一時的には回り道をしてでも）当該事案が、より善い方向へと前進できるように実行しなければならないはずである。もちろん、案件や諸事情によっては、事前に、我が国の真の同盟国の了解を得たり、互いに完全に納得できるようにするためには、場合によっては、両者のいくらかの譲歩の必要が存する場合もあり得るであろう。

不審事件及び事故の多発

また、例えば、２０１２年2月2日の報道によると、東京証券取引所でのコンピューター・システムが故障したため、幾つかの企業取引が一時中断してしまい、多くの利用者が不便を強いられ、当局に数多くの苦情を訴えていた。この事故も、何やらキナ臭い気がしないではない。確かに、当局は何らの疑念も抱いていない可能性もあり得る。しかしながら、仮にそうだとすると、至極残念である。なぜなら、この事故により、我が国の国際的、経済的及び通信体制などに係わる信頼度を意図的に低下させようとしている国内外の某組織が陰や闇で操作している可能性は完全否定できないからである。従って、筆者は次のように考える。すなわち、この種の事件に対しても、今後、早急なより強い警戒体制を構築し、そのための人材及び防止用機器類をも増加して頂きたいものである。なお、これに類する事件は現在に至るまで、しばしば発生してきているのである。また、筆者は、この類の事件は、防犯体制をより強化しない限り、残念ながら、今後とも減少する事は殆ど期待できないように思われてならない。……。

一方で、彼等は、現に商売、技術供与、武器供与、食料供与などを通じ、世界中の広い国々や地域に民間服や作業服などを着込んだ間諜、軍人、商人、将校、労働者、工作員などを、それぞれの目的に応じた全分野へばらまき、準定着化させてきている。それらの各現地から得た情報、資料、図面、もしくは物資などは、逐一、本国の党、政府、軍、諜報部、参謀本部、宣伝部などへ送られ続けてきていることであろう。

国連常任理事国の資質

某大学教授によると、英国のハロルド・ニコルソン氏は、外交に関して「いかに国内世論を騙しつつ、外国交渉をするか」という主旨のことを説明しているようである。これを、拡張拡大した、国際政治の世界では幾つかの無法国家が実在してきている。一方、自由かつ民主主義国家圏内の世界からすると、それは、実質的に殆ど無法状態であると考えられるし、そのように言い得るであろう。つまり、無法国家に対し、国際法を順守しているのは、むしろ明らかに、我が国を含む自由主義国家圏側ではないだろうか。

ちなみに、例えば、彼等は我が国からの秘法を奪取した暁に、様々な悪行をしてきているのである。しかも、彼等は、我が国に対し、見せ掛けの偽友好的態度を一気に豹変させて、悪で卑劣な批判及び悪の闘争を何らの躊躇もせずに開始してきているのである。すなわち、彼等の共産系社会系主義的で独裁的覇権的かつ膨張的な闘争手段を用いてきているのである。

彼等自身は、大いなる偽善者であるにも拘わらず、しばしば、あたかも我が国民が悪人であるかのような大嘘で悪意に満ち満ちた卑劣な宣伝活動を、彼等の党、政府、軍、諜報部、参謀本部、及び宣伝部などを通じて、世界中で実行し続けてきているのである。これらの行為は全く卑劣な悪行そのものである。戦後十分に年数が経過しているにも拘わらず、現在及び将来も相変わらずであろう。このような傍若無人の所業が、果たして、まかり通り続けて善いのであろうか。しかも、このような悪賢い裏工作の実行者である幾つかの国々が国連の常任理事国の一端を担当してきているのである。このような状況下で、国連は果たして公正で善なる機能を十分に果たしていると断言できるのであろうか。否、極めて疑問ではないだろうかと言わざるを得ないであろう。

我が国の対応法

従って筆者はこう考える。すなわち、彼等は我が国の官民の区別なく、例えば、政財界、民間企業、小中高校、大学、教育機関、偽宗教団体、不動産会社、中古品業、廃棄物業などの、ありとあらゆる産業及びそれらの労働組合、並びに各種業界の商店、料理店、語学専門学校、学習塾、書店もしくは個人宅にも悪の触手を伸ばし続けてきているのである。このため、我が国の老若男女の一人ひとりは、大いなる警戒感を持つ必要がある。しかも、それらに対抗でき、きめ細かく強力な警戒体制を、全国民及び全自治体の各関連当局は一丸となって、短期間で、迅速にその体制を確立し、対処もせねばならない。

我が国の全産業分野における経済的及び技術的被害の数々

一方、我が国の国防、防災、民間組織、企業、大学などの一部における情報及び陸、海の土地、資源（鉱物、水も含め）、個人などのあらゆる物、技術、産業、秘法（ノウハウ）などは、殆ど何らの秘法料もしくは実施料をも受け取らずに、無法国家及び同様の組織などに盗まれたり、持ち逃げされてきているのである。このような負の現象は、殆ど全ての産業分野でしばしば発生してきている。欧米などでは、当然の事ながら、特許料や著作権料などを権利として取得してきているにも拘わらずである。例えば、過去数年間の短期間を観ても、家畜類、果物類、その他の殆ど全産業分野に係わり、犯人が夜間に、その現場に侵入して、直接、その目的物を強奪したり盗んだりする事件が後を絶たない。たとえ、防犯カメラに犯人が映っていても、強奪されるままとなっている。これでは、その防犯カメラも殆ど役に立っていないのではなかろうか。もっと、その犯人を、その現場で、確実に拘束できる現実的手段を考案し講じるべきではないだろうか。

ところで、このような悪行で愚行な非民主的かつ違法行為が横行し続けて、果たして善いのだろうか。否、善いはずなどあり得ないであろう。事実、中国及びその他の国々に、経済協力という大義名分に基づいて、我が国から出店、あるいは、彼等側から依頼を受けて、我が国の企業側は多額の資金を投入して企業や工場を建設してきているのである。しかしながら、その商売の準備も完了して、ほっとしたのもつかの間、その後、数多くの様々な係争や事件が発生してきているのである。

ビジネス面における彼等の態度や主張

というのも、従業員である彼等側が怠業（サボタージュ）するなどにより、業務の停止や手抜きをしたため、製品の歩留まりが著しく低減したり、賃金値上げ要求の集団ストライキが強行されたりした。このため、生産効率が著しく低下する現象が、数多くの現地邦人系企業にて、かなり頻繁に観られたからである。また、その投資側である我が国の企業や個人が、彼等側による明確で一方的な契約違反であることを指摘し始めるや否や、彼等彼女等は必ずと言ってよいほど、党、省、地方政府もしくは国などに訴え出るのである。そして、彼等彼女等は自身特有の自己中心的で自省及び謝罪もなく、独断かつ偏見を持って、彼等彼女等独自の一方的な共産系社会系主義的で、しかも特異の論理や規則を持ち出してくるのである。あるいは、捏造してくることもあり得る。更に悪いことには、逆ギレさながらに恫喝してくる実例も、しばしば観られたからである（例えば[4]）。

我が国が全体主義で独裁系の国々と貿易する際の注意事項

なぜなら、これらの非国際的な悪行の背景としては、約１９００年頃より継続してきている彼等彼女等の反日教育及びその特異な独裁的、覇権的かつ膨張的な共産系社会系の、いわゆる全体主義教育に起因し依存している可能性が極めて大きいからである。従って、筆者は次のように考える。すなわち、過去、現在及び将来にわたり、中国及びその他の類似の諸国に関連する企業や個人と商売や取引をしている我が国の個人、協同組合、労働組合、企業、国公私立の各機関などは、当方側の誠意などは微塵の如く、または、あたかも強風や突風に煽られた黄砂や極めて高密度のＰＭ２・５の如く吹き飛んでしまうか、もしくは、流れ去ることを、予め強く認識し想定しかつ承知しておくべきであると。

あるいは、彼等の暴力的、略奪的、無法的、非民主的、卑劣な言動などにより、我が国側のビジネス担当者（各企業の社長ないし課長級などの全てを含む）が誠実に準備してきた、純粋に平和的な学術もしくは技術交流、商売、貿易もしくは事業などは悉く吹き飛んでしまう可能性が高くなるであろうと。更に、善良なる気持ちを持って、相手側とビジネスを遂行しようと思っても、あにはからんや、しばしば、それらの案件は彼等により、様々な屁理屈を付けられて、現地に資本などを充分に投資したにも拘わらず、撤退しようにも、赤字で撤退も不可能な状況下に追い込まれるのが関の山、という事態が生じ得ることは、予め十二分に想定しておく事が求められるであろうと。

従って、本件に関連する読者諸兄諸氏に対して、我が国側としては、彼等彼女等により、根底から裏切られる可能性は完全否定できない。このことは、予め基本的に強く、真に覚悟しておかなければいけないことを、何度も何度も申し添えておかねばならない。しかも、これらの懸念事項は同国に限定されず、他の同主義系で類似のアジア諸国、中東、アフリカ、その他の幾つかの国々についても同様であると推察し得る。それ故、予め、くれぐれもご用心を。……。

彼等彼女等とのビジネス上の付き合い方の例

譬《たと》えて言うならば、彼等彼女等は、我が国との互いの初期の会議、協議、会合もしくは商談の際には、確かに、表面的には、積極的に演技的としての、にこにこ顔で偽の友好的態度を、機会あるごとに、見せてくることであろう。しかしながら、いつ彼等彼女等が本性を顕わして牙や手足の鋭い爪を我が方に向けてくるか、あるいは、全く予期せぬ恫喝をしてくるかの予測は、極めて困難であろう。なぜなら、彼等彼女等は通常、あたかも鋭い爪や危険物を手袋や靴下などで覆い隠しているからである。それ故、筆者は次のように考える。つまり、仮に契約に至った場合であっても、我々としては少なくとも契約期間の初期から完了日過ぎまでは、絶対に気を抜いてはいけない。決して油断してはいけないと。このことは、口角泡を飛ばしつつも、読者諸兄諸氏が記憶の中にしっかりと刻み込み刷り込んで頂くまでは、何十回でも何百回でも繰り返しご注意を促したいことの一つである。

このようなことは本来ならば、全く低次元な課題に属するため、本書で述べるまでもないことなのかもしれない。しかしながら、それにも拘わらず、日々の実生活や経済活動において、現実的に、彼等彼女等との問題や係争が頻繁に発生してきているからである。従って、このような問題を見過ごしたり後回しにするわけにはいかないのではないだろうか。

我が国及び国民が執るべき態度

つまり、彼等による世界中での罵詈雑言や金品、その他による誘惑にも、我々は決して負けてはいけない。それらの甘い誘惑は、彼等によってばらまかれた単なる餌に過ぎないし、それに相当し得るものだからである。従って、我が国の北は北海道から南は沖縄県及びそれらの関連諸島に至るまでの全国都道府県及びそれらの各自治体の各位におかれては、それらの餌に安易に食い付いてはいけないし、決して尻尾を振って彼等彼女等に軽々に近づいたりしてはならない。

つまり、決して彼等彼女等を盲信したり、安易に油断してはいけないということである。まずは、疑ってみることである。それが、あなた個人、家庭、組織、企業、社会、地域及び国の身のためになるからである。なぜなら、彼等は、我々が如何にそれらに食い付いてくるか、いつ、誰が食い付いてくるのか、などの状況及び経緯などを逐一、克明に監視し観察し記録を取りつつ、政治的軍事的戦略的及び戦術的に、徹底的に分析と対策を練ってきているからである。そして更に、彼等は、その後の攻め方や戦略戦術を何十通り何百通りもの変幻自在の手段を考えつつ行動してきているからである。

彼等の戦術例と我が国の心構え

その結果、彼等は、我が国の反応や対応の軽いところもしくは油断している為に攻めやすいところから、あらゆる手段や機会を利用して、侵入し攻め込んできているのである。例えば、次のとおりである。つまり、留学や観光などという形で、商売の開閉時に、翻訳業の募集時に、語学学校設立時に、売買契約時に、店舗の開店申込み時に、金融協力時に、失業中もしくは就活中の就職希望時に、技術研究の研修時もしくはその共同研究時に、日本文学関連の研究時に、合同軍事訓練時もしくは演習時などである。従って、筆者は次のように考える。つまり、我が国は、基本的には性悪説を採るべきであろうと。すなわち、性善説、楽観的または盲目的に行動してはいけないし、決して油断してはならないと。換言するならば、警戒心及び堅固なる警戒体制を根本に据えた上で、慎重に対処、対応し、かつ、そのように着実に努力すべきと考える次第である。

ましてや、我々は彼等彼女等の次のような甘く強い誘惑や執拗な強迫などに決して負けてはいけない。例えば、個人、家庭、企業、組織、地域、社会または国公私立の各種機関の機密事項などを、公式もしくは非公式に、接待や酒の場で、愚かにも、贅言《ぜいげん》を口外したり吐露したりしてはならない。また、書面、図面、電磁媒体（ＵＳＢ、ＤＶＤ、ＣＤ）などによる情報の複写、カメラ、スマートフォンなどによる写真やビデオの各撮影やそれら自体などを少なくとも無許可で、絶対に提供、提示、開示、閲覧もしくは撮影などをさせてはいけない。彼等彼女等は、日本人もしくは第三国人などの一部を手下として使用したり、彼等を仲介者として、指示や命令をしてきているのである。そのため、この点についても充分に注意して、警戒心と警戒体制をより強化すると共に、それを確立する必要がある。更に、そのための対応、対処及び、場合によっては、対抗手段を講じねばならないことは、今後充分にあり得るかもしれない。

我々一人ひとりが彼等彼女等によるこれらの各種誘惑に負けたり屈服したり言いなりになるということは、その内容や重要度によっては、売国行為、売企業行為などに抵触し得るであろう。従って、後日、かなりの重罪を科せられる可能性は否定できないと推察される。そのため、我が国の議員、公務員、企業人、教職員、自由業者、商売人、学生などで、関連し得る一部の方々は、前述の事柄を予め充分に注意をしておく必要があると考える次第である。

第六章　我が国の経済的安定

我が国の経済概況

報道によると、２００９年夏の少し前頃に当時国会議員の某氏は、ある外国の経済評論家が世界における我が国の経済力順位の低下傾向を指摘した際に、その評論家により提示されたデータの根拠の不確定さなどを指摘して逆に反論もしくは批判をしていたようである。それに関して、例えば、その当時の米国週刊誌『ニューズウィーク』（日本語版）によれば、我が国の国債に係わる国際的な信用格付けはアジアにおいて、中国及びシンガポールなどよりもやや下回っていることを示すグラフなどが開示されていた。従って、件の批評家の予想と判断の方がむしろ妥当であったとも言い得る。ところが、肝心の先の発言をされた方たちは、その後の２００９年8月30日に実施された衆議院選挙で民主党などに敗北を喫したため、報道関係には殆ど顔を出さなくなってしまったようであった。我々国民の方も、約一年未満で首相及び各大臣が猫の目の如く目まぐるしく変わるため、彼等の一部の人たちの名前を覚えた頃には、世間では殆ど話題にならなくなってしまっていた。また、２０１１年8月24日、米国の大手格付会社のムーディーズは、我が国の円建て・外貨建て国債格付けを「Ａａ２」から「Ａａ３」に引き下げている。その理由は、財政赤字、債務の増加及びその当時の過去5年間にわたる首相の頻繁な交代による政策実行の妨げを挙げている〔1〕。ちなみに、同社は２０１４年12月13日時点で、我が国のそれを「Ａ１」へ一段階引き下げている〔2〕。

要は、何を言いたいのかというと、当時政権与党のトップクラスの方々が、例えば、件の少数批評家たちの意見に殆ど耳を傾けず、当時の派閥や野党との論争や権力闘争などに時間を費やしているかのように観えたのである。なぜなら、それらの少数の貴重な意見に傾聴せずに、ろ過を掛けてしまい、あたかも慢心状態にあったためではなかろうかと推察され得るからである。そのように国民から憶測されやすい言動であったがために、例の外国人評論家の判断とその後の予想に耳を傾け、かつ、その対策を講じるだけの心の余裕などが不足していたのではないであろうか。そのような可能性も考えられ得るであろう。

近隣諸国における経済変遷の概要

ところで、例えば、２０１０年12月5日のテレビニュースによると、北朝鮮が「デノミ」（従来の１００分の1）を実施したことにより、一般市民に餓死者が出ているという。そして、このデノミは10万ウォン（当時の為替レートによると日本円で２５００円。これは同年12月時点における北朝鮮の一般市民の平均的な一か月あたりの生活費に相当）以下までしか、新しい紙幣に換金できない制度である。このため10万ウォン以上の財産を所有していた同国人民は換金不能状態に陥ってしまった。その結果、多数の貧困者が新たに続出する事態に至ってしまったのである。また、その前年の２００９年7月頃に同テレビ局の記者が取材した時には、同国のある市場には、米や野菜などの食料がかなり山積みに陳列されていた。しかし、それが２０１０年11月頃には、同じ市場の米や野菜の陳列台上は殆ど空の状況となっていた。なお、２０１０年3月に北朝鮮はデノミ責任者を銃殺刑に処したという（韓国紙による）。更に、現地を取材した報告者によると、一般女性が保安員（我が国の警官にほぼ相当）に真剣に不満をぶつけて、容易に引き下がろうとしなかった。このような状況は、２０１０年の数年前までには全く観られなかった現象であるという。

更に、櫻井よしこ氏による前書[3]の中の『中国農民調査』（陳桂棣、春桃著、文藝春秋）及び『マオ　誰も知らなかった毛沢東』を併せ読めば、中国共産党は、同国民を１０００万人単位で殺害してきたこと、並びにその価値観は現在もなお引き継がれてきているという。しかも、ユン・チアン氏（前出）によると、毛沢東及び同共産党が死なせてきた同国の農民や人民（の数）を７０００万人と記述している。また、チアン氏によると、毛沢東は農民に「生きていくのに必要最小限の食糧を残して、あとはすべて取り上げる」方針を実施し、飢えに苦しむ農民に対しては、「サツマイモの葉を食べればよい」「1年じゅう食べる物が無いわけではなかろう——ほんの6ヵ月……あるいは4ヵ月程度のことだ」と語ったという。このように、自国の農民や人民の極めて多くの大量死に直面しても、毛沢東は何ら動じることなく、次のように言い放ったそうである。

「人が死んだときには慶祝会を開くべきである」「われわれは弁証法的思考を信じるわけだから、死を歓迎しないということはありえない」と。また、１９５８年には同党最高幹部を前に、「死は結構な事だ。土地が肥える」とも述べている。毛の言葉に従って、農民は死体を埋葬した上に作物を植えるように命じられ、そのように実践したという。

振興費の使途に係わる優先順位の曖昧さ

我が国の話に戻そう。我が国は、先の高度経済成長に伴い、自らの反省度が次第に薄くなっていったように観える。更に、その成長によって得た歳入の一部の正しく有効な使途の一部についていては、いくらかずれていたのではないであろうか。例えば、2009年8月以前の自民党・公明党連立政権時代には、全国の各自治体に対し、国から約1億円の振興費が支給された。それを受けて、確かに、多くの全国各自治体は、各地元の名所・旧跡や博物館、歴史館などの建設に充てたもようである。それはそれで悪いことではないし、善いことではあろう。だが、それよりも優先して、大地震や災害が予想される各自治体においては、次のような種々の地元住民の為の避難所建設等がその予算の一部を占めても善かったのではないだろうか。例えば、河川及び海岸線の堤防、区市町村の下水道、橋脚、排水溝、水道管、ガス管、電信柱などの社会基盤分野における補強または取り換え工事、停電時用の自家発電機、あるいは原発からの放射能放出などによる大災害に対して。すなわち、国民の目に見える、もしくは次期総選挙での勝利獲得のための派手な項目や公約を目指したい気持ちは分からないではない。

しかしながら、それらばかりでなく、非常に地味であり、投資額に対する効果の比率が直ちには短期間には観え難いものではあるものの、全国各地元の諸兄諸氏が安心し、安全に自身の各勤労に励み、奉仕活動や学業などに専念できる社会基盤体制に係わる分野に、長期的な将来を見据えた上での投資をしても善かったのではなかろうか。例えば、土木などの社会基盤工事関係の分野における老朽化や劣化に基づく、補強及び増強の各種工事などの方面にも、それらの予算の一部を振り分けてもよかったのではあるまいか。あるいは、その補助金の一部を、更に、国債等の返済に充てても善かったのではないかと考える。この場合、その返済額の多少はそれほど本質的ではないのではなかろうか。もちろん、少なくとも金利分は返済しているであろうし、その金利分を上回らねばならないが。それよりも、世界の先進国等が監視している点は、我が政府が、例えば6か月または1年あたり、いつ、どの程度の額を返済したかなどについての実績を、克明に監視し凝視し続けていると考えられるのである。つまり、我が政府の返済の意欲の有無、その実績及びその度合などを監視し続けていると推察され得るのである。

2010年9月には、それまでの数か月間に1米国ドル90円程度だったのが約82円程度まで次第に円高となっていった。そのため輸出産業界及び経済界などから、これ以上の円高は我が国への損害が大きくなるとの判断で、政府及び日銀が市場に単独で約1兆円規模の介入をした。これに対し、欧米各国は一斉に不満声明を発表した。いくつかの報道によると、従来は、米国やその他の国々に事前に報告及び確認を取っていたのを、その当時の菅内閣時代はそれをしていなかったもようであるといわれている。それはともかく、介入により一時的に約85円台には戻ったものの、尖閣諸島問題などで再び約82円台のやや円高となった。

諸外国人のまとめ買いの来日目的

同2010年の少し前より2011年1月にわたる我が国内での購買状況において、例えば、中国からの民間人の服装をした人民が、一人あたり約100万円単位を所持して、我が国内の各地で家電製品類などを多量に（自称、親戚分を含めて）購入すると共に、観光目的で来日してきている。このため、当時、我が国の経済界などは単純に手放しで歓迎していたようである。更に、2012年7月上旬頃に、同国の自称民間人たちが、我が国の主要都市の電気街などに寄り、電化製品（例えば電気炊飯器など）を一人あたり約10万円ないし15万円程度を目標にして、まとめ買いをするために来日している。これは、その当時前後に、我が国の暗愚な入国制限の更なる引下げもしくは、その緩和による不都合な影響がかなり強く出てきているためのようである。なぜなら、そのような一時的かつ表面的な売上高向上だけでは、本質的には大した経済的効果は生じ得ないと思料されるからである。……。ともかくも、今後の推移を観ていきたい。

我が国の経済力ランク

2011年1月29日の報道によると、日本に投資しているある在日外国人がこう語っていた。「今後1年ないし2年以内に、日本国内のすべての価値が4分の1から5分の1まで下落する」と。なぜなら、同月27日ないし28日の米国での日本の債務評価（赤字が約900兆円余りになっていること基づき）が現行から「AAマイナス」へと1ランク下落して、サウジアラビアなどのグループ水準まで下がったため、と述べていた。本件の本質的問題は、返済するための努力をしているか否かであろう。従って、筆者はこう考える。すなわち、世界に対する経済的信頼を回復するためには返済するための具体的ロードマップを作成し、それにより、先述の我が国の国債信用度を着実に復活させ、力強く前進させるための現実的努力を早急に開始すべきと考える。

ちなみに、2012年12月の衆議院選挙の結果、前回のそれとは逆に、自民党が大勝し、民主党が惨敗した。改めて与党に返り咲いた安倍内閣は、デフレ防止策の一つとして、約10兆円の金融緩和に踏み切った。財務関係の国際会議では、欧州関係国より、この点に関して意図的に操作したのではないかとの質問が提起された。しかし、これも何とか無事に乗り切ったようである。これらにより円安が進み、2013年3月1日時点で1米国ドル約93円程度まで達し、株価も数年ぶりに1万円を超えた。そして同年4月6日の日銀による更なる金融緩和発表により、1米ドル約94円台まで円安が進んでいる。だが、この国債発行により、我が国の借金は約1000兆円に達することになる。これに伴い、同年3月での例えば自動車業界における春闘では、いくつかの大手企業は各々の労働組合からの賃金要求額に対し、そのまま受け入れた形の一発回答をしていた。従って、我が国内の景気の底上げに関しては、表面的には、多少有効だったと思われる。しかしながら、本件の本質的な問題点は殆ど未解決である。なぜならば、この莫大な借金の返済に関する具体的な手順及びその数字を念頭に置いたロードマップが示されていないからである。

外国融資は、充分考慮後に

従って、この返済実績が、実質的に前述の約1000兆円の例えば約10分の1、すなわち約100兆円の返済を数年ないし約10年計画で優先して完了させるまでは、対外国支援や援助などは、本来ならば、残念ではあるものの、当分の間、極力控えるべきではなかろうかと考える。さもなければ、世界の幾つかの国々から我が国を観た場合、何と不可解な国であろうかとの困惑を生ぜしめることになってしまうのではないだろうか。なぜなら、先の東日本大震災で甚大な被害を受けたために、関連諸国から支援を受けているにも拘わらず、しかもその一方で、赤字国であるにも拘わらず、欧州連合（ＥＵ）や太平洋島サミットなどに対し、我が国の２０１２年時点の経済状態からみて「分不相応」と言い得る支援をしているように観えてならないからである。なお、２０１３年5月下旬頃には、安倍内閣もミャンマー（旧国名はビルマ）に対し、総額約５１１億円の円借款3件を供与している[4]。しかも、我が国は同国へ以前に高額の融資をしたにも拘わらず、彼等の返済不可能という主張を受け入れ、返済不要として、その新たな融資（同国の基盤産業への協力という建前論の可能性もあり得る）を決定したのである。

従って、筆者は次のように考える。すなわち、この返済不要額が、例えば、かつてのダッカでの赤軍派による人質事件に関し、現金引渡しによる問題解決を図った失態例の如く、某過激派系組織や某国々の誘導などにより、反日や我が国に対するアジアからの締め出しの悪の陰謀教育、宣伝もしくは、軍事費に消費または変化していく可能性は完全否定できないと。つまり、我が国は、お金さえ相手側に渡せば、相手側の政府及び官公庁などが素直にもしくは純粋に善行を目的として、平和目的のみに活用し消費してくれて、ミャンマーの経済が潤い、ひいては、東南アジア諸国及び我が国へ経済の活性化が波及するという、極めて純粋で善なる理想的な将来像を想い描き、かつ、期待し目論んでいるのであろう。だがしかし、現実は極めて厳しく、そのように単純かつ順調に事が進むとは言い難いであろう。同国はアウン・サン・スー・チー氏により民主化が叫ばれ進みつつあると言われて久しいが、その実態は２０１６年1月時点でも、政界の裏で軍部が政治をかなり動かし得るほどの大きな力を有している可能性は完全否定できないからである。また、類例として、２０１８年6月18日の報道によると、その日に、在日カンボジア人の約二千人がプラカード持って都内をデモ行進していた。彼等の主張内容は、我が政府に対し、少なくともその当時まで非民主的で厳しい政治を実施してきた同国政府に向けて、これ以上、経済援助を「しないでほしい」という主旨の強い要請であった。すなわち、前述の筆者懸念事項が、一部の火山の噴火の如く、同国系の社会現象の一つとして、具現化されたと考えられるし、そのように観ることができ得るからである。それ故、筆者は次のように、更に考えるのである。つまり、我が国からの国際融資に関しても、対象国の実状を広くかつ深く考慮することなく、何でもかでも、頭から容易に経済援助をすれば善いというものではないであろうと。……。そういう事を、神仏が、この一部の社会現象を通じて、我々一般国民にも教示し示唆して下さっているのではないだろうかと。

　彼等のいくつかの災いをもたらし得る悪の用途を助長させるような支援だけは厳に戒めて頂きたいものである。すなわち、我が国の脅威となり得る兵器の開発もしくはそのような仮想敵国系の同盟国からの強力兵器類の購入を助長しやすくするための融資に繋がることだけは、是非回避し阻止すると共に、監視をも継続して頂きたいものである。なお、２０１５年11月に同国で実施された総選挙の結果、スー・チー党首の率いる最大野党の国民民主連盟（ＮＬＤ）が、上下院の過半数の議席を獲得して圧勝している。この民主派政策は２０１６年春に発足する。ただし、軍人枠は残るため、今後とも軍部の影響力は避けられないと観られている[5]。今後とも注視すべきであろう。

　なお、２０１７年1月30日の報道によると、スー・チー氏の側近である弁護士（男性・イスラーム教徒）が同国の国際空港にて、タクシーから降りた瞬間に、その運転手と共に、犯人により射殺された。犯人はその場で、現行犯として逮捕された。その動機は不明とされている。しかしながら、この事件の背景には、同国の民主化に強く反対し、それを嫌う某組織もしくは某国々を含む黒幕が、同国人のあるグループの末端の使い走りや失業者などを金で雇って、本事件を実行させた可能性は完全否定し難いと考えられ得る。また、２０１８年6月の報道によると、スー・チー氏は同国家顧問の職位に付かれている。本来ならば、客観的には、通常、首相もしくは大統領の資格を有していても不思議ではない可能性があるように思われるが。……。しかし、現実は厳しく、同国軍部及び同国と軍事同盟関係の強い某国々の外圧力などにより、その地位に追い遣《や》られた可能性は否定できないであろうと、筆者は推察している。なお、このミャンマーの件で、筆者が本書初版時に懸念していた事態が、２０２１年2月1日に勃発した。同国内での軍事クーデターである。これにより、同軍はスー・チー氏を拘束した。

同国での民主化が著しく遠退《とおの》かねばよいが。……。今後に注視すべきであろう。

ところで、著者が先の件で心配していた矢先の2012年5月22日に、フィッチ（欧州系格付け会社）が我が国の国債格付けを発表した。それによると、9年ぶりに日本の国債評価順位は、前述のAAマイナス水準から更に降下して、「A+」の順位になったようである。これはイスラエル及びエストニアと同水準であるという[6]。あるテレビ番組の記者がその理由を同日本支社の担当者に尋ねたところ、その担当者は次のように答えていた。「日本の債務は自国の国民総生産（GNP）の約2倍を超えたにも拘らず、それを解消する方針や計画を政府（当時は民主党）が明確に示していないからである」という主旨のことを述べていた。さもありなんである。まさに筆者の以前に危惧していたことが、現実の社会現象となって現れ世界に発信されてしまった感が否めないのである。あるいは、同様に懸念していたように、諸外国も同様の観点から我が国の財政状況を観察または注視していたことが明らかとなったとも言い得るのである。というのは、実際に、翌2013年6月に英国のロックアーンで開催されたG8において、ドイツ首相のメルケル氏は首相の安倍氏に対し、「為替相場を操作したのではないか」という主旨の疑問を投げかけたという。もちろん、同氏はこれを否定後、丁寧に説明したようだが。

ちなみに、2017年10月22日に衆議院選挙が実施された。その結果、自民党が圧勝している。この背景には、従前の旧民主党に一部の離党者があり、それが民進党へと変化した事も関連し得るであろう。それが更に、立憲民主党及び希望の党に分裂したことも一因している可能性があると考えられ得る。

ここで前述のことに話を戻そう。これに対し、政府もしくは財務関係者らは、恐らくこう反論するであろう。一民間企業の評価をいちいち気にかけている暇などありませんよ、と。ただし、前述の少数意見とも言えるこの評価は、一方で、真摯に傾聴するべきではなかろうかと考える。民主主義国であるから多数意見を優先すべきである。しかし、その意見が常に正しいという保証はない。というのは、例えば、その多数意見者の過半数が、もし真実ではない内容に、単に付和雷同している場合、その結果は極めて危険な方向へと導かれる可能性もあるからである。その危険な極端な一例が、例の大戦への突入であろう。もちろん、経済と戦とは分野が表面的には全く相違する。しかしながら、その一方で、戦と経済とは、ある面で類似しているとも言い得るからである。

更に、2012年12月20日に、新与党となった自民党総裁の安倍氏と日銀総裁の当時白川氏とが電話会談し、約10兆円規模の金融緩和に踏み切った。これは、同月16日の衆議院選挙にて圧勝した自民党が選挙期間中に主張してきたデフレ防止のための景気刺激対策の一貫であるという。しかしながら、それと併行して、現実の累積債務に対する返済計画を明示し、それに沿って実行することも必要なのではないだろうか。

現代の世相は１００年以上前のそれに類似

一方、現代における我が国の世相が１００年以上前のそれとほとんど重複して観えるのである。すなわち、当時の我が国を経済学の立場から観ておられた、河上肇氏（前出〔7〕）は、次のように述べておられるのである。「……しかし気の毒なのは金のない連中である。ことわざに地獄の沙汰《さた》も金次第というごとく、金さえあれば地獄に落つべきものも極楽に往生ができるが、金がなくては極楽にゆくべきものも地獄に落ちねばならぬのが、今の世の中である。……げに金のある者にとっては、今の世の中ほど便利しごくのしくみはないが、しかし金のない者にとっては、また今の世の中ほど不便しごくのしくみはあるまい」と。真に、当時に比べれば、現代の巷では不景気だ、不景気だ、あるいは、少しは景気が回復する途上かもしれないとは言うものの、我が国及び国民の一般的な生活水準はその当時の昔に比べれば格段に向上しているのである。

しかしながら、それらに伴い、当然、物価や公共料金は値上がりしているものの、それに比例せずに、給料は差し抑えられてきているかもしくはわずかながら上昇の兆しが観られてきている状況下にある。そのためもあって、国民の現実の暮らしぶりや貧富層の分布からすると、その両世相は極めて類似していると言い得るのである。しかも、約20歳代ないし30歳代の積極的に働きたい世代もしくは働くことに強い情熱を抱いている世代であっても、未就職者がかなり実在している現代においては、尚更この言葉が心に沁み入るのではないだろうか。

また、同書〔8〕の中で、同著者は次のように述べておられる。すなわち、１９１２年から１９１５年の当時、世界で最も富裕な国々、すなわち、英、米、仏、独の各国民に関する生活状況が記述されている。これによると、「……最富者の部分を一瞥《いちべつ》するに、人数より言えば全人口のわずかに百分の二に相当するだけのものにかかわらず、その所有に属せる富は、英国にあっては全国の富の約七割二分、フランスにあってはその六割強、ドイツにあっては五割九分、米国にあっては五割七分に相当しているのである。貧富懸隔のはなはだしきこと、かくのごとし。ひっきょう英米独仏の諸国が貧乏人の実におびただしきにかかわらず、世界の富国と称せられつつあるは、古今にまれなる驚くべき巨富を擁しつつある少数の大金持ちがいるためである」と。現代における我が国及び欧米諸国と１９１０年代の欧米列強の経済状態とを相対比較してみると、それら各国国民の生活状況及び貧富層の各割合が極めて類似していることに驚かされる。もちろん、１００年以上も年月が経過しているのであるから、その後の科学技術の驚異的発展に伴い、社会基盤技術、住宅、食料、電気、水道、ガス、交通事情、つまり、衣食住や生活に係わる利便性などの現況は、当時と比較すると、天と地ほどの差があるのは明白であろう。

国際支援の一部再考

ところで、2012年5月26日の報道によると、沖縄県にて同月25日及び26日に「太平洋・島サミット」が開催された。これには、当時首相の野田氏も出席された。そこで彼は、「①絆を強くしたい。②3年間で最大約5億米ドル（当時の為替レートで約400億円）の支援」を打ち出した。しかしながら、我が国の経済が極めて厳しいにも拘らず、このような支援をするのは、たとえ主催国とはいえ、如何なものであろうか。明らかに矛盾しているのではないだろうか。なお、その後、首相の安倍氏は2015年5月時点で、今後3年間で550億円以上の財政支援を表明している[9]。もちろん、前者のように公言されたのには、例えば諸外国による同様の他種サミットへの進出及びその他の国際経済政策的な裏事情が存在しているためでもあろう。しかしながら、ここで、あえて一言申し述べさせて頂きたい。というよりも、今後かつ将来の我が国の為政者の方々のご参考にして頂きたいという意味において、お伝えさせて頂きたい。

それは、「政府または政権としての権威付けもしくは実績作りよりも、実質性及び現実性を第一優先して頂きたい」ということである。つまり、ある課題や指示内容に係わり、関連諸国もしくは同盟諸国との連携事情もあるであろう。だが、それらを考慮しつつも、「一過性の恥はあえてありがたく受け止め、たとえその短期間を耐え忍んででも、例えば、国内における善なる真の実質及び実力の養成を優先」して頂きたいのである。それとも、2012年6月時点において、当時与党の民主党政権は、我が国が以前のような経済成長を続けているとでもいうような幻想を抱き続けていたのであろうか。もし、そうだと仮定するならば、現実と矛盾しているようにしか観えないように思われる。あるいは、そのような疑問を呈さざるを得ない。それとも、以前から計画されていた国際会議であり、我が国が主催国でもあるので、出席予定の関連諸国に対し、そのような大見栄を張られたのであろうか。ただし、例えば、緊急の人道支援などが除外されるのは明白であろう。もう少し、我が国自身の大地にしっかりと根を下ろした現実を直視されると共に、例えば、向こう約4年間ないし8年間以内に、2012年時点で約990兆円の借金の何％かを返済し、そのための国家経済計画を立てて、それに向けて実行へと移すべきではないであろうか。

もちろん、過去の累積分に係わる国債発行分に対するかなりの金利分も返済せねばならぬはずであるから、余程慎重に対処することが求められることであろう。しかも、先述の新たな国防及び防災計画もあるため、それらとの調整も採って、実現可能な数字設定後、迅速なる実行へと移していくべきではなかろうか。次に、その計画を実行するためには、如何なる経済的戦術を打っていくべきかを、例えば、関連する全省庁を含め、招集して、早急に対策を講じなければ、このまま従来と殆ど同様な、累積赤字を積み重ね続けるような道筋を辿ってしまうことになりかねないであろう。さすれば、その行き着く先は、現在よりも更なる借金肥大なる国家が我が国を手招きして待っているという構図が予想され得るのである。すなわち、今後約10年後ないし30年後には、債務（借金）額は更に増大し続けることであろう。もしそうなったならば、我が国の世界における経済的信用度はより厳しい事態に至る可能性があると危惧せねばならない。ちなみに、２０１５年３月時点での我が国の債務は約１０００兆円を超えているのである。

だからこそ、筆者は次のように考える。すなわち、早急に、そのような状態に歯止めを掛け、善なる先手先手を打って、防止し阻止し、かつ、これ以上悪化させないようにせねばならないと。そのためには、前述した、例えば向こう約４年ないし８年以内に、たとえ約10％前後であっても返済するというように、具体的数値を明示して、関連当局に向けて、我が国の返済意欲及びその態度を示す必要があるのではないかと。毎年少しずつでも返済の実績を積み重ねると共に、その真摯な姿勢及び返済実績を世界に示すべきであろう。そうすれば、我が国の経済分野における信用は維持される可能性が大となると共に、それが損われる危険性を抑制することができるであろうと。諸外国から様々な批判を、仮に受けようとも、我が国としては、少なくとも神仏との約束を裏切ってはいけない。善なる誠意と努力とを止めてはいけない。それでなくとも、我が国の経済状況及びその他に関し、心の奥の奥の本音の次元で、強い嫉妬心を抱きつつ、敵対心や敵愾《てきがい》心を抱いている国々がいくつか実在しているのが現状なのだから。このような事態を回避すべく、我々は、たとえわずかでも常に努力し続けねばならない。そのように誠実に努力し続ければ、必ずや、神仏が、我が国を、ご守護してくださるであろうと、筆者は信ずる。

リーマン・ショックの教訓

バブル経済が崩壊（内閣府景気基準日付では、それは１９９１年３月から１９９３年10月までの景気後退期を指す）[10]した際に、あるいは２００８年９月15日に米国投資銀行のリーマンブラザーズが負債総額約６０００億ドル（約64兆円）の史上最大の倒産で破綻し、これを発端として続発的に世界金融危機が発生した（この事象の総括的名称を、リーマン・ショックという）[11]。このショックの際に、多くの企業、特に諸銀行がそれぞれ独立に約２０００ないし約４５００億円またはそれ以上の大きな赤字を計上した。当時の報道によると、それらの多くの大手銀行や企業の経営最高責任者らが記者団の前で殆ど頭を垂れて陳謝していた。しかしながら、この陳謝だけで事件が完結したと思われたならば、その更に被害者である全国の関連取引企業、団体及び個人は堪ったものではないのではなかろうか。該当する国民は、怒りとストレスが溜まってしまうはずであろう、つまり、その怒りの持って行きようがないのである。何とかならないものであろうか。これらは、国家間の政治力も影響しているのであろうが、関連企業や部門での経済情報に係わる分析力、応用力もしくは洞察力が不充分であったことも一因していたのではないだろうか。確かに、各企業は通常の安全管理体制は当然構築されていたであろう。しかし、残念ながら、一言で言うならば、関連業界のトップクラスの人たちが、最悪の事態の起こり得る予測を見誤ったという見方も全くの的外れとは言い難いのではあるまいか。換言するならば、最悪の（国際的な）連鎖反応を回避もしくは阻止できるような経営もしくは運営管理体制がより高度に構築できていなかった可能性は否定できないのではないだろうかとも推察され得るのである。なぜなら、そのわずかな弱点もしくは欠点が逆に噴出または露呈されたとも言い得るからである。

後を絶たない粉飾決算事件

ところで、２０１２年3月27日の報道によると、その数週間ないし1週間ほど前から、事件は発覚していたようであるが、エイ・アイ・ジェー（ＡＩＪ）投資顧問株式会社が約１５００億円の大幅損失を隠していたことが公表された。金融庁は同年2月24日付で同社に1か月の業務停止命令を出し、翌3月23日、証券取引等監視委員会がＡＩＪへの強制捜査に着手した。更に、その報道前日の26日のそれによると、１５００億円のうち１１００億円が消失しており、残りはたったの81億円であったという。ところが、ウォール・ストリート・ジャーナル電子版は、格付投資情報センター（Ｒ＆Ｉ）が既に２００９年に同社を「不自然な会社」として警告していたという[12]。また、3月28日の報道にて、社長のA氏が参考人として、国会で次の証言をした。「私はだますつもりは全くなかった。……よりよい状態で返したかった。……大幅な損失を知らせるまたは公開する勇気がなかった」と。しかしこれでは、彼を信用して委託した企業は堪ったものではないのではなかろうか。それに、この発言もしくは証言内容は恐らく弁護士の諸兄諸氏と十二分に検討した上での発言であろう。

他のいくつかの報道によると、彼の心理としては、自身が周囲の人々よりも、幾分か営業技術に長けていたことを自負していたようなので、営業的接客術を利用して、多くの人々、企業及び協同組合などに対し、厚生年金基金の勧誘を強力に推進してきたようである。自社の業績を開示するデータも第三者に期待を抱かせるような良いことばかりで、悪い面は示さずに、横軸を時間もしくは年月を採用した場合において、縦軸の売上高に相当する数量が主に右上がりの良好な業績や予測ばかりを示して、顧客を言葉巧みに勧誘し、契約させ続けてきたようである。そして、前述の同年3月27日の時点で、彼が運用できる資金は約50億円ないし60億円程度にまで激減してしまっていた（ちなみに、この1日前の報道での金額よりも更に、約31億円ないし21億円が減少していた）のである。何と、前述の金額の10％にも程遠い額しか残っていなかったという。そして、国会での答弁では、口先だけでは、「あやまっている」ようだが、誠意が観られないし、自身が実行もしくは指示した当事者であり、心底投資家や社会に対して申し訳ないという姿勢と誠意は殆どみられなかったもようである。ところで、同氏によると、2008年に損失が500億円にまで膨れ上がったことなどが粉飾決算をした動機だったという。その後、同年12月18日に東京地裁により、同氏に懲役、他の関係者には実刑判決がそれぞれ下された(13)。

この事件は、同氏自身が、人間にとって「何が善で何が悪か」の弁別が殆どできていないか、または悪行を遂行した場合に、それがどの程度、関連の人々、企業及び社会などに多大な迷惑と損害と社会的混乱などを及ぼし、かつ、惹き起こし続けるかの洞察能力が殆ど欠落・欠如していたために発生したと推察され得る。しかも、自己中心的な視野の狭い性格と見做し得る。または、その善悪の弁別をすることを回避するか、もしくは、それから逃げ隠れして、殆ど彼自身と彼の同僚や仲間たちの利益のみを追求していたと考えられ得る。従って、彼等はそのような常軌を逸した利己主義者または我利我利亡者の状態に陥ってしまったのであろうと世間の大半から観られても仕方がないであろう。特に、彼等を信用して契約し投資した多くの被害当事者の方々からは、そのような眼で観られる可能性は極めて大きくかつ避けられないことであろう。あるいは、それら善悪の判断を自ら厳正に決する勇気がなく、肩書のみを重んじる空虚な人物である可能性がかなり高いということは言い得るであろう。このような意味において、彼は、先述の当時の東京電力及び後述する当時のオリンパスなどの各責任者等における平均的な精神構造もしくは頭脳の内部構造に類似し得ると言えないことはないのかもしれない。

過去数十年間にわたる経済、金融、投資、……など経済もしくは金融に関連し得る一部の無責任な経営責任者たちがあまりにも多すぎる。一人の人間として、大人としての節度がなさ過ぎるのではないだろうか。更に、ご本人の真の能力を超えると思われる肩書を求め過ぎているのではあるまいか。あるいは、他人様からお預かりした金銭の正しく善なる使い道が分からないのか、もしくは真の経営者としての能力や技量が本質的に欠落・欠如しているにも拘わらず、自身の実能力をかなり上回る肩書及び大役が与えられてしまっているか、または自らが与えてしまっている可能性も否定できないであろう。その結果、究極的に、自身及び仲間も含め、彼等のいずれもが苦悩し始め、精神的に自分で自分自身を追い詰める状況に転落していったのではあるまいか。あるいは、あたかも自分たち自身で次第に苦しみ喘ぐという精神状況に至らしめていったか、もしくは、その状況に陥ってしまった可能性が大きいのであろう。

そこで、2種類の例を考えてみたい。まず第一例として、ある人間Xが他の人間Yに対して、仮に暴力を振るったり殺害したりすれば、少なくとも表面的には、第三者は、どちらが善者でどちらが悪者かを迅速かつ明確に判別することができるであろう。次に、第二例として、経済的な悪行（もしくは違法な悪行為）を実施した場合を考えてみたい。ある人物Dが他の人物Eに対して、投資を勧誘したとする。しかも、Dはその処理及び対応能力や条件を充分に備えていないにも拘わらず、企業として見切り発車したような場合には、どうなるのであろうか。結果は火を見るよりも明らかである。そして、このような危険な結果に陥った場合に、一体、誰が責任を取り、誰が誰に保障するのであろうか。このような基本的事項がまず解決されねばならないはずであろう。

その後、２０１２年3月29日の報道によると、そのＡＩＪの投資顧問等の約90％が元社会保険庁から天下っていたという。そして、多くの国民を愕然とさせたのは、彼等のほとんどが投資に関して全くの素人であり、未経験者たちであったということである。まさに「開いた口が塞がらない」とは、このことであろう。しかも、その後の当局の調査によると、同社顧問等の年収は、何と、当時の平均サラリーマンのそれの大略17ないし18倍であるという。安倍内閣及び日銀が２０１３年3月ないし4月にデノミ対策の手立てを打ってきているとはいえ、同年4月時点での我が国内の大半の国民及び世界の主要国も含めた大多数の人間が未だ不景気の中で喘ぎ苦しんでいるのを我慢して頑張り続けているにも拘わらずである。具体的には、例えば、年収が、平均サラリーマンのそれの約20ないし60％またはそれら以下という厳しい現実的環境下で、この物価高の世の中を地道に誠実に何とか日々を一生懸命に生きており、もしくは歩み続けている人々が数千万人いるというのに。それにも拘わらず、このように社会的な大いなる矛盾大いなる理不尽さ大いなる不均衡は一体何であろうか。

このような矛盾が実在することは果たして善であろうか。否、決して善または正常な状況とはいえないであろう。真面目に働いて稼いだお金ならば、恐らく他人がとやかく言える筋合いのものではないことは明白であろう。しかしながら、この事件のように、不法に、不正に、かつ不善なる意図をもって、その行為を実行した場合には、善であるはずがないであろう。許されるはずがない。多くの人々が苦悩し続け、日々を一生懸命に地道に堅実に働き、汗水たらして労働してきているというのに。善でなければ、悪である。悪行に属し得る行為であろう。当局による真に勇気ある善き判断に委ねたい。なお、その後も、例えば、旅行代理店の女性社長問題や、新成人式向けに衣裳を貸与している会社のトップ等が、若者等に高額を振込ませておきながら、行方を暗《くら》ますという事件などが後を絶たない。これらはいずれも顧客を騙《だま》し金銭を奪う事を目的としたためであろう。これらの犯人等は、人としての善悪の弁別が不可能なのか、承知していても、それを無視して、その弁別を付けようとしないかの、無智もしくは愚者と考えられ得る。極めて残念な事である。今後、その犯人等はその被害者の相応の弁償をすると共に真正に改心して頂きたいものである。

　このように残念な事件が発生した後にも、例えば、老舗とも言い得る東芝の会計処理問題が発覚している。２０１５年7月2日の報道によると、次のとおりである。すなわち、２００8（平成20）年頃から、同社は高額すぎる営業利益目標を掲げて、その目標金額を必ず達成させることが、関連部門や部員に課せられ求められていたようである。というのは、同子会社の元幹部によると、取締役会議などの際に、関連資料の書き直しを何回もさせられ、かつ、罵声を浴びせられたという。

　これは正に、筆者が初版で読者諸兄諸氏にご注意を喚起していたのと同様の事が、具現化していたと言い得る。この道の専門家は、社外取締役を参画させるなどして、経営トップが不正を行なったとしても、監査が適切に行われるようにすべきである旨を述べている。しかしながら、問題は、当事者自身が、不正や粉飾決算の行為自体が違法であり、悪行である事を強く認識せねばならないのではなかろうか。なぜなら、いくら周囲の者が反省を促しても、もしも、それが変わらないならば、「馬の耳に念仏」なのかもしれないからである。すなわち、当事者本人に善悪の弁別を深く認識して頂き、例えば、法華経の説く「諸悪莫作《しょあくまくさ》」及び「善因善果・悪因悪果」の各法則を悟って頂かない限りは、問題の本質的解決には至らないのではと、筆者は考える。もしも、この法則もしくは類似の教訓を無視し続けて、その行為を続けるならば、恐らく前述のＡＩＪ社、当時のオリンパス社などの二の舞になりかねないのではないかと危惧されるからである。ちなみに、東芝は、米国での原子力事業の巨額損失で、２０１７年3月末に、負債が資産を上回る「債務超過」となっている。同年10月24日の株主総会にて、稼ぎ頭の東芝メモリの売却及び経営陣の選任が承認されている。メモリを共同生産するウェスタン・デジタル（ＷＤ）社との対立などの難問は残り、主力事業の売却後は綱渡り経営が続きそうである。株主は大幅に減少し、株価も大きく値下がりした。同年8月には、東証一部から二部へ降格している[14]。なお、東芝は、２０２１年1月22日前後に、再び東証一部へ復帰したもようである。

話を先のＡＩＪに戻そう。愛すべき我が国民が、いわばお人好しな性格を有しているから、彼等はまだ救われているのであろう。しかしながら、我が国が仮に、政変などの状況急変により、近日中に強大な独裁的、覇権的かつ膨張的な共産系社会系主義の支配する一党独裁国家に変化したり、侵略されてそのような政情になったと仮定したならば、恐らく彼等と彼等の親族のすべての者が相当な処罰を全く受けないという保証やその可能性は皆無であろうことは論を待たないであろう。彼等当事者は、この厳しい世界の現実を知らねばならないであろう。彼等はまず、この我が国に生まれ育ってこさせて頂いたことについて、神仏に対し、まず心より深く誠実に感謝し、反省すべきではないだろうか。その大前提の条件下で、この事件の真相は当局により近い将来に明らかにされるであろう。今後の厳正な捜査によって、この事件の解明（例えば、投資額着服の有無などを含め）と投資額の流れ及び責任者の処遇（場合によっては、彼等以外の関連者への責任波及など）と被害者の補償などに関し、明らかにされるであろう。そうでなければ、我が国は、極めて少数による悪人天国になってしまい、真面目にこつこつと働き、家事をし、奉仕活動し、勉学に勤《いそ》しむ国民が激減してしまうであろう。それと共に、彼等彼女等の怒りが次第に膨張し、あたかも火山の噴火の如く、いつ爆発するかもしれないという危険性が増大していくことであろう。そして、更に、危険なことは、それらの一般国民の不満が湧き上がる事態を今か今かと、喉から手が出るが如く待ち望んでいる国内外の過激分子、全体主義の一部の組織や某国々が実在していることである。彼等はこの不満を逆用して、あたかも、その「不満の火種」に更に油を注ぐかの如く、その社会現象を煽り続ける可能性が大であろう。あるいはまた、その現象を我が国のみならず世界中へ悪意に満ち満ちた宣伝をすることであろう。しかも、その時の政権与党及びその内閣を政治の表舞台から引きずり降ろす戦略戦術を直ちに画策して、実行に移す可能性は否定し難いことであろう。従って、このような観点からすると、先の事件を起こした当事者は、罪深いことを仕出かしたとも言い得るのである。悪行もしくは不正行為に対しては厳正に対処されるべきであるし、当局によるそれらの歯止めは迅速に実行されるべきであろう。それ故、これらの事件を引き起こした人々は、そのような数多くの被害者に対する補償と共に、社会全般及び将来ある青少年に対し、善行及び正義を軽んじる風潮を植え付けたことに対する、目に見えない罪に関しても、大いに反省すべきではないだろうか。

誠実に日々の仕事をこなしていても、年収が平均サラリーマンのそれの約20ないし60％に満たない国民が約一千数百万人ないし推定数千万人（ただし、当局が未確認の人々や未申告者分も含む）も実在し得るというのに。何という無責任経営陣であり、無責任会社であり、利己主義者組織であり、何という社会的矛盾が存在するのであろうか。これらの根本原因は一体何なのであろうか。考えてみれば、２００９年夏以前までの与党連立政権の後半時期に、（当時野党の一つであった）旧民主党などから、各省庁からの天下り行為の実態が鋭く指摘され国会で露呈されていた。そして、そのことも同年９月当時の政権交代要因の一つになったと考えられ得るのである。

　前述のような状況がいくつかの外国において続くならば、暴動が起きても何ら不思議ではないご時世であろう。あるいは更に過激な外国の場合ならば、その国の人民が、それらの事件の当事者はもちろんのこと、家族などの関係者のすべてが徹底的に批判され罵倒されても何ら不思議ではないご時世なのである。今の所、そのような無法的で、無秩序的な事態が我が国内にて発生していないだけでも、彼等当事者は少なくとも感謝と反省とをした方がよいのではなかろうか。いずれにせよ法律が許す範囲内において、近い将来に当局より何らかのご沙汰の下る可能性があるであろう。彼等自身に対し、「自分たちは社会的な悪行をしたのだ」ということを、明確に分かってもらい、肝に銘じてもらえることを期待したい。そして、それを十二分に納得してもらうためには、例えば、様々な被災地またはその近隣の区市町村などにおける作業の最先端部隊に参画してもらったり、別の必要箇所の清掃作業を積極的にしてもらうことなども善いのではないだろうか。併せて、正しき善なるお寺や教会などに出向いて、自らの懺悔《さんげ》をして頂くとか、あるいは、全国のいくつかの災害を受けた関連各県に出向いて、その地元地域の復興のための危険でない各種作業などの社会奉仕活動に参画して頂くことなども考慮しては如何であろうか。もちろん、それらの判断は、関連自治体の地元当局などの適切で広い見識に委ねたい。

　彼等当事者は、例えば、他人の品物を盗んだりしたわけではなく、人を殺傷したり麻薬や違法薬物に関与した訳でもないのだから、たとえ当局に捕まったとしても、罪は重くならないはずだということを予め見積もっているのではないであろうか。ましてや、たかが数億円ないし数百億円程度の額を投資してやって、失敗したくらいのことで、当局に捕まったとしても、刑務所に入るほどではないであろう。たとえ万一、入ったとしても、せいぜい1年ないし2年程度を我慢すれば、五体満足な元気な体で出て来ることができるはずだ。……。そのような悪の妄想を抱いていたか、もしくは、タカをくくっていたかの可能性が全くないとは言い切れないとも推察され得る。関連各位におかれては、前述の具体的な更生方法を、旧来の方法をも考慮しつつ、更に、それらに拘束されることなく、現在及び将来における各時代の実情に合致した改善または補正を考慮しつつ、一部の法改正を検討し、審議を開始して頂くことを強く願うものである。

なぜなら、このような当事者による悪行の世界を、テレビ、ラジオ、新聞、インターネット、スマートフォンなどで、好むと好まざるとに拘らず、見せられる全国（及び可能性としては世界中）の多くの子供たちの気持ちにもなって頂きたい。これから未来の我が国のみならず世界を背負って築いていくなり、世界に少しでも善なる貢献をなし得る可能性を秘めている、数多くの明るく希望に胸を膨らませて、日々元気に活動してくれている子供たちの気持ちに。見せられる少年少女や青年男女などへの心理的及び教育的な観点からの「悪影響」は計り知れないものがあると、筆者は考えるのである。善もしくは正義は、決して悪に負けてはならないし、屈してはならない。このことは、我が全国民が肝に銘じなければいけないことの一つである。前述したように、子供たちは、場合によっては、我が国はもちろんのこと、同時に、世界の善となる指導者的立場の一人になり得る可能性を常に秘めているのである。

それは、子供たちがそれぞれの夢を抱きつつ、悪行をせず善行を積んで、地道な努力をしていれば、貧富の差に拘らず、いつも必ず、神仏がその行為を温かく見守っていてくださるし、支援してくださっているからである。だから、子供たちが、善かつ正しい大道から外れないように、両親、祖父母または周囲の方々は暖かく守ってあげる責務があるのである。それと共に、大人たちは子供たちの信頼を裏切ってはいけない。従って、前述の事件に拘らず、一般的に、悪行をして、世の中や社会にまたは国家に迷惑を掛けたことの確証が得られた場合、その内容によってはただ単に、詫びるだけでは不充分ではないだろうか。その事を、その当事者は身を以て償い、真からお詫びする姿勢を、実際の行動として示さなければならないはずである。そのような善なる社会的規律が充分に確立されなければ、我が国の社会、地域及び国家は、現在の「曖昧で腰砕けの状態」から脱却することは殆ど不可能になるのではなかろうか。だからこそ、原因とその対策とを明確にして、実施すべきなのである。

外国への経済進出時の、付和雷同の危険

それにしても、例えば、我が国の多くの企業各位におかれては、次のことを念頭に置かれて活動して頂ければ幸いであろう。すなわち、単に、例えば欧米諸国が第三の他の諸国へ経済進出したからとか、競合他社が某国々へ進出したからと言って、我も我もと、草木もなびくが如く、付和雷同すべきではないのではないだろうか。確かに、売上及び利益は各社の主目的であろう。しかしながら、それらを目的とする理由だけでは、それらの国々へは、安易に経済進出などできないのではなかろうか。なぜなら、その必要性が唯一無二の絶対的手段とは限らないはずだからである。つまり、我が国の相手国として、本当

に、十分適切か否か。国柄、土地柄、人柄などを、予め十二分に下調べしてから判断するのが、基本的かつ必要最低条件と筆者は考えるからである。

経済進出時における理性的判断の必要性

現に、例えば日中国交正常化の宣言後、我が国の多くの民間企業は、我も我もと草木もなびくが如く、中国での商売発展を信じ、両国の繁栄と自社の売上増加を夢見て、経済進出していったものである。しかしながら、約1990年代ないし2000年代頃より、現地での様々な地域で、反日感情や反日の示威活動（デモ）、各種の邦人系企業での怠業（ストライキ）、労働争議またはその他の各種事件が頻発してきたのである。そのため、これらに嫌気がさして、同国から撤退したり、企業経営や工場の規模を縮小したりする邦人系企業が続出するという社会現象が噴出してきているのである。従って、数多くの産業分野等における企業、組織や団体の重要なお役を担っておられる方々は、まずは、少し落ち着かれて、冷静さを取り戻してから、今後の対策を講じられたら如何であろうか。すなわち、経済進出の際には、特に、冷静かつ理性的な判断が強く求められる事に予め気付くべきではなかろうか、と筆者は考える。

経済進出時における独自の事前調査の必要性

例えば、邦人企業が海外に進出するために工場などの事業所を設立する場合を考えてみよう。この場合、最も危険であり注意すべきことは、他の企業が既に進出しているから、その土地はあらゆる点で安全であろうと、当事者の一方的な思い込みなどの単純な発想により、自らの企業が独自の経路や手順で調査を事前に実施することなく、他社の情報を盲信して、進出を実行に移すという考え方ではなかろうか。確かに、他社に付和雷同すれば、何らかの努力も不要であり、この上なく安楽ではあろう。しかしながら、この場合、通常、当事者には想定し難い危険が伴い易いのである。なぜなら、負の典型的な方向に通じ得るからである。そのため、この場合の対策として、『孫子』（例えば[15]）の兵法の智慧を活用するのも一つの方法ではなかろうか。それには、「そもそも土地のありさまというものは、戦争のための補助である。敵情をはかり考えて勝算をたて、土地が険しいか平坦か遠いか近いかを検討するのが、総大将の仕事である。……」という教訓が記述されている。つまり、諸企業の経済面における外国進出は、古代の軍略や戦略に類似しているとも考えられ得るからである。ここで、総大将とは、現代の企業に譬《たと》えるならば、経営最高責任者、もしくは社長に相当し得るであろう。そして、ここで言う戦争とは、通常の企業経営もしくは世界を相手にしている多国籍企業経営やそれらの運営管理と置き換えることが可能であろう。というのは、「人生、日々、是戦場」と言い得るからである。このような教訓を踏まえ、かつ、現代における最新の情報を加味して、予め周到な各社独自の準備をしていたならば、例えば、2011年10月に発生した東南アジアのタイ国での記録的大洪水により、日系企業の約300社以上が受けた床上浸水などの大被害は、低減させ、もしくは半減程度に抑えることができた可能性があったのではあるまいか。なぜなら、より厳密な現地の気候・風土・天変地異の襲来する最悪の事態を可能な範囲で、予め充分に考慮し準備をしていたならば、これ程までに被害は拡大しなかったのではあるまいかと考えられ得るからである。従って、筆者は、次のように考える。すなわち、自ら進んで他社の情報に依存するだけでなく、もしくは、それを盲信することなく、各社がそれぞれ、独自の現地調査を広く深く実施していたならば、これ程の連鎖的かつ同時多発的で甚大なる被害を受けなくて済んだのではなかろうかと。勿論、理論的に予測不可能もしくは突発的な集中豪雨などによる場合は論外であろう。

このことなどが影響して、2012年1月の報道〔16〕によると、自動車業界において、米国GM（ゼネラル・モータース）社がリーマンショック以来、約4年ぶりに2011年の世界販売台数で世界第一位（902万台）の売上企業に返り咲いている。GMは2009年に経営破綻して以降、経営の効率化を進めてきたという。その他に、ドイツのフォルクスワーゲン社が第二位、我が国のトヨタ社は第三位またはそれ以下になるであろうとの予測であった。その後、2013年3月の発表では、例えば、トヨタ社は、その前年3月期・通期での決算で約2000億円の赤字を計上した。他業界の幾つかの企業でも約2000ないし4000億円程度の赤字を計上していた。このような赤字が出てしまった結果から考えると、始めから、前述した洪水などの非常事態における災害対策及びその類の事前調査を実施していた方がむしろ善かった可能性が高かったかもしれないからである。尚、トヨタ社は、2013年2月5日に、同年3月期で安倍内閣での金融緩和などに基づく円安にも助力されて、従来予測の200億円赤字から久々に1500億円の黒字に上方修正〔17〕している。

経済金融破綻の事前防止策の必要性

ところで、前述のリーマン・ショックについては、もしかすると、我が国の銀行、団体、組織などの投資系グループ、企業もしくは個人などが、独自の深い調査度合を幾分か緩めたなどのために、またはそれらの銀行、投資企業もしくは個人などが、諸外国の民間財務評価を盲信し過ぎたために発生した可能性が全くないとは言えないのではあるまいか。あるいは、それらの相乗作用などにより、世界水準の連鎖反応による記録的大損失の渦中に巻き込まれ、あたかも金融という名の大型客船が転覆してしまったかのような状況に陥ってしまったのではなかろうか、という推測も成り立ち得るであろう。

中国による金融中心力の強化策

ところで、例えば、彼等中国は、自身にとって、まず、当面の対極の一つである米国の軍事力を凌駕し、次に、経済競争力の成長に伴い、世界の金融中心地を自国内の北京、上海、香港、その他の幾つかに移動（既に一部は実施されているが）させるために、着々と我が国の政財界、官界、金融界、銀行業界などへ、強力なる裏工作を仕掛けてきている。或いは、自分達の言いなりになるような部下を養成するために、あたかも麻酔や毒の付いた触手を伸ばしてきている可能性は極めて大きいと言い得る。そして、我が国を巻き込み、飲み込み、もしくは徹底的に利用して、彼等の大目的の一つを達成させるための世界戦略を実行し、具体的戦術の手を次々に打って、その規模を拡張拡大してきている。既に、欧米、カナダ、豪州その他の諸国などにも働きかけ、実行に移してきているのである。

因みに、これらの現実の姿もしくは裏付けの例として、次の事例が挙げられ得る。すなわち、例えば、２０１５年4月に同国より発表された同国主催の「一帯一路」及び「アジア社会基盤投資銀行（略称ＡＩＩＢ）」（後者は２０１５年4月時点で創設メンバーは約57か国だが、その後、増加している。表向きの目的は、アジアにおける発展途上国の社会基盤整備）政策もしくは戦略である。このように中国は、アジア及び太平洋地域での軍事力拡大及び進出のみならず、経済及び金融面においても、世界の覇権を目指していることは明白であるし、それを完全否定することは不可能であろう。更に、２０２０年12月27日の報道によると、国防法を改正して、軍拡と共に、２０２８年までに、同国の国内総生産（ＧＤＰ）の世界一を目指す旨を公表している。

すなわち、例えば、２０１１年12月の報道[18]によれば、当時の我が政府（旧民主党）の「財務相の安住氏は、外国為替資金特別会計を通じて、中国の国債を購入する事を明らかにしている。なお、我が国が中国の国債を購入するのは、勿論初めてで、最大１００億ドル（約７８００億円）規模まで、段階的に進める」という。その愚挙に対しては、全く驚きである。これが、我が国の今後の歴史上、極めて苦難要因の一つにならなければよいが。……。しかしながら、筆者は、その可能性は完全否定できないのでは、と予測している。一方、中国側にとっては思う壺であろう。恐らく、「しめた」、「してやったり」と思いつつ、乾杯し、大いに笑いが止まらなかったに相違なかろう。彼等は、世界の金融中心地をニューヨーク、ロンドン、パり、東京等の拠点をいずれ廃止もしくは低減させる目論みもしくは経済戦略を立てている可能性は完全否定し難いと推察され得る。

そのために、彼等は、中国国内もしくは同国特区内の北京、上海もしくは香港などに移す事を、政治的、経済的な彼等の世界戦略戦術の一つと見做している可能性は否定できないであろう。このことに対し、我が国は、強い警戒を要すべきであり、しかも注意すべき事項の一つと考える。何とも、当時の政府（旧民主党）、官界、財界、産業界などの各々の一部の方々は、彼等の世界戦略ペースに完全もしくは容易に巻き込まれてしまい、飲み込まれてしまった感が強い。そのように観えるし考えられ得る。なぜなら、彼等の強い要求に対し、殆ど「お断りする」、「拒否する」、「但し、我が国の（国益に繋がる）幾つかの条件を呑むならば考慮してもよいが、」というような主旨の、明確なる反論を殆ど聴いたことがないように観えるし、そのように考えられ得るからである。

経済面などでの諸外国の善なる積極性は学べ

ところで、経済面についてもう少し触れてみたい。例えば、中国は２０１１年2月14日に国民総生産（ＧＮＰ）に関し、我が国を抜いて、米国に次ぐ世界第2位となった。確かに、彼等は世界中の先進国、特に米国、欧州及び我が国などの官公庁、大中小や個人の各企業、国公私立の大学などに対して、民間人を装った学習者、工作員及び間諜を延べ数十万人ないし数百万人と推定されるような桁違いの単位の多人数を送り込んできている（但し偽移民もどきの一部も含めた）結果であろう。また、アフリカ、アジア、中東、その他の諸国にも同様に、彼等人民、間諜もしくは軍人等を多数送り込んで、それら諸国の鉱物などの各種資源、基盤産業、電気通信設備などの契約を取り付けてきている。そして、彼等の言語教育を優先的に普及させることをも強要させてきているのである。

しかも、それらに係わり、彼等は、我が国の企業よりも、かなりの安値で契約させたり、母国宛てに優先的に輸出させたり、その当事者間の協定や契約締結に至らしめてきていることも、歳入アップもしくは経済拡大に一因していることであろう。その結果、彼等は自身の人民らをそれらの各国の地元に根付かせて、殆ど独占的に、各種産業に係わる工場及び建屋を建造し、生産し、請け負ってきているのである。少なくとも、それらの事実を見過ごし見逃し傍観し、もしくは、大いに遅れを取ってきた我が国の当局、自治体、関連企業及び批評家などがあるとするならば、幾らか問題視される可能性は否定できないのではないだろうか。我が国の現在及び将来のためにも、これらを教訓として、逆に、今後の発展、市場開拓などに是非繋がるように充分活かして頂きたいものである。

税率もしくは税金

一般的に、国民は自身の生活に直結する生活費の収支または税率もしくは税金などに係わる事柄については、かなり関心を持っておられるのではないだろうか。確かに、各個人のみならず、家庭、地域、社会及び国家もまた、経済に係わる損得については敏感になっており、各々の立場でアンテナを立てて、その情報を受信しているとも言い得る。なぜなら、それは、我々の実生活に係わり、かつ、目に見えることだからである。また、税率に関して、我々国民の多くは、我が国の税率はかなり高いと感じている向きがあるからでもあろう。ここで比較のために、欧米の自由主義国家圏内におけるいくつかの国々のそれを、ある資料より採り上げてみよう。例えば、我が国の租税負担率（国税と地方税とを加算したもの。これは国民が負担する税金額を国民所得で割った百分率）は24％（２０１３年度）であるものの、英国、ドイツ、フランス及び米国は、それぞれ、約37、30、37及び23％（この欧米の数値は２０１１年度）であり、それらの殆どに関し、我が国のそれは、その諸国に比して、かなり低い水準に位置しているのである。あるいは、我々全国民に係わる消費税もしくはそれに相当する標準税率に関して、いくつかの国々と比較してみよう。まず、アジア地域では、中国17、フィリピン12、インドネシア10％などに対し、我が国のそれは２０１８年９月時点では８％に留っていたものの、それ以降の２０１９年10月１日以降では10％になっている。

また、北米及び中南米地域では、カナダ５ＧＳＴ（商品・サービス税）もしくは12ないし15ＨＳＴ（調和売上税）、アルゼンチン21％及び米国は州政府と地方自治体が独自に決定している。中東地域ではトルコ18及びイスラエル16％である。大洋洲地域では豪州10及びニュージーランド15％である。ちなみに、消費税のない国と地域は中東地域などに多く、湾岸協力会議（ＧＣＣ）にて取り決められているようである。例えば、サウジアラビア、カタール、アラブ首長国連邦、クウェートなどである。後者の、いわゆる豊富な石油産出国は、いわば例外的な位置付けになり得る。従って、筆者は次のように考える。すなわち、それら以外の諸国と我が国とを比較するならば、我が国の税率もしくは税金は、世界的視野に立って観た場合、意外にも、決して高い部類に属していることはなく、むしろ、低い部類に属していると。これは、我が国以外の国々では国防予算や軍事費への支出負担比率がかなり大きいことを裏付けているためと推察される。これら以外の全体主義国家圏もしくは軍事国家では、国民の負担すべき税率が前述以上に更に極めて高いことは、世界の過半数の国々にとって疑いのないところであろう。また、後者での公表税率値自体が、彼等自身の国内で操作され差引きされて公表されている可能性も完全否定し難い。そのため、そのままでは信用し難い面が含まれていることは、予め承知しておかねばならないであろう。だからこそ、世界の様々な国々、例えば、欧米諸国のみならず、開発途上国においても、国防費や防災費の諸費を含めた消費税もしくはそれに相当する税率が約17ないし25％またはそれ以上と、我が国よりもかなり高率なのである。ちなみに、欧米の中の先進国群（例えば、英、仏、独、スウェーデン、ノルウェーの消費税は、それぞれ約18、20、17及び24％である。ただし、食料品の消費税については、英0、仏約6、独6、スウェーデン12及びノルウェー12％は除外している。また、米国は消費税ではなく、州毎の小売売上税のため除外）では普通なのである。

貿易問題

例えば、2018年10月に我が国の首相が中国トップと数年ぶりに、幾つかの重要な経済問題について会談が予定されていたようである。しかし、この背景には、米国（トランプ政権）が中国に対し、大幅な輸入関税（率）を課したことが影響している可能性が高いと思われる。そのことによる米中両国間の貿易摩擦に端を発しているように推察され得る。そこで、筆者は次のように考える。すなわち、中国としては、その高い関税により米国への輸出の道が狭められたため、政治的軍事的に緊張し敵対的な関係にあるものの、それを一時的に棚上げにしておこうと。その上で、自国の農産物などの輸出と富を途絶えさせないために、我が国に対し、あくまでも一時的措置として、皮相的な柔和外交へ方向転回をしてきていると。なぜなら、この方向転回は、かつて米ソ冷戦時代の1969年にソ中間が緊張関係になった際に、当時の毛沢東が遠交近攻の戦略を採用して、難局を打開したのに類似しているからである。中国は、当時、世界に衝撃を与えるべく、政治的思想的に敵対関係にあった米国と手を結んだ。そしてその後、キッシンジャーを介したニクソン訪中へと繋がった経緯がある。筆者には、この事が鮮明に思い出されるからである。……。

つまり、中国としては、今回の米中貿易摩擦問題を、自国にとって損失をより少なくし、かつ、米国に対し驚きと刺激とを与えるために、わざと彼等自身の戦略として、我が国を「捨て石」の一つとして「一時的に」利用し、かつ、近づいてきた可能性がかなり高いと推察され得るのである。従って、万が一、仮に米国の政権が今後、代わって、再び元の関税率に戻るような事態に至ったならば、彼等の我が国に対する政治的態度も180度豹変する可能性は完全否定できないであろう。そのことは、我が政府、全企業及びその他の分野の方々も予め十二分に承知しておかねばならないであろうと。これらのことは、我が国の老若男女の全ての人々が、世代を超えて将来の末代までも、決して忘れてはいけないし、心に刻み込み、刷り込んでおくべき必須事項の一つであろう。

いずれにしても、我々は彼等彼女等に対し、今後も将来も、そして恒久的に、決して安易に気を許してはいけないし、心を緩《ゆる》めてはいけない。たとえ、にこやかな笑顔と派手な歓待を受けようとも。なぜなら、それは、彼等彼女等の単なる社交辞令であり、演技であって、本音の言動ではないため、決して、盲信してはいけない。従って、筆者はこう考える。すなわち、それらは全て、彼等彼女等の上司、上位部門や部隊から指示命令された演技である可能性が極めて高いと見做した方がむしろ合理的かつ無難な類のものだからであると。ちなみに、同国共産党は、習近平氏を総書記とする新最高指導部12人を選出[19]し、現在に至っている。そして、彼の政権は更に強大なる軍国化を目指して現在も進行中である。

第七章　我が国の自治体における役所の対応

警戒心と少欲知足

２０１１年2月12日の報道によると、１９９９年頃より、例えば、中国の見かけ上の営業マンより依頼された日本人営業マンによる我が国の「きれいでおいしい水」もしくは、そのような湧出水を含む山林、野原、谷及び大地を含めた水資源や土地の買い漁りが目立ってきている。従って、我が政府並びに全国都道府県及びそれらの各自治体は、至急、期限を設けて、国力により、それらの買漁り防止のために、法改正をするべきではないだろうか。そして、上限などの制限を設定して、急ブレーキを掛けさせなければいけない。不動産もしくは動産の所有権者が個人などの場合には、例えば1ないし2か月以内に、政府並びに地元管轄の全国都道府県及びにそれらの各自治体などの複数の事前許認可が必要であるというような、より厳正な法制度を設けるべきであろう。少なくとも簡便な一段階ではなく、例えば、三段階もしくは四段階のハードルをあえて設ける体制が必要不可欠であると考える。なお、該当する全国の各自治体の所有権者の方々も、彼の国々等から、仮に貴方の目の前に、貴方の年収の百倍ないし千倍もしくは、それ以上の小切手や現金をちらつかされても、心が安易に動かされないように、善なる不動心を、いまからでも強く培い鍛錬し続けて頂きたいものである。そのためには、何度も述べてきているように、長期的に観て、その申し出が我が国、あなたの属する都道府県、または、自治体にとって、それぞれ、善なのか悪なのかという第一優先の判断基準に立って、期限を設定し、じっくりと焦らずに判断し考えて頂きたいのである。決して、相手方の「せっかちな」回答要求ペースに乗ってはいけない。あなた自身にとっての損得は、是非、二の次にして頂きたい、と切望するところである。

自国の土地財産すなわち不動産を国家財産もしくは全国都道府県の各財産水準的観点に立って（逆に、米国、ロシアや中国の如く）固守せねばいけない。単にまじめや、お人好しや、やさしいだけではいけない。確かに、これらの心持ちは分からないではない。しかしながら、２０１０年代後半には、一年間に約２５００万人（これは３００万人都市の8か所分に相当）以上の外国人が大挙して我が国に入国してきているのである。このような厳しい現実的状況下では、それらの「まじめ、お人好し、やさしい」という心持ちは、特に、商売上の取引や、貿易、契約、協定などの観点もしくはマイナス的な観念としてのそれとは逆の、負もしくは分野においては、むしろ、「間抜け」、「愚か」もしくは「ナイーブな（蔑《さげす》んだ意味の）」日本人としか映らないのである。すなわち、我々日本人同士が直感的に受ける温厚的もしくはプラス的な観念とは直逆に受け取られ易いのである。そのような侮蔑的で下品な風評を世界中にばらまき宣伝し続けている悪の黒幕もまた実在してきているからである。だからこそ、我々一人ひとりが心を引き締め、十二分に注意して発言し行動しなければならないのである。その被害として次の実例を挙げることができるであろう。すなわち、全国的に、毎年数十億円ないし数百億円も騙され奪われ続けてきている、いわゆる「オレオレ詐欺」、「振り込め詐欺」の類である。最近は、犯人達が次第に卑劣さと悪知恵とを増加させてきている。つまり、陰険にも、標的とする庶民に対し、事前に貯金額などを電話などで確認した上で、複数人が直接強盗に入ったり、殺傷したりする凶悪事件へとエスカレートしてきている。これらは早急に、完全撲滅できないものであろうか。確かに、当局は様々な防止策、その宣伝及び犯人組織の逮捕等を講じてきてくれている。また、最近では、２０１９年下半期に、東南アジアのフィリピン国から数十個のスマートフォンを使った三十数人によるわが国へのオレオレ詐欺組織が、当局の粘り強い努力により、一網打尽にされ、現地当局のご協力を得て、その半数を日本に帰国させることができた。今後の捜査、尋問などを通じて、事件の全貌《ぼう》と共に、黒幕逮捕へと繋げていって頂きたいと願わずにはいられない。しかしながら、このような当局の努力及び成果は充分認められつつも、全国での現在までの被害件数に対する検挙比率の面では、今のところ、あまり顕著には現われてきていないように観える。なぜなら、過去十数年間はその被害件数が減少することなく、増加の一途を辿っているからであろう。これは、取りも直さず、被害当事者である平均的な老人男女側にも、「警戒心」が乏しく、「甘い（偽孫などからの）誘惑的言葉」または「哀れみや同情を求める言葉」などの悪意の演技に、簡単に騙されてしまうからであろう。つまり、「心の隙《すき》」もしくは「油断」がその理由として挙げられ得る。従って、筆者は次のように考える。すなわち、例えば、電話など、（犯人の顔や素性の不明な）相手（男女）からの勧誘などに対して、我々一人ひとりが、まず、疑って掛かる必要があるという事である。つまり、その事を予め強く認識しておく訓練が、これからの毎日について、心掛けておかねばならないし、求められるという事である。また、我々一人ひとりが、これは他人事ではないということを強く再認識しなければならないであろう。そして、このような悪行をする犯人に対し、毅《き》然《ぜん》たる態度が取れずに来てしまった事が、この種の犯罪を撲滅させ根絶させるに至っていない所以でもあろう。なお、本案件については、罪状を更に重くすべき時期に既に来ていると思われる。この点についても、関連当局におかれては、今後、迅速に検討を開始して頂きたいと願うところである。

もちろん、これらの不動産または動産の管理については、曖昧な状態にしてはならないはずであろう。我が国の財産（不動産、動産など）が相手の巧言により、丸裸にされて、それが相手側に一度でも奪い取られてしまったならば、その後、必要となった場合には、二度と取り戻せなくなる可能性が極めて大きいからである。彼等は一度奪取し略奪した領土、領海、領空はもちろんのこと、具体的な物件なども二度と返却はしないし、譲渡もしないし、手放さないであろう。仮に万が一、返却すると言ったとしても、その際には、我が方の国家、企業、または、個人として、それぞれの次元で、支払い不可能な程の（我が国の一般常識を超えるような桁違いの〈例えば、数十倍ないし数千倍くらいの〉）巨額か、または、別種の高度な国家機密的、企業秘密的な情報や動産・不動産などを見返りとして要求してくるであろう。そのことは、予め基本的に十二分に覚悟しておかねばならない。だからこそ、今から決して奪取されてはいけないし、負けてもいけないし、屈してはならないのである。相手からの賄賂などによる金品、地位、名誉、肩書、住宅、その他の贈与などにも決して目が眩《くら》んではいけない。なぜなら、それらの眼前の安易な悪の誘惑に負けてしまうと、やがて彼等との悪のしがらみから抜け切れなくなって、その後の人生もしくは生涯、その案件のために悩み苦しみ、後悔し続けねばならなくなるのが明白だからである。あるいは、最悪の場合、その一時的な悪行により、自らの愛国心もしくは愛社精神などの狭間に立たされたあげく、自殺へと追い込まれる可能性があることは完全否定できないからである。

これらは、我が国と国民とを恒久的に守るために、政治家、政治屋、国家公務員、地方公務員に限らず、企業人、自営業者、主婦、学生、個人その他の全国民の責務の一つであるとも言い得る。このことは、誰もが常に、心に刻み込み刷り込んでおくべきではないだろうか。また、我が国民の一部の者は先の高度経済成長期に、いくらか歪んだ心になっていた可能性があったかもしれない。そこには、自らの反省度合の一部が不足していたこと、並びにその反省事項を、現在及び将来の世代のために、「してはならない事柄」の教訓として、肝に銘じ、将来に活かすための教育を怠ってきたことが原因の一つと考えられ得るであろう。

なぜなら、同類の事件が、次から次へと発生してきている事実が存在しているからである。更に、我々は、その時期に得た収入の真正なる使途の一部について、その優先順位に誤りがあったのではないだろうか。例えば、２００９年夏以前の自民党時代に、全国の各自治体に対して、国からそれぞれ約1億円の振興費が支給された。そこで、多くの自治体は、それを各所の名所・旧跡、博物館、歴史館の建設や改装などに充当したもようである。それはそれで善いことであろう。なぜなら、これらは、いずれも、各地元に観光客を呼び込むために、観光地としての充実及び経済活性化を目的としたものと考えられるからである。この点において、全国各地とも、使用目的がほぼ共通していたように思われる。だが、その一方で、例えば、大地震が予想されている関連の全国各自治体では、海岸線の堤防、区市町村の下水道、排水溝、水道管、ガス管、電信柱などの取り換え工事、液状化現象の原因の一つと考えられている盛土に関する更なる土木工学かつ地震工学などの基礎工学に基づく対策や工事支援に充ててもよかったのではないだろうか。または、大災害に対する地元住民のための避難所及び避難経路の建設や補強工事等が、たとえわずかな量であっても良かったのではないだろうか。ただし、ごく一部の地域については、その後に補強されてきているところもあるようだが。

前述の高度経済成長に伴い発生してきた、安楽さ華やかさを求め続ける我が国民の空気もしくは雰囲気が漂い続ける中で、前述の中国は、少なくとも約1960年代ないし1970年代以降にわたり臥薪嘗胆《がしんしょうたん》して、我が国に追いつき追い越していったのである。この現象は、何も中国に限らず、他のアジア諸国及び、インド、ロシア、中東、ブラジルなどの南米諸国も同様であろう。我が国が大道を目指して力強く、堅実かつ地道に歩んできていれば、何ら驚くに値しなかったことなのである。しかしながら、このように、ある意味で分不相応な金持ちになってしまったにも拘わらず、国家として強靭なる大黒柱を再建設することなく、しかも、遠大で有効な歳入の使途、国債の返済及びその方法などの具体策を真剣に考えてこなかった可能性が大きいと推察される。従って、筆者は次のように考える。すなわち、それも一因して、我が国は、本来歩むべき自由と民主主義の道から、すなわち、本筋から外れてしまったと。その結果、多くの無駄や寄り道があったこと、そのために横道に逸《そ》れた行動と歩みをしてきたことなどにより、彼等に追いつき追い越されてしまったと。ただし、もし彼等が純粋に努力して経済成長してきたならば、我々は批判などできる立場ではないし、彼等の自由であろう。それよりも本質的問題の一つは、我が国民自身が少なくとも一度の豊かさを味わったがために、彼等彼女等の二代目、三代目の世代頃から「怠慢の心」が沸々と湧き出てきて、可能な限りの安楽さ、華やかさもしくは豪華さなどを最優先して、それらを求め続けてきている点にあるのではないだろうか。これらの適度な欲望を求めるのであれば、それは悪行ではないかもしれない。しかしながら、これも無制限に求めるべきではないであろう。やはり、たとえ自由かつ民主主義の国であるとはいえ、自らが適切なる限度を設定して然るべきであろう。少なくとも今までは、このように過剰な欲望に振り回わされるままに「砂上の楼閣」を求め続けて来たために、自らの過去の行動が原因で、今日の世界における相対的地位からの降下を招いたのではあるまいかと考えられ得るのである。従って、筆者は次のように考える。すなわち、我々は、警戒心及び善悪の弁別と共に、必要以上の欲望は自ら抑えて、満足すること（つまり、「少欲知足の原則」）を知らねばならないと。

不正受給問題

２０１０年9月6日の某テレビにおける調査によると、東京都内のある区役所の調査が発端となって、次のことが明らかとなった。所在不明の１００歳以上の高齢者が全国で約３５０人居られるという。このため、全国に地域包括支援センターを設けて対策を講じるという。その後の追加調査によると、その人数が少しずつ増加しているようである。更に、それらの中には１５０歳以上の人が戸籍上では生存していることになっているという。これは、関連自治体として注意を要すべき問題の一つであろう。これに関連して、ある外国の報道機関は、この問題を早速取り上げて、「これでは日本の世界最長寿国の記録は塗り替えられるであろう」という主旨のことを報じていた。残念ながら、さもありなんと言わざるを得ない。

なお、この原因として、第一は、実際には数年前ないし数十年前に死亡していたにも拘わらず、残された家族が経済的に苦しくなるという自己中心的考えで、当局に死亡届を提出しなかったためである。すなわち、既に親族が死亡していることを充分に認識しているにも拘わらず、生活保護費及び各種年金を不正受給している者が続々発覚してきたのである。その他の理由ももちろん存在し得る。彼等彼女等の中には、意図的もしくは悪意をもって自己申告していない者がかなりいるという。中には、それらにより得た金で、パチンコ、麻雀、競輪、競馬、競艇などの賭け事などや自身の娯楽、趣味もしくは観光旅行の費用に充てて優雅に暮らし続けていたというとんでもない愚か者たちも実在したという。あきれ返って、ものも言えないほどである。とんでもない悪の知能犯もしくは悪知恵の働いた老人男女、壮年または婦人が存在していたものである。彼等彼女等もまた善悪の弁別のできない、または意識的にその区別をしようとしない欠陥欠落者・愚か者たちと言い得るであろう。今後は、善行もしくは菩薩行などの社会奉仕の実践を通じて、それらの長年にわたる悪行もしくは罪を少しずつでも浄化し清めるために、十二分なる反省、懺悔または改心を積極的にして頂きたいものである。

これらが明らかな事例については、当局もやっとこさ重い腰を上げて動き出し、例えば、詐欺罪の適用や年金などの支給停止及びその過去の不正受給分の全面返還を求めること等で捜査を開始した。このように、悪意をもって、当局に届け出ない者に対しては厳正かつ厳格に対処して当然であろう。むしろ、数年前ないし数十年前から、全国都道府県、それらの各自治体及び地元の各警察が互いに協力し合って、本格的捜査を開始し、事実関係を把握していてもよかったのではなかろうか。また、特に悪質な男女については、刑事事件として告発することも考慮すべきではなかろうか。なお、それらの捜査や対策などに関して担当の人数が不足しているならば、先手先手に早目早目に、上司や上位部門などに人員補充申請したりして、善なる実行動を開始するべきであろう。また、例えば、55歳以上70歳以下程度で心身の健康な方々を中途採用方式などにより、どしどし教育や研修をして、関連する現場へ送り込むことも至急検討し、かつ、実行してもよいのではないだろうか。ちなみに、例えば、２０１８年10月29日の報道によると、安倍内閣は翌２０１９年までに、70歳まで就業可能な方向で、その年齢を増すための法制化に向けて検討し進めたい旨を発表している。これは、本書初版の主旨が、神仏さまを通じて、当局へやっと届き、考慮され始めたとも受取ることができ得る。今後の進捗状況を注視していきたい。

なぜなら、これらの悪質な事件の一方で、年老いても収入が極めて少なく物価上昇及び公共料金値上げなどにも追いつかず、更には月々の家賃の支払いや住宅ローンの返済なども ままならない方々が実在しているからである。また、平均的で文化的な正しい生活をしていきたいがために、たとえて言うならば、あたかも自らの老体にムチ打って、猛暑の夏期、台風時期、あるいは厳寒の冬期には、それぞれ、耐えてでも、働かざるを得ない人々が何とか頑張ってきているのである。このような男女が、約一千数百万人ないし推定数千万人（恐らく当事者の不提出や当局も正確な数字の把握が不可能なため）もいるという事実が存在するからである。このままこの社会現象を野放しにしておくことは、恐らく、できないのではないだろうか。彼等彼女等の極めて一部の者たちだけが、隣人、地域、社会を、ひいては国を騙して、不正受給をしてきたことは法的にも許されないであろう。それは悪行であり、不届き千万であろう。これもまた、受給当事者が善悪の弁別をつけようとせず、彼等彼女等自身が得することのみを追求し続けたためであろう。これらは、いずれも善悪を弁別できない症候群（いわば、「善悪弁別逃避症候群」と仮称）の罹患者と言い得る。しかも、彼等彼女等はある意味で自己中心症候群とも見做し得るであろう。ちなみに、このような悪の不正受給者は、例えば、２０１４年３月の報道においても、その前年度に比較して、残念ながら、増加しているという事実が公表されたのである。

第二は、先の大戦後、例えば、自らの志願とは無関係に赤紙（召集令状）により出兵した兵士の残された家族が、外国の地で現在も生存している可能性があるかもしれないという強い心情のもとで、全国の各都道府県の役所・役場に死亡届を出さなかったこと。事実、そのようにして待ち続けた母親が老死され、その後、残された娘さんたちが今回初めてその実態をある報道機関に告白したことが報道されていた。このような事例の場合は、前述した症候群とはやや異質であると見做されるから、考慮の余地はあり得るであろう。従って、筆者は次のように考える。すなわち、当局は、その当事者の実態をも考慮して対処することが求められ得るであろうと。しかしながら、このような事例でも、ある年数で一線を画するべきであろう。例えば、今後の約3年ないし4年の間に、国会、全国都道府県及びそれらの各自治体などで審議され、明確なる結論が出されるべきであると。そして、法文化すべきであろう。なぜなら、前述のことを逆に悪用する者も現れかねないし、当局としても二度と同じ失態を起こすべきでないと判断され得るからである。更に、今後は、同様な社会的混乱を来さないために、他の様々な事例をも考慮しつつ、例えば、対応の手順書（マニュアル）のような指示書（個人情報は全く記載しない）を作成し配布して、全国都道府県及びそれらの各自治体の役所・役場に周知徹底された方が善いのではなかろうか。

もちろん、これらは当局内における機密情報扱いの一つであろう。また、期限を何段階かに分けてでも、計画的に、少なくとも120歳以上の方々については、全国の区市町村などにおける役場・役所もしくはそれらの委託民生委員の方々などにより、従来以上に確認作業をして頂くことが必要であろう。確認が不可能な場合は、現状に見合った法律もしくは条令を新たにつくってもらう方が科学的合理性を有するであろう。その当事者が行方不明で、連絡不可能の場合には、例えば、1ないし2か月の自己申告の猶予期間を設け、その期間を過ぎたならば、少なくとも年金の支払いや賞品、賞状などの贈呈を中止した方が、全国民の感情からしても納得して頂けることと思われる。そして、万が一、後日もしくは後年になって、その行方不明者の生存や所在が確認できた場合には、不支払日に遡って、それ以降の分をお支払いするという方法も、その対策法の一つとして考えられるのではないだろうか。そうでなければ、どうしても生きていくための最小限の実生活費を稼ぎ出すために、安い給料であっても、働かざるを得ない人々が現実に実在しているからである。

また、ここ数年来、世間でしばしば言われてきていることであるが、我が国内での所得に関して、二極分化しているのはほぼ間違いのないところであろう。すなわち、高所得者のいわゆる富裕層と、年収が平均サラリーマンの約20ないし60％以下の低所得者層の二極分化である。当然、両者の中間層は存在する。従って、高所得者層に属し得る種々の議員や企業経営者などの諸兄諸氏は、恐らく低所得者層の気持ちや心情を理解することは、基本的には不可能なのではないであろうか。そうは言っても、ここで諦めずに、救いの手を差し延べ、法的に考えて頂きたいものである。但し、先述の不正受給問題のように、その救いの手を逆用して、悪行に走る患者が出現してこないとも限らないため、当局におかれては、そのような悪行への抜け道が完璧に防御できるような法制化を早急に検討し実施化へと移行して頂きたいところである。

捏造事件

ところで、2010年9月に、大阪地検特捜部の主任検事・M容疑者が証拠隠滅で逮捕された[1]。この事件により、厚生労働省の一人の女性局長が身柄を百数日間拘束された。当局による件のM容疑者への尋問により、M容疑者の証拠隠滅及び調書の捏造《ねつぞう》であることが明白となった。これにより、同局長は釈放され、かつ、以前の職場に無事復帰できることとなった。本事件は冤罪《えんざい》であった。全くの濡れ衣であったという。その翌日の各報道では、複数の批評家等がこのような冤罪の恐怖を訴えていた。この翌日のテレビ番組で、ある出席者が、これは、いわば言語道断であり、前代未聞であると述べていた。その他にも同様の事例が存在しているのではなかろうか。確かに、これらに類似し得る事件は、いくつかの企業内にも存在してきている。すなわち、ある人物またはある集団が自身の権威及び存在などを誇示または維持せんがために、社内外の好敵手を様々な手段や宣伝媒体（嘘の口コミまたはインターネット、ツイッターなども含め）を悪用して、その相手を現在の地位から引きずり降ろすという卑劣で、陰険、陰湿かつ悪質極まりない悪の行為が一部で行なわれてきている。もちろん、この類の悪行を為した犯人は当局の厳正なる捜査力の行使により、早急に特定されかつ逮捕されることを切望する次第である。被害者の正当かつ当然なる保護のために。これらの多くの事例では、平均的に犯人の嫉妬心が一因となっている場合が少なくないと考えられ得るのである。なぜなら、その犯人と被害者とが担当している業務、職務及び活動などの各内容が、互いに、類似している場合がしばしば存在し、かつ、その処理能力に関して、前者が後者に比較的劣っている場合が少なくないからである。そして、犯人自身もまた、そのことを内心では殆ど承知している可能性が高いからである。

従って、筆者は次のように考える。すなわち、これらの中の、特に企業内、学校内などの事件に関し、それらの本質というものは、結局、その事件の容疑者もしくは首謀者が彼等自身の勤務成績もしくは学業成績（企業の場合、現在は成果主義を採用している事例が支配的であろう）をより安定的に維持するためという場合が少なくないと。そして、自身の収入、地位及び名誉などを安定的かつ安全に維持し確保するためという場合が殆どではないだろうかと。それ故、たとえ嘘でもよいから、警察からの多くの事件の中から、自身にとって興味のある案件、もしくは、自分にとって充分に処理し得る都合の良い案件を抽出し、事件解決までの物語を創作し、その流れに沿うような証拠集めをしてきているという可能性は完全否定できないであろう。その途中段階またはその他の過程で、自身の実力以上の成果を出したいがために、それに執着しすぎて善悪の弁別ができなくなったか、または、自身の心の制御もしくは自身の脳の神経回路が不能状態に陥ってしまったのではあるまいか。あるいは、初期段階において、「このくらいのわずかな悪行ならば、多分、自分以外の誰もが実行しているはずだ。だから、自分がそれと同様のわずかな悪行をしても許されるはずだ」などというような独断的妄想に囚われ、または、取り憑かれてしまったとも考えられ得る。そして、それが次第に慢性化し、習慣化し、その結果、その種の悪行が本人の癖となり、その善への回復が不可能な状態に陥ってしまった可能性が高いと考えられ得るのである。本来ならば、万人のための正義の味方であるべき検事が、悪の範疇《はんちゅう》に属し得る罪を犯したのではなかろうか、という推測可能性も全く否定することは困難であるかもしれない。その後、２０１０年10月４日に、元特捜部長と同元副部長が最高検察庁によって逮捕された。今後の裁判が注目されるであろう。そして、この事件の全貌はいずれ公表されることであろう。

これらの事件で共通に言えることは、彼等は、仮に、自身の仕事がどのように多忙で苦しかったとしても、周囲の人々の協力を仰ぐなどの工夫をして、何が善で、何が悪であるのかの弁別をまず明確にすべきではなかったのではないだろうか。彼等自身がそのような公的立場にあるにも拘わらず、何らかの貪欲やある目的などに目が眩み、自身の私利私欲のために、悪の迷路に踏み込んでしまったとも考えられ得る。そして、その迷路から抜け出すことができず、しだいに奥深く這入り込んでいった可能性は否定できないのではないであろうか、と推察せざるを得ない。いずれにせよ、日々を正しく誠実に、自己のお役を真面目に果たしつつ勤労してこられた無実の方が、実際に、百数十日間も拘留されていたという事実は重く受け止められねばならないはずである。したがって、このような大罪を犯したのであるから、その事実に係わる内容は今後とも審議されるであろうし、本件真相の全貌が明らかにされることを切望する次第である。

一方、本事件というのは、我が国全体の現状に向けて、多くの教訓を示してくれている。すなわち、本件は、いわば役所、官僚もしくは公務員水準での事件と言い得る。ところが、これに類する事件は全国で起きている可能性が高いと考えられ得る。例えば、幼・保育園、小中高校及び大学など、あらゆる業種の小中大規模の企業内及び各種組織内においても同様だからである。というのは、いわゆる、いじめ、恫喝《どうかつ》、恐喝的圧力もしくは暴力的いやがらせ（パワハラスメント）、または恐喝的性的圧力もしくはその暴力的いやがらせ（性的ハラスメント）の実状の一部が、しばしば大衆報道を通じて報じられてきているからである。

被害者の方々は、それまで心身ともに平和に順調にかつ誠実に勤労、学業もしくは家庭生活などを通じて人生を送られてきたことであろう。それが、突然このような不幸な出来事もしくは事件に遭われて、大変な苦悩と苦しみを味わわされたことであろう。そのことを想うにつけ、心が痛み、胸が締め付けられる想いに駆られる。このような気持ちは、ご当人のみならず、被害者のご家族や親族はもちろんのこと、親友、良識ある友人、知人だけではないであろう。しかも、それらの被害者は、後遺症ともいえる心的外傷（トラウマ）となって、一生涯苦しみ続けることになるのである。このような多くの事実を考慮するならば、それらの加害者もしくは犯人は、被害者の受けた精神的、身体的もしくは医学的保障をしてあげねばならないであろう。なぜなら、それがために、その被害者は例えば、欠勤、退職、登校拒否、自主停学、自主退学または自殺未遂へと追い込まれたり、場合によっては、誠に残念ながら、現実に自殺へと追い詰められてしまった数多くの事例が実在しているからである。従って、筆者は次のように考える。すなわち、その加害者もしくは犯人は、被害者及びご遺族に対して、経済的保障も含め、自らの意志で懺悔すると共に、当局の判断により、相応の罪を償うように導かれるべきであることを強調せねばならないであろう。

ところで、２０１１年12月12日のテレビニュースによると、働ける世代の「生活保護」を受給している人数は、２０５万人と初めて２００万人を突破した。その年の約10年前の2倍に増加しているという。なお、その約4か月後の翌２０１２年4月23日の同ニュース「シリーズ・貧困拡大社会①」によると、生活保護受給者は２０９万人、非正規雇用者は3人に１人、相対的貧困率は16％であるという。このため、その該当者が就業可能な年齢であるならば、当局も無制限かつ単に事務的に彼等彼女等に支給し続けるべきではないのではなかろうか。当然、適正な審査はされてきていると思われるが。そうではなく、働ける活力または通常の健康な体力を有する者ならば、たとえ給料が幾分安くても就業してもらうべきであろう。そうでなければ、日々の生活費不足を捻出するために、身体的かつ健康的に無理をしてでも働き続けざるを得ないという不公正な社会現象が発生してきているからである。なぜなら、就業者が通常勤務または労働して得た月給よりも彼等彼女等の無就業者である生活保護者の支給額の方が上回るという受給額に係わる逆転現象が現実に起きてしまっているからである。

これは、明らかに社会的矛盾であり、不公正であり不均衡ではないだろうか。早急かつ優先的に、国会、全国都道府県及びそれらの各自治体における議会での審議を通じて、是正されるべき事柄であろう。２０１２年7月時点では、この件に係わる対策委員会が、一部で立ち上がり始めたようである。是非とも、この善なる活動が停止されず、法制化されるなどして、より善い解決方法に向けて実行されることを願うものである。そうでなければ、低所得者層に属し得る約一千数百万人ないし推定数千万人の我が国民の心情としては、承服できないのではないだろうか。確かに、この厳しい実状を放置し続ければ、当局としては、通常業務以上の負担分が増加しないため楽かもしれない。しかし、そのような状態を続けるほど、同年12月の途中までの与党であった旧民主党（あるいは、政権与党がいかなる政党に交代しようとも）に対する不平不満が募り、累積していくことであろう。その結果、あたかも経済バブル崩壊の如く、近い将来に、国民の感情が何らかの形で幾分か爆発または破裂する可能性も否定できないからである。ところで、同２０１２年2月時点で我が国の全勤労人口の内で、年収２００万円以下の就業者（またはワーキング・プア）は約33％を占めているといわれている（同月19日の報道による）。このままの状態を放置していたならば、前述のように彼等彼女等の怒りが何らかの行動へと転化される可能性は否定し難いと言い得るであろう。

一方、２０１２年6月14日の報道によると、愛媛県では、２０１１年3月11日の東日本大震災及び今後の直下型大震災の予測などを教訓として、自動車道路、そのコンクリート支柱、コンクリート橋脚などの土木・建設的な見直しを実施した。その結果、材質的劣化の著しい箇所の修理費用は、まともにすべて改修工事をするとなると、約１５００億円の費用を要することが分かった。ところが、同県の本件に係わる予算はその費用を大きく下回っているという。そこで、同県が再検討したところ、劣化の著しい箇所から特定の部分的補強工事に限定するならば、予算程度で何とか修理可能になるという。これは、恐らく、同県の関連部局が知恵を絞られた成果の現れの一つではないだろうか。知恵を出し合えば何とかできるのだ。善なる目的に関して、関連する人々が互いに一生懸命知恵、悩みもしくは対策案を真摯に出し合えば、少なくともいくつかの道が開かれ、必ずや神仏が何らかの光を照らし、智慧を授けてくださるのである。筆者はその事を確信している者の一人である。従って、簡単には諦めないことである。なぜなら、全国都道府県及びそれらの各自治体には、各々特有の長所が必ず幾つか存在するはずだからである。

また、それら各自治体は、究極的には、現場もしくは現地の方々がより詳細で特有な情報をお持ちのはずである。したがって、何らかの課題を解決するための具体策を実施しようとする場合、国からの予算が不充分だからとか、国の指示がないから、その指示が来るまで静かに待っているのではなく、国への申請と併行して、まずは、各地元の当該議会における議員諸兄諸氏が指導力を発揮して、現状の与えられた、あるがままの条件範囲内及び予算の範囲内にて、建設的かつ積極的な意見を出し合って、集中的かつ前向きに討論し合うべきである。そして、意見を出しきって、例えば、約3分の2または約65％以上の賛成を得たならば、たとえほんのわずかな小規模的なもの（例えば、試行錯誤的または試行実験的）であったとしても、実行に移すべきであると考える。ただし、事前に国または政府の許認可を得なければならない項目、事項や業務内容は、当然その許認可を得た後になるであろう。そして、早期に、その実行、演習、訓練もしくは実施経験及び知恵などを蓄積して、近い将来の更なるスケールアップした展開時に、そのデータを有効活用すべきと考える。

なぜなら、それらのすべてのデータが、その当該地域、自治体などの総合的な知恵となり得るからである。だから、その各人が善と信じて合意した課題に関して、失敗を恐れてはいけない。善なる勇気を持って果敢に実行することである。なお、筆者が、このように考えていた約半年後の2012年8月20日のテレビニュースにて、主旨が一部類似していると思われる事案が放映された。つまり、滋賀県庁が全国に先駆けて、原発における今後の不慮の事故発生時を想定して、県民数に相当する放射能防止マスクを配布することに決まったという。このような前向きかつ善なる危機意識に基づく言行一致は善いことであろうと考える。また、2010年ないし2011年における民主党による前政権は、その比較的前期において、それ以前の自民党及び公明党による連立政権時代におけるいくつかの各分野での予算の無駄使いに対し、政権公約に沿って、事業仕分けと称し、かなり厳しく業務見直しに相当する結論を打ち出した。その結果、大略2000ないし2500億円程度のムダ金を捻出することができたもようである。それはそれで評価でき得るであろう。しかしながら、その反面、殆ど何でもかでも一般公開制にするのは如何なものであろうか。あまりにも一元的皮相的行動のようにみえてならない。確かに、秘密主義になっても問題であろう。しかしながら、全てを公開するというのも問題があるはずであろう。そこには当然限度があって然るべきであろう。なぜなら、この状況は、当然のことながら、殆ど実時間で世界中の国々へも中継またはビデオが配信されているからである。我が国の、いわば、家庭内の家計簿に関する家族のやりとり、対話、もしくは討論の内情を世界中へ、事細かく詳細に、わざわざ当事者側の家庭自身から発信していることに相当する。しかも、隣近所のみならず、遠くの地域における前述の家庭と縁もゆかりも殆どない全家庭にまで知らしめているようなものだからである。従って、筆者は次のように考える。すなわち、前述の状況については、何とも歯がゆいと共に、強い矛盾を覚えざるを得ないと。その中には、我が国特有の機密事項や秘法にかなり抵触すると考えられ得る内容も当然含まれているはずだからである。もしこれらが法律によって規定されているならば、もう少し現実の厳しい世界情勢に対して、柔軟に対応し得るように補正し、より改善すべき時期に既に来ていると考える。是非、改善の方向で進めて頂きたいと切望する次第である。

第八章　我が国民に係わる生活上の事項

礼儀と行儀

現代では、善悪の弁別を必要とする事柄については、個人、家庭、地域、社会及び国家もほとんど無関心であるかまたは意識的に避けているようにみえる。それでも、先の大戦前もしくはその直後くらいまでは、少なくとも社会や家庭の各水準において、例えば、家庭でいたずらや悪行をすれば、両親はもちろん、隣近所の見知らぬおじさんやおばさんたちも、その本人の将来のより正しい人格を形成してもらいたいためを思って、迷うことなく声を出して、その子供に慈悲心を抱きつつも叱ったものである。それが当然であり、健全な家庭であり地域であり社会であり国家なのである。これは、まともで真正なる状態である。ところが、約１９６０年代ないし１９８０年代頃より現代に至る両親や祖父母は、少なくとも自分の子供や孫がいたずらや悪行をしてもほとんど叱らない。具体的には、親が素手で自身の子の手やお尻を優しく軽く叩いて知らせるなどして、体で正しく、愛情と慈悲の心を伴った躾《しつけ》を覚えさせるようなことをしていないように観える。あるいは、叱り方を知らない。

このようなことを指摘するや否や、現代のご婦人たちは一斉に、恐らく、むきになって反論してくるのではないだろうか。「そのようなことはありませんわ。私たちだって、子供がいたずらをしたり、悪いことをしたりしたら、叱っていますわよ」と。しかし、その場合の叱り方は恐らく、「何々ちゃん、そんなことをしたらだめでしょ」などと、口頭でヒステリックに、おでこに青筋を立てながら、声高に叫んで注意するのがせいぜいの所ではないだろうか。若夫婦にしても、確かに、最新の娯楽、食通（グルメ）、ダイエット、化粧品、旅行または安売り店の数々などの知識や情報などはかなりお持ちでありましょう。しかしながら、その一方、子供の育て方や、子供が独り立ちできるように成長するまでは、今後どのような心構えで養育せねばならないのか、または、養育すべきであるのかなどについては、かなり不安を抱いているようである。

その原因の一つとして、核家族化の定着が考えられ得る。もちろん、各地元の役場、役所、保健所もしくは実及び義理の各両親などから、養育の助言はいくらかはあるであろう。しかしながら、同居生活をしていて、必要な時に、いつでも不明な点や不安な事柄を人生の先輩である実父母や義理の両親や祖父母などから教示してもらえる環境下にある場合と、そうでない場合とでは、教えられる本人、子供や孫の当事者及びその家族全員にとっては、それ以降の各人生にとって、雲泥の差が生じてくるのである。

智慧の重要性

その根本的差異とは一体何であろうか。それは、この事例では、養育に関することだが、それに限定されることなく、あらゆる課題の全般にわたって言い得ることである。その根本的差異とは、「人生における智慧と知識の差」である。更に言及するならば、智慧の方が知識よりも人間がこれからの将来を生き抜いていくための実際的な大きな力またはエネルギーとなるし、眼には見えないものの方が、他のものより高い水準に位置しているのである。もちろん、智慧と知識との両方を備えることができれば「鬼に金棒」であることは言うまでもない。この養育に関する場合、誤解されては困るが、この叱る場合に、真の慈悲心を持ってまたは子供の健全かつ着実なる心身の成長を真心から願い、しかも愛情を持って、やさしく実施することは極めて当然のことである。もし慈悲心や愛情を持たないならば、それは悪意を有する虐待という犯罪の一種になりかねないからである。

また、現代では、例えば区市町村などの一部に、他人の子供や青年男女が不道徳や違法行為もしくは悪行をしているのを見て、たまりかねて、その行為を注意したら、その本人やその親などから逆に文句が返ってくる始末である。この現象は、明らかにおかしいし間違っている。なぜなら、この現象は悪行を助長しているようなものだからである。本当にその個人、家庭、地域、社会や国が健全であるならば、むしろ注意してもらったら、例えば、その本人から「自分の至らなさ、愚かさ、無智もしくは未熟さに気付かせて頂き、ありがとうございます」という主旨の感謝の言葉が返ってくるのが自然の流れではないだろうか。そして、それが、健全かつ正しく力強い家庭、地域、社会及び国家なのである。更に、必ずやその本人の将来のためにもなるのである。ところが、その至らなさを注意したら、本人や親などから逆に苦情が返ってくるかもしくは注意した者に対して反感を抱いたり、あるいは極端な場合、暴力や殺意を抱くなどは全くもってのほかであり、愚の骨頂である。このことは、良識ある健全な民主的かつ自由な社会及び国家ならば、世界共通に言語道断なことである。このように、ここで注意を喚起している矢先の例えば２０１１年11月に、国内のある繁華街における横断歩道で信号機が赤信号であるにも拘らず、堂々と横断する複数の若者に注意した年配の男性が、その直後に、逆に、彼等から集団暴行を受けて、瀕死の重傷を受けたという凶悪事件が発生した。犯人たちはその現場から走り去って逃走中という。何ということであろうか。このような悪行がまかり通って善いはずなど決してない。当局の担当の方々には是非とも犯人たちを見つけ出して頂き、その犯人たちが被害に遭われた方に適正なお詫びと謝罪と懺悔をすると共に、改心してくれることを望む。但し、この犯人たちが日本人か否かは不明である。

あるいはまた、悪い噂を流したり、罵詈雑言を吐いたり、悪行をしたりするその加害者もしくは犯人は平均的に自己中心的であり、嫉妬深く、自分単独では女々しくかつ弱々しいことを明確に自覚し承知している可能性が高いと推察される。そのため、その加害者は、悪い仲間もしくは真実の背景やその事情を聞かされていない友人、知人、部下、上司、その他等を唆《そその》かして複数人を巻き込んで、様々ないやがらせもしくはハラスメントをしたり、逆ギレ的な復讐をしたりしてきている。あるいはインターネットを利用して、根も葉もない全くの大嘘を捏造《ねつぞう》して公開などしてくることであろう。それにより、被害者である相手方を精神的に痛めつけ攻撃することを平気で実行する真の大馬鹿者、極度な愚か者、精神的疾患者もしくは精神病患者に属し得る者たちが増加し続けてきている。極めて残念な現象である。これらの現象は、個人、集団もしくは組織のみならず、地域、社会、または諸外国の水準や次元においても同様に拡張拡大してきていると考えられ得るのである。

彼等彼女等は、換言するならば、我が国という内臓を蝕《むしば》む、あたかも悪性分子もしくは悪性の癌のような悪因の一つと言い得るであろう。しかも、そのような先天的もしくは後天的な悪者の男女が結婚し、後年にこれらの子供たち孫たちが誕生してくるならば、ますます、そのような悪性分子である個人、家庭、地域、社会及び国家が増殖し続けることであろう。従って、この流れは、どうしても恒久的に阻止し防止し続ける努力をせねばならないのである。そして、彼等彼女等に係わる内容はというと、大嘘で固め尽くされた事実を、あたかも本当の事実（真実）であるかのようにして、公の出来事にしてしまう事件が非常に多くなってきているのである。何とも陰険で陰湿な悪人たちが増えてきていることか。この傾向は老若男女を問わない。関係当局もこれらの犯罪防止のために努力はしてくれてきているのであろうが、更なる継続的な警戒、逮捕及び真相究明をお願いしたいものである。

従って、筆者は次のように考える。すなわち、当局の担当者の数が、もし絶対的に不足しているならば、法律の一部を改正して、関連省庁の定員を、正義が悪に負けないために、かつ、屈しないために、是非とも前向きに将来を見据えて、増員及び横方向の行政当局との強い協力関係（例えば、ある課題解決に向けての、期間設定した臨時小組織〈プロジェクト〉を設置することなど）も視野に入れて検討すべき時期に既にきていると考える。また、このような事件の犯人たちに対しても、慎重に法的等の検討後に、従来の刑罰よりもいくらか重くして頂くと共に、犯人に対し、真からの懺悔と改心へと導き促しつつ、更なる手段を追加するか、または、将来を見据えた改心のご指導を望みたい。その指導者側の方々も、従来方法に加えて、更に、これからの将来を見据えた科学的合理性を有する新たな対策及び改善の各方法を開発し研究して、実務に活用しつつ、社会、国家及び世界の平和に貢献して頂きたいと願っている。

黒幕の存在

これらの悪行は人間として最も恥ずかしく、低俗で卑しく愚かな悪人のする行為である。特に、無実の者に直接に害を加えた者が悪いのは当然のことであろう。しかしながら、それにもまして悪いのは、表面に出てこない陰に隠れ潜んでいて、その実行犯に指示や命令をしている真犯人（個人または複数、団体、地域、社会、国家など）、すなわち黒幕である。このような者こそが最たる悪人であり、真に平和を希求する者たちに対する本当の敵である。まさに社会、国家及び世界の敵ではないだろうか。これらの者（個人、組織、団体、地域、社会、国家など）が公の白日の下に曝《さら》け出されて刑に服し、その大罪を真正に大懺悔すべきである。これにはもちろん、老若男女の区別はない（もちろん、法定年齢以上の者ではあるが）。

しかも、大いに注意すべきことは、その陰の真犯人は、通常、公の前では口角泡を飛ばして、口では一旦の平和、反戦、反核、反原発や善などを得意満面に力説したり、叫んだり、唱えたり、示威運動（デモ）や行進をしている者たちや、数多くの部下たちに命令して、それらを実行させてきている者がかなりいるという事実である。そのような偽善者は、学歴の有無、社会的地位、資産の有無などには無関係に実在してきている。従って、彼等の名刺に印刷された肩書などに対しては静観はするものの、決して盲信してはいけない。なぜなら、彼等彼女等は、少なくとも幾分かの人格的欠点欠落を有する普通の人間だからである。しかしながら、この場合、例外が存在し得ることは当然であろう。

権威

そもそも権威とは、ある有限の期間内において、ある組織内に属する者同士がより円滑に業務を遂行させるために設けられ、かつ、相対的に選抜的に与えられた肩書のようなものである。そしてそれは、その有限な期間内における「お役《やく》」のような位置づけである。従って、そのお役の有効期間がたとえ何十年であろうとも、やがて終了すれば、通常の一般国民と何ら変わらないはずである。このことが、実は、真に一般社会生活などにおいて十二分に浸透されている場合が、真の民主主義であり、そのような心を有する国民により満たされている場合が、すなわち、我々が恋慕渇仰する理想状態に近い社会と考えられ得るのである。そして我が全国民は、このような真の民主主義が心身の中まで深く刻み込まれ刷り込まれかつ染み込んでいる社会であると共に、自由と民主主義による国家を誠実に目指すべきである、と真心より切望するものである。ただし、我が国の全国民の象徴たる天皇陛下ご一家及びご皇族の方々は、約3000年間の永きにわたって、我々全国民が憧れる象徴であると共に、あたかも心温まる共有財産的かつ不可欠なる存在であると言い得る。そして、このことは、日本国憲法（第1章第1条）にも明確に定められているため、前述とは全く別次元の話であり、論外であることは言うまでもない。

確かに、自由社会というのは、たとえて言うならば、一人ひとりの心のベクトルが互いに自由で異なることを互いに認め合うのが一般的であるとも言い得るからである。しかしながら、そうは言っても、ある家庭、地域、社会、国家及び世界水準で考えてみると、これらの場合、自由社会だからといって、我々は、無制限に自由な発言や行動を起こして良いということまでは決して意味していないはずである。その家庭、地域、社会、国家及び世界の各次元には、それらに対応し得る各々の規範が存在して当然のはずである。なぜなら、それらを無視して、無法で勝手気ままな言動をするならば、それらの各次元での集合体の内部や周辺のそれらとの間に軋轢《あつれき》を生じることになるからである。従って、筆者は次のように考える。すなわち、それらを回避するためには前述の自由の度合（ここでは、自由度と仮称）に関して、当事者同士のお互いが許容し合える程度の制限を法的に設けざるを得ないと。それ故、心の面において、家庭、地域、社会及び国家の各次元において、互いに了解し合えるためには、共通基盤が求められ、しかも、必要とされねばならないと。そのために、我が国の憲法は前述の制定をしてきているとも言い得るのである。そして、その基盤が、我が国の場合は、全国民の象徴たる天皇ご一家及びご皇族の方々なのである。これを全国民が恒久的に堅持することが、お互いの絆を決して弱めることのない要因の一つになるからである。それに、天皇ご一家は、例えば、先の大戦以降、世界公知の如く、現憲法に定められた国事に関する行為のみに携わられておられると共に、季節に応じて、全国の災害地への励まし、行事等の他、田植え、学術研究及び詩歌などを行なわれてきているのである。このような、いわば、純粋に平和的（もしくは世界平和的）な職責を務められてきておられるため、時たま国内外の一部の過激な組織や集団から何を言われようとも、とやかく言われる筋合いなどは全くないといえる。

従って、そのような風評が、仮に一部にあったとしても、完全に無視すべき次元のことであろう。ただし、警備については従来どおり十二分に警戒態勢を敷いて頂きたい。従って、現在も遠い将来にわたっても、天皇家は、我が国と我々全国民の象徴であり続けて頂きたいと切望するものである。それ故、前述のように、（天皇ご一家及びご皇族の方々を除く）通常の意味での権威は尊重するものの、絶対的かつ恒久的に盲信する必要はないのではないだろうか。とはいえ、例えば、祖父母、父、母、兄、姉、教授、教師、先生、上司、師匠、先輩、同輩などで、教育的、業務的、その他もしくは人格的に尊敬するに相応《ふさわ》しい方々に対し、その念を抱くのは、人間としてごく自然な心情であろう。実は、このことこそが、権威、肩書、権力などを笠に掲げて、権威づけする傾向が極めて強い全体主義とは正反対の、自由かつ民主主義的な独立国家の非常に善い面の一つでもあるのである。

一方、先述した濡れ衣事件の犯人が、懺悔の仕方が分からない場合は、例えば、関連当局、役所などを通じて、自らが行きやすい正しいお寺や宗派の教会へ行くか、または、それぞれに問い合わせるのも一法であろう。それらの方法により、自ら実行した件の悪行や悪業に対し、懺悔すべきではなかろうかと思われる。もしこれを実行しない場合は、その当事者と彼等彼女等の子孫の「心」はますます悪の言動の度合がより強まっていく可能性が高くなると考えられ得る。但し、その反面、自ら真心より懺悔するならば、神仏より、忽《たちま》ち、その苦悩や苦痛より解放されることであろう。しかしながら、もし犯人が前述の懺悔をしないならば、次のような厳正な負の現象の発生が強く予測されるのである。すなわち、例えば、正しき宗教・宗派ならばいずれのものでもよいが、ここでは一例として仏教を採り上げてみる。そうすると、仏教の世界での「地獄、餓鬼、畜生」という「心の世界」もしくは「心の状態」に、いずれ陥ってしまうことが必至であろう。そして更に、犯人がその後、その「心の状態」から逃げ出そうとあがいても、あたかも「心の」蟻地獄の如く、逃げ出せる可能性は低くなることであろう。夜な夜な自らが犯した罪の重さが認識され、夢の中にも出現するかもしれない。その結果、犯人は自らの身を崩し、健康を損ねる可能性が次第に高まることであろう。

なぜなら、この全世界には、必ずや善悪の明確なご判断をされてきており、正義と愛と慈悲に満ちた、神仏に基づく厳正かつ厳格な現象が実在し、現出し、もしくは、当人の心の中に湧出させて下さってきているからである。更に、神仏は善良で地道に堅実に働き、お役をこなし、奉仕し、努力し、または、学ぶ者たちを人種、性別、宗教、富者、貧者、権力者、非権力者などを差別することなく、平等に、各人をご守護ご加護してくださってきているからである。これらのことは、少なくとも我が国の約３０００年の歴史及び世界の歴史が、重く厳粛なる現実として証明してくれているからである。なお、蛇足ながら、もし読者諸兄諸氏が、我が国の人類学的または考古学的な歴史までを問うならば、それはもちろん、約１万６０００年前の縄文時代にまで遡ることができるであろう。しかしながら、ここでは文化的もしくは政治的歴史を指しているため、そこまで遡るには及ばないであろう。

ところで、前述の悪行が真実であるならば、愚の骨頂ではなかろうか。しかも、犯人の一般像としては、自己中心的であり、嫉妬心が極めて強く、視野が狭く、真は弱者であり、勇気の乏しい、人格的未成熟な者が少なくないと考えられ得る。最近では、全く身に覚えのない誠実な被害者の数が、このような極めて陰険な言動により、小学生から社会人までを対象として、男女を問わずに、次第に増加する傾向にある。そして、これらの多くは泣き寝入りしているか、または自殺に追い込まれる実例も少なくない。これらの犯人は、上述の無実の被害者を苦悩せしめたり、被害者が誠実に働き学んできた環境外へと追放させたり、自殺に追い込んだりして、苦悩のどん底へと追い込んできているという大罪を犯しているのである。その結果、犯人の心の中は、勝利の雄叫びと祝杯などにより有頂天になっていることであろう。ところが、どっこい、世の中はそんなに甘くはないはずである。そこには大きく深い落とし穴が待っているのである。そのことに犯人は果して気が付いているであろうか。否、全く気が付いていないはずである。

なぜなら、そのような勝利の雄叫びを上げている間は慢心になり傲慢になっているため、犯人の心の中には、自らの謙虚さ、反省心もしくは懺悔の心などの入り込む余地などは存在し得ないからである。そのような悪行をした犯人たちはそれを少しでも早く忘れたいがため、もしくは気を紛らわすために、その事件と無関係なことを口にしたり別の行動をしたり、酒や快楽に溺れたりする行動をとるであろう。あるいは、その悪行が自身の思いどおりに展開したために、その犯人は、もう一度、更にもう一度と、同様の悪行を繰り返す可能性がかなり高いと考えられ得る。すなわち、悪の因縁を次第に積み重ねていく可能性は完全否定し難いはずである。確かに、そのような悪行を積み重ねた者は、他の質実剛健または地道に苦労して働いて、善行を積んで仕事をしている方々よりも早く出世する可能性は高いであろう。あるいは、各種のお役、家事及び奉仕をし、学び、生活を送ってきている地道な人々と比較して、より早く、より大きく高い富、出世及び権力を得るかもしれない。

だがしかし、世の中、そうは問屋がおろさない。そのように順風満帆に、すべてが自分の思うとおりに人生が進むと思ったなら大間違いである。悪行をなしたという真実は、その犯人である本人と被害者と更に全大宇宙を司《つかさど》っておられる神仏が、すべてお見通しなのである。大昔から、（真正なる善または愛と慈悲とを目的とした方便でなく、実質的に他の人を陥れるような悪意に満ちた）「嘘をついたり、悪行をした者は閻魔《えんま》さまに舌を抜かれる」とか「地獄に落ちる」などのたとえや準格言として言い伝えられてきているからである。

　従って、筆者は次のように考える。すなわち、これらを現代風に言い換えるならば、次のように言い得るであろうと。悪行をなした者は、必要以上に酒、たばこまたは法律違反の麻薬類や薬物類に手を出したり、快楽に溺れたりして、やがて、身を崩すことに繋がるであろうと。そして遂には、何らかの良からぬ病気や事故を引き起こし得る現象に巻き込まれて、通常の寿命よりも短命で終わるであろうと。または、仮に長寿であったとしても、その実態としては、一生苦悩し続けて余生を終えることになるであろうと。あるいは、その悪の因縁エネルギーを有する遺伝子を、何も知らずに医学的生理学的に受け継いだその犯人自らの子孫は、その両親や先祖たちが実行してきた悪行と同様の悪の因縁を先天的に受け継ぐことになるであろう。すなわち、被害者の不幸や悲しみあるいは苦しみと同様のことが、犯人の体内で新しい悪の遺伝子となり得る化合物が創製されていく可能性が極めて大となるであろうと。そして、それが、次世代、次々世代というように、世代を超えて、自分自身の子孫へと次々に遺伝され続けていくことであろう、と。しかしながら、その一方で、犯人その者が生存している期間において、仮に、何らの負の現象（例えば、心身の苦悩や苦痛など）に出会うことがないこともあり得る。それどころか、むしろ逆に、表面的には、正のもしくは一見幸せ風の現象に出会い続けることができるかもしれない。しかし、そうだとしても、その分、犯人の子孫の世代になってから、負の現象が次々と将来の何世代にもわたって現出してくる可能性が次第に高くなってくることを意味しているのである。

　このことは極めて重要である。これは肝に銘じておいて頂きたい、善に向けての改心もしくは心を浄化させることに係わる基本的智慧の一つである。それ故、その時（すなわち、後の世代）になってから後悔しても遅すぎるのである。だからこそ、初めの第一世代の悪の原因を生ぜしめた者、すなわち、悪行を実施した当事者が、前述のような悪行を、誠実なる勇気を持って、事前に踏みとどまる必要があるのである。もし真の勇気を奮い起して、そのようにするならば、自分自身や自身の家族や子孫を（更に、社会、地域、国家及び世界をも含めて）遠い将来までも苦悩させる度合を低減させることに貢献できるであろう。その結果、「大安心」で「心豊かな人生」を自身及び家族や子孫たちにも過ごさせることに貢献できるのである。なぜなら、そのような隣人や周囲の人々に迷惑を掛けない人、つまり、善行をしている人には、神仏からの温かいご守護ご加護という素晴らしい現象（眼には見えない場合もあり得る）という贈り物を賜《たまわ》ることができるからである。この贈物は、どのような高価な金品よりも更に上回るものである。もちろん、それを賜ることをはじめから目的にすることなどは全くの論外であろう。

　しかしながら、その当事者が自身の生存中に、その深い意味合いに気付かない場合には、前述の如く、大本《おおもと》であるその犯人が亡くなった後の世代になってから、彼または彼女の子孫が、再び同様な悪行をなし得る可能性が高くなるのである。それが幾世代にわたろうとも、これらの長い年月に係わる真実のすべてを知り尽くしておられるのは、少なくとも神仏のみである。そして、神仏は、その当事者もしくはその世代を超えた子孫である相続者たちに対し、いずれ、科学的合理性を有する適切な時期に、その本人が理解しやすい水準の現象を用いて、本人の心に示し（開示し）悟らせ納得させてくださるのである。

だからこそ、筆者は次のように考えるのである。すなわち、そのように邪な心を有している者、あるいは過去に悪の言動をした者や、現在もしくは将来そのような悪行を企んでいる者、それらの組織や団体などは、次のような教えもしくはその法雨を受けた方が善いのではないだろうかと。例えば、少なくとも約2000年の善なる活動実績を有する正しい宗教もしくは宗派の本質を学び、かつ、その教えに沿って実践することが、よりよき方法の一つであろうと。それと共に、真に身に付け、かつ、あなたの心に沁み込ませて善行もしくは菩薩行を実践して頂くように努力し続けることであると。その具体的改善策の一例として、仏教を挙げるならば、先祖供養及び人助けを実践することではないだろうかと。

確かに、信教の自由などは我が国の憲法にて保障されてはいる。しかしながら、現実には、小中高校では、そこまでは立ち入っていない。

つまり、我が国の旧文部省及び現文部科学省は、先の大戦後、小中高校などで、そのような「正しい宗教の本質的教えに係わる重要性かつ必要性」（つまり、数多くの宗派を超えた、善なる根本の共通概念）は全くといってよいほど教えられてきていない。なぜなら、当局としては、そこまで深入りすると、現法律のままでは、国民より様々な苦情を真面《まとも》に受ける可能性の高いことが予測されるからであろう。とはいえ、これは、我が全国民の人間教育形成上、極めて残念なことであると言い得る。我が国の戦前の一時期は、確かに軍国主義の時代ではあった。その時代は、併行して修身が教えられていた。しかしながら、その一方で、この中の幾つかの文言には、素朴ではあるものの、人類に普遍的かつ必須で平和的な教えや文言もかなり含まれていたのである。自ら学ぶことのできない年齢やそのような生活環境下の方々は、両親が学んで子供たちや孫たちに分かりやすく、かつ、繰り返し教えるべきではないだろうか。もしも両親が分からなくて学べないのであれば、そのおじさん、おばさん、あるいは祖父母が教えても良いであろう。その祖父母が種々の事情で不在であったりして不可能ならば、更に、善なる親族や、諸先輩、諸同僚、友人、知人または賢者などのいずれかの人たちが助言してあげても良いであろう。

そして、件の犯人は自身の悪行に対し、素直に自省すると共に、その悪行と同等以上の真心からの善行、菩薩行、慈善や布施を少しでも早くから実行すべきではないだろうか。なお、布施とは、法施、身施もしくは財施を意味している。ここでは、本人や家族の実生活にとって負担や苦にならない程度のそれをも意味している。それと共に、実生活でも習慣づけられるように教育されるべきではないだろうか。そのように誠意を持って実行し続けたならば、やがて相手方が理解してくれる時が来るであろう。なお、学校（小、中、高校など）というのは基本的に学科目の基礎知識を教えるところであるため、あくまでも家庭の支援的補助的機関に過ぎないのである。すなわち、そこでは我々人間が地域、社会、国家及び世界の中で、正しく柔軟で強靭に、しかも、自信を持って生きていくための精神力を培うような教育は、そもそも対象としていないように観える。あるいは、精神的に逞しく、粘り強く生きていくための有効で活きた智慧などは殆ど教えてくれない。それらは殆ど学校に対して期待できないのである。このことは基本的に認識しておくべきであろう。

従って、善なる処世術、もしくは、あなた自身の人生における生き方というのは、各家庭で教えられるべきことなのである。なぜなら、学校と家庭とは互いの責任分担の範囲が基本的に異なるからである。各家庭の両親が自分の子供たちに対し、人間として根源的に幼少時から教えるべき必須事項とは、「人間にとって何が善で何が悪か」、ということに尽きるからである。戦前までは、いかにして、家庭、地域、社会、国家及び世界に迷惑を掛けないで、労働し勤務し家事を行ない、奉仕し学習していくか等の智慧と知識が、家庭の両親、祖父母、親戚、友人などにより、たとえ素朴ではあったかもしれないが、しっかりと明確に教えられていたのである。しかしながら、現代ではこのようなことは学校では教えてくれない。更に、核家族化が社会に浸透してきてしまっているため、家庭においても、殆ど期待できないのが実状であると言い得るのである。

特に、それは戦後、旧文部省・現文部科学省、全国都道府県及びそれらの各自治体の教育委員会でも、かつ、現実に生徒たちに教えている全国の学校での教師自身でさえも、そのような家庭教育を殆ど受けてきていない世代に既に入ってしまっていることも一因しているであろう。併せて、先の大戦以前の教育の反動からであろうか、戦後の学校教育及び教育委員会が、１９６０年頃の安保闘争前後以降、一部の社会系共産系主義思想に支配され振り回され続けてきて、今日に至っているように考えられるのである。このように感じているのは全国の多くの国民ではなかろうか。恐らく、北は北海道から南は沖縄県までの我が国の全国民の過半数を占める方々のみならず、我が国と偽ではなく、真の同盟関係にある諸外国の有識者たちも、そのように観てきている可能性が極めて大であることは否定できないであろう。このような我が国の過半数の国民の、心理的な気持ちの現れを反映した社会現象の一例が、２０１２年12月、２０１７年10月及び２０１９年７月に実施された、それぞれ、衆議院及び参議院選挙ではないだろうか。つまり、それらの結果での自民党の勝利などに反映されているという推察も成り立ち得るであろう。そのため、前述の「人間にとって何が善で何が悪か」という概念は、人間にとって、あらゆる知識などよりもずっと上位に位置づけされるべき根本的な必須事項なのである。

ところが、この根本的な必須事項が、我が国のすべての子供たちや生徒たちに向けて何ら実質的に教えられることなく、現代まで空しく光陰矢の如く過ぎ去ってきてしまったのである。このまま同様に、何ら改善手段を講じなければ、この悪い状態が、ずるずると今後10年、50年、１００年、２００年、５００年と、暗黙の裡に幾世代にもわたって、空しく継続される危険性が極めて大きくなるはずなのである。これを何で憂えずに居られようか。現代まで空しく過ぎてしまった時間と前述の教育とが今日まで実施されてこなかったことについては、当局のみならず、全国の各ご家庭における祖父母や両親などの幾分かの怠慢の可能性もあり得るであろう。つまり、このことは殆どの場合、各段階での学校の責任ではないのではなかろうか。年少者の人間形成に係わる教育は学校ではなく、家庭側が責任を負担すべきものであろう。ところが、大衆報道によれば、近年の父兄会（ＰＴＡ）もしくは父母会は、少年少女の問題は家庭の責任ではなく、幼稚園もしくは保育園、小中高校側にあるかの如き、責任転嫁とも言い得る事例がしばしば見受けられる。もちろん、内容によっては学校自体が関与している場合もあろう。しかしながら、平均的に観ると、これは見当違いではないだろうか。なぜなら、基本的には、少年少女の性格や行動などは、３歳までの幼児期に殆ど完成されてしまうことが、現代では、世界的かつ医学的に知られているからである。更に、このことは、我が国では少なくとも約２０００年前より、例えば、「三つ子の魂百まで」という諺、兼、我々の生活の智慧として、言い伝えられてきているからである。ちなみに、この諺の医学的実証例の一つとして、雑誌『ニューズウィーク』（日本語版「０歳からの教育」２０１２年版、阪急コミュニケーションズ）を挙げることができるであろう。換言するならば、我々の生活の智慧の一つが、現代の医学によって裏付けされ科学的に証明されたとも言い得るのである。だからこそ、現代の多くの若者は無視し、揶揄《やゆ》しがちであるが、結果として、このように、「諺」や生活の「智慧」は、眼にはみえないが、我々一人ひとりが現在そして将来を生きていく上で、決して無視できない宝物の一つとなるのである。特に、後者は、我々に、多くの「生きる力」を与えてくださるのである。

従って、筆者は次のように考える。すなわち、我々は、知識はもちろん必要だが、それだけでは未だ不十分であると。言わば、それを応用した「智慧」が身につくように、我々は、常日頃から、意識して訓練する必要があると。つまり、知識のみを頭に一杯詰め込んだロバになってはいけないと。そこで、前述のような智慧を授けて頂いた際には、むしろ神仏に感謝すべきであると。そして、その幼少期までに、両親もしくは祖父母による家庭内での人間教育によって、その当事者である少年少女の性格や行動様式の基礎もしくは土台は、ほとんど決定されてしまう、といっても過言ではないと。よって、3歳以降から入園し入学してくる生徒さんに対し、幼稚園もしくは保育園、小・中・高校が各生徒たちの本質的性格を改善させることは原則的に不可能なはずであると。もちろん、社会一般の基本的規則などを教育し理解してもらうことは必要であろうが、これらは後天的教育とも言い得る。それ故、この性格をより善くすることについて、父兄会や父母会などが学校側へ要求することは、原則的に不可能である可能性が高いと。それを変えるのは、それらの学校や学習環境下では無理であって、例えば、少なくとも約2000年の実績を有する公正な宗教に依存せねばならないと。

すなわち、年少者や生徒の性格というよりも、その子らの「心持ち」、「考え方」もしくは「受け止め方」を改善することに尽きるのである。そして、それを心に深く刻み込み刷り込むことができるのは、宗教及び宗教的考え方とその実践（つまり善行または菩薩行）だけだからである。学校での教科ではほとんど不可能なのである。なぜならば、学校で教えてくれるのは、基本的に学科目や時間遵守的な規則や社会的規律及び最近復活したようであるが、道徳などだからである。しかも、これらはすべて、宗教自体とは基本的に相違するものである。それ故、我が国のような自由かつ民主主義国家圏においては、我々一人ひとりの人生には、非狂信的かつ正しく善なる宗教がどうしても必要不可欠になってくるのである。

話を戻そう。我々はこの空しく過ぎ去った時間を取り戻すことはできない。だからこそ、逆に、現在と、これからの将来に向かって、この失われた時間と根本的な必須事項とを早急に取り戻さなければならないのである。是非、取り戻そうではないか。このことが実現できるならば、次のような明るい未来が開けてくるであろう。

すなわち、これからの比較的近い将来の、10年、20年そして100年、……、500年、1000年という将来に向かって、我が全国民の一人ひとりが、今後とも広い視野に立ち、世界の中の精神的な大日本人として、胸を張って、一歩一歩着実に歩んでいくことができるのである。たとえ一部の過激集団や諸国家などからいかなる非難や誹謗を何度されようとも、決して屈してはいけない。負けてはならない。その場合には、粘り強く、打たれ強くなると共に、正義の善なる忍辱《にんにく》の心を堅持し続けて頂きたい。同時に、国際人の一員として、ある距離を保ち、可能な事柄については協調しつつ歩んで行くべきであろう。その結果、我々は、自国の過去約3000年の歴史と文化とを有する、善なる誇りと自信とを持ち続けることが可能になるのである。具体的には、より正しく、よりしぶとく、より柔軟に物事に対応できる能力が備わってくることであろう。また、より粘り強く、より逞しくより強靭に、そして、ある程度のユーモアの効用を理解し保有し、それを活用する心の余裕も生まれてくると考えられるのである。更に、今後、着実に生きていくために有効なる智慧、力強い原動力、自信、活力及び体力が、あなたの心身に、自然に湧き出てくるであろう。

この何が善で何が悪かの弁別及び善なる勇気ある実行力が身につけば、我々の個人、家庭、地域、社会、国家及び世界は、それらのいずれもが判断に迷った場合の決断までの時間を著しく短縮化することも可能となるのである。更に、それのみならず、より正しき判断力と決断力とを有する、勇気ある本来の善なる大日本人となれるし、それに戻ることができるのである。必ずや戻れる日が来ると信じている。ちなみに、ここで「大日本人」の「大」は「偉大なる」と共に、仏教における「大乗仏教」の「大」に由来しているのである。そこで、そのためには、我々個人も、家庭も、地域も、社会もそして我等の国家のいずれの次元においても、ある事案に係わる言動をする場合、優先的に考えねばならないことは、それが、人間の行なうこととして、または、人間の歩むべき道として、究極的には「善か悪か」を第一の根本的重要判断の基準にしなければならないし、そうせざるを得ないのである。

一方、各種報道機関やテレビ番組などは、従来と同様、あまりにも低俗な内容や言動の一部は控えるべきであろう。というのは、我が国がいくら自由で民主主義の国であるとはいえ、雑誌や週刊誌の一部には、あまりにも多くの不適切な人物もしくは下手物に属し得る内容が掲載されたり、テレビ出演したりしてきているからである。また、一般の買い物客が、たとえそれらの雑誌に触れなくとも、その表紙自体は自然と客の目に入りやすいような位置に意図的に配置されているのである。それ故、当局は、社会常識の限度を超えた事例については、例えば、数値化するなどして、該当する各地元の陳列店の責任者などに対し、場合によっては、該当部分の陳列の撤回もしくは中止をさせることが可能な法律や条令を例えば期限付きなどで審議し制定し実施することも検討を開始してもよいのではないだろうか。また、芸能界における芸能人諸兄諸氏もまた、いろいろな報道媒体に出演する場合は、女性はもちろんだが、男性についても、肌着のままと同様な状態で出演するのは極めて見苦しいし、状況によっては下手物趣味の類に属し得るであろう。更に、全国の子供たちへの健全なる精神的及び視聴覚的な教育上、これらの内の極端な番組は、テレビ放映などを控えるか中止しても良いのではないだろうか。ただしこの場合、例えば純粋にスポーツ系番組は全く別次元の問題であるため論外とされるのは当然であろう。いずれにせよ、たとえ娯楽番組とはいえ、我等の社会的かつ文化的な、少なくとも品位は維持して頂きたいものである。その限度を超えた場合には、例えば、肩書などに拘らず、一般国民と区別することなく、当局は警告または、例えば、出場停止などの何らかの対処をすべきではなかろうか。

これらは、例えば、単にお笑いの分野だから等の単純な理由では済まされない側面、もしくは、問題を有している場合もあるはずである。当事者及び主催者の側にとっては、その常識水準が、世間一般のそれから既に大きく外れてしまっているため、その弁別基準が麻痺してしまっているのかもしれない。しかしながら、もし彼等彼女等の芸能人諸兄諸氏から反論が生じたとしても、事例内容によっては、妥協し難い場合もあり得るであろう。なぜなら、それらの中には危険な要素も含まれ得るからである。すなわち、全国の子供たちが将来大人に成長した時に、彼等彼女等の善悪に対する判断能力に狂いを生じさせ得る危険性を含んでいる可能性があるからである。これらは、特に、種々の分野における各局の報道媒体の経営者級もしくは番組責任者級の関連諸兄諸氏にお願いしたいところである。

併せて、これらの分野及び漫画などの分野において、我々の母国語（日本語）の言葉が乱れてきている。かなり意味不明で下品な言葉が、あたかも新時代の到来であるかのように、もてはやされ、ちやほやされ、錯覚され幻惑され騒ぎ立てられ、一般読者や視聴者を煽るかのように、世の中に氾濫し過ぎているように強く感じられる。従って、筆者はこう考える。すなわち、我が政府、全国都道府県、それらの各自治体、地域、社会、家庭がそれぞれ、より正しい言葉遣いに方向転換しようではないかと。遅まきながら……。今からでもやむを得ないが、両親が中心となって、もし両親が居られない場合は自らが意思を強く持つか、あるいは、善き親族、友人、知人、上司、教師、先輩及び同僚などの協力を仰いでも、それを実行すべきではないだろうか。この言葉の乱れは、男女を問わない。そうしなければ、本当に、我が国は言葉の乱れから家庭が乱れ、地域が乱れ、社会が乱れ、国が乱れ、やがて近い将来に、古代のいくつかの大帝国が滅亡してきたのと同様に、我が国家も真の滅亡が現実化し得るのである。全国の皆様に向けて強く訴えたい。我々の言葉を本来の正しい軌道に戻そうではないか、と。ただし、誤解しないで頂きたい。全国の各方言は従来通り、我が国の標準語と共に大切に保存しつつ、活用し続けて頂くのはもちろん結構なことである。

また、我が国の少年少女や青年男女がいくら幼児時代からハンバーグなどの欧米食を口にし、思春期以降に髪の毛を種々の色に染め、またはブカブカズボンをこれ見よがしに身に付けたり、肌着と同然のようなスカートをはいたところで、欧米、漫画（アニメ）または架空の世界の文化を心身に吸収させることはできないのではないだろうか。確かに、彼等彼女等にとって、それらの行動自体が、自身から社会、友人、知人または両親などに対する自己表現方法の一つなのかもしれない。しかしながら、それらは、単に自己陶酔しているにすぎないとみられても仕方がないであろう。なぜなら、それらの世界は、ごく一部のそれらの作者や編集者が単に売り上げを伸ばすために、描いているのにすぎないとも言い得るからである。まして、そのような方向に踏み込めば踏み込むほど、我々が日々活動している現実世界との差異（ギャップ）がますます拡大していってしまうからである。その結果、彼等彼女等の周囲で日々地道に働き、奉仕し、学び、活動している人々と、次第に乖離《かいり》していってしまうことになるのである。

従って、筆者は次のように考える。すなわち、そして、それらの欧米、外国風俗もしくは、一部の漫画の世界に浸れば浸るほど、または、憧れれば憧れるほど、彼等彼女等にとっては、それに反比例するかの如く、自分自身の身元（アイデンティティー）が次第に薄れていき、大きく深い不安感が募っていき、彼等彼女等の心の中に次第に巣食っていくことであろうと。それ故、当然、それに伴い、自身の人格形成確立に占める割合が次第に低減していくことになると。なぜなら、それらの言動には何らの精神や歴史的な文化などが伴っておらず、精神面が置き去りにされた、中味がほとんど空虚で刹那的もしくは一過性のものだからである。

３Kからの逃避の心理

一方、戦後、我が国は、過去の高度経済成長期（例えば、池田内閣の「所得倍増計画」の大目標を掲げた時期）の頃より、国家として裕福になることを最大目標にしてきていると言い得る。そのためもあってか、以前より世間で口にされてきた「３K（サンケイ）」（危険、汚い、きつい）に関連する事柄には、それを回避もしくは忌避する風潮が観られる。確かに、その風潮は、各種大衆報道を通じて、全国のあらゆる社会、地域、家庭へと伝播してしまったと考えられ得る。しかしながら、このため、自らが額に汗して３Kの環境の中に入り込んで、ある課題の収拾、解決もしくは改善に当たるのだという勇気と気概のある者（特に若者）たちが次第に減少してきたようにみえるし、そのように考えられ得るのである。なぜなら、その結果、現在ではほとんどそのような勇者が見当たらなくなってしまったからである。

ただし、自衛隊、警察、海上保安庁、消防庁や民間の建築、建設、土木などの現場の最先端にて日夜、誠実かつ懸命に働いている多くの方々はもちろん除外されるであろう。特に、２０１１年3月11日の福島第一原発の水素爆発などで、メルトダウン後にも、現場近くで復旧作業をされた数多くの直接の担当者、作業部員及びそれらの部隊の方々には、深く感謝の誠の気持ちを込めて、この紙面をお借りして真心よりお礼申し上げたい次第である。

以上より、筆者は次のように考える。すなわち、これらの3Kからの逃避は、その原因及び対策を見出すのが困難であるものの、現実の生活、勤労、お役、奉仕活動、家事、アルバイト、学業などからの逃避に基づく心理の現れ、もしくは、その具現化の一つである可能性も否定できないと。つまり、世間の単なる流行を追い求め続けたり、つらく困難な事柄の根本原因を徹底的に自分自身や周囲の複数の人々もしくは協力者と共に、討論を重ねて究明したり、それらの対策と実行を開始することが疎《おろそ》かにされてきているためにこのような懸念が生じるとも考えられ得ると。このことが、実は問題なのである。

譬えはやや異質かもしれないが、一例として、夏は夏でビールなどの酒類で乾杯し合い、年末は年末で忘年会と称してその年の善いことも、悪いことも、楽しいことも、屈辱的なことも、悲しいことも、種々の集団ごとに互いにすっかり忘れてしまうということも、強《あなが》ち上述のことと無関係ではないように推察されるのである。つまり、そのようなことを各々の所属する地域的や社会的にも、あたかも善なる習慣のように勘違いしつつ、少なくとも過去の長きにわたり、継続的に、現在までも、毎年実施されてきていることにも無関係でないように思われる。ただし、春は春が来たことに対しての、秋には秋の収穫などに対しての神仏への感謝と喜びとをそれぞれ込めて行なうのはもちろん善いことであろう。しかしながら、たとえ我が国が自由と民主主義の国であるとはいえ、物事や行動には自ずから限度というものが厳然と存在していて当然である。すなわち、有限のはずである。従って、道路を走行中の自動車にたとえるならば、自由主義の国だからといって、例えば、時速180キロメートル以上で突き進んだり、信号を無視したり、歩行者が横断しているのにブレーキを掛けなかったりしたならば、大事故に繋がるであろう。また、夜間に走行しているにも拘らず、前照灯（ライト）を点けなかったり、一時停止すべき場所で一時停止をしなかったり、または、人は右側通行であり、車両や自転車類は左側通行であるという基本的な交通規則を守らなかったならば、当然各種の死傷者を伴う悲惨な人身事故が発生する可能性が高くなることは、全ての人々が認めざるを得ないであろう。

それ故、例えば、自動車を運転する者は交通安全順守のための学科（法規）を学ぶと共に、運転実技試験に合格しなければならないことが法律で義務づけられているのである。これは、要は、当局が運転者に対し、各種の関連規則及び広義の社会的約束を守ってもらうことを心身にしっかりと覚え込んでもらいたいという善なる強い願いからであると思うのである。最近では自転車走行についても同様のことが言い得る。従って、前述の宴会もほどほどにして、行き着くところまで行くのではなく、社会常識の範囲で適度にブレーキをかけることをお忘れなく、ということである。

精神力の鍛錬

ところで我が国の場合、通常の民間テレビ放送では、ほとんど宣伝映像（CM）がかなり頻繁な間隔で放映され続けてきている。従って、我々が仮に、これを朝から夜まで視聴し続けているならば、ほぼ完全にその宣伝用映像の内容に深く影響されるか、もしくは極端な場合、洗脳されかねないという危惧を抱かざるを得ない。教育テレビ系ならばともかく、通常の民間放送を視聴する場合、その内容によっては、「よほど心して」視聴しないと、主体性が著しく低下していくことに注意する必要があろう。ちなみに、テレビ視聴に執着し過ぎると、アルツハイマー病に陥る可能性が高まるという報告も出ているほどである。ただし、視聴者が、単に息抜き、もしくは気分転換のために視聴するという目的意識をしっかりと持っておられるならば、問題はないであろうが。

従って、これらの誘惑に負けないための一方法としては、普段から、自己の精神をより正しく、強くかつ柔軟に鍛えておかねばならないのである。そのためにも、普段から善悪を弁別できる能力を身に付けておく必要があろう。そして、これら、我が国の基本善行の姿勢は、約1歳ないし3歳の幼児期から、繰り返し、毎日継続して教育されねばならない。しかも、両親、祖父母、養父母もしくはその幼児を直接養育している年長者などのいずれかにより、真心からの愛情や慈悲心を持ちつつ、これがなされるべきである。これは、我が愛する全国都道府県及び海外で日々活動しておられる我が全国民に対し、恒久的に実施され続けることを心より切望してやまない。しかも、我が全国民が注意しておかねばならないことの一つは、これらの内容は、通常、学校では生徒に教えられてきていない可能性が高いということである。

現在の教育制度のままでは、今後も将来も、生徒は前述のことを教えてもらえる可能性はほとんど期待できないであろう。だからこそ、この場で何度も何度も強調してきているのである。それでも、なお、この基本的規則や判断に違反する者が出現したならば、国及び全国の各自治体の関連当局は、彼等に対し、何が善で何が悪であるかを、その理解能力もしくは人格完成度に応じて、分かりやすく教育してあげる必要があろう。そのための前提として、関連当局の担当官や指導者等が、まず正しく再教育されている必要があろう。

高度経済成長の反作用

また、我が国民の一部の方は、貶《けな》されるのは嫌いだが、ゴマをすられてでも、褒《ほ》められ、おだてられるとたちまち有頂天になり、冷静さを失ってしまう傾向を有しているのではないだろうか。確かに、彼等は他者より金品などの賄賂を受け取ると、鼻の下がぐーんと伸びる動物であることは、ほぼ間違いないであろう。しかしながら、欧米人はもとよりアジア諸国の有識者らの一部は、既に、テレビ、ラジオ、インターネット、国内外の大学等での日本人学あるいは口コミ等を通じて先から承知しているのである。ところが、残念なことに、その反面、我が国民（議員及び企業における管理職級の諸兄諸氏の一部も含む）の多くは、彼等外国人の本音もしくは下心がどのあたりに位置し存在しているのかについて把握することがほとんど苦手であるかのようにみえる。従って、ほとんど気が付いていないと言わざるを得ないのが実情であろう。

なぜなら、我が国民の多くが、一度の高度経済成長を味わったがために、次のような驕慢な心へと変化していってしまったからである。従って、筆者は次のように考える。すなわち、その成長期以前の生活状態よりも平均的相対的に裕福になっていくのに伴い、その経済成長の度合に反比例するかのように、我々の精神が次第に驕慢になっていったからである。その驕慢は慢心につながりやすいのである。その結果、それ以前の我が国民の推定過半数ないし約90％程度が貧困に喘《あえ》いでいた1950年代頃までの、あるいは、多くの方々が抱いていたところの、堅実な努力、謙虚さ及び警戒心などが、経済の急激な上向き成長に伴い、それらのいずれの箍《たが》も緩んでしまい、もしくは、箍がはずれてしまったのである。場合によっては、極めて残念ながら、それらを捨て去ってしまったのである。

そして更に、より正しき精神、倫理観、勇気及び警戒心までもが次第に低下していってしまったのである。換言するならば、1972年前後の我が国は、世界でも稀に見るほどの短期間に、米国に次ぐ世界第2位の経済成長を成し遂げることに成功していたのである。この傾向は、2010年代頃における中国の経済分野における相対的地位に相当し得るとも考えられるであろう。前者の多くは、当時の新聞、雑誌あるいは書籍類をみれば明らかである。しかしながら、その経済的成功を得たことにより、我々は「人間にとって一番重要で大切なもの」をしだいに失っていったのである。それは何であろうか。それは、不動かつ不退の「正しい精神もしくは心」ではなかろうか。なる程、邪《よこしま》な心を持った個人、家庭、団体、集団、組織、企業、共同体、地域、社会及び国家などにとって、これほどの煙たい言葉あるいは概念はないであろう。しかしながら、これを蔑《ないがし》ろにしていると、それぞれ自身が神仏により、いずれ報いもしくは負の功徳を受けることになるのである。なぜなら、これは国内外の歴史が教示してきていることだからである。例えば、かつて一流と言われてきた一部の大企業による不正行為が、連鎖反応的に続々と発覚してきたことが挙げられるからである。また、経済成長と共に、一部の人格者を除き、幾つかの諸国を、あたかも軽視するかのように受け取られかねないような心に変化していったからである。

世の中は諸行《しょぎょう》無常《むじょう》

一方、世の中は、古の時代より現代まで、及び将来にわたり、常に、「諸行《しょぎょう》無常《むじょう》」で動いており、変化し続けているのである。諸行無常とは仏教用語である。つまり、すべてのものは変化し、永久に不変のものはない、という意味である。例えば、戦後の語学について少し考えてみよう。各大学における外国語の選択科目に着目してみる。第一外国語は通常（もちろん、各学生個人の自由ではあろうが）英米語を選択する学生が過半数を占めてきている。そして、第二外国語は、その時代における政治状況をほぼ反映しているようにみえる。更に、約１９９０年以前までは、平均的に、後者はフランス語、ドイツ語またはスペイン語、その他となっていた。しかしながら、２０００年代頃からブリックス（ＢＲＩＣｓ）などの経済追随またはその成長の影響も受けたためか、後者の第二外国語として、例えば、アジア系言語を選択する学生も以前よりは、いくらか増えてきた感が見受けられる。

ただし、この背景には、例えば、中国が我が政府機関及び関連省庁に強い圧力を掛けてきた可能性と共に、彼等の圧力に容易に屈した、当時の弱腰ともみえ得る一部の政府関係者側の腰砕け外交姿勢の可能性も完全否定し難いところであろう。過去の出来事や歴史は、某国々がしばしば実行してきた捏造を除く、真実部分の歴史については、受け入れることになるであろう。しかしながら、その一方で、過去に対し、あまりにも度を過ぎた反省や過度に消極的にさせようとする幾つかのマスコミによる洗脳戦術に、安易に乗ってはいけないのではなかろうか。先の戦争責任については、戦争末期及び戦後のアジア諸国における複数の軍事裁判にて解決済みであるし、そのように世界的に認識されてきているのである。なぜなら、その戦争以前やそれ以降の各時代における、別の、例えば、欧米と他の第三諸国との間の戦争責任に関しても、それらの各々の戦後における軍事裁判での判決により解決済みと、世界的にも了解されている事実が存在してきているからである。

反省は必要だが、過度の反省は災いを招く

話を先の度を過ぎた反省や過度の消極性に戻そう。例えば、ドイツ政府は先の大戦での反省を込めて、異教徒の移民を積極的に受け入れてきた。しかしながら、それが本《もと》で、ドイツ市民と移民との間での非武装的または時として武装的衝突がしばしば発生してきている。例えば、現時点ではいくらか沈静化しているようにみえるが、火種は未だに残っており、くすぶり続ける可能性は否定できないであろう。また、そのためも一因して、若者の就職率がより厳しくなってきている。更に、例えば、２０１５年10月の報道によると、ロシア発表によるシリア国内のＩＳ（イスラム国）拠点への空爆の増強化（ただし、米

国政府の発表では、ロシアの空爆地点はＩＳではなく、シリアの反政府勢力の拠点である）に伴い、シリアの一般国民が数十万人ないし数百万人の単位で、隣接のトルコなどを経由して避難し始め、ドイツやフランスなどの欧州連合（ＥＵ）及びカナダへも影響を及ぼしてきている。その数は、その空爆時期から爆発的に増大してきていると言い得る。そして、ＥＵで最もその難民受け入れを積極的に実施してきたドイツ首相（メルケル氏）の所属する本件担当責任者の一人が、その受け入れに反対するドイツ市民により切りつけられるという事件まで発生しているのである。なお、２０１５年3月時点で、ギリシャ共和国は自国の総選挙で与野党が逆転したが、その後、新政府（急進左派連合）はドイツに対し、先の大戦時の戦争責任問題を再び持ち出してきている。但し、この裏には、某国々の多額の融資の見返りとして、同国々により煽られての発言の可能性は十分にあり得る。また、同国新首相のツィプラス氏は中国やロシア寄りの声明を次々に出している。

そして、先のドイツでの就職難に係わり、我が国も例外ではなくなってきている。例えば、２０１２年4月ないし5月の民間大手企業各社の平均的雇用状況の傾向をみると、約50％またはそれ以上の企業が、外国語の堪能な新入社員もしくは中途社員を求めている。例えばインターネット手段も含めた社員募集に対し、その関連各国の地元青年男女が海外より直接申し込みに殺到してきている状況である。これでは、会話力及び通訳能力などの観点からして、我が国内の若い就職希望の青年男女にとって、就職はますます狭き門となってしまうことであろう。しかしながら、そうとはいえ、当局の努力と指導もあり、幼少年期からの英語教育はほぼ定着化してきているように観える。従って、近い将来には、かなり改善されていくと予測され得る。

入国条件緩和の逆効果

また、我が政府としては、何でもかでも無思慮に無制限に、外国人の入国制限を緩和すれば良いという訳ではないのではないだろうか。確かに、外国人の入国条件を緩和すれば、経済活性化される可能性はあり得る。しかしながら、反面、その安易な入国条件の緩和に伴い、多くの犯罪者、犯罪予備軍及び各国の間諜などの悪、極悪もしくは悪玉菌を有した不審者が爆発的に増加し続けるのは明白であろう。なぜなら、過去からの我が政府及び国民の極めて一部の者たちにより、それらが増加することを、諸外国による悪の指示のままに服従する裏工作として、その危険性及び下地を創出することに助力してきているようにも考えられ、かつ、そのように強く観えるからである。従って、筆者は次のように考える。すなわち、経済的損得を優先し、かつそれを主体とする安易で愚な大幅な入国緩和は見直すべきであると。より適切な入国者比率に戻すように、法律の一部を改正することを早急に検討する必要があると。更に、２０１９年12月下旬頃に中国にて発生し、例えば、２０２１年１月時点においても、尚、世界中の殆どで、その猛威を奮い続けている新型コロナウイルス事件下にあっては尚更であろう。今回のウイルス事件により、この問題は、より根本的な見直しが求められる可能性が大となるであろうと。我が国は、もっと将来にわたる善と正義と強靭さとを守り、維持すべき具体的な姿を、迅速かつ深く計画し設定し確認し、かつ、少なくも向こう約１年間試行後でなければ、実行すべきではないのではなかろうか。しかも、少なく見積っても、約50ないし５００年先の我が国の有るべき姿をしっかりと描いた後にである。更に、そのような試行実験をして、そのデータに基づいて検討後でなければ、それらの緩和政策に踏み切るべきではないと。

　我が国は約50ないし５００年後の人口比率推移との均衡や人口推移などをも考慮しつつ、世界第一級の高い犯罪者逮捕率を維持する努力は継続すべきであろう。以前までは、世界も認める高い逮捕率であったが、入国制限緩和策の実施後は、犯罪発生率もしくは強盗事件などが増加してきている可能性が観られる。但し、現在までは、特別及び凶悪犯罪以外の通常犯罪率については、世界的上級水準の群に属しているが、油断は禁物であろう。この現状傾向を多面にわたり、当局と期限を設定し、討論し検討して結論を出すまでは、諸外国からの要求に安易に焦って妥協すべきではないと考える。場合によっては、善なる目的ならば、諸外国との間の協定もしくは条約などの少なくとも一部を取り消す、中止するくらいの勇気や実行力を持ってもよいのではないだろうか。このような行動は、逆に、相手国などが、我が国に対し、過去にしばしば実行してきていることでもあるのである。

　我が国も、現時点で、例えば向こう10、20、50ないし５００年の将来をしっかりと見据えた、外国人の適切かつ厳正な入国者数比率での情報を更に考慮した方がよいであろう。従って、それに伴い、入国管理局など当局による検査、管理及びそれらの水準度合は、従来以上に強化されるべきではないだろうか。それと共に、善なる戦略的強化を目指し、防衛省や各保安庁、警察庁などとも充分に建設的協議をしつつ、独立性をより強化し、実現化すべきであろう。そのためにも、例えば、現状よりも一段とは言わず、二段もしくは三段ほど昇格させ、更に、将来の増加傾向を考慮し展望しつつ、改善するようにしたら如何であろうか。というよりも、既にその時期が到来してきていると考えるのである。例えば将来に向けて、本当に外国人観光客（善や悪の目的者を含め）を毎年数百万人単位で増加させ続ける予定ならば、その実施前に、時間的かつ諸活動的に充分余裕をもって、しかも、早急に国会などで期限を設定して、真剣に審議されてからの方が良いであろう。また、このまま入国条件を安易に緩和し続けるならば、我が国は、世界各国の間諜のアジトの協力国になりかねない危険性を孕《はら》んでいるようにも強く予測され得るのである。なぜなら、ここ数十年間にわたり、我が国の法律を守らず、意図的に守ろうとせず、白《しら》を切り、嘘をつき続け、我等の地域や社会を不潔や汚濁などに満ちた悪の社会と環境とに陥れようとする輩《やから》が、多数、入国してきているからである。それら多数の無法者、凶暴者、凶悪犯人、犯罪者及び彼等彼女等により構成される集団により、我が国は、その輸入国及びそれらの促進国に、陥ってしまう可能性を有しているからである。

　これらにつながり得る入国条件の安易な緩和化は、国民として楽観視かつ黙視などは到底できないことであろう。それでなくとも、最近では、全国都道府県及びそれらの各自治体における区市町村などで、入れ墨をした者や不審な行動をする数多くの外国人が、白昼、夜間もしくは明け方を問わず、従来より明らかに急増してきているのが目につくからである。例えば、2014年3月18日の某テレビによると、三重県で、それまでに農機具のトラクターの約50台が次々と夜中に盗難に遭ったため、地元警察が犯人逮捕を目指して行動を開始したドキュメンタリーが放映された。当局の粘り強い活動により、犯人の一網打尽につながった。これらの容疑者はベトナム人の集団であった。今後、彼等の素性や動機などが公表されることであろう。彼等は、それらの強奪した大量のトラクターを次々に解体するための工具類を周囲の住人や通行人の目から隠すため、ベニヤ板などの簡易型材料で囲い（フェンス）や覆いを設けることにより、某畑内に解体工場を造っていたのである。実に計画的な悪の犯罪行為であった。

容疑者の取り逃し騒動

近年、取り締り当局が容疑者（犯人もしくは現行犯など。以下、容疑者という）を追い詰めたり、取り調べ中に取り逃がしてしまい、その結果、数日間ないし数週間も逃亡させてしまい、関連する全国都道府県民を不安や恐怖に陥れてしまうという失態事件が、残念ながら、一部で時々発生しているように観える。この現象は、我々一般国民が通常の社会生活を送る上で、極めて危険な状態にあるといえるのではないだろうか。確かに、現代の法律では、何でもかんでも、優《やさ》しく穏《おだ》やかに、護身用の武器も殆ど使わずに容疑者を説得しなければならないのかもしれない。それが現代の社会通念の一つになりつつあるようである。しかし、反面、追い詰められている者の心理としては、そのような情緒的で性善説的な尋問や逮捕に応じるような容疑者など殆ど無きに等しいと心得ておくべきではないだろうか。なぜなら、真に追い詰められた容疑者は、正に、「窮鼠《きゅうそ》猫を噛《か》む」心境下にあるはずだからである。また、そうであるからこそ、その容疑者は、自分を取り囲んでいるパトカーや警察官などに体当りしたり、警官の拳銃や警棒を奪ったりして、死にもの狂いで、そこから逃げ去ることのみに集中しているはずだからである。換言するならば、この状況は、猟師や取り巻きに囲まれ、追い詰められている野生の熊、蛇、狼、鹿、猿などと類似しているとも考えられ得る。従って、筆者は次のように考える。すなわち、現在から将来に向けての時代には、従来よりの平均的な逮捕戦術では通用し難いのではないかと。つまり、容疑者が、強奪した車を運転して逃亡し、どうしても当局の停止命令を無視するならば、例えば、そのタイヤを撃つとか、その他の有効で現実的な強い逃亡防止手段が構じられるように、法律の一部を改正すべき時期に既に来ているのではないだろうかと。そして、そのことを速やかに国会等で審議して頂き、期限付きで迅速に、実施化へと移行して頂きたいと。このような容疑者や凶悪犯が、街中、山中、自動車道路などの各種交通機関などに、凶器を所持して逃げ回り、全国各地の各ご家庭へ強引に侵入することなどは、絶対に防止せねばならない。そのためには、正義は悪に決して負けてはならないはずである。

報道媒体などでの性の氾濫

1970年ないし1980年頃に掛けて巷で言われてきたことだが、我が国は性が乱れていると言い得るのではないだろうか。その1970年頃からのベトナム戦争での米軍の敗色が濃厚になってきた頃からであろうか。当時の我が国の関連当局の各一部は、報道媒体などを通じての性の解放という詭弁に惑わされて、その乱れた社会現象に厳しい規制を掛けなかったことも一因している可能性は否定できないと推察し得る。また、個人、団体または民間企業などの各一部は、違法の範疇《はんちゅう》に属し得る物品を欧米その他から輸入してきてしまったのである。

ところで、当時の我が国の一般社会での問題点は、性を一部の極めて狭い地域のことだけでなく、全国的な社会現象へと規模が拡大されてきてしまったことであろう。例えば、有名な週刊誌などであっても、政治、経済、科学、社会、スポーツなどの記事の頁間に露骨な女性や男性の姿態やそれに近いものが、見たくもない読者に対してさえ、押しつけがましく、これ見よがしに掲載され続けてきているのである。また、小中高校生向けと思われる漫画などでも、女子や男子の過激な描写が頻繁に描かれているようである。それは全く酷い状態である。これは一種の下手物趣味とも言い得る。このような極めて一部の無神経な者たちによるこの点に関しては、動物たちの類と大差はないとも言い得る。恐らく良識ある世界の自由かつ民主主義国家圏ではあまり類をみないのではなかろうか。現代において、一部の良心的な漫画については、なるほど、外国でも受け入れられてきているという報道も聞こえては来る。しかしながら、前者の一部の内容については、教育上、問題がないとは決して言えないほどの状態のものがかなり混在してきており、関連当局は充分に検討の吟味及び検査などを引き続き行なって頂きたいものである。

なぜなら、一部の週刊誌の宣伝広告が、公共乗り物の一つである電車やバスの天井などから吊るされて、見苦しい状態を曝してきている場合もあるからである。これらの乗り物には、それらの出版物を製造や販売をしている各企業の社員の方々自身の子供や孫も乗車して、見せられてきているのである。これらの宣伝物は、将来にわたり、我が国の各種分野で活躍して頂きたいと願っている数多くの子供たちの精神面、特に、正常なる心の成長を阻害する可能性を有しているからである。従って、このような宣伝に生活の糧を委ねている分野の一部の方々は、心より充分なる配慮をお願いしたい次第である。

それ故、筆者は次のように考える。すなわち、前述のような子供たちへの教育上、好ましからざる書籍類、宣伝物などが公共の場所、店頭もしくはインターネットなどの媒体を通じて出版、販売または宣伝されたならば、その地元の父母会（ＰＴＡ）、教育委員会、学校などの組織や団体または当局は、直ちに中止させるための善なる勇気ある実行動（例えば、文書などを送付するなどの行動）を起こすべきであろうと。確かに、単に静観しているだけならば極めて楽であろう。しかしながら、過激な出版をしてきている一部の責任者諸兄諸氏に対し、勇気を持って、より適切な行動を起こすべきであろう。ところが、このような善なる行動力は、我が国では比較的弱腰であるように思われる。前述の過激な出版をしてきている一部の責任者諸兄諸氏については、その事例内容によっては、彼等彼女等の精神状態が疑われ得るというものもあるであろう。なぜなら、彼等彼女等自身の子供、孫及びひ孫がやがて、それらを好むと好まざるとに拘らず、彼等彼女等の属する社会環境に染められてしまい、それらを見て育っていくからである。その悪影響を少しでも考慮したならば、そのような内容は、本来、自らの良心により、安易には掲載すべきでないという心が、彼等彼女等自身の心の中から自然に湧き出てくるはずだからである。このようにみると、公共性に係わる我が国民の品格は戦前（先の大戦以前）よりもかなり低下してきているといっても過言ではないのかもしれない。但し、ここで注意せねばならないことがある。それは、このような反公共的、もしくは極論するならば、反社会的行為に係わる事案については、我が国内外の反日系に係わる一部の外国人等が関与している可能性も完全否定できないと推察され得る点である。

甘やかし過ぎによる弊害

現代は、戦前よりも科学技術などの急速な発達により、人々は平均的に豊富な知識を持ち合わせていると言い得る。しかしながらその一方で、心の善なる柱は未成熟であるかもしれない。あるいは、その心の柱自身が、あたかも骨粗鬆《そしょう》症であるかのような状態であるとも言い得るのである。というのは、現代の大人たち（例えば両親）はもちろんのこと、彼等彼女等の祖父母の方たちが、自分自身の子供たちに対し、幼児期に善悪の弁別と、「諸悪莫作《しょあくまくさ》（悪いことはしないこと）」、「衆善奉行《しゅぜんぶぎょう》（善いことをすること）」、もし悪行をしようとしたならば、言葉だけでなく、同時に、素手でやさしく、愛情及び慈悲心を持って、やめさせること、もしくは戒めることをしてこなかったか、またはそのことを怠ってきたためであろう。

　その反面、子供や孫から要求されれば、目じりを下げて、見境もなく、デレデレとしつつ、おもちゃ、こづかい、各種の贈り物もしくはお年玉などを湯水の如く与え続けてきているためでもある。つまり、適切な制動（ブレーキ）を掛けることをしてきていないし、制動を掛けることも本人の将来の正常な成長のためには必要十分な条件の一つなのである。そのことについて、その両親自身や祖父母自身が知らないか、欠落欠乏しているか、または無智である場合が決して少なくないし、その実例がしばしばみられるのである。しかも、子供や孫は、あたかも動物園の各種動物たちと同様に、幼い時期から甘やかされ過ぎて、それらのおもちゃやお年玉を与え続けられてきた習慣が彼等彼女の記憶の中にしっかりと刻み込まれ刷り込まれてきてしまったのである。その結果、子供たち自身は成長するに伴い、今度は逆に、自ら両親や祖父母に対し、もっともっと、更に、それらの数量を増加し、要求してくるように育てられてきてしまったからである。従って、筆者は次のように考える。すなわちこの、あたかも悪しき習慣により、主体的行動、働き、努力という習性が、しだいに低減してきてしまったのである。その結果、周囲の方々の支援と協力を得ながらも、自力で、（場合によっては家族の）生活費を稼ぎ出すという、青年男女の心から大人心への円滑なる移行が不可能な状態に陥ってしまうのである。ここで、青年男女の心から大人心の「心」とは、各々の「心構え」と置き換えて頂いても結構である。そして、このことが、「親の子供離れ遅れ」かつ「子供の親離れ遅れ」（いずれも仮称）の各々の負の社会現象を生み出してきている要因の一つとも言い得るのである。別の言い方をするならば、このことが、子供もしくは青年男女から大人への心身の正常な発育的変化に追随できずにいるのである。それと共に、自らの発想や力で、例えば、「親に頼らずに、自らの力で生活費を稼ぎ出すのだ」というくらいの強い職業人（プロフェッショナル）意識に目覚めることができない状態のままで、苦悩してきているのである。現代の男女の多くは、両親や祖父母などの家族や周囲の人々による必要以上の過剰な手助けを受け続けてきてしまっていると考えられ得る。

　その結果、社会に出て行ってから、社会や世間の荒々しい風雨や風雪に対して、すぐに挫《くじ》けたり、逆ギレしたりする可能性が、極めて高い傾向にあると。あるいは、男女共に婚期を逸してしまい、少子化傾向を助長してしまう可能性が高くなってきているとも言い得る。現代及び次世代以降の子供の健全なる心身の成長を願い、かつ、養育し支援すべき立場にある両親として祖父母として、他人や隣人からでは殆ど観察不可能であろう。そのような怠慢さとは、事例によっては、罪深いと言い得る。併せて、これらの現象をあたかも助長するかのような出版物、DVD、著作物などが、言葉の乱れや風俗の乱れなどを含めて増加の一途を辿ってきているのも甚だ問題である。

これらに対し、それらの発行責任者や作画などの種々の担当諸兄諸氏はどのような神経をお持ちなのか、甚だ疑問を抱かざるを得ない場合にしばしば遭遇するのである。彼等彼女等は、恐らく、売れさえすればよいのだ。あなたは余計な口出しをしてくれるなと反論してくるかもしれない。しかしながら、事はそう簡単ではないのである。なぜなら、好むと好まざるとに拘らず、それらの数多くの情報が、健全なる少年少女及び青年男女たちに対し、正しき成長に反比例するかのように、性を含む邪な部分の情報漬けにして、正しい判断のできない脳にしてしまう危険性が生じる可能性が否定できないと考えられ得るからである。すなわち、純真な心を保有し、かつ、吸収力の強い子供たちにとって、年齢に比例しない不適切な情報が、脳に刻み込まれ刷り込まれてしまうことに繋がり得るからである。

例えば、現代の若者、特に男子は真の勇気及び弱者（老人、婦女子や乳幼児など）及び小動物に対する思いやりの心もしくは慈悲心が低下してきている可能性が高いとも言い得る。また、このことに対して、全国の教育委員会、それらの各自治体または関連当局は常に監視し、ある一線を超えた場合には、直ちに何らかの警告もしくは注意を発し続けてきているのであろうか。確かに、ある程度は実施されてきているであろう。しかしながら、公的にはまだ不充分であるように思われる。なぜなら、少なくとも注意を喚起し、かつ文書で通知するようなことはあまり耳にしたことがないからである。欧米などでは、このようなことに対して、当局はかなり厳しく規制をしかつ介入し続けてきていると聞くが。

このような状況より、筆者は次のように考える。すなわち、どうも我が国は、各家庭での礼儀や節度などに関する自分自身の子供たちに対する基本的教育が、本質的に甘すぎるし、欠落欠如しているようにみえる。そのような状態であるから、家庭を自然延長し拡張した地域、社会及び国家も、甘いし、節度や礼節の各度合が昔よりも低下してきているようにみえるのであろう。また、現代では、あたかも家庭の中の一員とでも言い得るほどに設置され視聴されてきているテレビなどの家庭電化製品類の映像内容、特に、娯楽番組や宣伝などは、各家庭の幼児、少年少女及び青年男女などに対し、大きな影響を与えやすいであろう。そのため、その内容が教育上、著しく低俗な場合には、全国の教育委員会、父母会、その他の団体は、それらの発信元に対し、場合によっては、抗議をし、改善するべき要求をしてもよいと考える。すなわち、より正しい改善の余地が存在する場合に対しては、もっと文書などを通じて、意思を伝えるべきであろう。それが、本来の民主主義的な善行動ではないだろうか。もちろん、非暴力や非暴言は基本であろう。

従って、我が国の社会全体は、以前のもしくは戦前または江戸時代以前のように、男女共に、行動全体に、凜々《りり》しく毅然たる態度が見出し難いのである。その結果、個人、家庭、地域、社会及び国家がそれぞれの次元で、突破口を見出せずに、低迷している要因をはらんでいるようにみえてならないのである。あるいは、その状況を増加させかねないのである。古人曰く、「蟻の穴から隄《つつみ》の崩れ」と。つまり、失敗もしくは敗北とは、ほんの些細なことから発生し得るのである。だから、我々は、小事といえども油断は禁物であるということを、いつも肝に銘じておかねばならない。事件や事故も同様であると言い得る。

そういえば、事実として、数十年前から今日に至るまで、しばしば社会的に一目置かれ得る立派な肩書を有する、一部の方々による破廉恥事件が後を絶たないようである。その方々とは、例えば、国会議員、全国のいくつかの自治体における議員、校長、教師、教育委員、警官、公務員、大学教授または管理職級の公職に就いている人々や、企業の上級取締役である役員または経営責任者級の人たちなどである。残念ながら、その類の発生件数の減少傾向が殆どみられないのである。そして、その後も同様の社会傾向は続いている。それらの一例として、２０１５年3月には、大学教員が教え子の一人を殺害した容疑で当局に逮捕されるという事件も起きている。また、同年の夏には、司法試験の考査委員を委託された大学教授が自身の教え子の一人である女子大生に、同試験の模範解答を数回にわたり教示していたという事件が発覚している。これは一体どうしたことであろうか。確かに、前述の性の乱れやその現象が発生した頃に誕生した赤子（男女）が成長し、やがて結婚適齢期に達し、結婚して親となり、その後、場合によっては、祖父母になっているであろう。

しかしながら、彼等彼女等は自身が幼児期から性情報漬けにされ続けて来たために、真正に、何が善で何が悪かを自信を持って明確に自身の子供や孫に教示することができないのであろう。なぜなら、ご自身がいわば精神的低下に殆ど全く気付いていないからである。しかも、その一方で、例えば、美容関連分野の技術や情報量などは見掛け上、二人前もしくは三人前ほど豊富になってきているように考えられ得るからである。つまり、ご自身の精神成長度合と外的な美容関連情報量との間にかなりの不均衡が生じてきていると言い得るであろう。従って、単に見掛け上、お人形さんの如き容貌をしているだけなのかもしれない。というのは、現代は、美容関連の整形技術が向上してきていることも加味して、表面的で軽い美男美女の諸兄諸氏は容易に大量生産が可能なように考えられるからである。あるいは、現代の年少者及び青年男女は、主として、ハンバーガーや甘い物（スイーツ）関連の便利で迅速かつ美味しく出来上がる食品漬けにされ続けて来ているためとも言い得る。そのため、あたかも牛や麒麟《きりん》のように、平均身長や体格などの外観は従来の同年代よりも立派に観えるだけなのかもしれない。

つまり、外観もしくは容貌は一人前の大人のようにみえても、その実、心の中の本性は、例えば最新流行の事物、娯楽などの内容や仕事、ゲーム、パソコン、スマートフォン、学科目、もしくは英会話の知識などで満たされている可能性があると言い得る。しかしながら、それ以外の頭脳に残されている不活性領域は、次のような私利私欲、貪欲もしくは強欲などにより満たされ続けていると考えられないことはないであろう。すなわち、例えば、これからの自身の人生をいかにして楽をしながら、周囲の人々よりも富者になるか出世するか玉の輿に乗るか、有能な子供を産んで子孫を残すか、若く美しい容姿を半永久的に維持すべきか長寿を保つかなどである。

従って、彼等彼女等にとって、そこには、真の善悪の弁別を付けたり、悪行を阻止したり、極悪人やそれらの組織や団体などに類する者たちと最終的には対決する余地は殆ど残されていないと考えられ得る。すなわち、我々人間が生きていく上で必要不可欠なる勇気などの入り込む余地や、それらの神経回路の創製される余地は残されていないのではなかろうか。換言するならば、前述の性情報の氾濫が、彼等彼女等の脳に対し、善悪の弁別力を狂わせ低下させ、更には急速に老化させてきているのである。その結果、彼等彼女等は自ら及び自らの子供や孫の品格までをも低下させ続けてきている可能性があるとも考えられる。これは、あたかも我が国民の一人ひとりとして、ある種の罪深い行為を実行してきているとも、あるいは国民の一員としての基本的責務から逃避してきているとも言い得るのではないであろうか。

確かに、これは重要な社会問題に係わる一つであり、しかも悲しい事柄であり得る。しかしながら、そうだからといって、これは、簡単に諦めて引き下がるわけにはいかないはずである。完全とはいかないまでも、例えば、約数十ないし60％程度まで制動（ブレーキ）を掛けて、我々が本来持っていたあるべき正しく善なる姿や状態に、家庭、地域、社会及び国家を戻すべきである。是非戻そうではないか。なぜなら、多くの家庭がこのような状況であるから、それを拡張した地域、社会及び国家もまた同様の結果に至るのは必然であろう。従って、筆者は次のように考える。すなわち、そうだからといって、単純に諦めるわけにはいかない状況なのであると。この傾向は、政府、全国都道府県、それらの各自治体、地域、社会、家庭などがしっかりと、我が全国民の心が正しく善なる方向へ修正され改善されるような基礎教育、環境、及びそれらの体制づくりと、その指導がなされてきていないためではなかろうかと。健全なる自由かつ民主主義の国家圏はもちろん、開発途上と表面的には自己主張している国々でも、国家が正しく健全である国は、ある程度の見苦しくない規制が敷かれていて当然なのである。

来日外国人の増加問題

近年、来日する外国人数（表向きの主たる目的は観光、各種の技術研修など）及びその比率が増加してきている。但し、２０１９年12月頃に中国・武漢市で発生したとされている新型コロナウイルス事件による影響については、別章で述べさせて頂きたい。ここでは、その勃発時点直前までの傾向と、その事件が、ほぼ完全に終息したと見做せる状態後の平常状態について考えたいと思う。そこで、例えば、１９７０年代ではその10年間に約１００万人、80年代では約１００万人から３００万人に、90年代では約４００万人から５５０万人にと増加人数が約１５０万人減少するものの、２０００年には４７６万人、２００５年には６７３万人、２０１０年には８６１万人と年々増加している。２０１１年には原発事故のため減少したが、２０１２年末からふたたび増加した〔1〕。そして、２０１３年には１０００万人を突破したことが２０１４年11月に報じられている。なお、我が政府は、２０２０年には２０００万人を突破する予測を立てているようである。この過去約40年間の増加傾向は、外国人に対し、従来よりも更に低所得者層が来日しやすいように、入国条件を緩和したことも一因しているであろう。なお、国籍（出身地）別の外国人登録者数の推移は、例えば、１９９５年、２０００年及び２００５年で比較すると次のようになっている〔2〕。つまり、韓国及び朝鮮が第一位で、それぞれ約67、約66及び61万人（それらの全体に対する比率は、それぞれ約49、38及び32％）とわずかに減少している。第二位は中国であり、それぞれ約22、34及び46万人（同約16、20及び24％）と次第に増加している。第三位はブラジルであり、それぞれ約18、25及び27万人（同約13、約15及び約14％）とほぼ横ばいの傾向を示している。もちろん、その他、世界の多くの国々や地域からの入国者が存在している。

そして、２００６年以降、これらの過半数は中国人で占められているという。これは恐らく、同年頃から今日に至るまでの与野党が中国政府の強い要求のほとんど言いなりになり、拒否しきれなくなり、その圧力に容易に屈してしまった腰砕けの結果である可能性は完全否定できないのではないだろうか。また一方で、２０１３年9月の報道によると、過去1年間（２０１２年）の来日外国人数は９００万人を突破したという。この中で、タイ人及びインドネシア人の比率が増えているという。前述の２０００万人もしくはそれ以上の来日者数を目指す予定の件に関しては、その前に、我が国として、実行すべき重要事項がいくつかあるのではないだろうか。例えば、国内に係わる法体制及び犯罪防止と強い警備体制などを確立しておくことなど。これらがまず優先されるべきであろう。国内の経済活性化を高めるという第一目的の前に、まず、我が政府、全国都道府県及びそれらの各自治体がやらねばならないことを確実に計画し対策を講じ、実施し確立させてから、それを実施すべきではないであろうか。なぜなら、それが、我々国民の安心・安全を守ることに繋がるからである。従って、筆者は次のように考える。すなわち、その準備及び警備や防犯のための体制（例えば、外国人急増に伴う関連担当者の採用増員及び教育と訓練など）が出来上がっていない状態にも拘らず、そのような多くの外国人を安易に受け入れるべきではないのではなかろうか。我が国の場合は、欧米のように、犯人に対して、極端な例の場合、仮に街中で銃撃戦を実行してでも、犯人が国外に逃亡する前に、確実に即日、必ず国内で逮捕もしくは拘束できるほどの強く確実なる体制までには至っていない状況にあると考えられ得るからである。このように、我が国の状況を観ると、当局は真摯に対応され努力されていると思われる。しかしながら、かなりの事例に関して、後手後手になっているように観えるし、そのようにも考えられ得るからである。つまり、それらの多くの場合が本末転倒の状態にあるかのように見受けられて仕方がないのである。

前述の入国緩和については、いくつかの政党が、真の総合的な確固たる長期戦略や戦術を充分に確立してこなかった結果ではないだろうか。だから、彼等から圧力を掛けられ、突っつかれるたびに、目の前の事象の対応に狼狽してしまうのである。しかも、その当時の政府は、傍《はた》からみていると、長期戦略や戦術を充分に考えずに、ほとんど何でもかでも彼等の要求に従順であり、そのとおりに屈しているかのように強く観えるし、そのように考えられ得るからである。すなわち、あたかも、既に彼等の部下であるかのような錯覚及び不快感さえも感じざるを得ない事例にしばしば遭遇するからである。あるいは、別な見方をするならば、当時の民主党政府は、そのような強い負の印象と誤解とを多くの国民に招きやすいような、安易な妥協と言動とを生み出してきたとも言い得るのである。それ故、これらの諸状況が、当時の同政府のいわば負の症状を如実に示している事象の一つであろうとも言い得るのである。恐らく、我が国の真の同盟国も、同様に観察し監視していた可能性は完全否定できないのではないだろうか。ちなみに、２０１２年12月14日の衆議院選挙で、自民党が民主党に圧勝し、衆議院での政権与党に返り咲いている。残念ながら、著者の予見どおりの結果となってしまったのである。これは、多くの国民が当時の民主党政権の様々な外国との交渉や事件に係わる対応の仕方を観察し監視してきた証左とも言い得るであろう。ちなみに、その後、旧民主党は民進党へと変化し、更に、その後、希望の党、立憲民主党などに分裂している。すなわち、政党的には、かなり安定性に欠けていると言い得るであろう。

その対応事例の一つとして、入国緩和のためもあってか、例えば、中国からのあらゆる階層の人民が多数来日するようになってきている。その一方で、中国人のみならず他のアジア人を含む諸外国人に係わる個人及び集団による盗難、強盗、恐喝、宝石店・金庫破り、現金自動預け払い機（ＡＴＭ）などの破壊、その他の、それ以前には観られなかったような様々な悪の手口や内容の凶悪事件が急増してきている事実が存在するのである。例えば、２０１７年10月30日前後の報道によると、台湾からの中国人の数人が小集団となって、石鹸の中に麻薬を隠して我が国へ密輸しようとしていた。しかし、幸いにも当局の努力により現行犯逮捕されている。この裏事情として、大陸から台湾へ流れ込んできている多数の反日系中国人、その工作員もしくは軍人などの悪組織による後押しの可能性も完全否定できないと考えられる。このような悪人組織による犯罪が我が国内で現実に急増し続けている背景には、当該関連部門の一部が、安易にまたは単に経済活性化関連を目的として、極めて視野が狭く一次元的発想しか持ち合わせていないことに基づいていると考えられ得る。そして、その状況下で、入国緩和に見切り発車したという可能性は否定できないであろう。従って、筆者は次のように考える。すなわち、これまでに何度も何度も述べてきたように、経済という概念自体には善悪の概念が含まれていないのである。少なくとも悪の概念はそれ自身には含まれていないと言い得る。だからこそ、この概念は、その使用目的を誤ると、とんでもなく危険で悪の方向へと導かれやすいし、その要因をも含んでいるのである。我々全国民はその注意点に、今からでも仕方ないが、明確に気付くべきではないだろうかと。

同様に、入国緩和という文言及び概念は、自由主義の我が国では経済の活性化に即結びつきやすいため、国民は一般的には受け入れやすい。しかしながら、この入国緩和に踏み切れば、当然のことながら、世界各国からの悪人たちも、元過激軍人系や暴力団系の個人、集団、組織も、やれ観光、やれ留学、やれ語学留学、やれ酪農水産業者、やれ企業や商店などの学習または研修などという大義名分を虚偽設定して、我が国に続々と目白押しにもしくは津波の如く、大量に来日することも不可能ではないし、既にそのような目的で来日してきている事例は多々あるであろう。

来日外国人の増加計画に対する疑問

このような立場で将来を見据えたならば、ただ単なる経済効果のみのために、約十年後までに、更に数千万人の観光客の増加を目指すという一次元的計画は余りにも拙速で暗愚ではないだろうか。既に一年間あたり約三千万人を超えた現在でも、京都やその他の全国の観光地では、次の各所で一時間や二時間待ちがザラな状態になってしまっているのである。例えば、各名所、旧跡、食堂、手洗い場、バス停留所、駅改札口など。しかも、その増加計画を実施して以来、犯罪数や不審事件が、それに比例して、増加し続けてきているのである。それにも拘わらず、当局の担当もしくは対応人員、警察官及び捜査員などの絶対数が極めて不足してきているのである。それがために、種々の犯罪に係わる犯人の検挙までの日数が従来以上に多く費やされていると考えられるのである。

　また、同類と思われる事件や事故が複数回発生している実例も観られる。例えば、観光面などに関しては、確かに、それらの名所が増えるのは、明るく結構な材料ではあろう。しかしながら、その反面、前述のような、手洗い場、その他の社会的必要設備の絶対数が不充分なのではないだろうか。なぜなら、公共機関に対する大混乱化を目論む悪の組織や単独犯などによるテロや凶悪犯罪が急増してきているのが懸念材料の一つだからである。ここで、大混乱化とは、例えば、JR、私鉄、地下鉄、金融機関などの電気系配線の切断、放火及びサイバー攻撃などの凶悪犯罪もしくは政治的工作犯罪である。このような現状下であるにも拘わらず、それらの犯罪の未然防止、警ら（パトロール）隊、防犯用カメラの更なる増設と防犯及び国内の警備体制（担当者数の増加も含めて）が、殆ど実情に追いついていないと考えられるからである。従って、筆者は、まだまだ不十分であるため、入国者数の緩和は、本末転倒であり、再考すべきと言わざるを得ないであろう。なお、新型コロナウイルス災禍（COVID－19）のパンデミックにより、我が国への観光客数が激減したのは、ある意味で、一時的ではあろうけれども、国内の犯罪発生件数に、ブレーキが掛かった、とも考えられ得る。その意味では、「塞翁《さいおう》が馬《うま》」とも考えられ得る。しかしながら、このような緊急事態にあっても、我が当局として、約2ないし3か国に対し、特別許可を与えるような、一知半解《いっちはんかい》な例外措置は厳に慎しむべきではないだろうか。なぜなら、殆どの我等全国民が隠忍自重《いんにんじちょう》しているというのに。……。前述のことに話を戻そう。

　換言するならば、諸外国（中国、ロシア、その他）が、今後、10年、20年、50年……掛けて、我が国を外部及び内部から完全なる属国化、植民地化もしくは傀儡政権化を企み、そのための戦略戦術を着実に実行してきており、更に、今後とも強化してくると考えられるからである。例えば、台湾及び韓国などに対する戦略と同様に。この事は、我が政府、全国都道府県の各議員、民間人、企業人、産業界及びそれらの各労働組合などの諸兄諸氏は、殆ど気が付いていないのではないだろうか。まして、我が国と同盟国である米国、その他、例えば、カナダ、豪州、ニュージーランド、東南アジア諸国なども同様であろう。更には、２０１８年12月時点での米国トランプ政権は、別件の軍事及び経済の両面で、諸外同国に対する危機感をやっと抱き始めたようであるものの、彼の国々による我が国への共産化に対する危機感は、我が国民ほどではないと推察され得る。強いて挙げたとしても、我が国民が抱いている危機意識の程度には遠く及ばないであろう。残念ではあるが。

外国人の入国もしくは入学に係わる弊害

そのための戦略の一つとして、例えば、彼等中国及びその他の諸国は、我が政府及び関連省庁並びに企業などに向けて、次の事を強く要求してきているように十二分に推察され得る。すなわち、

その一として、中国人を含む東、東南、中央の各アジア人及びその他の外国人の入国条件（例えば、入国者の所得条件の低減もしくは撤廃など）を著しく簡素化せよと。これに関連することとして、例えば、報道[3]によれば、外務省は２０１１年8月10日に、中国人の個人の観光客向け査証（ビザ）の発給要件を同年９月から緩和することに決定している。外務省は２０１０年に、富裕層に限定していた査証発給要件を、「一定の経済力を持ち、官庁や大企業に勤務している者」に緩和したとしている。

しかしながら、ここで言う彼等の官庁や大企業といっても、それらは我が国のとは本質的に全く相違しているのである。すなわち、そこで働いている人民は共産系社会系主義及び反日の各教育を幼児期より今日に至るまで、更には、将来にわたっても、徹底的に教育されてきているのである。それ故、筆者は次のように考える。すなわち、表面的には公務員的ではあるものの、我々のような自由かつ民主主義国家圏の国々における考え方とは本質的に全く相違していることを、当局は、先ず深く認識して頂かねばならないのではないだろうかと。それを基本的に念頭に入れ、心に刻み込み刷り込んでおいた上で、対応し対処しなければ、我々全国民はとんでもない失態の政策に巻き込まれてしまう可能性は避けられないのではなかろうかと。内容によっては、それだけで貴方の人生自体が大きく狂う可能性は否定できないであろうと。

その二として、例えば、大学などの入学条件の一つとして、実際に、我が国の関連省庁は外国人留学生による入学に係わり、次のように規定している。すなわち、ある資料によると、「語学筆記試験は日本語及び英語とする。なお、日本語の試験は全員が受験することとし、英語は希望者のみを対象とする。日本語の試験は大学配置や渡日後の日本語教育の参考としても活用する」となっている。しかしながら、日本語、日本文学、日本文化もしくは日本史などを学ぶには、当然のことながら日

本語は必須科目であろう。しかも、その規定を見ると、日本語については受験さえすれば不合格点でもよく、英語については希望自体を拒否して受験自体しなくてもよいことを意味している。これでは、一体、何のための語学試験なのか、と極めて大きな矛盾と疑問と強い不快感さえ抑えるのを禁じ得ない。なぜなら、これでは、あまりにも我が国の、それを許認可した当時の、所轄大臣及び同関連担当省庁の判断の甘さ及び無能さが逆に浮き彫りにされたからである。それと共に、真の正義感と公正な判断力と毅然たる態度が欠落欠如していた可能性が極めて高いと考えられ得るからである。従って、筆者は次のように考える。すなわち、このような悪弊と劣悪な状況からも、我が国民の大多数は、当時の関連省庁の対応が諸外国からの圧力に対して極めて弱過ぎると共に、腑抜け状態になっていると観ている可能性が極めて高いのではないだろうかと。

この事例も、当時の当局が、ある意味で、善悪よりも目先の安易な経済的損得勘定をその判断基準の上位に置いたための失態かつ誤算結果の一つではないだろうか。なぜなら、これは、換言するならば、留学生を送り出す側の諸国が、我が母国語である日本語をその必要条件とするなと要求しかつ主張していることと同等と見做せるからである。従って、日本語を素直にもしくは真面目に学ぶ気持ちなど殆ど有していない学生や社会人などは、極論するならば、そもそも、何も無理して我が国へ入国させ、留学させる必要などないのではないだろうかと思わざるを得ない。もちろん、真面目な目的の方々は、例外であるが。

外国人留学生の受け入れ時における判断基準の曖昧さ

ちなみに、例えば、米国のハーバード大学では、過去より、中国からは、他の多数の国々とは桁違いに大量の留学生を受け入れてくれと強く要求されてきている。確かに、中国は他の国々よりも人口は多いかもしれない。しかしながら、同大学では約1960年代ないし1970年代の頃より、そうだからといって、仮に入学費用や授業料を納入し、成績が優秀であっても、同国の生徒のみを、それ以外の世界各国に優先して数多くの生徒を入学させるわけにはいかない、という主旨により、拒否してきたという経緯がある。なぜなら、同大学には、世界中の国々からそれぞれ生徒を受け入れるための内規もしくは不文律のようなものが歴史的に存在しているように推察されるからである。結果として、同国からの要求のみを優先的に受け入れることはできない旨を返答したようである。従って、筆者は次のように考える。すなわち、この判断は世界常識からも極めて民主的で公正であり、善なる判断であろう。このような同大学の善例は、我が国でも今後及び遠い将来にわたり、各大学とも、継続的に、大いに参考とすべきではないだろうかと。

それ故、我が全国の高校や大学などはこの判断をも参考にすべきであろう。同時に、仮に、中国及び他の諸外国から我が国に対して、極めて強い要求があったとしても、単に、盲目的、皮相的、安易、かつ、軽率に妥協や承諾をしないで頂きたいものである。あるいは、あなたご自身の教育機関を安売りせずに、各大学等のご自身の自治、尊厳、歴史的文化、誇り及び規則などに基づいて、規定数または規定比率以上の生徒の入学は、拒否すべきところは明確に拒否するようにして頂きたいものである。すなわち、毅然かつ堂々とした、善なる勇気と品格とを現実に示して頂きたいものである。彼等人民による甘い口車、誘惑、威圧、賄賂もしくは贈物攻勢、あるいは、正反対に、あたかも弱者であるかの如き偽りの演技などによる、誘惑や誘導に決して騙されたり引っ掛かってはいけない。

もっともっと我々は、我々自身の歴史、文化、技芸及び伝統などに対し、善なる意味での大いなる自信と誇りと品格などを持ち続けるべきである。そして、何よりも、彼等人民による偽りの演技や魂胆などのために、多数の他人を巻き込んでの演技や演出に、我々及び当局は決して騙されてはいけない。惑わされてはならない。ここでも、何が真実で、何が大嘘なのか、または、それを厳正に弁別する心、眼力、智慧、洞察力及びそれらの総合的な広く深い能力が、各々の学校や大学自身に強く求められているのである。要は、安易に尻軽に妥協する姿勢だけは厳に慎んで頂きたいものである。あるいは、別な観点からするならば、そのような行為は見苦しく、後年に禍根を残す可能性が高いため、くれぐれも長期的観点に立って慎重に対応し、理性的かつ冷厳に対処して頂きたいと切望するところである。

間違っても入学金、授業料もしくは寄付金などが、従来のそれらよりも数百倍ないし数千倍になるなどの経済的収入が一気に増えるためとか、財源が極めて潤うためなどという単純な経済的理由のみで、我が国の各学校や各大学関係、それらの関連組織や団体などは、安易に外国の学生や研究生、研修生などの入学を許認可しないことを強く希望する次第である。将来の我が国と世界の正しく善なる諸国との釣合い等をも深く考慮して頂きたいものである。このような考え方は前述の教育界のみに限らず、官公庁、企業、その他あらゆる分野の業界各位にも、同様に、ご指摘ご提案させて頂きたいところである。

ちなみに、残念ながら、このように優慮していた矢先の２０１９年３月ないし５月頃に、アジアの諸外国からの学生を受け入れていた某新興大学では、肝心の学生が集まらずに倒産したもようである。

当局が外圧に屈した背景

ところで、前述の「その一」及び「その二」については、なぜ当局は彼等の要求に安易に屈して、それらの要求に応じてしまったのか理解に苦しむところである。なぜ明確に拒否しなかったのであろうか。ここにも、当時の我が政府及び関連省庁の弱腰体制が見て取れるのである。なぜなら、その一部が、既に彼等の手に落ちてしまったか、もしくは、その組織の中に、多数の間諜が存在している可能性が極めて大きく、それが完全否定できないとも推察され得るからであろう。

つまり、我が政府当局の判断の第一基準は、やはり、経済的安定なのである。しかしながら、外交とは、国対国の真剣勝負である。仮に経済的に一時的損失が生じたとしても、我が国として毅然たる一貫した態度を相手側に示すべきではなかろうか。なぜなら、要は、外交交渉の場において、仮に激しくとも論理的なやりとりの口論または、真に必要な場合ならば熱のこもった議論は十分にあり得るからである。これは、国際的にも何ら矛盾しないはずである。そして、政治的などの諸次元に関し、同盟関係の締結国と非同盟国群との各判断の内容や基準に、ある程度の相違が存するのは至極当然であろう。従って、筆者は、次のように考える。すなわち、かつての国際連盟での我が国自身による脱退のような、早計で安易な言動は、外国からのよほど理不尽な要求でない限り、二度と同じ失敗を繰り返してはならない。特に、たった一度の屈辱では脱退すべきではなく、大きな屈辱を少なくとも三回ほど体験してから、初めて検討しても、決して遅くはないはずだからである。その位の最低限の、国際交渉の場での「胆力」は、予め充分に身に付けておいて頂きたいし、示して頂きたいものである。……。

来日外国人による失踪事件の急増

ちなみに、例えば、２０１５年10月18日の報道によると、難民申請や技能実習生として来日した外国人実習生のうち、２０１４年までに失踪した者は18万人以上となっている。そして２０１４年の1年間でのその数は、過去最高の４８００人余りという。本件に該当する、例えば、ネパール人やミャンマー人は、我が国でできるだけ稼いで自国に帰りたい旨を述べていた。すなわち、彼等は難民申請で異議申立をすれば、日本国内で働き続けられるし、半年後には就労が認められて、職場を選べるという。我が国の法務省では、難民と認められない就労目的の場合には、速やかに申請を却下する旨を述べている。しかしながら、専門家によれば、「技能実習制度は抜本的見直しが必要である」旨を述べておられる。このご指摘は妥当であると思う。しかし、本件の問題は、それのみならず、もっと深い所にあると考えられ得る。

具体的には、例えば、２０１５年7月27日の報道によると、次のとおりである。確かに、失踪した外国人の元実習生を雇っていた農家のご主人によると、不法就労の若者が居なくなると、生産量が従来の20ないし30％にまで激減してしまう。だから、農家にとっては負の影響がかなり大きい。しかしながら、その一方で、元実習生によると、「お金を稼げなかったため、不法就労者になるしかない」という。そのため、仕事はきつくても、その分、収入が高いので働きたいという。つまり、専門家によれば、我々の生活は、もはや、外国人抜きでは考えられない状況にまで来ている。その結果、技術実習生を受け入れれば入れるほど、失踪者が増加せざるを得ない構造になってしまっているという。しかし、本当にそうなのだろうか。もっと深く広く検討すれば、必ずや、より善い打開策が見出せると筆者は考えている。そのためにも、この問題は、今後とも継続して検討し、改善すべき課題の一つと思われる。

いずれにしても、このような入国後に発生し得る様々な社会的負の現象や状況を十二分に想定せず規制せずに、入国を緩和し続けるならば、ますます全国各地域や社会への悪影響が増大する可能性は否定できないであろう。従って、極端な仮定ではあるが、我が国も、平和状態を維持し守るために、例えば、一般国民がそれぞれの各種犯罪被害に巻き込まれないために、しかも事件や事故に遭遇する前に正しい防止及び防衛をするために、自主的自衛手段が幾分かは講じられても良いのではないだろうか。例えば、その一つとして、企業、商店、団体などの、各窓口やカウンターにおける担当者の方々にも護身用の防具を、事前に当局の許認可を正式に得た後、それらを所持させてもよい時代に来ているのではなかろうか、とも考えられ得る。また、それらの所持の必要性に迫られる事態が近い将来発生してくる可能性は完全否定できないと考えられ得るであろう。そのため、今から、例えば、約2年ないし4年を掛けて、その実施化の可否に向けて真剣に検討や審議を開始してもよいのではあるまいか。ただし、それらの護身用具の所有者が加害者とならないような法的、現実的及び社会的な方策は、事前に当然確立されるべきであろう。

このような意味からも、現代及び将来にわたり活用し得る、我が国内の社会犯罪の現状に即した、犯罪防止に係わる現行法の一部改正は、早急に、かつ、約50年後、……２００年後などの遠い将来像をも見据えた、真摯な検討がなされ始めてもよいのではあるまいか。今から、例えば、前述の期限を設けて検討を開始すれば、かなりの具体策が講じられると予測され得る。社会の敵とは、その該当地域や社会の人々が協力しあってこそ、その犯罪数を限りなくゼロに近づけることができるはずである。それと共に、国民一人ひとりが、つまり、男性のみならず、時と場合と条件によっては婦女子もまた、その社会の敵と対決するだけの、少なくとも、真の勇気ある心構えは、普段から培い養って頂く必要が生じてきているとも言い得る。

しかしながら、残念なことには、現状は、前述の如く、犯罪者もしくは不審者等が容易に我が国へ入国できるような法律が許認可されてしまったのである。なぜなら、このような風潮は、悪人や不審者を容易に喜ばせてしまうことに繋がるからである。従って、筆者は次のように考える。すなわち、この法制化はかなり問題があるのではなかろうかと。何でもかでも、法律を含めて諸外国からの強い圧力のままに、やさしく対応すればよいというものでは決してないはずであろう。そこには必ず理性的に熟慮された許容限界が明確に設けられるべきである。なぜならば、我が国の政府、全国都道府県及びそれらの各自治体の期待、予想及びやさしさとは裏腹に、そのやさしさなどを逆用して、付け込んで来る大量の悪人、窃盗団、暴力団、ヤクザ的軍人、問題労働者、過激学生及び悪の組織や団体等が、通常の観光客などの中に紛れ込んで来ているからである。これらの国際的問題者たちの来日が容易になってきているという危険性及び危機に関し、我が国の国会議員、全国都道府県及びそれらの自治体における各議員諸兄諸氏の一部の方々は、果してどのように考えておられるのであろうか。恐らく彼等彼女等は、そのようなこと自体に考えが及ばない可能性もあり得るであろう。従って、それを問うこと自体が無理なのかもしれない。なお、前述の判断の結果、社会の中で現実の被害を受けるのは、通常、ほかでもない、我々一般国民なのである。だからこそ、我々は選挙という公正の場を通じて、そのような事に考えの及ばない諸兄諸氏に注意を喚起したいのである。併わせて、そのような善行の取組に消極的な方々には、お役を辞して頂くことになり得るであろう。あるいは、他の積極的に実践してくれる方々と交代して頂く流れになるのではないだろうか。

確かに、来日者には善なる観光旅行者もおられるであろう。しかしながら、その中の一部の過激軍人や兵士、暴力団組員、工作員または間諜などがいる可能性は否定できないであろう。このような現状でありながら、彼等は、種々の肩書や経歴を詐称したり資格を偽造したり民間人を装ったりしてきているのである。しかも、名目上は、留学生、研修生、実習生とか会社員、役員などと偽って、続々と入国してきている可能性も完全否定できないのである。例えば、２００７（平成19）年度の国際犯罪対策に関する統計等（警視庁）によれば、来日外国人（「永住資格のある者」及び「米軍構成員など及び在留資格不明者」を除いた者）による犯罪の検挙状況の推移では、５年間（２００５～２００９年）の総検挙数はその前期（１９９８～２００２年）と比較して3割近く増加している。また、前前期（１９９７～２００１年）との比較では7割もの増加を記録しており、昭和まで遡ると、２００７年は10倍近い増加となっている。凶悪犯及び窃盗犯の増加が著しく、犯罪の凶悪化、潜在化、拡散化が進んでいる。近年の傾向として、法務省の２０１３年版犯罪白書によると、一般刑法犯全体の検挙件数が減少傾向にあるのと同様、外国人による犯罪の検挙数もまた減少傾向にある。つまり、総検挙人員に占める来日外国人の比率は、概ね2％前後で推移している。国籍別では、韓国、フィリピン、ベトナムが増加傾向にある〔4〕。

なお、我が国における外国人犯罪は、来日外国人の増加に伴い増加している。例えば、２００７年時点の外国人犯罪の検挙数は、中国人、韓国人・朝鮮人、ブラジル人の順で多い。凶悪犯罪に関しては、韓国人及び北朝鮮人がトップとなっている〔5〕。更に、中国人による犯罪は１９９０年代末から２０００年代初頭の間に急増し、現在は高止まり状態が続いている。１９８９年以降、中国人が韓国人に次ぐ第2位となっており、ほとんどの凶悪犯罪で1位の韓国に次ぐ上位に位置している。そして、来日中の中国人による犯罪が目立つものの、在日中国人が来日同国人に犯罪を指南及び手引きしている側面があるという〔6〕。しかし、これは何も中国人、韓国人、北朝鮮人に限らず、他の諸外国人についても充分に考えられ得ることであろう。また、２０１０年版の警察白書によれば、警察庁は既に「犯罪のグローバル化」の分析と対策を柱にしている。ここで、世界規模で活動し続ける犯罪組織が我が国を標的にする傾向が強まっていると警戒している。まさに、残念ながら、筆者の予想通りの展開になってきている。そこで、今後もこの警戒体制を恒久的に、我が全国民及び世界の平和維持の支援と協力のために、継続して頂きたいと切望するものである。

このように、我が国は、従来と比して、犯罪多発国へと変貌したといわざるを得ない。あるいは、それを明確に否定できない好ましからざる状況を、より善なる状況へと復活させるために、我が国は、従来以上に、悪の組織や団体と対決する大いなる勇気と誇りと実行力とを保持し、従前のそれら善なる高水準へと戻すことが必要であろう。従って、例えば、以前のように入国条件をより厳格にして、元の状態に戻すことも一つの方法ではないだろうか。それ故、関連省庁や機関が、全国都道府県及びそれらの各自治体での犯罪発生率を、例えば、昨年度よりも、先ずは、約50％程度の減少を目指して頂くために、互いに協力し実行して頂きたいと熱く切望する次第である。もちろん、その具体策の一つとして、関連当局の担当官の絶対数が増加され、教育もなされねばならないであろう。しかしながら、筆者の切望とは裏腹に、経済活性化及び人口減少化のためと推察されるものの、例えば、２０１８年11月5日前後に、安倍内閣は外国人技術者の入国制限を、更に緩和させる方向に踏み切ってしまったのである。極めて遺憾である。これが、今後、我が国にとって、負の懸念要因の一つにならなければよいが。

……。

異性との交際

時代の流れと共に、男女には様々な交際方法が考えられるであろう。そのような中で、互いに独身の成人男女の交際中における当事者間の暗黙の準規則もしくは平均的な了解事項として、例えば、次のような事があってもよいのではないだろうか。つまり、Xさん（女性）とY君（男性）とが、ある縁で通常の交際を始めたと仮定する。ところが、1回ないし2回ほどでXさんの方から、突然に連絡が入らなくなってしまったとする。確かに、この時、相手方のY君は当然気になるであろうし、心配が募ることであろう。しかしながら、この時に少し落ち着いて考えて頂きたい。Xさんは、何らかの事情で交際を中止せざるを得なくなってしまったのであると。なぜなら、もう少し思慮分別するならば、例えば、家庭、勤務先、職場、仕事、経済、健康、学校や人間関係などの諸事情が原因している事例が少なくないからである。従って、筆者は次のように考える。すなわち、ご本人または、その家族、親族、友人、知人などから何らの連絡も入って来ない場合には、Y君はXさんとの交際を断念し、心を切り換えて、新たな気持ちに戻り、明るく元気よく生きていって頂きたいと願うものである。その暫定的期限が約1年ないし3年ではなかろうかと。また、逆に、Y君からXさんへの連絡が途絶えた場合も同様であろうと。上述のことは、例えば、恋愛もしくはお見合いの形式に拘わらず、当事者の一方が、ご自身の抱いていた希望事項や心象との差違が大きかったためという事が一因している可能性が高い場合もあり得るであろう。ただし、お互いに正式に婚約などをされていた場合、または、万が一、不幸にも、事件、事故やその他の特殊事情などに巻き込まれた可能性が考えられる場合は、全く別次元の事例となるため、当然、対応法は相違するであろう。なお、前述は、あくまでも平均的対応法であるため、例外や更に長期限の場合もあり得るであろう。

第九章　我が国の情報及び秘密情報の取り扱い方

情報流出の現状及びその対策

　我が国のあらゆる分野において、我が国自身の秘法がかなりの件数及び数量に係わり、関連機関もしくは企業などからアジアその他の世界各地へ流出もしくは盗まれてきている。例えば、経済産業省が２００６年12月にまとめた、我が国の製造関連企業６２５社へアンケート調査を行なった結果が公表〔1〕されている。それによると、流出実態に関し、35％以上の企業が技術流出があったと回答している。また、重要先端技術が流出したとする企業は37％も存在していた。その流出については、想定外であったと回答した企業は70％以上であった。これらのごく一部の情報からしても、我が国の大中小規模の優秀企業の多くが、いかに真の危機意識に疎《うと》いかを知ることができるであろう。あるいは、この結果は企業もしくはそれ以外の個人、団体もしくは組織における警戒心がいかに緩《ゆる》いかの証左の現れであるとも言い得る。恐らく、我が国では伝統的に人情などに流されて、曖昧な妥協をしたりする事例が少なくないためと考えられ得る。

　そのような心の隙間もしくは油断を、犯人は見逃さずに鋭く衝《つ》いてくるのである。少なくとも取引、契約、覚書、口約束もしくは業務（ビジネス）の世界では、性善説に立って行動すると、特に相手側を盲信すると、大失敗することがしばしば発生し得るのである。そういう厳しい現実に我が国の老若男女の諸兄諸氏の全員は今からでも遅くはないため、真に気付かねばいけない。曖昧にしてはいけない。これは、国、全国都道府県及びそれらの各自治体、並びに各外郭団体、企業、もしくは組織などについても同様である。業務（ビジネス）は性悪説に立つものの、自らは悪行を為さず、逆に、良心的に善なる行動を執るべきである、と考える。

　このような処世術は少し難しいかもしれない。しかし、意識的に習慣づければ困難ではないはずである。つまり、端的に言うならば、「あなた自身は、悪行をせずに、善行を積んでください。ただし、相手側から騙されないような充分なる警戒心とその警戒体制だけは予め固めておきなさいよ」ということを皆様にお伝えしたいのである。ここで、自らが相手側と同様に悪行を実施していたならば、元も子もないのである。前述の件では、もちろん、正当で合法的な実施契約書などに基づく契約を当事者間で取り交わし、各種の実施料を受け取っている事案については明らかに例外である。

ところで、我が国は戦後、約30ないし35年で高度経済成長を成し遂げることができた。しかしながら、その一方で、世界中の殆どの国が、その驚異的な経済成長に対し、次第に注視しつつ、その原因を徹底的に解析し研究しかつその秘法の開示を要求もしくは奪取し続けてきたのである。その結果、ブリックス（ＢＲＩＣｓ）、その他の国々は、我が国以上の速度で経済成長及びそれに伴う軍備拡張も同時に続けてきているのである。この背景には、我が国で研究、開発、製造、創作、著作などされてきた技術、我が国各社の重要な秘法及び著作物や標章などが、数多く侵害、奪取、窃盗、強盗、盗作されてきているのである。例えば報道機関（マスメディア）や、技術研修、学習、工場見学、飲み会や男女の社員などを使っての間諜、産業間諜（スパイ）、諜報員もしくは工作員などによる悪行に基づいていることは完全否定できないであろう。

従って、テレビ各局の責任者及び実行管理者並びにそれらの各局から委託された実務企業などのあらゆる担当者の諸兄諸氏は、テレビ放映その他の手段により公開・公表する場合には、極めて慎重に対処して頂きたいものである。すなわち、その内容が国家機密や民間企業としての秘法や機密事項に該当するか否かを、放映前もしくは公開・公表前に、予め次の手段を講じるべきではないだろうか。つまり、先ず、充分に正当かつ判断可能な能力を有する人々により構成された組織または委員会などが事前に設置されるべきであろう。そして、次に、その公開・公表が、国家的、国防的、その他の戦略的観点から、明らかに不可能に該当すると判断された記事、映像、音声または字幕スーパーなどは消去し、該当しないと判断したものに関してのみ放映されるべきである。いくら自由かつ民主主義国家圏の一員とはいえ、自ずと適切な限度というものが必ず存在するはずである。また、存在してしかるべきであろう。決して無制限ではないはずである。欧米諸国でも、同様な考え方を有して実施してきているのである。

特に近年は、「このような内容まで放映してしまったら、仮想敵国群に対し、全くのただ乗り情報もしくは軍事転用可能情報を提供しかねないという愚行に繋がる」と一般の国民でも容易に想起し得る番組が、いずれのテレビ会社やその他の報道媒体を問わず、しばしばみる機会があり、極めて残念かつ不快に思う次第である。なお、この場合、内容によっては、我が国の正義と国益とを守るために、有償無償に拘らず、内容を公表・公開すべきでない場合も存在し得ることは当然である。

また、例えば、２０１２年４月に引き続き、２０１３年２月に国連安保理が北朝鮮の核実験反対に基づく同国に対する制裁を決議したことに伴い、同国は激昂し、日本海に向けて、挑発のためのミサイルを発射した模様である。この種の挑発は、その後現在までも断続的に実行されてきている。なお、北朝鮮によるこの種の挑発行為は今後ともその内容を変化させながら、続行される可能性は大であると予測される。従って、当局におかれては、引き続き、万全の警戒体制を継続して頂きたいと切望するものである。一方、某テレビ局などが我が国の迎撃ミサイルの配備場所を発表していたが、どこにそのようなことを自ら公表する国があるだろうか。例えば中国軍、ロシア軍、北朝鮮軍、韓国軍、米軍、NATO軍などが、自分たち自身の詳細な迎撃ミサイル配備状況をわざわざ公表するだろうか。否、決してしないはずである。

なぜなら、たとえ自国民に対する放映向けといえども、我が国内には極めて多くの間諜が混在し、潜伏し蠢《うごめ》きもしくは居住しているからである。しかも我が国の各テレビ局や新聞社などが発信する映像や記事などは、インターネットにより世界中への、地球の裏側の国々や地域でさえも、殆ど実時間にて伝播されてきているのが実状だからである。だからこそ、2012年4月当時の与党民主党（及び連立与党であった国民新党）に関連する一部の方々と、全国のテレビ局のいくつかの行動が、国民には全く信じ難いほどに無警戒であり、情けないことこの上なしのようにみえたのである。このような状態では、我が国が仮に某国々から侵略された場合における現実の国内での正当防衛的、局地的な戦争に発展した場合、我が国は一体どのようにして沈着冷静に、正確かつ強靭で粘り強く、しかも迅速かつ組織的に対処及び対決しようというのであろうか。もしかすると、たったの2ないし3日間または1週間程度も持ち堪《こた》えられないのではあるまいか、という疑念を抑えるのが極めて困難といわざるを得なくなるのである。これら報道機関の関係各局、各社の責任者等の一部の方々には、充分なる注意を喚起させて頂きたいところである。そして、その一部の方々は、それら内容の我が国の国防的または情報漏洩に係わる危機意識が麻痺しているのか、神経回路の一部が断線しているのか、甚だ気になるところではある。今後、当該業界と政府及び防衛省などの各窓口担当者間で、より実効的な改善をして頂きたいと衷心より切に願うものである。

例えば、幾つかの国の党、軍及びそれらの工作員たちなどは、我が国内、アジア諸国、北米、欧州、南米、アフリカ諸国、その他の諸国で暗躍している間諜または工作員などにコンピューターウイルス攻撃もしくはサーバー攻撃などの様々な悪の犯罪行為を命令してきているのである。なぜなら、それにより、彼等は我が国内外からコンピューター、スマートフォンなどを用いて、我が国の警察当局などにより直ちに発信国やその地域を特定かつ検知されないような悪知恵を働かせつつ、彼等彼女等が知り得た我が国に係わる数多くの機密で高度な情報を、即時に自身の本国へ送信するように教育され命令されてきているからである。従って、これらの命令に逆らえば、当然、彼等は本国から相応の厳しい報復を受けることは予め知らされているはずである。しかし、その反面、もし本国の期待通りもしくはそれ以上の成果を上げて、目的の情報や物品を盗むことができた場合、奪取や破壊などの悪の工作を成し遂げた暁には、格別の優遇措置や高い出世と報酬への道が待っていることであろう。

だからこそ、彼等工作員は必死になって、命令された情報を、我が国の全国都道府県及びそれらの各自治体における国公私立の機関及び民間企業などのあらゆる分野から、東西南北の隅々の末端の地域に至るまで、平日、休祝日、朝昼夜を分かたず、極端な場合、国際法を無視してでも、根こそぎ奪取・略奪してきているのである。確かに、彼等当局では、常に法律に基づいているなどという主旨の大嘘を、今後も相変わらず、口角泡を飛ばしながら主張し反論してくることであろう。しかしながら、このような彼等特有かつ特異の共産系社会系主義的、覇権的及び膨張主義的論理に基づく反論に対して、単純に屈してはならないことは、基本中の基本である。なぜなら、我が国のような自由かつ民主主義国家圏内において明確に悪行に属する事柄は、彼等の国家圏内では、逆に、善に相当し得るからである。そのような犯罪実例について、枚挙にいとまがないほど存することは、既に世界公知である。

これらの悪の傾向は、我が国が情報分野でも防衛壁を現実かつ迅速に構築しない限り、今後も永久的に諸外国に奪われ続けることであろう。それにより、我が国全体の国際競争力における低下の可能性が大となる事が懸念されるであろう。更に、少なくとも2013年7月1日（各報道）に、英国紙『ガーディアン』によると、米国が自身の情報収集（特に盗聴）の対象として、米国ワシントンにある我が国を含む各国大使館及び欧州連合（EU）施設などの情報を盗聴していたことが、スノーデンの告発により世界中に暴露されている。

その翌日には、欧州各国の新聞もその旨を公表している。これにより、例えば、フランス大統領のオランド氏は（このような行為を）直ちに止めるべきだ、との声明を出していた。このため、スノーデンは米国当局から同年7月8日時点で追跡されつつも、姿をくらまし続けている。その後、同年9月時点で、ロシアが同氏亡命の受け入れを認めた形に至っている。これに対し、米国大統領のオバマ氏は不快感を示したが、その後、米国とロシアは、本件については互いに静観している模様である。いずれにせよ、スノーデンが仮に米国に帰国したならば、直ちに国家反逆罪またはそれに類する罪に問われる可能性は極めて大であろう。

日本年金機構からの個人情報流出事件

例えば、２０１８年3月20日の報道によると、年金情報の取扱い実務は、「セイ（ＳＡＹ）企画社が、日本年金機構からの入力業務委託を受けていた。同機構は、同社に年金対象者の氏名、生年月日、マイナンバー、基礎年金番号、親族の年間所得など、数多くの個人情報を同社に入力委託していたという。同社の取引先の約90％は官公庁である（調査会社調べ）。ところが、問題なのは、それら約５００万人の個人情報を、同社は、中国系会社にそのまま渡していたことにある。何という愚行を仕出かしたのであろうか。何という尻軽会社なのであろうか。しかも、同機構は、同社の契約違反を承知し把握していたのにも拘わらず、その後も委託を継続していたというのである。つまり、その契約を根本から見直すことをせずに、同年2月13日まで同社へ委託し続けていたのである。確かに、セイ企画社長にとっては、これから同機構の指示を仰ぐとか、実態を調べるとか、それぞれ、種々の他者への責任転嫁や自己弁護などを釈明していたようである。だが、前述の個人情報を中国系会社がセイ企画と闇取引して売却しても、中国系会社社長等にとっては何らの損失や不利益もないはずである。それどころか、逆に、彼等にとっては、推定でかなりの利益が懐に転がり込むと皮算用して、その実行に踏み切った可能性は完全否定し難いと考えられるのである。しかしながら、一般国民はたまったものではない。その無知蒙昧と無責任さとに対し、その被害者たちは怒り心頭に発して当然であろう。なぜなら、彼等中国系及びその他の反日系の諸企業や諸団体にとって、その情報を奪取すること自体が主目的だからである。というのは、その情報を様々に加工し応用することにより、彼等は、他の数多くの悪行や恐喝、脅迫もしくは脅威に繋がる材料の一つとして利用できるからである。従って、筆者は次のように考える。すなわち、同社社長等もしくは同機構の理事長等は、このような現実の闇の誘惑ルートが幾つも実在し続けている現代の厳しい世界情勢下において、少なくとも強く正しき善悪の弁別及び警戒心の指導やその体制作りの各能力に関しては、殆ど欠落欠如していたのではあるまいか。あるいは、少なくともその点に関しては無知蒙昧であったのではと、その約５００万人の被害者から言われても仕方がない証左ではなかろうかと。その反面、特に、セイ企画社長等は、自己中心的で、金儲けのみの軽薄さだけは人一倍以上に持ち合わせていた可能性が大であろうと。本事件は、その後の報道により、同年5月20日で時効が成立し、捜査終了となってしまった。当局によると、「容疑者不詳のまま、関連書類を東京地検へ送る方針である」とのことである。これは、何とも不愉快、不可解かつ極めて矛盾に満ち満ちた事件のように思われるが、如何であろうか。これで本事件が完了というのであれば、今後及び将来にわたり、同様の事件の再発と被害が数多く繰り返される可能性がかなり高いと共に、その防止に歯止めが掛からないのではなかろうか。そのような危惧の念と共に、予測せざるを得ない。なぜなら、本質的な対策及び体制が殆ど構築されておらず、本件問題が未解決なままのように観えるし、そのように考えられるからである。これでは、犯人及びその背後にいる犯罪組織にやられっぱなしになるのではないだろうか。これは、極めて危惧されることである。我々一般国民としては、一丸となり、かつ、一人ひとりが今後とも継続して、自主的に警戒しなければならない典型的な悪例事件の一つではなかろうか。

我が国が先ず取り組むべき事項は何か

ところで、我が国としては、先ずやらねばならない事が幾つかあるのではないだろうか。確かに、例えば、国連での常任理事国を目指すことは国家として重要項目の一つではあろう。しかしながら、その前に、柔軟性を有しつつも強靭かつ強固で、外国からの悪の圧力（武闘的、文闘的もしくは宣伝的）がいかに加わってきたとしても、何ら潰《つぶ》されることのない体制にすべきである。そして、諸外国から何ら悪影響を受けることのない情報網及びその実行などを早急に構築し創設して、現実に機能を開始させ、立ち上げさせることの方が先決であると考える。なぜなら、本来、資源の少ない我が国にとって、高度で有効かつ重要な秘法や著作権や工業所有権などの知的財産権及びその他の文化、産業、芸術、技術、学問などこそが、我が国の存在価値を高め、かつ、その水準を維持してきているからである。従って、これらが中国、韓国、北朝鮮、ロシア及びその他の多くの国々にただ取りされたり、略奪されたならば、我が国の世界における特長及び存在価値自体が消失してしまい、その結果、我が国の特長として残るものは殆ど無となってしまうからである。それ故、筆者は次のように考える。すなわち、我が全国民は、本来の「大日本人の心」または「大日本人魂」を取り戻さなければ、あるいは、そのような心にスイッチを切り換えねばならない時期に既に来ているのである。このことは全国民が気付かなければならないと。なぜなら、もし、この心の切り換えがなされないならば、国家及び国民として、それらの水準が次第に低下しかねないからである。それほどに弱体化し老齢化した状況が我々の行く先で待ち構えているからである。真に切羽詰まっているのである。

しかし、今から実行するならば、まだ何とか間に合うのである。だからこそ、我等が愛する全国民の諸兄諸氏には、もっともっと更にもっと、大いなる危機感及び危機意識をもって頂きたいのである。そして、あなた方、一人ひとりが目先の快楽や娯楽や金儲けのことばかりに心を奪われることなく、日々心を新たにして、常に「このままで本当によいのだろうか」と自分自身に問いかけて、自ら考えて頂きたいのである。もちろん、例えば一週間あたり少なくとも一日ないし二日の息抜き日もしくは安息日は必要であるが。すぐに結論が出なくてもよいのである。但し、諦めることなく何回も何十回も考えてみることである。例えば、仕事の休憩時間にぼんやりと考えるのも一方法であろう。もし考え付かなければ、あなたの近くにいる家族や親友や賢者などに相談したりして、善行動を起こして頂きたいのである。

我が全国民は終戦後、個人も集合体も、守るべき秘密または機密事項及び秘法の漏洩に関して、思慮分別することや予測することに不慣れであり、不得手なままの状態で今日に至ってきていると考えられ得る。ここで集合体とは、国、全国都道府県、それらの各自治体、大中小の企業など、あらゆる種類の組織が含まれる。つまり、そのことの重大さや、それらが漏洩した場合に、本人のみならず、関連する多くの取引先、組織、団体、あるいは場合によっては国に対する罪深さ、迷惑、損失・損害を与える度合及び危険度の各々の大きさ並びにそれらの存亡にも悪影響を与えかねないことについて、極めて不慣れであり、疎《うと》いと言わざるを得ないのである。

これらは、もちろん、法律を順守する範囲内においてであることは言うまでもない。換言するならば、前述のように違法な情報提供者またはその協力者は、彼もしくは彼女自身がお世話になっている現在の環境、人々、企業、組織及び団体などに対する裏切り行為と思われても仕方があるまい。したがって、そのような実行者は極めて無責任で身勝手な行動であるとも言い得る。その情報を与えた直接の犯人は、恐らく自己中心的で気の弱い人間なのであろう。自主的に実行したかまたは依頼相手から唆された餌に食いつく安易な動物の如く。

その一方、情報提供を要求する犯人側も、その相手に対しては、単に餌もしくは賄賂を与えてさえやれば、容易に食いつく単純で愚かな使い捨て可能な子分的な目下的な者としか考えていないのであろう。但し、その後者は愚か者の集合体に自身が属していることに全く気付いていないのである。あるいは、その違法漏洩を実行する者は、その罪深さの意識、自らの理性により欲望を抑制する意識の持続及びその実行力などに関して、欠落・欠乏しているかまたは極めて軟弱であるということは言い得るであろう。また、それらの者は自己確立（善悪の弁別力を含め）が未完成もしくは未成熟であり、目先の餌（出世を含み）、賄賂、利益などの誘惑に対して極めて弱い性格を有し、かつ自己の確立されていない未熟な者たちである場合が少なくないと考えられ得る。

このような意識水準（レベル）であるから、例えば２０１２年以前の約50年間ないし60年間、絶えることなく、種々の業界における数多くの違法漏洩事件（例えば国家機密、国防機密、企業秘密、個人情報など）が発覚し続けてきているのである。

各種の情報漏洩（実行者及びその者に唆した者をも含む）の罪に対する法的刑期は現行よりも更に重くすべき再検討時期に来ていると考えられる。もちろん、公務員、民間人、集合体、個人及び老若男女などを問わずである。このような秘法、秘密もしくは機密の漏洩防止及びその重要性に関する意識は、むしろ昔はほとんど誰もが抱いていたことである。また、これらの秘密漏洩の、特に国家に係わる、防止もしくは禁止については、欧米諸国はもちろんのこと、ロシア、中国、北朝鮮、インドなどの全体主義（共産系社会系主義のほとんど単独主義）の諸国やその他の国々では、一般的に国家警察、軍警察、中央情報局もしくはそれらに準ずる機関の監視下に置かれているのが一般的のようである。

決算の損失不計上による信用の失墜例

例えば、「オリンパス巨額損失隠し事件」（以下、オリンパス事件と略す）を採り上げてみよう。この事件は、確かに、２０１１年３月11日に発生した東日本大震災及びその関連大事故とは内容的、規模的及び次元的に全く相違する。しかしながら、前者と後者とを比較した場合、当局による両者の公表・公開の仕方またはされ方については幾分類似しているように考えられるし、そのように観えるのである。なぜなら、前者の事件（発覚当時では、その更に過去約20年間にわたり、約５５６億円という巨額の損失を隠していたと報道されている）とは、次のような内容だからである。すなわち、元社長であったマイケル・ウッドフォード氏が同社に就任してから、同社が既に2社の企業買収に関して、それぞれ２２００億円及び６６０億円の計約３０００億円弱よりなる、巨額の金が動いていたことを初めて知り、それについて疑問を抱いたことに基づいている。彼はこの疑問を解くために、当時の役員諸氏に何回か質問をしたが、明確かつ納得のいく回答を得ることができなかった。そうこうしているうちに、同氏はその大役を解任されてしまったのである。同氏による記者団への発表もしくは告発によると、「当時の経営陣は、自分たちの利益のためにこの問題を隠していた。極めて恥ずべき事態だ」と述べていた。彼の言動がすべて真実と仮定すると、このことからして、彼自身は、善悪の弁別のできる能力を有しているということはできるであろう。その後２０１１年11月に、我が国の証券取引等監視委員会は、同社が長年損失を隠し続けて来た上に、その損失を穴埋めするための偽装工作をしていた旨を公表した。

一方、これとは独自に、彼からの資料提供を受けたことにより、米国の連邦捜査局（ＦＢＩ）までもが捜査を開始した。つまり、同社の好むと好まざるとに拘わらず国際的事件にまでその規模が拡大し発展してしまったのである。この捜査担当機関の拡大は、同社経営陣にとって恐らく全くの想定外であったのではないだろうか。一旦、違法なる悪行に手を染めて、それに気が付きつつも迅速に改善することなく更に悪行を継続したために、このように極めて大事《おおごと》かつ国際的に規模が拡大発展してしまったのである。そして、その頃には既に、同経営陣の能力だけでは到底隠し続け解決させることも全く不可能な状態にまで陥ってしまうという厳しい現実を、神仏はこの事件を通じて、我々国民に教訓として明示してくださっているような気がしてならないのである。

というのは、本事件が未だ浅いうちに、もしくは、それに気が付いた時点で、その経営陣諸氏は、善かつ真正で大いなる勇気を持ち、恥を忍んで、損失をあえて公開し報告すべきではなかったのではないだろうか。確かに、損失額を公開し報告すれば、経営的失態の一部が公知となり、企業的に恥をかくことになるであろう。併せて、自らの報酬も激減することになると予測され得る。しかしながら、この場合の恥というのは、長い眼で観れば一時的なものであり、一方で、真の勇気を伴うものである。あるいは、その時こそが、その経営陣の真価などの度合が試されているとも言い得るであろう。なぜなら、その恥の露見をあえて覆い隠してしまうならば、今回のように、後日になってから、米国及び英国を含む国際事件にまで拡大し発展しないで済んだ可能性が残されていたと考えられ得るからである。従って、筆者は次のように考える。すなわち、もし彼等が大局的な真の勇気を有していたならば、これほどの痛手と傷口を広げることなく治療し治癒させることができた可能性が残されていたのではないだろうか、と。

換言するならば、このような経済的悪行を継続していたために、彼等役員の意思とは無関係に、彼等に係わる個人名、企業名などが世界中に公表されてしまったとも言い得るのである。同社は２０１１年11月10日に、損失隠蔽に関与した三氏が第三者委員会による聴取に対し、それに関与していたことを認めた〔2〕。また、本件につき、筆者が前述にて懸念していたように、同社弁護士は、世界市場における同社の信用度に傷がついたのが非常に大きいと述べていた。そもそもこの事件の原因は、財テク失敗とバブル崩壊後に巨額損失を出したにも拘らず、それを決算に計上しなかった点にあった（２０１１年11月の報道）。そして、翌２０１２年2月に、金融庁は同社に対し一か月の業務停止命令を出したのである。

ところで、先述の東日本大震災の件に話を戻そう。同年4月に、当局は、いきなり、今回の放射能度合（レベル）は最大値7に相当すると発表した。しかもその後、当時官房長官であった枝野氏の発表によると、政府は、この事故は当初からレベル7に相当し得ることを聞いていたとのことであった。この発表に対し、原子力専門家の一人は、放射能度合を政府が正直に国民に知らせなかったということに関し、「全く信じられないことだ」と驚きを隠しきれない様子であった。その後も、この原発事故に係わる発表では、放射能数値に関する修正が幾度となくあった。そのためか、地元県民や全国の原発保有の各自治体及び多くの国民の心と信用度が、当時の政府、原子力安全・保安院及び東京電力の各々の発表及び意向とは裏腹に、それらより、しだいに遠のいて行ったように観えた。これは、当時の我が国の多くの国民の正直な気持ちではないだろうか。あるいは、世界も同様に観ていた可能性は充分にあり得る。

また、翌2012年2月1日の報道によると、我が国の総務省などが使用しているコンピューター内へ不法ウイルスが侵入した事件に関し、米国、インド、台湾などへそれらのデータが流出していることが判明した。ただし、流出先が表面的には、同国や地域とはいえ、それらを裏工作しているのは、恐らく、それらに定住または一時滞在したり、潜伏したり、商売をしている国々の間諜や、彼等に金銭などで雇われた現地工作員などのいずれかである可能性が極めて高いであろう。そして、彼等犯人組織は自らの党、政府、軍、工作部隊、関連部隊などからの命令であることを覆い隠すため、そのようなアリバイ工作をしたのであろう。すなわち、我が国の当局を欺くために悪のアリバイ工作の一つとして、彼等特有の常套手段を使った可能性は十二分に考えられ得る。

新技術の確保とその育成及び強化

我が国が基幹産業などの面で、これまでと同様もしくはそれ以上に国際競争力を維持し続けるためには、従来技術の習得や応用技術の開発、開拓及びそれらの確立並びに実用化などが重要であろう。しかしそれだけに留まらず、更に、それらの基礎の上に、新技術の開発とその確保並びにそれらを具現化するために、若者たちの育成とその強化に努めねばならないであろう。なぜなら、これらに関して共通に言えることの一つは、これらの新技術を我が国の関連省庁が互いに臨機応変に協力し合って、現在のところ資源の乏しいと言われている我が国の国家事業へと水準をより高めていくべきだからである。従って、筆者は次のように考える。すなわち、各省庁の独立性と共に、我が国の政権がどのように変動しようとも中止することなく継続できる横断的つながりの可能な、プロジェクト・チームを創設すべき時期が到来していると。そして、欧米、ロシア、中国及び中東等では至極当然のことだが、我が国でも、当然の権利として、外国の軍事的、産業的、学生などの種々の間諜に対し、情報漏れ、情報の奪取などの犯罪防止に関する法規制について、直ちに検討を開始するべきである。また、検討段階で中止することなく継続して、法的規制水準及びその強さを引き上げるべき時期に来ていると。更に、それらを迅速に審議して実施段階へと移行するべきであると。

というのは、「覆水盆に返らず」の如く、我が国の秘法の殆どすべてが、幾つかの外国にタダ同然で持って行かれてしまうことになるからである。例えば、我が国公私立の各種試験機関、研究開発機関、大学、大中小企業、個人企業または個人などが、長年必死に努力し培ってきた各種の技術や秘法の積み重ねの結晶が、いとも簡単に短時日で多くの外国へ持って行かれ、盗まれてしまう、あるいは筒抜けになってしまうからである。このような国益を損なう各事件が次々と発生し続けている傾向は一体、善い現象なのであろうか。否、決して善いはずがない。少なくとも、明らかにおかしいし間違っているといえる。確かに現代では、世界の自由と民主主義の良識ある国家圏内での常識としては、先に発明した者、先に実施した者、または、先に出願した者は（もちろん、それぞれの国によって法制度が異なるであろうが）、努力したその分量に見合うもしくは相当する実施料を、当然の権利として要求すべきであるし、取得すべき権利を有しているはずである。しかしながら、現状は、それらを根本から無視したり、実質的に守らない諸国が実在してきているのである。なぜなら、それらの該当国は、幾つかの先進諸国が長期間掛けて努力してきた技術内容などを、可能な限り、労力と時間とを掛けずに、短期間で完成させようと目論んでいるからである。従って、筆者は次のように考える。すなわち、それらの秘法や実施権をそもそも彼等に許諾や譲渡をすべきではないのではなかろうかと。更に、知的財産権などの権利期間については、現行よりも数年延長することも併せて世界水準にて、至急、再検討しても良いのではないだろうかと。

我が国民の多大な努力に対し、一部の外国勢は殆ど努力せずに、本来ならば当然に我が国の権利として、売込み可能性（あるいは潜在能力）を秘めているこれらの秘法及び秘密情報を、いとも簡単に無償もしくは格安で彼等の母国に持ち帰るべく奪取してきているのである。このような大いなる矛盾もしくは違法行為が存在してよいのであろうか。否、善いはずはない。大中小企業はもちろんのこと、個人企業や個人に対しても、情報の確保、守秘義務及び情報の重要性などを低学年から教える必要がある。もちろん、このようなことは現状では殆ど教えられていない。恐らく早期であったとしても、18歳前後からであろう。なぜなら、例えば、「日本の技術または貴社の技術は優秀であり、高くて素晴らしいから」等という皮相的褒《ほ》め言葉に乗せられて、我が国の当事者側が冷静さを失い、相手側ペースに乗せられてきている実例が極めて多いからである。その結果、長い目で見ると、取り返しのつかない大失敗や大損失をしてきている事例が、少なくないからである。また、他方で、彼等は、我が国の側の買収価格の数倍もしくは数十倍を提示したり、見返りの対価（例えば相当する情報、物品もしくは設備など）をちらつかせて、その会社ごと従業員ごと買収し、乗っ取ってしまうことが行なわれてきているのである。

諸外国による買収規制を強化する必要性

また、例えば北海道、その他、離島も含めての土地、区画などの一部は、中国、韓国及びその他の国々により、東北、関東、関西、九州及びその他の各々一部マンションなどについても同様に、それぞれ、買収されてきている。

これらに対し、早急に法律の一部を改正するなどして、国、全国都道府県及びそれらの各自治体もまた、一刻も早く歯止めを掛けるための対策を打たねばならないであろう。欧米諸国では既に、自国の土地は、自国家が優先するし、どのような莫大な金を積まれても譲らないし譲ることはできないという強い法律が確立されている。我が国の与野党共に、それらを返還してもらうための強い法律を、早急に国会及びその他に提出し、審議して頂くべきであろう。これらの我が離島を含めた全国都道府県の土地などは、仮に既に譲渡した不動産や動産であっても、我が国にとって、重要な位置づけに該当するなどの理由により、極力返還してもらう工夫をこらすべきではなかろうか。その法案を通して速やかに公布すると共に、実施へと移行して頂きたいものである。これらは、国会議員、全国都道府県及びそれらの各自治体の議員諸兄諸氏全体の問題ではなかろうか。

なお、一部の方々のように、ご自身の一族の繁栄や、自己の言いなりになる部下を増殖させて、自身の権力の拡大化を図り続けることばかりに奔走している余裕などないはずである。このように視野が狭く、少なくとも約50年先ないし500年先の将来像や理念を全く具体的に描いておられないにも拘わらず、悠長な言動をしている場合ではないはずである。状況は時代と共に、常に、変化し動いているのである。時間が止まってくれることはあり得ないのである。まさに、諸行無常なのである。

但し、物事や人々の心の本質はそれほど急激に変わるものではない。悪者あるいは悪の組織や仮想敵国というものは、常に、間断なく（平日、休祝日、あるいは朝昼夜の区別なく）、我が国政府、官僚、財団、全国都道府県の各自治体におけるあらゆる地域、社会、企業、大学、高校等を含む教育機関、各種組合、集団、家庭または個人を標的にしているのである。そして、それのみならず、更に、それぞれの心の隙や油断が生じた時を狙って、巧みに、徹底的に、かつ、執拗に攻撃してくるのである。だからこそ、常に油断してはならないのである。警戒心と警戒体制とそのための実行動は決して恒久的に緩めてはいけない。今後、永久にである。少しでも警戒心を怠ることは、すなわち、「油断大敵」及び「油断は怪我の基《もと》」に通じることは必至である。このことは、今後、少なくとも50年後ないし500年後及び更に遠い将来にわたり、継続的、恒久的に、我が全国民が覚悟し、かつ、真に肝に銘じておかねばならない根本的必須事項の一つである。

情報の漏洩、被害及びそれらの防止策

近年、我が国の国家機関、企業あるいは個人の情報漏洩事件がかなり頻発してきている。しかも国家機関の一部や、企業でも一流と言われる大企業においてさえである。このような大組織で、このような事件が発生したならば、我が国内はもちろんのこと、国外的にも関連諸国に対する我が国の信用度が低下することは必至ではないだろうか。これらは、もしかすると政府及び大企業が、ある意味で真の危機意識及びそれに伴う対策の実行度合とその深さとに関する不充分さに伴い、このような事件に巻き込まれた可能性があるのではあるまいか。そして、その結果が、国内における少し前の外貨の我が国内への流通低落・減少などをもたらし、ひいては我が国の更なる不景気に繋がってきているのではあるまいか。そのような観点からすると、前述の当事者には、極めて強くかつ誠実なる注意力及び危機意識を喚起せざるを得ない。と同時に、このような事態をも事前に想定し操作したかもしれない某集団及びまたは某国の存在の影が浮かび上がってくるのである。かなりキナ臭い思いがしてならないのである。

更に、前述したように、その某集団もしくは某国が、我が国の国公私立機関及び民間の大中小企業などを標的として、手当たり次第に機密、企業、及び個人の各情報を奪取し続けてきているのである。それにより、我が国のそれらの機関及び企業を奈落の底へ陥れることを目標にしている可能性は否定できないであろう。併せて、彼等は、すべてのアジア地域及び世界における我が国の政治的、外交的、国際的、経済的、その他の信用度及び信頼度をことごとく失墜させることにより、彼等自身にとって、少なくとも一石三鳥以上の効果を狙って攻撃してきている可能性は否定し難いであろう。

本件類似事件が頻発していることに話を戻そう。このような類の事件が発生するたびに、これらの各責任者等は記者会見の席で殆ど頭を垂れて陳謝している。しかしながら、これだけで事件が解決したといえるのであろうか。否、とてもいえないであろう。なぜなら、情報を開示された個人、組織、団体及びその関連の真に個人情報を垂れ流されてしまった数多くの人たちは堪らないであろう。なぜなら、恐らく実被害を受ける可能性を今後も有し続けているその数多くのすべての人々にとっては、個人情報が公に開示されることのみならず、悪人たちや悪の組織により、場合によっては世界中に配信されて、悪用される可能性が完全否定できないからである。

特に、現代はインターネット時代である。従って、例えば、地球の裏側に位置する国々や地域で討論しているある国家元首またはトップ水準の方々の発言が、その日の数分後に世界中に配信され公開され公知化されてしまうという状況下に、誰もが置かれているのである。それ故、ある意味において、現代は極

めて恐ろしい時代に既に入ってしまっているのである。これは、例えば、先の大戦以前の時代とは殆ど決定的に相違する事項の一つであろう。内容によっては、その情報漏洩に係わる犯人はよほどの罪悪感をもって心より反省すべきではないだろうか。多くの被害者たちの間で沸々と湧き出している怒りや悲しみの心に想いを馳せると共に、被害者の方々のための善処を迅速に実行して頂きたいものである。もっとも、真心からの懺悔をする気持ちがわずかでもあるくらいならば、初めから悪行などせず、その道に踏み込むようなことはしなかったであろう。

この他にも、例えば、2011年4月に、ソニー・コンピュータエンタテインメント（SCE）が運営するプレイステーション・ネットワーク（PSN）個人情報流出事件が発生している[3]。これは、同社所有の利用者7700万人分の個人情報が不正利用者により流出してしまった事件である。同社は同年5月1日に記者会見を行ない、サーバーの脆弱性に対処していなかったことが不正侵入の原因であると発表し、米国連邦捜査局（FBI）に捜査を依頼したことを明らかにしている。更に、同年5月上旬には、その分とを合わせて計1億人分を超えるという膨大な個人情報流出の可能性のあることが報道により公表された。この事件もまた、同社トップが記者会見場にて頭を垂れて陳謝している姿が放映されたのである。これではもはや、企業の知名度や肩書などでは到底取り戻せないほどに世界からの信頼度が低下してしまったのではあるまいか。極めて残念なことである。これらの信頼を取り戻すには、相当な善なる決意と努力及びその実行と損失の何倍もの時間を要することになるであろう。但し、このような同社の信頼を低下させ、同時に、その犯人組織等は自身が欲する情報を同社から奪取するためにその悪行を実施したのであろう。従って、筆者は次のように考える。すなわち、その犯人像としては、同社の負の要因となり得る現象を意図的かつ電磁気的に攻撃を仕掛け続けている某過激組織もしくは某国々の実行部隊であると考えられ得る。そして、その部隊が直接我が国内外の世界各国で実行したかもしくは第三者に代行させた仕業である可能性は否定できないと推察される。

ところで、2009年以前だと思われるが、その時期の某氏が報道を通じて、我が国民のすべてに対し、住民基本台帳による個人番号制の新体系を導入すれば、全国民の管理業務が迅速かつ正確にできるから、直ぐにでも実施すべきであるという良いことづくめの、あたかもバラ色の新社会が始まるかの如き主旨のことを力説されていた。しかしながら、前述のような情報管理上の失態事件が頻発し、かつ、それらの対応が後手後手になって、当局がその対応に追われて四苦八苦している実状を冷静かつ厳正にみた上でのご発言なのであろうか。極めて心許ない気がしてならないのである。確かに、我が国内ではやっとのことで、遅まきながら重い腰を上げて立ち上げたところであろう。これらのコンピューター犯罪に係わる防衛体制は明らかに不十分であるし、未熟な段階にあると言わざるを得ないであろう。まして、世界水準と比較した場合は尚更であろう。しかしながら、その犯人組織や某国々が仕掛け続けている強力なサーバー攻撃を、逆に、消滅させ撲滅できるような強固な反撃体制は、殆ど構築できていないと推察され得る。なぜなら、第一に、その課題に対する危機意識が極めて不充分であり弱小であるため。第二に、対策組織の規模が極めて小さいため。第三に、他人や他国に依存し過ぎて、自ら実行する度合が低いため等がその理由として挙げられるからである。従って、筆者はこう考える。すなわち、国内及び世界各地からの悪の犯罪者もしくは悪の犯罪組織などに十二分に対抗し得る、または彼等を十二分に技術的に上回るだけの少なくとも数千人ないし数万人規模の陣容と対抗設備と教育とを迅速に立ち上げて実行し完了させるべきであると。そのような事柄を完了させた上での先のご発言ならば、ある程度、納得がいくかもしれないであろうが。２０１０年代にやっとその芽がまだ出始めたばかりだというのに、世界常識的には安易にかつ無条件では妥協でき難いのではなかろうか。従って、国民にとって、その実施などは、とてもとても恐ろしくて容易に承諾もしくは納得などできないのではないだろうか。ところが、現実には２０１３年６月に、その住民基本台帳による全国民の個人番号制法案が国会審議の結果、賛成多数にて通過してしまったのである。犯罪防止対策が未構築の状態であるにも拘わらず、見切り発車した感が強く残る。誠に残念である。今後、同種の重大事件が発生しないことを心より願うと共に、そのための強い警戒体制を設けて十二分に確立して頂きたいと切望するばかりである。

このように心配していた矢先の２０１５年６月４日に我が国の年金機構から個人情報の少なくとも約１２５万件が流出した可能性があるとのニュースが大衆報道で採り上げられた。もちろん、この犯人組織は国内のみならず国外の組織である可能性も高いため、捜査の範囲を国内のみならず世界に広げる必要があるであろう。なお、この事件は、実際にはその約一か月前に発生していたようである。しかも、同機構の上層部は関連省庁からの天下りであり、少なくとも２０１１年から13年までの３年間を振り返った場合、毎年約２１０件ないし３２０件程度の個人情報漏洩事件を起こしており、同機構の個人情報評価は５年連続でＣ評価であるという（報道より）。なお、その後の報道によると、例えば、コンピューターへの入力の際に、パスワードの設定などは実行していなかったという。開いた口が塞がらないとは、このことではないだろうか。管理職や数多くの職員がおられると推察され得るにも拘わらず、何という醜態及び失態であろうか。どこまで無責任なのか底が知れないほどの怖さを感じざるを得ない。国民の大半が同様な意見や批判を抱いていても何ら不思議ではないであろう。

更に、２０１５年10月に、東京の約５０００世帯分の通知カードのプログラムミスで作成不可能になったのを手始めとして、2016年4月までに少なくとも6件のトラブルが発生している〔4〕。それによると、書類不備を除くハードウェアとソフトウェアの不具合により、同年4月26日までのカード申請者1003万人のうち、実際に交付できたのは337万枚。すなわち、わずか約34％であることが分かったという。

我が国が、仮に、某国々のような過激な政治形態であったならば、その関連役員等の方々は非難されても何らおかしくない世界情勢であり、そのようなご時世なのである。まずもって、該当する方々は、我が国に居住できていることに深く感謝すると共に反省すべきではないだろうか。その上で、そのような5年間も連続してC評価を受けているということは、例えば、一部上場の民間企業に例えるならば、通常、その責任者などは降格、報酬及び退職金の大幅減額並びに窓際族にさせられる勧告を受けても不思議ではないご時世であることを承知されておいた方がよいのではなかろうか。これは、とりもなおさず、何らの業務改善をしようという意欲及びその実行力が欠落欠如している可能性が高いことの証左であるとも言い得る。あるいは、役員や管理職が実務担当者などに対して、コンピューターウイルスの撃退に係わる防止策及びその危機意識に関する教育が徹底されておらず、組織の末端まで指示がなされていなかった可能性もあり得るであろう。また、国民からみて、その当事者ご自身たちも含めて、犯人組織もしくはその種の敵からのコンピューターのサイバー攻撃に対する撃退方法やその対策に係わる知識、危機管理体制もしくはそれらに真剣に取り組むかまたは善なる対決姿勢という真剣度合などが実績として殆どみられなかったようである。これは、裏を返せば、5年間にわたりほとんどほったらかしにされたままと見做し得る状態で彼等自身は満足し続けていたと解釈される可能性もあり得るであろう。従って、これらがいずれも不充分であったが故に、迅速かつ適切なる指示を関連部署などにてきぱきとできなかったのではないだろうかとも推察され得るのである。

なぜなら、それらを実施する前に、まず前述の一連の国内外の真犯人組織の特定を正確かつ迅速にする必要があるからである。それと共に、我が国でも、強力でかつ数千人単位のサイバー攻撃を防止、駆除、撃退または少なくとも実被害を被った分量または重要度に相当し得る対応措置がとれる体制作りを実施すべきである。そして、その犯人組織の攻撃の根本を完全に消滅できるほどの、コンピューター技術者、暗号解読技術者、通信系技術者、電子工学系技術者などの若手、中年及び壮年の数千人ないし数万人単位の警視庁、総務省、防衛省などを含む殆ど全省庁の傘下となる新独立組織を迅速に創立させ立ち上げるべきであると考える。また、防衛系及び防災系分野はもちろんのこと、全産業分野での業務がより安全かつ確実に遂行できるように主眼を置くべきであろう。すなわち、善なる対抗措置が実行できる強力かつ底辺の大きな、人的かつ物的な実行体制が、例えば向こう2年ないし3年以内の期限付きで、しかも充分な成果を出し得るように、迅速に構築して頂きたいと切望する次第である。

従って、筆者は次のように考える。すなわち、前述の住民基本台帳及びそれに関連するハードおよびソフトウェア並びにその新体系は、この組織及びそれによる試験、訓練及び実施などの成果や実績をある程度積み上げてからの話となるのが常道ではなかろうかと。コンピューターを駆使した現在の情報戦争、もしくはその大競争時代はますます、あたかも我が国の宇宙観測用ロケットの速度の如く、急速に善にも悪にも進化し続けているのである。この激動かつ急進展のコンピューター国防戦略及び同犯罪防止戦略の各時代に乗り遅れたり、追いつき追い越すことのできない国は、当然、やがて自然選択されて、衰退の一途を辿らざるを得なくなるであろうと。これらは、結局、極めて強く、深き、真摯な危機意識、善悪の弁別力、真の勇気の保持度合、決断力並びに実行力のそれぞれの低下、欠落、欠如及びまたは油断などに依存し得るものと推察されるのである。

2010年11月28日より、パソコン上での内部告発及び情報漏洩を伝えるウェブサイト「ウィキリークス」にて、米国の機密文書が公開された〔5〕。欧米のいくつかの国家機密水準の範《はん》疇《ちゅう》に属すると思われる情報の一部がインターネット上にて公開され、世界に向けて暴露された。その内容は、例えば各国首脳間の会談もしくは対談後の非公式または個人的な感想や皮肉会話などである。後日、この映像が世界中に配信されてしばらくの後、主犯格の豪州出身のジュリアン・アサンジ容疑者が逮捕された。しかしながら、その事件は、各国に多くの衝撃を与えると共に、いくつもの課題を残す結果となった。その少し前の同月1日または2日の報道によると、日米欧及びアジアなどの主要国が出席したコンピューターウイルスによる国家機密及び各企業内の重要な機密事項についてのサイバー攻撃に関する国際的な対策会議が開催された。しかし、より具体的な対策を見出すには至らなかったもようである。今後の更なる正義のための主要国による努力と協力とを望みたいものである。

ちなみに、その後、今日に至るまで、情報被害、流出もしくは漏洩に係わる被害件数の増加傾向は一向に止まらない。更に、従来とは異なる新手の被害も次々と発生してきているのである。そこでその実状概要を観てみたい。

第一例は、2017年5月に、日立製作所がサイバー攻撃を受け、同社内システムの一部に障害が発生した件である。この内容としては、「メールの送受信ができない」あるいは「添付ファイルが開けない」等の被害を受けている。また、同月15日の報道にて、欧州刑事警察機構長官のウェイン・ライト氏は「最新集計で、関連被害は150か国で約20万件超の世界規模のサイバー攻撃を受けた」と述べている。更に、同年6月21日には、「ホンダ工場」もサイバー攻撃を受けている。

第二例は、我が国の個人情報が、やはり諸外国から狙われ続け、かつ、どんどん世界各国へ流出され売り捌《さば》かれてきている件である。外国の情報専門家によると、２０１７年2月時点にて、約26万件のクレジット・カードが売り出されており、そのうち約20万件以上のカード情報が既に売却されていた。このため、残りは約5万件強であるという。しかも、この悪行は増加傾向にある。このため、彼は「日本人はこの危機的現状を認識すべきであろう」と指摘されている。この専門家によると、この流出源は「税金の支払いサイト」（68万件）、「住宅金融支援機構」（4万件）、「メガネのオンラインショップ」（74万件）、「Bリーグ」（15万件）及び「通販」などの各個人情報であるという。これらの対策として専門家は、例えば、「カード使用は考えてから実行」、「明細を点検」及び「通知サービスを利用」することを推奨している（２０１７年5月18日の報道による）。また、同年９月５日の報道によると、米国系企業「ケラ社」社長のレビット氏によると、「既存の防犯対策では役に立たない。日本企業を狙ったサイバー攻撃は急増傾向にある」と警告されている。更に、「ＮＴＴセキュリティ・ジャパン社」社長の与沢氏も「従来の10倍ないし１００倍の注意を払う必要がある」旨を警告されている。その一方で、翌２０１８年10月18日の報道によると、ガアファ（ＧＡＦＡ、グーグル、アップル、フェイスブック及びアマゾンの各社）は、ＳＮＳ及びネット通販などを通じて我が国の個人情報データを大量に保有しているが、それらは安全かつ堅固に保管されているのであろうか。確かに、同4社は利便性が高く、費用も妥当な所かもしれない。しかしながら、その各社の情報管理状況は絶対に安全なのだろうか、という素朴な疑問と不安は、誰もが抱くことではないだろうか。なぜなら、筆者にそのような不安がよぎっていた頃に、同社の一部から情報が流出するという事件が発生したからである。このため、一部の消費者団体は「利用者への対応が遅い」旨を主張していた。ところが、当局としては、現在の法規制では、それは不可能であるという。なぜなら、当該規定は我が国の事業者を前提にしており、対応しきれない部分が存するためという。そうであるならば、本件に関して、筆者は次のように考えるのである。すなわち、今後に発生し得る同様の他事件等についても、当局は、円満かつ包括的に協議し、かつ、無事解決に至らしめることが可能な両国間協議を開催して頂きたいと。そして、今後、同様の事件が発生しても、速やかに解決及び合意できるような枠組みと道筋とを構築して頂きたいと切望する次第である。

第三例は、標的型（電子）メール攻撃の件である。これは２０１９年３月７日の報道時点で、過去最多となっている。標的となったメールアドレスの約71％はネット上では非公開の組織内部または個人である。また、同年12月６日の報道によると、神奈川県庁のハードディスクが末端の廃棄物業者の愚行、違法及び裏切り行為などにより、その情報が外部へ流出した事件である。その概要はこうである。すなわち、同庁はパソコン・リース・メーカーにパソコンを返却した。その後、同メーカーは末端の廃棄物業者にパソコンの破壊を委託した。ところが、この業者スタッフは、その契約に違反してそれらを持ち出し、なんと、ネット上に出品して儲けを得ていたというのである。一方、同庁とメーカーとの間の契約では、パソコンデータに係わる消去作業の具体的手順などは記述されていなかったようである。この契約書自体をもう少し、データの消去方法などに関して、厳密かつ具体的に明記しておくべきではなかったのではないだろうか。返す返すも残念である。

　第四例は、米国における中間選挙に向けたサイバー攻撃に対する警戒体制を整えるための会合についての件である。２０１８年９月27日の報道によると、米国での選挙管理委員会とハッカーとの会合にて、中間選挙の電子投票システムなどへのハッキングを防止できるか否かの検証実験の検討がなされた。その結果、次の四項目が明らかとなっている。すなわち、第（１）は、約一時間でデータベースに侵入できたこと。第（２）は、情報操作が可能であったこと。第（３）は、参加したハッカーによると、一つの州を丸ごと改竄《かいざん》できること。例えば、X党の有権者を減らして、Z党のそれを増やすことなどは、ハッカーの思いのままであること。そして第（４）は、サイバー攻撃の脅威についてであった。この結果について、同国イリノイ州同委員会の担当者は選挙干渉の脅威を訴えていた。従って、筆者は、我が国の全国都道府県における関連当局も、この結果を大いに参考とし、かつ、教訓として、今後の我が国の選挙及びその他における対策並びに事件事故の発生防止に活かして頂きたいと切望する次第である。

　そして、第五例は、我が国内にて、不審の通信が過去最多になっている件である。例えば、２０２０年３月５日の報道によると、不審な通信の経由地としては、ロシアが全体の18・７％で最多、その他に、オランダ、米国、中国が目立っているという。ちなみに、その頃に、三菱電機及びＮＥＣがサイバー攻撃を受けていたことも判明している。当局は更なる警戒を強めているようなので、是非、大きな事件に繋《つな》がらないように努力を継続して頂きたいと熱望するところである。

　以上、前述した幾つかの被害実例より、筆者は次のような危惧の念を抱かざるを得ない。すなわち、我が国民の少なくとも推定約50ないし90％の方々の本件に係わる「心の本質」は、本書初版時期の状況と殆ど不変である可能性が高いのではないかと。筆者は、先の初版時に、再三再四、本件情報に係わる警戒心、警戒体制及びそれらの防止体制の構築とその強化の必要性を、諄諄《じゅんじゅん》と説いてきたつもりである。しかしながら、それらの実行及び効果は殆ど観られないし、未だ具現化してきていないように観えるからである。この点については至極残念である。けれども、筆者としては、この程度の事で諦める訳にはいかない。そして、更に、次のように考える。すなわち、我が政府、与野党、全産業分野の企業人、教育関係の各々トップ、その他の各位並びに主婦や学生諸君にも、再度、真剣になって頂きたいと。耳目を傾けて頂きたいと。従って、これらのことを、本書を通じて切望する所存である。

いずれにしても、我が国の関連各省庁は当然のこと、各企業やその他の機関や組織での連絡や議事録などの当該部門にとっての社外秘や機密事項などは、すべてコンピューター電子回線を通じて、いつでもどこでも国内外の幾つかの組織や国々もしくは個人から侵入されたり奪取されて、それらのすべてが、ある日、突然に、第三者により消去されたり解読されたりすることは認識しておくべきである。すなわち、それらの危機意識と対策は、全幹部各位はもちろんのこと新入社員の方々に至るまで、老若男女のすべてが肝に銘じておいてほしいものである。そして、このことは、今後ずっと抱き続けると共に常に併行して、それらの防止策とその実行とを講じ続けねばならないと考える。そして、それらの社外秘や機密事項などは、たとえ同一の省庁、自治体、企業、部門の各内部間であろうとも、例えば、極端な場合、重要内容の文言は、それぞれ独自の、すべて「暗号でやりとり」してほしいとお伝えしたい。そのくらいの危機意識及びそれに基づく実践もしくは真剣度合が、これからは強く要求されてくる時代に突入していくと予測され得る。更に、その程度の危機意識及びその種の敵もしくは外部攻撃に対する自主的な防衛処置の困難な当局は、かなり重大なる被害を受ける可能性が高まるであろう。例えば、大中小企業、協同組合、組織、教育機関や個人などが、その対象となり得る。

つまり、別な言い方をするならば、何らの対策もしくは対抗策などを講じることなく、後回し、後回しをして、のんびりと構えていたならば、いかなる集合体や個人も被害を受けることになると予測され得る。あるいは、そのような悪の犯人もしくは犯罪組織のコンピューターウイルスなどにより侵略もしくは奪取されるか、またはご自身の組織や長年培ってきた貴重なる議事録、機密情報、重要図面、秘法などが消去され被解読され得るであろう。その結果、その関連当事者は上司や周囲からの諸圧力により、責任を取らされる可能性は極めて大となるであろう。または、窓際族化されたり、半強制的な希望退職を迫られることもあり得るであろう。あるいは、転部・転課させられたり、追放されたり、所属部門自体が廃れていく可能性は完全否定できないであろう。したがって、そのような厳しい現実に遭遇し得る事態を予め避けるために、事件の発生していない今から、考えられ得るあらゆる手立て、防衛措置及び対抗措置を執《と》っておかなければならないのである。前述と同様に、ここでも「善行は先手必勝」である。事件が発生してからでは、「後の祭り」になってしまうのである。

なぜなら、そのような状態に至ってしまったならば、その当事者もしくは担当者は、関連する部門、組織、企業、集合体もしくは団体、または取締役会などにて、罵詈雑言《ばりぞうごん》を言われかねないからである。あるいは重要会議中にも拘わらず仕事仲間の前で罵倒されたり名指しされたり後ろ指を指されたりするのが関の山であり、それが目に見えているからである。だからこそ、そのような窮地にあなたご自身が陥らないために、あなたを事前に安全な環境や場所へと導かせて頂きたいがために、何度も何度も強調し申し上げているのである。なお、このような状態は、あなたが種々の組織内で高い地位に昇れば昇るほど、もしくは、出世すればするほど、その風当りはより強くなるものである。このことは予め承知しておいた方が良いであろう。ちなみに、一般社員、中間管理職及び取締役の各級では、それぞれ、その度合は格段に相違すると言い得る。

なお、前著の初版時点では、前述のように、読者の皆様にとっては耳に胼胝《たこ》ができるほど様々な具体例や対応策などを開示させて頂いた。しかしながら、それにも拘わらず、現実には、２０１９年12月12日ないし14日頃に掛けて、例えば、神奈川県庁及び青森県弘前市役所における各々一部の個人情報漏洩事件が発生している。更に、その一方で、例えば、翌２０２０年１月25日の報道によると、通信系のS社の元社員が自分自身の小遣い欲《ほ》しさのために、在日ロシア外交員（間諜）に唆《そその》かされて、個人情報の機密情報を渡していた。この犯人は当局にその旨を自白したという。何ということであろうか。何という愚かな悪逆無道をこうも軽率に犯し続けたのであろうか。約4年ほど前にあれほど注意を喚起してきたにも拘わらず、……。当該者らにはそれが何ら伝わっていなかったのかと思うと残念でならない。彼等もまた「善悪弁別不可能症候群」（仮称）に罹《かか》っていた保菌患者の一人だった可能性が高いと思われる。筆者としては、このような重症患者さんを一人でも多く、迅速に救いたいがために、前著を世に送り出したのだから。……。

我が国民の予防対策例と家庭教育の大切さ

たとえ彼等から、そのような誘いや恐喝などされようとも、我々は、断固拒否し拒絶せねばならない。そのような勇気は当然両親や祖父母などにより幼児、少年少女及び青年男女の各時期から習慣づけられ育成されるべきであろう。従って、筆者は次のように考える。すなわち、我が国の各ご家庭の両親や祖父母は、子供や孫に対し、真の善かつ正義の道とは何かということと共に、是非ともその正しい道へと導いて頂きたいものである。善及び正義を守り通すためには、精神的な善なる頑固さと柔軟性とがどうしても必要不可欠となるのである。何でもかでも、単純に、優しければよいという訳ではあるまい。優しさは時と場合と相手と状況などにより、使い分けられるべきであると。また、何でもかでも、弁舌爽やかで、しかも、流暢に話せれば最高であるという訳でもなかろう。或いは、知識量や学歴がより豊富で高いだけが、生きていく上での要素ではあるまい。それらのことも、この機会に充分分かって頂きたいことの一つである。現代社会では一般的に優しさばかりが優先されがちである。換言するならば、それは典型的な女性型社会が陥りやすい弊害の一つと考えられ得るし、そのように言い得る。なぜなら、仮に、善にして正しくても、節度ある幾分かの厳しさのない家庭、組織、企業、地域、社会及び国家というのは、やがて内部や外部からの種々の圧力や武力（コンピューター的分野も含む）などにより、侵略、略奪、攻撃される立場や状況下に追い込まれると充分に予測されるし、その場合、何らの反発力や抵抗力も発揮できないと予測され得るからである。その結果、それらが他国群により滅亡もしくは消滅させられるという道筋や運命を辿ることが必至だからである。

いずれにせよ、家庭、地域、社会、国家及び自由かつ民主主義国家圏における判断の優先順位としては、重要な課題であればあるほど、善悪の弁別力が損得よりもずっと上位に置かれるべきである。その際の根本規準として、そのことが採用されるべきではないだろうか。確かに、どの人々にとっても、機密もしくは秘密情報を漏洩する方が気が楽であろうし、対価をも入手でき得るであろう。しかしながら、もし、例えば機密もしくは秘密情報の漏洩の罪を犯せば、その内容と重要度によっては、かなりの大罪に相当する可能性が発生するし、また、多くの個人、組織や国家に迷惑を掛けることに繋がるであろう。これらも場合によっては、善を守るためには、激論を交わすことも躊躇してはならないはずであろう。しかも、その漏洩を防止もしくは禁止している規則を厳格に守り続けることの方が漏洩するよりも、格段に正義感と勇気が要求されるのである。それを維持し続けるためには、多くの誘惑や妄想を断ち切る勇気を自ら奮い立たさねばならないからである。しかも、それらを維持し続けていかねばならないからである。従って、筆者は次のように考える。すなわち、これらの善なる情報漏洩防止を厳守し続けている方々は、たとえて言うならば、彼等彼女等の所属する種々の企業、社会もしくは国家から表彰されても良いほどの影の功労者であるとも言い得るであろうと。逆説的に、これらの善なる情報を安易に他人、他の団体や組織、他企業又は国外などへ漏洩してしまう者は、極めて意思力、肩書、金銭などに弱いと言い得ると。

その該当者は意思が薄弱であると共に、善悪の弁別に係わる能力が著しく欠落欠如していると考えられ得る。従って、その者が強く非難されたとしても、反論は極めて困難であろう。その者は、やがて、自身の信用及び信頼を失い、結局、窓際族もしくは自ら職を辞するべき軌道の仮想列車に乗せられてしまう運命を辿る可能性が大きいのではないだろうか。

第十章　我が国民が元気になる方法とそのための心の改善

生きていくための智慧をまず身に付けよ

現代の巷において、しばしば言われていることの一つに、我々国民の元気度が減っているという点がある。確かに元気を取り戻すには高い経済成長も必要かもしれない。しかし、それだけでは真の精神的な元気度を取り戻すのは至難の業であろう。そこで、我々一人ひとりが、真に元気を取り戻すには一体どうしたらよいのであろうか。その前に、まず元気がなくなる、減退する原因は一体何なのかについて考えてみたい。それは、種々の分野、項目または事柄に対する不安ではないであろうか。例えば、今後、生活していく上での飲食代や公共料金などを含む生活費のこと、家族のこと、友人や知人のこと、住居のこと、仕事や学業のこと、人間関係のことなどではないだろうか。あるいは、明日のこと、更には、日々老いたること、持病や近い将来に患うかもしれない怪我を含む病気、事故または天変地異のこと、戦争勃発のこと、あるいは死が近づきつつあることなど。つまり、これらをまとめると、それらは、「生《しょう》、老《ろう》、病《びょう》、死《し》」に係わる不安とも言い得る。ここで、不安とは、「苦もしくは苦悩」とも言いかえることができるであろう。従って、現代のような先行不透明、世界的不景気、巨大災害の襲来予測、世界的な天候不順、新型コロナウイルス事件などの時代の真っ只中に、現代の我々は日々を生き続けているのである。それでなくとも、このような不安定な時代に生きつつも、なお、元気になるような方法は果たしてあるのだろうか。もしあるとすれば、それは一体何であろうか。

元気になる方法はもちろんある。それは、特に大昔の、つまり、古《いにしえ》の生活の智慧を改めて誠実かつ真剣に、心の余裕を持って学び直すことである。しかも、それをあなた自身の心に深く染み込ませ刻み付け刷り込ませて、それらの中の善い事柄を実行することでしかないのである。我が国にももちろん、数多くの古の良書は存在してきている。その一例として、「代表的日本人」（内村鑑三著、鈴木範久著訳、岩波書店〈２０１４〉版）を挙げることができ得るであろう。だが、それと併行して、古代の我々の祖先や先達たちが学び、伝承されてきた外国の智慧書の一部もまた、我々の智慧となってきているのである。その結果、それらの良書は少なからず我々の全ての国民の血となり肉となってきているのである。それ故に、我が国の古典はもちろんのこと、諸外国のそれらも良書であるならば、大いに学ぶ価値があると考えられ得る。例えば、約2500年前ないし1000年前に書かれた古代専制主義時代もしくはある意味での古代自由主義または戦国時代の書物でもよいであろう。我が国でも、例えば弥生時代、奈良時代、平安時代及びそれ以降に盛んに伝承され学ばれ解釈されたものである。そして、それらには当然、それ以前の社会混乱期や戦乱期などの種々の時代を力強く生き抜くための人間の智慧が数多く盛り込まれており、ちりばめられているのである。しかも、それらの極めて不安定もしくは混沌とした時代を力強く生き抜くための智慧が教示されてきているのである。

また、例えば、我が国及び世界の良き童話集などもまた、幼児や少年少女向けとしては良書であろう。更に、それら多くの生活の智慧は、我が国の多くの先祖たちが、少なくとも約1万6000年間（縄文時代を含めた場合）の永きにわたり、我が国独自の実生活及び人生の源泉となってきているのである。そして、それらの多くは、我が国の先祖たちが古代より脈々と伝承されてきている赤裸々な人間の生き方、生き抜く方法及びその他が包含されているのである。すなわち、読者の皆様方の遺伝子にも、少なからずこれらのことが必ず含まれているはずなのである。だからこそ筆者は、そのことを幼児、少年少女の時代から繰り返し元気よく大きな声を出して、空でよいので、読誦して頂きたいと強く願うのである。

この幼少年少女期には、それらの書物の詳細内容などを事細かに教える必要はないであろう。それらの子供たちから質問された場合には、彼等彼女等が理解しやすい言葉で簡潔に説明してあげれば、それで充分ではないだろうか。それよりも、一人ひとりの子供が、お腹から元気のよい大きな声を出して、できれば複数の兄弟姉妹や友達などを誘って、一緒にそれほど長くない一定時間だけいくらか我慢してもらい、しかも、三日坊主で終わることなく継続することである。そうすることによって、より正確に、より力強くかつ粘り強く、これからのそれぞれの人生を、（やがて青年となり、成人となって）この現実の世の中を落ち着いて生き抜いていくための善なる基礎的な智慧が、この子供たちの心の中に創られていき、培われていくはずである。そしてそのようになってもらいたいと真心より強く願う次第である。そのためにも、この読誦は、幼児少年少女時代における全国民的な実生活の上からも、極めて大切で根本的必須事項であると確信している。まさに、善なる言動に係わり、我が国の諺に曰く「三つ子の魂百まで」である。

だから、今までの間違った悪い流れを、より善い方向に、しかも明らかに善なる方向であるならば、時と場合によっては、たとえいくらか強引であっても、強力にかつより多くの国民と共に、協力して推進させていかなければならないのである。その一方で、先述のような流れの中で成長した若者たちが、今や父親母親もしくは祖父母の世代になってきているのである。これでは、額に汗して努力しようという若者を併行して輩出するのは容易なことではない。もし個人、家庭、地域及び社会が怠惰で堕落した状態であるならば、その更に大きな集合体である国家もまた、怠惰で堕落した国家へと誘導されざるを得ないであろう。それが自然の潮流と考えられ得る。だがしかし、この潮流は明らかに間違っている。決して正しい方向ではなく、間違っており不善の方向に進んでいると言い得るのである。したがって、もしこのままこの状態を看過していたら、すなわちあたかも、他国での出来事や事柄のようにあるいは他人事のように軽んじていたならば、本当に、我が国は「金欲のみの拝金主義国家」と低下しかねないのではなかろうか。しかし、我々全国民がそれを望まないことは明明白白であろう。そうであるならば、全国民が、より人間らしく、より善なる自由と民主主義的かつ善なる法律に基づく節度ある自由主義を謳歌できるように前向きに歩んでいこうではないか。

話は少々変わるが、江戸時代以前は、庶民の間に地獄絵や閻《えん》魔《ま》大王などの六道絵《ろくどうえ》（仏教で説く六道〈地獄、餓鬼、畜生、阿修羅、人（間）及び天（上）の合計6種類のそれぞれの道〉の世界を絵画化した仏画）のような、現代からすれば、いくらか残酷とも気持ち悪いとも思える絵画がかなり出回っていたのである。六道絵の原形は古代インドにあり、我が国では浄土教が広まった平安時代以降、大衆教化の役割を兼ねて多数制作された〔1〕。

しかしながら、これらの絵画は、当時の全国各地における一般家庭、地域、社会などで、幼児、少年少女、青年男女などを対象とした教訓もしくは戒め用の資料もしくは材料の一つとして販売や頒布されていた可能性は否定し難いであろう。換言するならば、前述の青少年たちに対して、「もしあらゆる種類の悪いことをすると、君たちは、人間の世界や天上界の世界には居《い》られなくなり、恐ろしい地獄の世界へと落ちてしまうよ。だから、どのような悪い言動もしてはいけないよ」と戒めていると考えられ得るのである。すなわち、当時の人生における生きた教材及びまたは家庭生活や社会生活に直結した教訓用絵画として販売や頒布されていたとも推測され得るのである。

あるいはまた、もう少し歴史を遡って、例えば平安時代の中期には、念仏が盛んになり、天台宗の源信《げんしん》（942〜1017）は『往生要集』（985年）を著し、その中では、地獄の有様が詳しく描かれている〔2〕。これらのいずれの場合も、それぞれの時代における一般庶民が、それらから戒めもしくは教訓として受け入れようとしたために、ある程度広く頒布、流布されていたのであろうと推察し得るのである。もしも当時の一般庶民自身がそれらの絵画や要集に対して単なる嫌悪感を抱き、しかもその方が圧倒的多数派であったならば、発刊当初で恐らくことごとく絶版となってしまっていたことであろう。とはいえ、明治維新による文明開化により、あらゆる分野の科学技術が導入され自由な技術開発などのために、それらの六道絵とその関連物品が表舞台から追いやられてしまったのは、何か皮肉な感じがしないではない。この実状に対し、現代の我が国民全員が自らの眼を大きく見開いて再考しようではないか。特に、これからの時代及びその次世代以降の時代を担う若い青少年男女の方々には、将来の洞察力をしっかりと養い培って頂き、更に、その対策を是非とも具体的に実行し、かつそれらを完成に向けて努力していって頂きたい。具体的には、表面的な我が国内外の現象に振り回されることなく、それらのずっと奥深くに潜んでいる、本質及び真理を是非観察し、追究するように努力して頂きたいのである。そして、今後の我が国の善なる智慧及び智慧力にして頂きたいのである。

そして、どうか、この古き善き智慧を有する我が国が、決して滅亡することのないように、あらゆる智慧、知識及び努力を結集しようではないか。すなわち、幾つかの国々（特に、骨の髄まで自由かつ民主主義の染み込んだ国々）と友好または同盟関係を維持し続けつつも、独立国として、千年も万年も（いわゆる、「千代《ちよ》に八千代《やちよ》に」）存続できるように、共に堅持し死守しようではないか。正義を守り続けるためには、新しい情報、現象及び智慧を導入するだけでは不充分であり不安定なのである。古くても善なるものは、決して捨ててはいけない。その中には、あたかも無量の宝石類に相当し得る貴重なる智慧が内蔵され、光り輝き続けているのである。しかしながら、我々国民の一部の方々は、その大いなる価値に気が付かないかまたは見落としてきているのである。というのは、彼等彼女等の心の表面が、いわば多くの塵、埃もしくはその他の迷いや目先の欲望などからなる所謂煩悩などにより覆われてしまってきているからである。だから、我々一人ひとりが、それぞれの仕事、課題及びその他を通じて気付かなければ、なかなかその塵や埃などを取り去って、その中の智慧の真の大いなる価値を見出し活かすことは極めて困難なのである。

従って、筆者は次のように考える。すなわち、この点に関しては、善なる頑固さをも堅持して捨ててはならないと。大切に保存しかつ伝承しつつ、更に応用し活用し続けていかなければならないと。そのために、常に新しい事柄を導入しつつも、古の智慧や教訓は、頑固に保持し活用し続けなければならないと。特に、国家として失敗したことは、教訓として忘れてはいけない重要なる課題の一つである。古ければ古いほど、それらの智慧や教訓及び価値は、より充分に熟成され鍛錬されて、より大きく確固たる味わいを発揮し、行動するための勇気と確信と指針とを与えてくれるのである。だから、我々はそれを決して捨ててはいけない。昨日の如く、今日、明日を生き抜くための我々全国民の尊い智慧として、我々一人ひとりが常に私的公的に活用し応用することを避けてはいけない。

それ故、正義と善を守り続けるためには、頑固さも必要となるのである。従って、その智慧を繰り返し学ぶ者には、神仏は何よりも、次の活力と明るさをもたらしてくださるのである。それは、今日、明日、明後日そして将来へと繋がるものである。しかも、それにより、我々はゆとりを持って力強く生き抜き、世のため人のために正義かつ善なる事柄や言動を通じて、より落ち着いて生きていくことが可能となるのである。その結果が、更に一歩、一歩と、着実に生き抜いていくための力強い活力と明るさへと繋がるのである。

流行について

我々は、流行を情報の一つとして捉えるのはよいであろうが、これにより、心の本質が安易に流され振り回されてばかりいてはいけない。流行については、その内容に関して取捨選択しなければならない時や場合もあるのである。流行は選択肢の一つであって、目的ではないはずである。ただし、流行自体を創出することを職業とする方たちはもちろん別であろうが。また、特に少年少女、青年男女、成年、婦人、壮年及び実年の方々は、学業、勤労、家事、社会奉仕、アルバイトまたは趣味を謳歌《おうか》しつつ、その合間に併行して、先達及び古人の知恵を大いに繰り返し絶えることなく、焦ることなく、学び続けて頂きたい。そして、それらを我々個人、家庭、地域、社会、国家及び世界の平和に結びつくことを大目的として、それぞれの世界の平和環境が構築され建設され続けるために活用し、いわゆる「世《よ》のため、人《ひと》のために貢献」して頂きたい。「青年たちよ、（善なる）大志を抱け」と真心から声を大にして訴えたい。あなたたちの柔軟で善なる正義の魂を強く揺さぶるが如く、響くが如くに、訴えたいのである。

我が国自身に対する誠実かつ善なる愛国心と誇りと防災と防衛もしくは国防意識は、机上の学習または書籍のみでは、すぐに他人事として忘れてしまいやすいものである。従って、筆者は次のように考える。すなわち、複数の正しい人々との適切な体験が是非とも必要になるのであると。我が国に対する誇りと誠実な地元愛、国土愛、愛国心、歴史の重さと文化、防災及び防衛・国防意識は、全国の各ご家庭にて、まずは、幼少年少女期より各年齢に応じて、自主的に教育されるべきであろうと。そして、少なくとも幼稚園・保育園、小中高校においても同様に、継続的に実施されるべきであると。すなわち、その環境下にて、それぞれの能力や体力や段階に対応した適切なる教育がなされるべきであると考えるし、そうあってほしいと関連当局へ強く熱く願うところである。これらを実施するために、少なくとも小学校から高校までの各種の教員、補助教員もしくはそれらに準ずる教師の方々もまた、勤務の合間もしくは春夏秋冬などの比較的長期休暇期間中を有効活用するなどして、再補足教育を受けるのもよいのではなかろうか。もちろん、必要に応じて、それ以上の短大や大学で更に教育することは結構なことであろう。

我が国の教育的側面からの概略史

　ところで、我が国の教育的側面の一つから歴史を概略的に振り返ってみる。そうすると、我が国は、例えば、西暦57年（弥生時代）には隣国の後漢に貢物を朝賀し、238年には邪《や》馬台国《またいこく》女王の卑弥呼《ひみこ》が魏《ぎ》の国に使者を送っている。また、607年（推古天皇15年）7月には小野妹子《おののいもこ》を隋に遣わし、664年（天智天皇4年）には守君大石等を唐に遣わしている[3]。また、戦国及び鎖国時代を経て、明治時代には欧米諸国が隆盛していたことなどから、我が国はこれらの国々へ青年等を遣わして多くを学ばせている。また、大正時代には第一次大戦後に著しく台頭してきた米国や欧州などへ青年を送っている。その後、先の大戦前まではドイツやフランスなどへ青年を派遣させている。更に、その戦後はしだいに米国もしくは欧州に向けて主体的に学ばせてきているという事実が観えてくるのである。従って筆者は次のように考える。すなわち、我が国政府は、少なくとも明らかに過去（延べ）約2000年間にわたり、その時代時代の隆盛している先進の国々に着目し、それらの文化、宗教、工芸、学問、技術、国防、行政、法律、経済などを学び、必要に応じて関係及びまたは国交を締結してきていると。そして、学ぶだけでなく、更にそれらを我が国特有の約3000年にわたる永い文化や歴史などと融合させながら「日本化し、独創化してきているという歴史的事実」が観えてくると。

　このようにして、我が国の過去を冷静に振り返ってみると、ある一つの事実が浮かび上がってくるのである。それは、これらの具体例からも分かるように、「それらの時代時代における我が国政府自身が、自国のあるいくつかの分野における水準が、その時代の他の先進国よりも下回っているかまたは劣っていることを『素直に』自認していることである。しかも、それらにより、為政者が、真摯に、深く『反省』している点である。同時に、大いなる危機意識を持って誠実に受け止め、なおかつ、その『善なる対応策を迅速に実行に移している』こと」である。このことは極めて重要である。以前より度々《たびたび》、いくつかの実例を挙げて述べてきたように、善行に関しては、迷うことなく先手必勝なのである。もちろん、すべての結果が成功裏《り》に終わるとは限らないが、可能な範囲内での全力を出し切ったならば、後の結果は、すべて神仏へお任せするのみである。万が一、目的どおりの成果が得られなかったならば、「それがあなた方にとってのその時点での最善の道なのだよ」、という神仏よりのお応えと受け止めては如何であろうか。その場合には、改めて次の善なる対策に向けて挑戦し、再出発すればよいのである。気を落としてはいけない。新しい明日という日は、生きている限りは、すべての人に平等に、必ずやって来るのである。だから、挫《くじ》けずに、元気を出そうではないか。

更に、我が国が善なる大目的のために挙国一致した時に、我が国全体の「力もしくはエネルギー」が醸成され、沸々と湧き上がっていき、それが、我が全国民の心の奥底へと着実に伝搬《でんぱ》し浸透して、刻み込まれ刷り込まれていっているのである。あるいは、現代に置き換えるならば、与野党が誠意を持って力強く協力して、国、政府、官僚及びその他が、それら当時の先進諸国から善なる部分に関して学び習得するのだ、という前向きの情熱を持った強い姿勢を明確に打ち出しているのである。更に、それを少なくとも国内に宣言し、そして、政府、官僚及び全国自治体が納得して悟り、かつ我が国家が、総力を挙げてその実現を目指して実行しているのである。このように実践している時に、活力が湧出してきていると考えられるのである。

これにより、国、政府、官僚、民間などのすべてに活力もしくはエネルギーが充電され蓄電される結果、我が国の内部エネルギーが急速に増大していったと考えられ得るのである。従って、例えば我が国の2012年8月当時に与党であった旧民主党にして頂きたかった事の一つは、例えば、「我が国は今後及び遠い将来にわたり自由で民主主義的であり善悪の弁別ができ、正義を守り、それに沿って実行する国を目指す」という主旨のことを、力強く宣言して頂きたかった。そして、その具体的な着手計画（例えば、4年後、8年後などの計画）を立てて、それに沿ってしっかりと実行に移す道筋をつくって頂きたかった。もちろん、同年の同党の政権公約は公表されていたが[4]。

ところで、我が国は、建国時点（例えば[5]）に戻り、善いことは大切に温かく保持し改めるべき過去の一部は、今後の教訓として肝に銘じるべきであろう。具体的には、次の5項目を挙げることができるであろう。すなわち、第一に、悪行を為さず善を尊び、柔軟で強靭なる、我が国の正しい宗教心もしくは信仰心に係わる心の教育。第二に、総人口に対応する分相応の防災力、防衛力もしくは国防力の各強化。第三に、飲料水、食料（各種類の主食と副食など）及び産業用水の確保並びにそれらと併行して国家の食料自給率を最低65％ないし75％程度の確保と維持。第四に、各種のエネルギー源、工業資源及び原材料の確保。そして、第五に、工業・産業振興及び経済力の向上を掲げた後に、それらに沿って実行に移すのみである。

ちなみに、例えば現時点での食料自給率は約30％程度となっている。なお、ここで前記建国時点とは、たとえ万一その初期年が仮に神話上もしくは伝説上の年であったとしても、それは我が全国民にとって非本質的問題であると考える。なぜなら、世界中のいかなる国または文化的民族といえども彼等の民族の始祖もしくは、その発祥年などは、そのほとんどが各民族の言い伝え（口伝）、神話もしくは一部の古文書などに基づいているからである。したがって、少なくともこの件について、我が国は大いに自信と誇りを持ち続けてよいと考える次第である。その意味からも、我々は、我が国自身の約３０００年の歴史（一部の反省点も含めて）と文化と技芸と正しく善なる信仰心などに関して、大いに誇りと自信とを改めて認識し確信すると共に、お互い様にしっかりと強く持とうではないか。これを持つまたは懐くこと自体は、誰にも家庭にも地域にも社会にも国家にも、そして世界のどこにも迷惑を掛けることではないのである。迷惑を掛けることではないため、それは悪いことではないはずである。悪いことでないならば、善いことである。従って、善いことであるのだから、読者の皆様を含む全国の老若男女の方々も、本日から、大いに自信を持って学び認識し実行しようではないか。

毎日、少しずつ学ぶことの大切さ

そして、毎日、少なくとも一つでもよいから学び直そうではないか。初めは、仕事、労働、家事、奉仕、体育もしくは学習などで疲れたり、眠気が襲ってきて、三日坊主になりそうになるかもしれない。しかし、それでもよいのである。我々は、普通の人間（凡夫）なのであり、完全無欠の神や仏教における本仏（釈尊）ではないのだから。でも、その疲れや眠気が覚めたら、また、一つの善いことを学べば、それでよいのである。特別な事情のない限り、決して無理をしたり、肩に力を入れ過ぎたり、あせったりする必要などないのである。その一つか二つの善いことを学ぶということは、それだけでもあなたのこれから続く人生の階段を一段または二段昇ったことになるのである。換言するならば、あなた自身の品格が昨日よりも一段階または二段階向上したとも言い得るのである。これは、あなたの今後にとって重要なことの一つである。

なぜなら、品格が向上すると人間性が向上する。人間性が向上すれば人道的な軌道から逸脱する恐れが減少し、より多くの真の幸福感を得ることが可能になるからである。そして更に、その幸福感の実体験自体を周囲の人々にお布施することができるようになるからである。実は、このことが極めて重要な事柄であり、これにより、家庭、地域、社会、国そして世界が、それぞれ平和になり、善なる平和環境が建設されていくと考えるのである。あえて俗語で言うならば、そのようになれば「しめた」ものである。というのは危険動物や野獣のように、常軌を逸した行動や状態に至らないで済むからである。言葉を換えて言うならば、例えば、仏教で言うところの、地獄、餓鬼、畜生または顚倒などの負（マイナス）の心の状態もしくはそのような深い苦しみの状態に陥らないで済むからである。

単に、外国に追いつき、更に追い越されただけならば、我が国の全国民の底力をもってすれば、今後の努力如何によって取り戻すことは可能であろう。しかしながら、問題の本質は、「心」の面での低下が心配事なのである。これと併行して、身体のより健康化もしくはある程度のより強健化が必要課題となるのである。もちろん、障害者や健康を損ねておられる方々は当然除外されるべきであろう。また、現代の我が国民は、一般的平均的に、日に見えないものよりも目に見えるもの（例えば金銭、新商品など）の方に、日々の生活や人生の価値をより高く位置づけているように観える。大衆報道や報道媒体による各種商品に係わる宣伝やその頻度が読者や視聴者を煽り続けてきているとも言い得る。これは、根源的にはある意味で誤った考え方が支配的であることの証左であると言い得る。しかしながら、その一方で、自由主義、資本主義もしくは文化的な経済活動を維持すべき環境下にある以上は、ある有限の範囲内は許容されるべきかもしれない。一旦落ち込んでしまった我々の「心」、「精神」及び身体の健康、活力もしくはある程度の持久力の面を元の本来の正常な水準にまで再び持ち上げることは、並大抵のエネルギーでは不可能なのである。これを立て直すには、全国民が真剣に「心」を切り換えなければならない。この面を立ち直らせるのは容易なことではないのである。

一例として、２０００年頃に経済面で外国に追い越された事を、欧米の有識者から指摘されていたにも拘らず、我が国の政府の第一線級の方々は、それらを謙虚に受け入れようとはせずに、ただ反発していたように観えた。もちろん、リーマン・ショック後にある業界が分析したように、外国での経済健全化状態の評価が充分に正当でなかったことも加味されて、多くの銀行、企業、生命保険会社、年金企業などの殆どが、その評価を盲信してしまったがために、大損失を被り大失敗してしまったという苦い経験もあったのである。

文化貢献者

また、我が国の種々の分野における有能な開発者が我が国よりも高い年俸を提示されスカウトされることにより、そのままその外国へ安易に頭脳流出することのないように、しかも、当該技術の秘法が外国に盗まれないように、あるいは当事者が拉致されないような様々な対策が必要であろう。我が国は、法律的及びその他の手段により、それらの抑制もしくは防止にもう少し努力をすべきではないだろうか。更に、彼等が成し遂げた成果の水準に係わり、彼等開発者たちに対し相応の身分保障をすることを考慮してもよいであろう。幸いにも、例えば２０１４年に、自民党内でもこれに類似し得る検討が始まったようであるが。なお、このことは、例えば、従前より、文化の日などに大きな文化貢献を成した方々を表彰してきているため、改善点はあまりないのかもしれない。また、例えば米国在住の方々のような場合もあるので、学術的もしくは企業的研究においても、ご本人の自由を阻害することは逆に非民主的となりかねないためいくらか困難であり得るし、制約を受ける可能性もあり得る。そのあたりは、ご本人の判断にお任せするべきことなのかもしれない。しかしながら、これらに係わる問題発生を事前に防止するための体制構築を目的とした検討は、開始してもよいのではないだろうか。

報道内容の取捨選択力を養うこと

一方、大衆報道（マスコミ）におけるニュース拾いの過剰反応症候群（仮称）とでもいうべき症状が、過去に何回かみられた。例えば、外国の芸能人や珍動物などが来日すれば、まず、殆どすべての報道関係がその同一ニュースを採り上げ、国中がその話題一色に染まってしまう。そしてその当日まで話題になっていたことが、数日ないし数週間たつと殆ど忘れ去られてしまい、別の新しいニュースが飛び込んでくると、たちまち踵《きびす》を返すが如くそれに跳びついてしまうといった具合である。これは、いわば、女性化現象の一つと見做し得る類のものであろう。従って、もっと落ち着いて、常に、社会現象とその流れを沈着冷静に観察し、かつ厳正にそれらの本質もしくは根本を見極める習慣付けが必要となるであろう。更に我々は、その智慧を身に付けられるように、各自が精神的な訓練もしくは鍛錬を繰り返し、何度も何度も自らに課して訓練すると共に、学び続ける習慣を付ける努力が必要であると思われる。ただし、当然のことながら、緊急事態に係わる事柄の対応法は、これとは別次元の話であろう。

もっとも、件《くだん》の珍動物、例えばパンダの場合も、中国がこの動物を我が国のある動物園に有償で貸与した行為は、我が国の当局に対する、表面的もしくは形式的な友好の印としての目的もあるであろう。しかし、それだけが真の目的とはとても考え難い。本音のところは、この動物を贈ることにより、我が国における国民の耳目を彼等に集めさせると共に、彼等の自国人民に対し外国（我が国）への貢献度をテレビや新聞などの報道媒体を通じて記憶に留めさせ、我が国に対し恩義を植え付けさせ、心に刻み込ませるという戦略戦術に基づいたものであると充分に推察でき得る。従って、そのような一石三鳥以上の彼等の党自身や政府自身の実効果を狙った影の戦略戦術の一つである可能性が大きいとも受け取れ得るのである。それと共に、我が国に対する上から目線の政治的謀略、策謀もしくは作戦行動の一つであると観る方が、可能性としてはむしろ、より妥当性を有しているといえよう。なぜなら、このようにみた方が現実的かつ合理的と考えられるからである。しかも、中国人民による自国内で累積し蟠《わだかま》っている多種多様で数多くの自国政府批判を、一時的にでもかわすために有効であるという戦略戦術の一つであろうことは、少し考えれば、世界の過半数の国々における人々は、容易に推察でき得るというものである。

彼等の陰謀、詭計《きけい》及びその対策法

なぜなら、彼等中国及びその関連諸国は公式行事上、口では我が国に対し、ごくまれに美辞麗句を言うこともあり得る。しかしながら、それは、あくまでも我が国以外の、自国の人民及び第三国に対する耳目を、単に、気にしているために過ぎない。つまり、見せかけの民主的行為もしくは一時的演技であることを対外的に宣伝するためであって、我が国のことを誠心誠意受け止めかつ思ってくれてのことでは決してない、と考えていた方がより現実的で無難であり妥当であろうと言い得る。彼等に対しては、我が国からの期待は、殆どすべてに関して裏切られるということを、あらかじめ、心底から覚悟しておいた方が無難であると考える。その上で、どうしても必要な場合に限り、国防、防災、外交、経済、取引、資本投入などのいくつかの分野における多様な対策、戦略戦術を立てる必要がある。彼等にとって大切なのは基本的に、あくまでも自国人民だけであり、他民族は敵であり、敵視しても自国人民から反論が生じないように言動を抑えてきた国とも言い得る。そして前述の話に一部戻るが、彼等が簡単に了解した場合には、その裏には、何らかの策謀、見返りまたは反作用が、いずれ後日または後年にふりかかってくることも、我々はあらかじめ厳しく覚悟しておく必要がある。ちなみに、例えば、２０１８年3月に中国全人代にて、習体制は主席の任期を撤廃し、事実上、無期限とした。丁度その頃に、同国首相は、我が国との国交に関し、我が国が頭を下げてきたならば、その友好関係を幾らか強くしたい旨を示唆し表明している。確かに、これは、彼等の独善的姿勢の顕現であろう。しかしながら、その裏もしくは本音のところは、既に、彼等による大軍拡化及び我が国内における政府、国公私立の各機関及び民間（大中小）企業各社などの殆ど全分野にわたる、全支配度合を確認した為であろう。従って、筆者は、現在、極めて由々しき、かつ、危機的状況下にあると観ているし、そのように考えている。それ故、彼等の我が国に対する急激な軟化政策については、我々全国民の一人ひとりは、くれぐれも安易に乗らないようにご注意願いたい。そのための強い姿勢及び警戒体制を堅持し続けて頂きたいと切望するものである。なお、これは、逆説的に、彼等の態度が急変した際には、我が国内のいずれかの某組織が豹変して、正当な国策に対し、裏切り、密約している可能性が大きいと言えない事はないかもしれないからである。このような危険な事態を回避するためにも、事前に内容の十二分なる点検及び精査が求められるであろう。これらは、我が国のすべての個人、家庭、組織もしくは団体、地域、社会及び国家が基本的に念頭に置くと共に、心の奥底に刻み込み刷り込んでおかなければならない必要不可欠な条件項目の一つである。

彼等にとっては、我が国が苦境に陥り、壊滅状態へと降下すればするほど、彼等の世界軍事的（特に東アジア、オホーツク海、日本海、東南アジア、南アジア、西太平洋などにおける各軍区的）、世界覇権的、共産社会主義的、傀儡《かいらい》化的、世界政治的、世界経済的、世界金融的、国際信用度的などの各立場からすれば、大いに望ましく、大いに好ましいことであり、しかも大いに歓迎するところなのである。従って、筆者は次のように考える。すなわち、この場合、彼等にとっての損失は殆ど皆無なのである。それどころか、我が国が負の状態に至ることは、逆に、彼等の世界的立場が相対的により上位へ、より優位へと導かれる要因となるからである。それ故、彼等の大いに望む状況が自然に転がり込んでくるとも言い得るのである。そして、例えば、沖縄県は我等が愛する都道府県の一つである。その同県下の米軍基地問題の概要に注目してみよう。この米軍基地移転問題に関しては、中国本土及び同県駐在の工作員や諜報員などを通じて、同県知事などのトップ級、その側近及び移転反対の団体などを唆《そそのか》しかつ悪の風評を地元に強力に流し込んで、その両者を分裂状態に誘導しようとしているのである。その共産系社会系へと同県民を洗脳するために、次の事前の裏工作を講じてきているのである。すなわち、まず、中国を含むアジア大陸、台湾、香港、その他の国や地域から同県内の民間企業、公共機関もしくは店舗などへ、次々と中国系人民などを大量に送り込んできているのである。次に、大衆報道やインターネットなどを通じて、工作員や間諜などによる悪意の煽動や宣伝の発動により、同県と本土や政府との間で負の論争や係争もしくは紛争状態に至らしめる事を実行してきているのである。更に、その両者を犬猿の仲にさせておき、分裂状態に誘導しようとしてきているのである。このような彼等の卑劣な陰険、陰湿で悪賢い悪行が、彼等人民と共に、我が国内の一部の過激派分子により、本来が素直で明るい彼等彼女等の心を、真っ赤に染め続けてきているのである。これが強引なる悪行そのものでなくて、一体何であろうか。だからこそ、同県民の彼等彼女等の心を、本来の正しい状態に戻させて頂きたいのと同時に、我々一般国民との真の友情を取り戻したいのである。すなわち、同県民には、本来の自由で善かつ民主主義的な心になって頂きたいと、真心より念じると共に、そのように切望する次第である。

それと共に、元来、心が本質的に純粋で清らかな部類に属し得る同県民や同県内の多くの各分野の組合やその構成員の一部の方々は、彼等の党及びその工作員や間諜などによる悪意の扇動や大衆報道による美辞麗句や偽の褒《ほ》め言葉を用いた独立への甘い誘惑、誘導及び偽の演技などに基づく悪の謀略、戦略戦術に容易に嵌《はま》ってしまった感は否めない。しかも、極めて危険で、まずいことに、純粋な同県民の彼等彼女等は、同党やその工作員や間諜並びに国内外の反日系過激分子などによる悪の宣伝や口コミなどによる宣伝謀略の罠に嵌ってしまっている事に殆ど気付いていない点なのである。

彼等の奸計《かんけい》及び遠謀を事前に感知せよ

これは、逆に、同党にとっては大いに笑いの止まらないことであろう。というのは、同党もしくは彼等自身はほとんど軍事的侵略を実行することなしに、同県を完全に同党傘下の支配下に収めてしまうと共に、同県全域をも彼等のアジト化にしてしまう謀略の可能性が極めて高いと考えられるからである。従って、筆者は次のように考える。すなわち、彼等はまず、大嘘の歴史を創り出して、それを宣伝しつつ、我が国内の同県と本土もしくは政府との間で負の論争または係争をさせておく。次に、例えば、「同県の独立を熱烈に支持する」などという主旨のあからさまな大嘘を繰り返し平気でつき、偽の演技をして、声高に主張するのである。これは、その実、彼等の本心は、沖縄県全体の乗っ取りである。そして、その直後から、同県内及びその周辺に向けて10万人ないし100万人程度を大陸から中国人の過激な元軍人、労働者、元ヤクザ、商人、語学講師や様々な自称民間人などを大量に送り込んできて、同県内に居住させ料理店、書店や語学学校などを開店させるのである。このようにして、同県を完全に同党傘下の支配下に収めてしまうのが、彼等の絶対に口外しない本音の主目的かつ主戦略の一つなのである。我々全国民は、そこに注視し、かつ、その本心を見抜かねばいけない。ところが、肝心の当事者である我等が愛すべき純粋な心の持ち主の多い同県民の過半数の方々は、そのような極めて卑劣で陰湿な危機的かつ危険な状況下にあることに、殆ど気が付いておられないのである。この点が極めて大問題なのである。何とか一時間でも早く同県民の老若男女のすべての方々が、この点に強い関心を持って頂き、明確に気付いて、少なくとも自主的にも、その対策を講じて頂きたいのである。真心より、そのように願うところである。

なぜならば、前述したように、まさに、沖縄県の香港化、台湾化、すなわち、中国の属国化、属県化及びそれに伴う同国共産主義の強制的洗脳とその後の同県民と同国人との実質的な人種差別、戸籍差別などが強く予測され得るからである。そして、同党の彼等が支持するという皮相的な甘い言葉や誘いなどは、実際は、このような彼等の本心が隠されていると同時に、そのことを意味しているのである。どうか、一時的な感情で興奮したり血圧を上げることなく、もう一度、お水、お茶をゆっくりと飲んで頂くかまたは、頭に保冷剤もしくは水や氷を入れた袋を乗せて、頭を十二分に冷やして頂きたい。その上で、各人が冷静に、賢人とも相談して、善なる理性的なご判断をして頂きたいのである。そして、この危機的状況の可能性が極めて高いために、どうか、同県民の皆さんは、基地問題のみに心を奪われることなく、今までどおりの自由と民主主義の謳歌できる同県民であってほしい、と真心より熱く切望するものである。

それらが、我が政府、官僚、財団、小中高校その他を含む学校などの教育及びそれらの委員会の関係、あらゆる分野における大中小規模の産業界、各種協同組合、労働組合、各種集団、個人などに対し、彼等が半永久的に絶対に公言しないところの深い本音であると考えられ得る。果たして、彼等の心の奥の奥をより理性的に、冷徹に、厳正に見抜く、広大にして深き眼力及び洞察力などを備えた方は、一体、何人実在するのであろうか。例えば、我が国の国会議員、全国都道府県及びそれらの各自治体の議員、財界人、企業人、教育関係者、商人、その他のあらゆる職業人、または職業の有無に拘わらず有識者など、それらの諸兄諸氏の中で。極めて心もとない状況であると考えられ得る。そのような心身の逞しい人物が、あらゆる分野に少なくとも１００万人ないし５００万人程度は是非とも出現してきてほしいものである。

彼等の甘く調子の良い言動を盲信してはいけない

従って、我々一般の国民は、件の、例えば、有名外国人や珍動物などの単なる来日などに、決して安易に喜んだり浮かれたりする必要などないのである。どうか、もう少し冷静な感覚での観察眼をお持ち頂きたいものである。どうも我が国の、特に、大衆報道業界は、欧米諸国の平均的状況と異なり、自ら好んで狼狽（パニック）記事を載せたり、テレビ、ラジオ、インターネットやその他の報道媒体を通じて必要以上に、または過剰に、そのような内容を放映もしくは放送したがっているように強くみえるし、そのように考えられ得るのである。もちろん、その背景としては、日々の発行部数や視聴率などの維持と増加の指示・業務命令に基づく売上高、利益の追求及び労働基準量（ノルマ）などが、それらの関連する人々に対して課せられているという、契約的もしくは暗黙の了解を背負っているためであろうことは充分に理解できるのだが。このような、自ら好んで狼狽記事を書き、放映または放送したがる傾向は、換言するならば、一種の自虐性に属するかもしくはそれに類すると考えられるのではあるまいか。要は、これらの記事からは、堂々とした男らしい落ち着きのある姿勢が殆ど観られないのである。逆説的に考えるならば、これらは、いずれも女性的な傾向またはその姿勢しか観られないのである。だから、あたかも一時的な熱病に浮かされたかのように、ちょっとした記事や報道内容にも、いちいち狼狽しやすくなるのである。この状況は、あたかも、鶏小屋などで頻繁に観られる、例の落ち着きがなく、常に、せわしなく走り回っている鶏の行動や生態に酷似しているように観えるのである。これも、いわば女性化現象の一つと言い得るであろう。このような意味において、大衆報道業界におかれては、今後は大いに沈着冷静さを伴い、真に、精神面において、落ち着きのある公正かつ堂々とした報道及び掲載記事をお願いしたいと希望する次第である。

「先生」にも種々の意味あり

話は少々変わるが、我が国の選挙終了後の平均的状況を振り返ってみよう。そうすると、例えば、若手で新人の国会議員諸兄諸氏で、当選の翌日から国民や各種分野のお太鼓持ちの方々より、「先生、先生」と表面的な尊敬語もしくはお世辞を言われて舞い上がってしまった方々が、過去に数多く見受けられたようである。しかしながら、このような傾向は、何も選挙に限らず、また、現代的特徴ではなく、少なくとも約2000年前の古より現代に至るまで、殆どあらゆる業界において、数多くの実例が存在してきたことは、周知のとおりである。それ故、残念ながら、前述の反面、我が国の殆どの国民（議員及び企業管理者などのそれぞれ諸兄諸氏を含め）がそのことに気が付いていないためといわざるを得ない。ちなみに、例えば、中国人が発する「先生」とは、日本語における「様」程度の意味だそうである[6]ので、充分に注意されたい。それ故、「先生」まだはそれと同類の言葉のみに、くれぐれも舞い上がらないようにご注意願いたいということである。ただし、真心に基づく尊敬の念からの場合は、これとは全く別異であり、当然論外であるが。

少欲知足の必要性

ところで、我が国は、ほぼ1960年代前後に掛けて高度経済成長していくのに伴い、それ以前に比して、確かに、目に見えてあるいは生活実感として、国民の生活水準の平均はしだいに向上し豊かになっていった。この経済上の一面をみる限りにおいては成功したと言い得る。しかしながら、その一方で、我々は「人間にとって一番重要で大切なもの」をしだいに失っていったのである。それは何であろうか。それは、不動かつ不退の「正しく善なる精神」もしくは「正しく善なる心」及び「正しく善なる事柄またはその目標に対して挑戦する心」である。なぜなら、我が国は、戦後、物品の大量輸入、生産及び大量消費することが美徳であるかのように、大衆報道に踊らされ教えられてきてしまったからである。これは、明らかに度が過ぎているように思われる。例えば、米国は戦後、我が国に対して、確かに自由と民主主義をもたらしてくれた。それは我々一般国民にとっても評価できるであろうし、明るい材料の一つであろう。しかしながら、同時に、その反面、「物の浪費癖」も、もたらされてきたと考えられるのである。この場合、物品が破損したり、食品が腐敗したり汚染したりすれば、それらが廃棄されるのは当然であろう。ところが、まだ充分に使用可能な状態であったり、賞味期限内で、しかも、新鮮さを保持している食品類についても、簡単に捨ててしまうという行為は、「物の殺生」に相当するのではないだろうか。これは十分注意する必要がある。従って、筆者はこう考える。すなわち、我々は衣食住に関連する物品や商品及び食欲などの通常の欲などに関しては、完全もしくはそれに極めて近い水準ではなく、いわば腹八分ないし七分、すなわち、現実的には約65％ないし80％程度で満足するべきであると。別な言い方をするならば、「少《しょう》欲知足《よくちそく》」の精神及びその意味合いを充分に理解し、吟味し、そしてそれを実践することであると。もちろん、文芸、体育、技術、学問などの分野で、それらの頂点や極致を目指す場合などは除外され得るであろう。

そして、これは、個人のみならず、家庭、地域、社会、全国都道府県、国家及び世界もまた、同様に言い得るであろう。度を過ぎた貪欲や強欲になってはならないのである。ただし、例外がある。それは、例えば、領土、領海、領空などのような国際的に承認される自国占有範囲に関しては、もちろん、粘り強く諦めずに頑強に防衛・保有・堅持・維持せねばならないであろう。そして、我々のすべては、直接的または間接的にそれらの責務も負わねばならないのである。邪な心を持った個人、家庭、社会、集団、企業、共同体、地域、国家などにとっては、前述の「正しく善なる精神」などは、極めて煙たい言葉、概念もしくは存在ではなかろうか。だが、これを蔑《ないがし》ろにしていると、それぞれ自身が神仏により、いずれ「負の報いもしくは功徳」を受けることになるのである。ここで、「負の報いもしくは功徳」とは、ある命題または課題に対して実行した内容が悪に属する事柄の場合、その実行者には「苦または苦悩」が後日または後年にふりかかってくることを意味している。一方、「正の報いまたは功徳」とは、前述の逆で、その実行者には、精神的もしくは信仰的な神聖なる「喜び」もしくは「幸福感」が心の中から湧き出てきたり、あるいは、それを受け取ることができることを意味しているのである。

母国語の堅持または死守

１９６０年代頃にいくらか言われていたかと思われるが、我が国の言語、すなわち、日本語の一般生活上での使われ方の乱れが酷くなってきている。この傾向は、現代に至ってもなお、同様である。換言するならば、母国語が軽んじられてきている。確かに、人名、地名やコンピューター用語などの固有名詞や変更不可能な範疇に属する文言は除外され得るであろう。しかし、この潮流の弱まる傾向は一向に見られない。そこで、当世、幼児や子供たちに人気のあるゲーム機器関連でもよいが、ここでは劇場用映画の題名を、その例として採り上げてみよう。ほぼ１９６０年代前半までは、例えば、米国の『風と共に去りぬ』、フランスの『パリの屋根の下』、ドイツの『会議は踊る』、イギリスの『第三の男』等というように、たとえ外国映画であっても、題名に関しては、それぞれの内容が、一目で我が国の国民の大半がある程度の心象もしくは心証を容易に理解できるような、しかも観る者の善良なる興味をそそるような題名が、輸入元の映画会社において、十二分に検討されてきているはずなのである。しかる後に、題名が最終決定され、付され、公に宣伝されてきたはずである。その当時の洋画の題名は、当然「非片仮名を主体とする」日本語的なものが主流であった。このような例は、周知のとおり、枚挙に遑《いとま》がないほどである。しかしながら、これらを現代の風潮に合わせて題名を付けるとすると、恐らく次のようになるであろう。すなわち、それぞれ、『風と共に去りぬ』は『ゴーン・ウィズ・ザ・ウィンド』に、『パリの屋根の下』は『スー・レ・トゥワ・ドゥ・パリ』に、『会議は踊る』は『デア・コングレス・タンツト』に、そして『第三の男』は『ザ・サードマン』のように。つまり、これらの殆ど90ないし99%程度が片仮名による題名なのである。現代の輸入映画会社や我が国内で上映権を有する配給会社は、恐らくこのことに関して何ら特別な疑問も違和感も抱いていないであろう。それどころか、経営者や企画もしくは製作の各担当責任者である彼等彼女等は、そもそもなぜこのようなことを問題にするのか、問題として採り上げるのか、などと口角泡を飛ばしながら筆者に反論し問いかけ詰問してくるかもしれない。

実は、この感覚のズレまたは極論するならば、この鈍感さが怖いのである。これは、単に漢字及び平仮名から片仮名化への文字や言語の変更もしくは変換というだけの、あるいは片仮名化が現代における流行の一つだからという世間一般の大きな勘違いだらけの単純かつ軽い問題だけでは済まされないのである。この漢字（当然、平仮名を一部に含み得る）にこだわるのは、その文言には、我が国の過去約３０００年間にわたる永い歴史と文化と宗教と芸術と技術など数多くの要素が内在されているからである。すべてが片仮名で表記されるような皮相的、低次元的かつ単なる表音文字とはこのような歴史的文化的重みのみならず、深みをも有しているのである。つまり、このような雲泥の差が秘められ包含されているのである。だからこそ、非片仮名化で、しかも悪ではない、善なる復活もしくは復古にこだわっているのである。従って、できる限りの非片仮名化または復活、復古を強調しているのである。それ故、前述のような、不特定多数の人々が鑑賞すると予想され得る映画、芸術、書籍類、輸送機、地名、その他などは、前述のように軽々しく、片仮名化をして頂きたくないのである。この片仮名化（及び約60%以上の平仮名も含む）を継続するということは、我が国の永く尊く濃い歴史や文化などの内容をズタズタに切り裂いて、あたかもシュレッダーにより文書を裁断するかの如く、不連続にしてしまうことに他ならないと言い得るからである。例えば現代では、既に小学校より英語教育も始まっているのだから、何も杓子定規に日本語（特に、既に日本語化した漢字）に固執する必要性などないだろうが、などという反論や意見もごく一部にはあるかもしれない。しかしながら、それでもなお反論及び弁駁したいのである。

長い眼で見た場合、現代の誤った極度の片仮名化の大きく強い潮流現象は止めねばならない。制動（ブレーキ）を掛けねばならない。少なくとも、かなりの程度を阻止しなければならない。しかも、短期限を設定して可及的速やかに。そして、この日本語化もしくは母国語化の問題に関しては、これから２０５０年、２１００年、……２５００年、更に将来に向かって、我が国が力強く一歩一歩と着実に歩んで行けばいくほど、外国語の強く大きな波が、場合によっては大津波のようなものが、押し寄せて来るであろう。その頃には英米語のみならず、その他の第二、第三、第四などの外国語が必要不可欠な更なる言語要素として追加されているかもしれないのである。なぜなら、我々一人ひとりが、日々の荒波を乗り越えて力強く生き抜いていくために、かつ、世界各国からの言葉に係わる外圧や情報交換に係わり十二分かつ迅速に対応対処するために、そのように要望され、必要に迫られてくると予測され得るからである。従って、筆者は次のように考える。すなわち、そのような我が国の今後の言語上及び教育上、大変化の時代が来ようとも、我々自身の一人ひとりは「心の中」にしっかりとした柔軟かつ強靭なる大黒柱を構築し維持していくことが必要であると。そして、我々一人ひとりには、そのように落ち着いて堂々と、冷静に、人生及び世界を含む広い世の中を歩み続け、生きていけるような「心の逞しさ」がより強く求められると。そのためには、我々全国民の共通財産の一つである日本語を、常日頃から皆で大切に保存し咀嚼《そしゃく》しかつ活用していかざるを得ないのである。それ故、この我々の日本語を根本とし、かつ、それを基礎とし応用し活用し続けなければならないのであると。決して死滅させてはならない。決して死語にさせてはならないのである。これは、我々全国民の責務といえる。

ところで、まず、この片仮名化が始まった原因を考えてみたい。そうすると、その一としては、我が国の男らしさの低下に因《よ》るものと考えられ得る。換言すると、男が男らしさを失ったため、あるいは、自身の家庭における大黒柱としてのお役を務めることが、労働や勤務時間の増加に伴い、現実的に不可能となってきたためと推察され得るのである。その結果、今まで表面上、控えめにしてきた、もしくは、社会的に抑圧されてきた女性群が、一挙に各家庭内で準大黒柱的な役割を担わざるを得ない状況下に追い込まれるようになってきたことも一因していると考えられ得る。この現象は、恐らく我が国の高度経済成長の始まった頃から、それに比例して、顕著になってきたと考えられ得る。そして、その二としては、丁度、その高度経済成長期当時における産業の支えの一つであった外食産業の新登場により、店名、販売商品名などが、ことごとく非漢字の片仮名化で始まったことにも影響を受けてきていると考えられ得るのである。しかも、この開拓者的店舗の開店後に、雨後の筍の如く、同類のお店が次々と誕生し、今日までもその社会的潮流は続いてきており、将来も継続傾向にあると予測され得る。

更に、それと同業もしくは類似の業界でも、同様に、漢字を極力使用せずに片仮名化を実践・実施し続けてきている。もちろん、この営業的背景として、もし漢字化を実施したならば、売り上げがたちまち低下してしまう可能性が高くなるであろうことは充分に推察されるのだが。この社会現象はまた、家族連れで入店する全国の国民及び各地元での家族の幼児や年少者が、全くの判断能力もなしに、目や耳（音声）などを通じて、彼等彼女等の心や頭脳の記憶部分に刻み込まれ刷り込まれてきてしまっていることにも原因が潜んでいると考えられ得るのである。加えて、我が国は、欧米の民主化及びウーマンリブなどという名の下での女性解放運動に係わる欧米を主流とする視聴覚的もしくは情報的な準世界的な波やその津波的影響を、あたかもその防波堤を事前に強固に建設することなく、もろに被ってきてしまったのである。その延長として社会も国家も同様に女性化が加速したものと考えられ得るのである。ちなみに、この「ウーマンリブ」という文言もまた、残念ながら、世間的には片仮名化表現が支配的になってきてしまっているようである。

話を件《くだん》の映画の例に戻そう。外国映画を輸入する場合、当然、外国語は我等の母国語である日本語に翻訳されて、その映画画面の一部に和訳字幕が挿入され、それを多くの観客が読み取ることになる。場合によっては、興味のある人は各映画の封切と同時にもしくはその後日にディーブィディー（デジタル・ビデオ・ディスク、ＤＶＤ）その他の市販品を購入して読み取ることになる。この翻訳の仕事も尊い職種の一つであるが、ここに少なくとも一つの落とし穴が存在すると考えられ得るのである。現在の翻訳、特に、映画や娯楽関係の翻訳業務に携わっておられる方々としては、男性よりもむしろ女性の方がその従業人口が多いと推測され得る。なぜならば、ハローワークなどで、英語やフランス語を含む外国語の翻訳に係わる就活研修講座などへの参加の内訳などについて問い合わせたことがあるが、その参加者の約80ないし90％が女性であるという。従って、単純推定で、これらの方々が順当に希望業種に就職できたと仮定するならば、前述のように、翻訳業に携わっておられる方々の比率内容としては、少なくとも女性が男性を大きく上回っていると推測され得るのである。しかしまた、その反面、多くの女性が自活でき、ご自身の興味ある翻訳業で生活費を稼ぐことができるという点もしくは生活力が向上するという点では大変喜ばしいことである。更に、失業者が減少し就業者が増加することは各自治体としても国としても喜ばしいことであろう。それだけ各種の税収が見込まれるわけであるから。ただし、それがために、この業種での就職を希望している男性諸君にとっては、逆に競争率が高くなり、就職率がより厳しくなるという悲喜劇が生じる可能性は避け難いかもしれない。

しかしながら、ここで注意しなければならないことがある。それは、映画の翻訳作業を実行する場合に、少なからずその翻訳者個人の知性、本性、個性または感情などが無意識のうちに、その翻訳の最終決定文（いわゆる画面への最終挿入文）に反映される可能性が無きにしもあらずということである。少なくとも皆無であると断定することは、極めて困難であると考えられるのである。これと同様のことは、他業種の例えば新聞や雑誌などの分野においても、微視的もしくは心理的観点からすると、そのような微妙な要素が全く存在しないとは言い切れないであろう。例えば、具体例を挙げるならば、１９９９年頃に通常の劇場にて一般上映された『エネミー・オブ・アメリカ』という米国映画があった。これは直訳すると、『米国の敵』ということになる。また、その後、２０１０年代後半までに通常の劇場にて上映された『スターウォーズ』や『ジュラシックパーク』というシリーズものの米国映画もあった。これらを直訳すると『星間戦争』及び『ジュラ紀の恐竜公園』などということになるであろうか。あるいはそれ以前には『プリズン』という片仮名の題名の米国映画であるが、これを和訳すると『刑務所』もしくは『拘置所』などということになる。ところで、読者諸兄諸氏は、一体何を言いたいのかと再び問われることであろう。要は、こう言いたいのである。これらの実例に見られるように、翻訳者諸兄諸氏は、我が国の約３０００年にわたる永い文化と歴史の重み等に対して、確かに、愛着と理解は示したいと思っていることであろう。しかしながら、その一方で、目の前の現実、つまり、今この瞬間に担当している、この映画がいかに、大ヒットし、大きな売上げを自身の所属する会社にもたらしたいと思うのが自然の流れであろう。なぜなら、それにより、自身の地位も安定しまたはあわよくば自身が更に出世しそれにより、肩書も向上し、その結果、収入がより増加し、自身もしくは自身の家族などが経済的により潤うからであろう。そのために、上司からの業務指示に従って、時には夜遅くまで残業もし、あるいは、場合によっては、その仕事を家にまで持ち帰って、その仕事に励み翻訳したことであろう。しかし、ここで少し考えて頂きたい。この翻訳者諸兄諸氏は、恐らく観客の対象を男性のみならず、当然、女性にも置いていると想定しているはずである。

従って、『米国の敵』、『星間戦争』、『ジュラ紀の恐竜公園』もしくは『刑務所』などという文言では、現代の若者、特に女性向けには、いかにも精神的に負の強い刺激を与えることになるであろうことは想像に難くない。それ故、もしこれらの和訳またはこれらに近い和訳に決定したならば、観客の入場者数または動員数は、恐らく期待値を大幅に下回るであろうと予測したのではないだろうか。そのような心理が非常に見え隠れするのである。もちろん、これらの背景とは別に、翻訳をまさにしようと思っている目の前の作品が、それ以前の時期に製作され公開された改作（リメイク）版であったり、あるいは内容が既に公開済みの他の作品に類似しているなどの理由により、片仮名の表題を付けて皮相的な差別化を図る場合もあり得るであろう。しかしながら、このような場合でさえも、非片仮名でありかつその内容をほぼ一言で表現することは不可能ではないと考えられ得るのである。というのは、素直に和訳した場合、現代の男女の若者たちは、過激な情景を何らのストレスをも感じずに、容易に思い浮かべるだけの精神的な面における充分な耐久性、柔軟性及び強靭性を持ち合わせていないと考えられるからである。すなわち、彼等彼女等はそのような教育を幼少期より両親もしくは祖父母などから繰り返しなされてきていないと容易に考えられ得るからである。これは、換言すると、女性はもちろんだが、男性が従来よりも女性化してきていることの証左の一つであるとも言い得るのである。この場合、我が国としていると注意しなければならないことは、このような国民が増えてきているという点である。そして、この流れについて、それぞれの家庭、地域、社会、各自治体、全国都道府県及び国がしっかりと認識すべきである。と同時に、これに至急、制動をかけて停止または減速させるか、あるいは、本来の善なる方向へと軌道修正せねばならないということである。そして、事はこのような単純な問題だけでは済まないのである。

幸福度について

我が国の経済水準は過去50年間で約7倍も増加している。それにも拘わらず、国民の幸福度は殆ど不変であることが某テレビ番組で放映された。その理由は何であろうか。それは、確かに、経済的もしくはその向上に基づき、必要条件として、物質的には、満たされたとしても、人間は精神的に満たされなければ、真の幸福感を得ることができないということを裏付けているのではないだろうか。すなわち、十分条件は満たされていないと。これを拡張して考慮するならば、人間一人ひとりの幸福度もしくは平和な心を維持するための必要十分条件は、仮に車の両輪にたとえるならば、一方の車輪は飲食物や生活をしていく上での必要物品などを含めた物質的欲求であり、他方のそれは精神的欲求であると言い得るであろう。ところで、我が国は、先の大戦までは、どちらかと言えば男性社会であった。しかしながら、戦後、自由化及び民主化が導入されたことにより、急速に女性化へと変貌してきているように観えるし、そのように考えられ得る。従って、筆者は次のように考える。すなわち、今、この時期から、我々全国民は自らの精神を本来のより正しい方向へと軌道修正し、かつ、建て直さなければ、我が国は、根底から次第に衰え腐っていき、骨粗鬆症となり、自力では足腰が立たなくなってしまう可能性が大きくなるであろうと。そして、そのような危険な状態に陥ってしまった暁には、我々の殆どは、例えば、杖のような補助具もしくは助け舟がなければ、自身の活動が困難もしくは不可能なほどの重症に陥ってしまうことであろうと。更に、我々一人ひとりの体内の骨組織及びそれらを覆っている筋肉などが次第に衰えていく可能性は否定できないであろうと。すなわち、このままでは、この愛すべき我が国家は、自力では何もできなくなり、自らの体力、持久力、活力、気力、根気など一切のものが、戦前よりも低下してしまうであろうと。

だからこそ、筆者は、何度も何度も皆様に強調してきているのである。今、我々の心根や心持ちを着実なる実行を伴いつつ改善しなければならないのである、と。もはや、与野党が批判し合う充分な時間的余裕などないのである。与野党の中の自由かつ民主主義の巨大基盤の上に立った、強く善なる意思と意欲と勇気と気概とを有する強力なる改善に向けて立ち上がる時がやって来たのである。それを実践しなければならない時が、今、来たのである。つまり、女性上位もしくは女性中心主義の国家または女性化した弱体国家から、男女平等のより健全な自由かつ民主的な足腰のしっかりした国家へと変貌しなければならないのである。但し、ここで、くれぐれも誤解しないで頂きたい。女性が多くの分野及び職業に進出して活躍されることに対し、全く異論はない。このことに関連して、例えば、2014年9月に当時首相の安倍氏は国連総会にて女性の更なる地位向上を世界に向けて宣言し、米国の元国務長官のクリントン氏とも公開討論されていた。しかしながら、その一方で、畏れながら厳然とした歴史的事実もまた鎮座ましましておられるのである。それは、我々人類が、この地球上に誕生して以来、約276万年が経過しているのは周知のとおりである。そして、我が国において女性が社会や職場などに大挙して進出してきたのは、前述した欧米での女性解放運動の影響などにより恐らく1970年代頃と推定される。そうだとすると、まだせいぜい約50年ほどしか経っていないのである。但し、我が国での初期の女性解放運動は1870年代ないし1880年代の明治時代ではあるものの、約10年でその運動は急速に減退している[7]。これが、もし継続されてきていると仮定すると、例えば、2020年時点で150年程度経過していることになる。つまり、女性が大活躍し始めてきたとはいえ、人類史（約276万年）上では高々0・0051％ないし0・0054％程度しか経過していないのである。

だから、女性の就業有無に拘わらず、例えば、家庭内においては、原則的に、男性たる夫は大黒柱であり続けなければならないのである。従って、たとえ現代であろうとも、少なくとも「妻は夫を尻に敷いてはならない」し、「夫は妻と家族とを精神的かつ財政的に支えねばならない責務を結婚したと同時に負わねばならない」ということは言い得るであろう。たとえいかなる辛い時や事情があっても。なぜなら、結婚式を挙げたということは、または事情があって式を挙げることができなかったとしても、前者の場合は神仏及び親族に、後者の場合は当事者の相手方及びその両親もしくは親族に、それぞれ、結婚の約束または宣言をしたはずだからである。そして、たとえ後者の場合であっても、その約束または宣言は、神仏が同時にしっかりと見届けており、かつ聴いていてくださっているからである。また、妻が夫を尻に敷くという現象が度を過ぎると、結局、その結婚自体あるいはその家庭自体が破綻しかねないからである。もちろん、世の中には、例外的に、そのような状況を自ら好む者が極めてわずかに存在し得るということは風の便りで耳にすることもある。だが、そのようなことは明らかに世界常識的にも論外である。また、前述した「男性が大黒柱であり続ける……」とあるが、ご主人が逝去され、病床に伏されていたり、諸事情により離婚されたため、奥様がお子様を育てておられるなどのご家庭は、言うまでもなく除外されるであろう。従って、一般家庭の延長もしくは拡張である地域、社会及び国家も同様である。

夫婦とは一生の修業なり

古《いにしえ》より此《こ》の方、巷では、しばしば「夫婦喧嘩は犬も食わぬ」と言われてきている。確かに、長い眼で観ると、平均的には、他愛もない事柄が起因している場合が少なくないようである。しかしながら、その当事者にとっては、眼前の切実な問題であろう。なぜなら、その内容が夫婦間の日常生活における範疇に属するものが殆どだからであろう。従って、筆者は自身の友人が、ある賢者より賜った金言を、ここで、読者の皆様へ謹《つつし》んでお贈りさせて頂きたいと思う。それは、『夫婦とは一生の修業なり。師になったり、弟子になったり』である。筆者はこの金言のお陰さまで、今迄に何度も夫婦の危機を乗り越え、かつ、救われてきたことであろうか。感謝に堪えない。……。この金言は、筆者なりに解釈させて頂くならば、次のとおりである。すなわち、夫婦は互いに対等であること。そして、一方が不調であったり、苦悩している時は、他方がその事に想いやって、救いの手や解決のための智慧を存分に分けてあげることが必要であること。それがお互いの救われに繋がると考えられたからである。それ故、これは金言の一つと言えるのではなかろうかと思う次第である。

現代では、世の中のそれまでの不景気からいくらか景気が上向きかけている過渡期のご時世ではあるものの、ともすると、例えば、一部の家庭内において、奥様はご主人を自分よりも軽んじているか、もしくは見下しているような傾向が観られるのではないだろうか。確かに、ご主人の収入が少ないとか、それが去年よりも減少したとか、子供の誕生後に育児を殆ど手伝ってくれないとか、手抜きをしているとか、など。日々の不満や苦悩が累積してきていることでありましょう。しかしながら、この現象は決して望ましいことではないし、本来の正しく善なる姿ではないと思うのである。なぜなら、奥様にとって、ご主人は、やはり、家庭生活での悩み事の相談相手であると同時に、各家庭を常に狙い続けている泥棒、強盗、振り込め詐欺または暴漢などの悪人たちや悪の組織などから家族や家を守るべき伴侶であると同時に、そのような存在でもあるからである。それ故、筆者は次のように考える次第である。すなわち、奥様方は、ご主人に対し、日々様々なストレスが発生しているでありましょう。ですが、それを敢《あ》えて日々「感謝」と相互「信頼」の気持ちに切り替えて頂きたい。たとえ万が一、その理由が直ちに思い浮かばずとも、思い巡らせて頂きたい。それでも不可能ならば、親族や友人などに尋ねるなどしては如何であろうか。あるいは、多少意識的にでも、それらの気持を抱き続けて頂きたいのである。

その一方で、ご主人の側でも、たとえ一言二言でも良いから、真心の本音を伝えるなり、答えるなり、落ち着いた時間を創ってあげるべきではないだろうか。

確かに、ご主人としては、多種多様な仕事で心身ともに疲れている事と思われる。あたかも煩わしく、時間的に損するかのように思われるかもしれない。しかしながら、承知の上で、（仮に、お子様やお孫さんがおられるご家庭ならば）ご主人は、子供たち、孫たち、もしくは伴侶との対話のために、時間を割くことに努力すべきである。なぜなら、このような対話による善行もしくは菩薩行は、神仏が常にしっかりとご照覧くださっているからである。だから安心して、その短い時間帯に精神を集中して頂きたいのである。従って、筆者は次のように考える。すなわち、このような「生きた対話」を、例えば、帰宅後のわずかな時間や、少なくとも休日前の週末などには、たとえ15分間ないし30分間程度でもよいから、ご主人は、自らの個人的嗜好によるテレビ鑑賞、新聞、読書、喫煙や晩酌などの時間を少しだけでも空けるか割いて頂くかして、妻や子供たちや孫たちと、それぞれ、個別か、または一緒に、その一週間にあった出来事を、直接に、顔を向き合わせながら話を聴いてあげた後に、ご自身の愛と慈悲の気持ちを助言として伝えるならば、やがて、その家族は家庭円満へと導かれるものであると。

肩書、権威及び権力を過度に盲信すべからず

先述の如く、権威や権力に対しては尊重し尊敬しつつも、過度に盲信すべからずと申し上げたい。つまり、例えば、相手側

の名刺の肩書に対しても、過度に反応したり過剰に卑屈になったりせずに、その人物の本質や実力を見抜くように努めた方が善いのではなかろうか。なぜなら、我が国民が、比較的名刺の肩書に依存し易いことは、世界のいくつかの国々の有識者たちは既に承知しているからである。彼等は、日本人との商談、その他の際に、実際の名刺の肩書よりも水増ししているのが通例かもしくはその可能性が高いからである。それに関連した被害例として、振込み、訪問詐欺もしくは三億円強奪事件及び、例えば2018年より2019年頃に掛けて発生した別の同類事件などが挙げられ得る。このように、偽《にせ》の警官、弁護士もしくは企業の役員などは、確かに、その名刺の肩書や外見からすると、社会的地位に安心かつ高い職業人であるかのように観られ易い。しかしながら、そのように成りすましたり、覆面を被った強盗、または、強奪もしくは略奪事件は、現在までも多発してきている。そして、これらの悪行により奪われた多大の資金が、種々の某過激派集団、某組織もしくは同類の諸外国の軍もしくは悪行目的の資金源の一部を占めている可能性は否定できないであろう。だからこそ、我々一般国民の一人ひとりは、相手の肩書や容姿などに対して、盲信してはいけない。なぜなら、彼等彼女等の犯人もしくはその組織は、あなたの弱みや心の隙間に鋭く付け込んでくるからである。それにも拘わらず、我々日本人は、平均的に、外国人などが提示した肩書または、外見からの印象をいとも簡単に盲信しやすい面を有している。この傾向は、いわゆるエリート・コースを辿って来られた方たち、ご老人及び未成年者などにより強い傾向がみられるように推察され得る。その為、それらによる失敗や誤解などに基づく事件が相変わらず発生し続けてきている。それ故、筆者は次のように考える。すなわち、人を観察する場合には、あまりにも精神的に近づき過ぎず、まずは、ある程度の距離を置いて、しばらくは、彼や彼女の言動を静観した方がその後のためには無難であると。なお、これは、対個人に限定されることなく、家庭、地域、社会、及び国家の各次元に対しても同様に適用可能であろうと。

一般生活編

我が国の現代における平均的な青年男女の性向としては、「親離れの年齢」が上がってきているようにみえる。これは、一つには少子化のためもあるかもしれない。すなわち、乳幼児期からの溺愛が少年少女期、青年男女期になっても継続してきていることに起因しているためではないだろうか。確かに、それらの時期はどの家庭でも、子供たちに手の掛かることは十分理解できる。しかしながら、年を経るに伴い、対応の仕方や内容を次第に変化させていくことも、本人のためになると思うのである。なぜなら、高校初学年の年齢くらいまではやむを得ないとしても、義務教育でもない大学へ入学する者に対し、例えば入学金に関して言うならば、その一部はやむを得ないかもしれないが、少なくとも毎年の授業料もしくはその一部分を賄《まかな》うくらいは、自分自身の悪行でないアルバイトなどで稼ぎ出すぞというくらいの自らの熱意と気力と精神的逞しさがほしいものである。但し、現代では、そのアルバイト先での勤務内容が従来と変質し、労働自体や責任をより負わされる度合が増加している傾向が一部でみられる。これについては、検討の余地があるが、部分的に次元の異なる問題でもあるため、今後も引き続き関連当局などで検討されるべき課題の一つであろう。もちろん、心身の健康上、またはその他の特別な事情を抱えている方々は例外であろう。従って、筆者はこう考える。すなわち、心身共に健康な少なくとも青年男子であるならば、学問を学ぶと共に、そのくらいの精神的な逞しさがなければ、これからの従来以上に厳しい世の中をあるいは世界を生き抜いていくことは、極めて困難になると言い得るし、そのように予測され得ると。なお、２０１９年12月下旬頃に勃発した新型コロナウイルス事件（もしくは災禍）は、例えば２０２１年２月上旬になっても世界の数多くの国々で感染拡大が続いている。この為、学校や企業を含む数多くの分野で、在宅授業や在宅勤務（いわゆる「テレワーク」）が実施されてきている。このような悪状況下では、更に厳しいと思われるが、可能な範囲で、何とか頑張って頂きたいと切望する次第である。但し、２０２１年２月中旬頃より、我が国へのワクチンが届いたことにより、医療関係者から優先的に予防接種が始まっている。我々一般国民に対しては、４月上旬頃になるであろう。いずれにしても、これにより、本件の終息時期が短縮されることを願わずにはいられない。

特に、欧米では、既に約百年ほど前から、学生といえども自ら悪行でないアルバイトなどをして、学費の全額またはその一部を捻出してきているのである。我が国の青年男女も精神的により逞しく育っていって、一人立ちして頂きたいと切望している。それにも拘わらず、いわば過保護的傾向が続いている理由は何なのであろうか。確かに、両親や祖父母の側からすると、子供や孫との精神的な繋がりを断ち切りたくないがために、または子供や孫からそれを断ち切られるのを恐れるかまたは不安感に襲われるのを避けるために、何でもかでも金銭的もしくは物質的な援助を、例えば、成人となる20歳を過ぎてもなお、支援したがる傾向が今なお強いように見受けられる。しかしながら、その一方で、青年男女の側も、何でもかでも両親や祖父母に依存する傾向及びその比率が少なくない。つまり、両親や祖父母に、本音としては、甘えて、おねだりしてきている可能性は否定し難いところであろう。だから、子供や孫たちの側にとっても親離れ年齢が上昇してきている可能性が高くなってきているとも考えられ得るのである。経済面などに関して不明や不安な点などを相談するのはもちろんよいであろう。だが、それを稼ぎ出すための実行者もしくは当事者は、家庭の状況や本人の心身の健康状態が許すならば、可能な限りもしくは基本的には、本人自身であってほしいものである。特に男子は。そうでなければ、成人以降の彼等彼女等がこれからの自身の人生の様々な荒波を乗り切っていくのは至難の業《わざ》と言い得るであろう。そこで、筆者は更に次のように考える。すなわち、両親や祖父母が自身の子供や孫に対して真の慈悲心や愛情をもっているならば、16歳ないし20歳前後になったら、むしろ意識的に、彼等彼女等を精神的に家庭から、あたかも「ところてん式」に押し出してあげるくらいの気持ちを抱いて頂きたいものであると。なぜなら、これは、子供や孫が独り立ちするための目に見えない一種の真の深い慈悲心及び愛情のこもった善なる精神的もしくは行動的な表現の一つであると考えられるからである。

教育の大切さ

いわゆる教育といえば、一般的には文部科学省が指導してきている通常の小学校から高校までの教科書の知識を指すのであろうが、ここで言う教育とは、学校で学ぶ知識だけではない。教科書には恐らく書かれていない内容のことである。それは、例えば次の事柄である。3歳ないし4歳頃の幼稚園もしくは保育園に入園するしないに拘わらず、そのくらいの年齢段階で、全国都道府県下におけるすべての少年少女に対し、平日の1日あたり少なくとも約30分間ないし1時間は漢文、古文及び近代文の基本的に重要な年少者向けの教育を、その各自治体にて実施して頂きたいのである。ここで、漢文とは、例えば、孔子、孟子、老子、荘子など。古文とは、例えば、世阿弥の『風姿花伝』、貝原益軒の『養生訓』など。そして、近代文とは、例えば『武士道』などである。確かに、一面において、これらは年少者にとって難し過ぎるのではないかという疑問が、読者諸兄諸氏より聞こえてきそうである。しかしながら、それでもあえて、筆者は、当局へお願いしたいのである。なぜなら、十代、二十代の青年時代以降の年輩になってから初めて学んで頂くよりも、ご本人にとって、格段にその内容などについての吸収率（すなわち、「吸収効率」〈仮称〉）が高いからである。そして、人間の「心」というのは、一般的に、より年少の時期に学び見聞した事柄や内容は、各人の心の奥底の「蔵《くら》」にしっかりと保存されるからである。換言するならば、これは、いわば、本章にて既述した「三つ子の魂百まで」に相当するとも言い得るからである。従って、筆者は心より、次のように願うものである。すなわち、前述のような、より分かりやすい例文を選択し、場合によっては、平仮名文もしくは書き下し文などに書き直した例文を、元気に口誦《こうしょう》することを是非、当局が支援しつつ、各家庭にて実践、実行して頂きたいのである。但し、それらの書物の内容は、現代の我が国に通用する基本例文的なものを中心としてお願いしたい。もちろん、それらの書物の費用は、可能な限り、国、全国都道府県もしくはそれらの各自治体が負担するようにして頂きたい。そして、両親、祖父母もしくはその他の方々が子供たちの各家庭内もしくはその地域内における準教師、講師または補佐役のお役を務めて頂きたいのである。そして、それが自然なもしくは妥当な流れではないだろうか。在学年齢の約18ないし19歳またはそれ以上の年齢における学生時代は、学問や体育、文芸などの吸収、理解、応用など、健全なる心身の養成及び育成期間である。更に、自立した生活もしくは、これからの新たなる人生を自らの考えと自らの実行動とによって、自分自身や将来の愛すべき伴侶もしくは家族のための生活費のすべてを稼ぎ出さなければならないのである。そうでなければ、やっていけないのだ、生活していけないのだ、というくらいの大いなる決定《けつじょう》をして頂きたいのである。しかも、それを実践する場及び期間である、と自らの心に強く受け止めたら如何であろうか。つまり、この時期の行動如何によって、従来よりも一段階上の人格向上を目指すのだ、というような。

もちろん、全国都道府県には、当然16ないし19歳くらいから職業に就くことを決めているかまたは就かねばならない状況下にある青年男女は、あらゆる希望職種を通じて数多くおられるであろう。このような青年男女には、次の言葉を贈りたい。あなたが、これからの新たな人生または自立するための、より安定した生活をそれぞれ送るために、両親、祖父母、親友、親族もしくは学校の先生方などと相談し参考意見を聞いた上で、自らの考えをまとめて、最後には自ら決定すべきではないだろうか。確かに、両親、祖父母、先生方のそれぞれにお任せするなどして、自分以外の身近な人々に任せれば精神的に気楽ではあろう。あるいは、その選択に関して自己責任を取る必要はないかもしれない。しかも、万が一、その選択の結果、自分自身にとって、不都合で期待に反する結果が生じた場合、恐らく周囲の人々に責任を転嫁する可能性が高いのではないだろうか。しかしながら、その判断は明らかに誤まりであろう。なぜなら、周囲の人々に責任を転嫁したところで、本質的な問題解決には何ら繋がらないからである。それどころか、そのような考え方を二度、三度と繰り返していくうちに、その退心の心根が次第に習慣化し習性化してしまうからである。つまり、そのような考え方及び言動により、あなた自身が今後、あらゆる困難な局面の岐路に立った際、常に、その方向へ方向へと心が流れ易くなってしまうことを意味しているのである。これは、あなたのこれからの人生にとって、極めて消極的な道を辿ることに繋がるであろう。それと共に、あなたが天寿を全うする年齢に近づいた際、もしくは、それに達し得る際に、大いに後悔するのではなかろうかと予測され得るからである。だからこそ、筆者は、次のように考えるのである。すなわち、あなたご自身が十分に考えた末に、「この道だ！」と思ったら、ご自身は「この方向の道を目指すのだ」という決断を下すべきであると。そしてその決定に基づいた行動により、ご自身のみならず、将来の愛すべき伴侶もしくは家族も含めての生活費を稼ぎ出さなければならないのである。そうでなければ、やっていけないのだ、生活していけないのだ、という職業人（プロフェッショナル）的決定の意識を強く持って頂きたい、と。そして、何よりも、あなた自身のこれからの人生という、より高く、より大きな山を目指して、あなたの足元をしっかりと踏みしめ、あせらず、休まず（もちろん、原則的に休日を除き）、一歩一歩登って行って頂きたいのであると。もちろん、1週間あたり少なくとも1日は絶対に休日をとって、あなた自身の生身の体と心とを充分に休めて頂きたいと。

両親及び先祖への感謝

あなたの両親（たとえ仮に親が何らかの理由で離婚や死別されているとしても）が居られたからこそ、今のあなたが神仏により、この現実の世の中に誕生させて頂いたのである。この誠に尊くかつ重い現実の点に関しては、少なくとも心から深く感謝すべきである。感謝しなければバチ（天罰）が当たるとも言い得る。たとえ万が一、望まれない結婚だったとしても、新しい生命が誕生するには何億分の一の確率という高い障壁や困難をやっとのことで乗り越えてきた極めて稀なる結果なのである。この重い事実をあなたと共に我々は真摯に受け止めるべきである。そして、このことこそが、実は、全大宇宙を見守ってくださっている神仏の計らいであると筆者は心から信じているのである。従って、この世に生まれてきた者は、すべて必要であるからこそ誕生させて頂いたのである。そして、その個性を「世のため、人のために」善行を通じて活かしてもらいたいがために、神仏はあなたに愛と慈悲とを持って後押しをして誕生させてくださったのである。この世に授けられたのである。だから、たとえ理由が何であれ、決して自分自身の両親や兄弟姉妹や祖父母や周囲の方々を、自身の誕生に関して、決して恨んではいけない。憎んではならない。自分の歩んできた人生を周囲のせいや社会のせいや国のせいにしてはいけない。もしもあなたがそのような心や気持ちを万が一にも抱いたならば、神仏は大いに嘆き悲しまれることであろう。と同時に、恨みや憎しみを長く抱いていると、結局は、あなた自身が持っている本来の正しい心の軌道から次第に大きく外れてしまい、家庭、周囲の人々、地域、社会、国家及び世界のいずれの次元に対しても、正しい判断を下すことが極めて困難となり、不可能となり得るからである。つまり、誤った判断を下し、誤った行動を引き起こす可能性がより高くなる状態に陥ってしまうからである。

今は、あなたは人生の脚光を浴びていないかもしれない。しかし、今までのあなたの人生は、逆に、これからの将来に向けて生きていくための基礎力を養成するために必要な期間であったのだと受け止めれば、今までの実経験は何ら無駄にはならず活かされてくるのである。すべてがプラス、すなわち、神仏、両親及び先祖に対する感謝の対象となり得るのである。それどころか、その様々なあなた自身の悔しかったこと、屈辱的なこと、嬉しかったこと、楽しかったことなどの様々な経験や体験が、これからのあなたの血となり肉となり精神の一部となり、智慧となって、よりあなたを心身共に逞しくしていくことになるのである。したがって、折角誕生させて頂いたこの我が身（体）を傷つけたり自ら命を絶つことは、当然、両親をはじめ兄弟姉妹や親族及び指導してくださった多くの諸先輩や諸先生方を悲しませることであり、最大級の親不孝であり、かつ、神仏を悲しませる行為に相当し得る極めて残念なる行為と考えられるのである。それ故、自分自身と共に家族や親族及びその他の人々を慈しむ気持ちを持って体を休めるべきである。このような背景と心構えとを持ちつつ、明日と新たな次の週へ向けて心身の英気を養って頂きたいのである。

　また、周囲の友人、知人やその他の人々の成功や幸福などを決して妬んだり、羨んだりしてはいけない。確かに、これらの気持ちは、日々の生活においては、現実に少なからず発生し得ることであろう。だから、決して分らないではない。しかしながら、それでも敢《あ》えて、それらの気持ちは抑え込まねばならない。なぜならば、それらの気持ちが湧き出てくると、あなた自身の本来の仕事、家事、奉仕、アルバイト、勉学、スポーツ、お役などに対する持ち味、意欲並びに精神的及び身体的エネルギーの両者が削がれてしまい、あなた自身にとって何らよいことはないからである。従って、筆者は次のように考える。すなわち、このような時には、今の仕事などに係わる基礎知識や技術などの復習をしたり予習をしたり、あなた自身の趣味を探して、それを実践したりしてみては如何であろうか。もちろん、その趣味は、あなた自身が楽しさを感じると共に、周囲や社会の人々や環境に迷惑や不快な悪影響もしくは危険を及ぼさない分野と範囲の内容であることを望みたい。

　あるいは、もしあなたが信仰者ならば、一心にご供養（宗教により各々この形式や行為は相異するであろうが）することであろう。筆者は、このご供養が学問や趣味による実践よりも、その煩悩を消滅させるには、最も有効性かつ即効性を有していると考えている。その為、後者の方法をしばしば実践している次第である。

神仏及び先祖への祈りと善行の必要性

　更に、併せて、必ず実践して頂きたいことがある。それは、時間の中に存在すると共に、あなたの心の中にも存在している神仏に、強くこのように願っては如何であろうか。具体的には、例えば、「(私は今、迷っていますが）どうか、周りの人々や現象に惑わされることなく、振り回されることなく、私自身の性格、性質、能力に見合った、本来の正しく善なる方向へお導きください。そして、そのための智慧を授けてください」と、真心より強く真剣に誠実に。更に、真心より強く。このように、善なること（すなわち、他の人々や家庭、地域、社会、国家及び世界を含む世の中に対して迷惑を掛けないこと、嫌がる言動をしないこと及び違法行為をしないこと）を強くより強く、心の中に念じて頂きたい。しかも、あなたのその自らの願いに沿った、または、その願いの道筋に沿った、正しく善なる行動を起こして頂きたい。そうすれば、将来必ずや、あなたのその願いは叶えられるか、もしくは、それと同等または類似の状態の結果に巡り合うことができると筆者は真心より確信している。そして、その当初に、あなたが心より強く願っていた悪でない善なる内容の現実的な現象もしくは智慧などを、あなた自身が目の当たりにした時、あるいは、そのことを家族や友人などから説明その他を受けた時、あなたは、神仏の存在と愛と慈悲とを強く身近に感得できると共に、神仏の深いみ心に強く感謝せざるを得なくなるであろう。あなたご自身が心の奥の奥底で待ち望んでいた現象に出会えたならば、あなたはおそらく神仏に対して真心から自然に頭《こうべ》を深く垂れざるを得なくなるのではないであろうか。あなたがたとえ一度でも、そのような実体験をされたならば、あなたは、神仏への祈りもしくは請願と、その内容に沿った善行もしくは菩薩行の実践の尊さと必要性とを、必ずや感得されることと思う。但し、願わくは、この体験は、あなたができるだけ早期に体験して頂ければより幸いである。これは、筆者が真心より切望することの一つである。

我以外皆師也《われいがいみなしなり》

「我以外皆師也」、この格言は、たしか宮本武蔵（1584～1645）が『五輪書』の中で、晩年に述べた言葉であると思われる。その後、文豪の吉川英治氏（1892～1962）も機会あるごとにこの言葉を引用されていた。この格言は、個人のみならず、家庭、地域、社会、国家及び世界の各次元に対しても適用し得ると考えられる。それだけに、これは含蓄に富む言葉であろう。なお、この格言を分析すると、「我以外皆」の中には、善人と悪人とが混在していると言い得る。もし対象となる人物が善人であるならば、当然、師と尊敬し仰げる人であろう。しかしながら、逆に、もしその人物が残念ながら悪人もしくは極悪人であるならば、その悪行または悪の言動をしてはいけないし、模倣もしてはいけない、実行もしてはならないという教訓もしくは戒めとして我々の側が受け止めるならば、後者の場合であっても、広義には、我が全国民がしてはならない教訓となり得る。この参考例として、ダイバダッタを後に引用したい。そこで、これらの実例として、読者の皆様を現代から約2500年前の時代に一気にご招待したいと思う。そのため、皆様のお心を、唯今から精神集中して、古《いにしえ》の約2500年前の時代に一気に思いを馳せて頂きたい。

その当時、我が国はまだ縄文時代であった。恐らく同時代人は全国各地の村落や集落で日々の生活に一生懸命であったであろう。仏伝によれば、次のようである。すなわち、当時、我が国から大略南西方向に位置するアジア大陸に、古代インド国があった。その古代インド北部にシャカ（またはシャーキャ）族出身の釈迦（もしくは釈尊。紀元前約550～前470頃）という人物が実在し活動していた。彼は出家修行者たちの指導者であると共に、在家信者をも教化していた。ここで、出家修行者とは世俗の生活を捨てて仏門に入って修行する者を言い、在家信者とは出家せずに、家庭にあって世俗もしくは在俗の生活を営みながら仏教に帰依する者を言う。そのような時期に、釈迦ご自身の従兄弟であり、一時期まで仏弟子でもあったダイバダッタが、こともあろうに、反逆し、同教団を乗っ取ろうとしたり、分裂を謀ったりしたのである。また、釈迦を中傷したり、名誉を著しく毀損《きそん》したり、陥れようとしたりもした。だが、これらの企ては、いずれも失敗したのであった。そのため、彼ダイバダッタは、霊鷲山《りょうじゅせん》の崖の上から釈迦を目がけて、大岩を転がり落とすという大罪を犯したのである。釈迦は出血する傷は負ったものの、幸い命は取りとめることができた。更に、ダイバダッタは、それでも懲りずに、執拗に、しつこく何回も何回も更に何回も釈迦の命を狙ったりした。例えば、前述の悪行のみならず、象に酒を飲ませて狂乱状態にして釈迦を殺傷させようとしたり、釈迦に毒を飲ませようとしたり、弓矢を用いて釈迦を狙ったりもした。だがしかし、これらの悪行はすべて失敗に終わったのであった。

たとえ約2500年前当時であっても、被害者であるならば、当然、怒ったり逆上したりして、例えば、「ダイバダッタを直ちに捕えて、彼の犯した重罪を問いただし確認した後、本人も罪を認めたならば、その罪の償いをさせよ」というような主旨の指示をしても決しておかしくない時代であったはずである。それにも拘わらず、釈迦はそのようなことを言わなかったし、指示もしなかった。それどころか、次のような主旨のことを言われた。「彼ダイバダッタを憎んではいけない。恨んではいけない」と。そして更に、「彼は、前世の私自身の姿なのだ。私は彼によって多くのことを学んだ。彼こそが善知識なのだ」と（例えば〔8〕）。この受け止め方は、人格者、指導者もしくは信仰指導者としての究極もしくは最高の挙動及び言動の一つであり、それらの姿または状態の一つではないだろうかと考えられるのである。なお、ここでは釈迦を一例として挙げさせて頂いたが、全世界にはその他にも偉大な宗教指導者が何人か実在されたことは世界公知のとおりである。

要は、このように申し上げたいのである。この釈迦のお言葉は、たとえ自分と自身の教団を破滅させようと策謀したり、自分を殺害しようとした修行者、すなわち従兄弟のダイバダッタであろうとも、釈迦にとっては、多くの事柄（人間の心の中の奥に潜んでいる悪の心の姿、悪行、または人間の本質的な弱点を曝け出した醜い姿、もしくはその本性）を学ばせてもらったあるいは悟らせてもらったのである、と言い得る。このようにして、武蔵と釈迦とは、それぞれの立場、お役、時代、その他は全く異なるであろう。しかしながら、「我以外皆師也」という、「自分自身の心の受け止め方」、自身の目の前で起こる個人的、家庭的、地域的、社会的、国家的及び世界的な様々の厳しい「現象に対する心や気持ちの捉え方、受け止め方」という観点からは、かなり共通もしくは類似していると考えられ得るのである。例えば、観点を変えて、現代の国防について考えてみよう。そうすると、某国々の挙動も、我が国の教訓として採り込むことができるし、もし仮に悪行があったならば、その発言及び行動は我々の側としては起こしてはならないことの教訓または戒めとして、あるいは善なることは参考とするか、もしくは活用及び応用すべきであるということになるであろう。したがって、この「我以外皆師也」は、個人、家庭、地域、社会、国家及び世界のいずれの場合に関しても適用もしくは活用し得る、極めて有効な、我が全国民の共通財産としての智慧の一つとなり得るであろうし、そのように言い得るであろう。

人生は日々これ戦場

幼少年及び青年時代は、とにかく勉学（芸術系、体育系、看護系、介護系などをも含めて）及び体作りに励むことである。どうしても自分自身もしくは家族の生活のために、働きたい、もしくは働かざるを得ない方々は、その与えられた条件下で、あるがままの状態で、仕事に精を出すことである。この場合、他の人々や周囲の人々を妬んだり僻《ひが》んだりしてはならない。そして、勉学に勤《いそ》しんでいる者は勉学を通じて、仕事に勤しんでいる者はその仕事を通じて、それぞれ、自分自身が可能な範囲で好きな分野を、できるならば16ないし20歳くらいまでに探して、決められる方向または状態へと持って行って頂きたいものである。そして、自分の人生の目標がほぼ定まってきたならば、その分野で、世のため、（他の）人のためになるには、換言するならば、世の中や他の人々が真心から喜んでくださるためには、自分はどのような分野で働き、それにより、自身の生活費を稼ぎ出し、かつ、その目的を達成するために自分は一体何をしたらよいのか。どのような準備をしたらよいのだろうか。自分が、たとえほんのわずかでも、その好きな分野で世の中や他の人々のために善なる貢献ができるようにするためには、これから何年掛けて、何を身に付けねばならないのだろうか。あるいは、どのような基礎的知識、文芸、体力または技術などを身に付けねばならないのだろうかについて考えて頂きたいのである。すぐに分らなくてもよい。すぐに結論が出なくてもよいのである。その場合には、あなたの両親、祖父母、兄弟姉妹、善き友人、善き先輩、善き先生などを通じて、悪いまたは邪な情報は実行してはいけない教訓として捨てて、善い情報を収集することを実行した方が良いであろう。それと共に、あなた自身の性格を、総合的に、冷静かつ理性的に自己分析してみることである。そのようにして、自分の向き不向きの職種または仕事の分野を絞り込んでいったら良いのではないだろうか。

ここで、幼年及び少年少女時代については、例えば江戸時代の１７１０年に人間の養生法と子供の教育方法などを説かれた貝原益軒《かいばらえきけん》（１６３０～１７１４）著の『和俗童子訓』[9]を繰り返し骨身に沁みこむまで、読誦するのもその一つの方法ではないだろうか。これは、それほど皆さんにとって、幼児期より老年期に至るまで、参考となり有益な冊子の一つになると思われる。この冊子を大いに参考にして頂くだけでなく、この勧めは、現与党殿にも申し上げたい。そして更に、文部科学省殿におかれては、是非、少なくとも小中高校までは、それぞれの学年に応じて、各学年の生徒たちが充分に読みこなせるように、同書を現代口語文に翻訳し直して、例えば、７ないし12歳の児童に関しては、より大きな字体の平仮名に。13ないし15歳に関しては、より大きな字体の常用漢字に。16ないし20歳前後の青年に関しては、通常の現代口語訳文などにして頂くならば、より分かりやすくなるであろう。

そして、誰でもある仕事を３ないし５年ほど経験してくると、いくらか責任を負わされるかまたは以前より重要度の増した業務内容を任されることになるであろう。そうなると、上司や関連部署などより、基本的な業務指示や依頼が来ると予想される。しからば、それを受理し、直ちにその業務に沿った調査、営業、契約、開発、開拓、研究、その他の実行動を開始することになる。その結果を、報告書にまとめて、上司もしくは依頼元へ報告することになるであろう。その内容が、上司や依頼元の意向に充分沿ったものであれば何ら問題は生じないであろう。しかしながら、彼等の意向に反したり、後日、その報告（書）に係わる係争や問題が何ら発生しないという保証は通常少ないと予想され得る。特に、その課題が、その企業、団体、組織などにとって重要であればあるほど、同業他社と競合する事例が少なくないはずだからである。このような事態に至ったならば、事前に、そのような最悪の事態を想定していなかった方々にとっては、恐らく胃、腸もしくは十二指腸などがきりきりと痛くなるのではなかろうか。従って、平生の平穏無事な時よりも、喫煙や酒量などが幾分増加し得ることは、場合によっては無理からぬところであろう。それ故、筆者は次のように考える。すなわち、このような事態におけるストレス回避法もしくは解消法の一つとして、皆様へ「人生《じんせい》は日々これ戦場」(将棋界の名人位を含む三冠王をかつて獲得された升田幸三氏の言葉(10))を贈らせて頂きたいと。それと共に、この言葉の奥に存在する精神及び意味合いを充分に汲み取って頂きたいのである。そして、それをあなたの心に深く刻み込み、もしくは、心に植え付けて頂きたいのである。それにより、今日からのあなたの人生において、しばしば出会うであろう様々な艱難辛苦の事態もしくは場面を、一つ一つ、一歩一歩、着実に乗り越え歩んで行って頂き、ゆっくりと人生の階段を昇っていって頂きたいと。因みに、ここで言う戦場とは、一般的な現代社会における仕事、勤労、奉仕、アルバイト、勉学、体操、芸術、文学、看護、介護、その他の多くのお役や活動をしている環境を指していると思うのである。それ故、そのような環境下での、我々全国民の精神状態を、常にそのような活性化状態にしておきなさいよ、という升田氏のご助言と、筆者は受け止めさせて頂いているのである。そのため、この言葉を皆様にお分けさせて頂いた次第である。

そのためには、北は北海道から南は沖縄県及びその他の関連島しょまでの全国都道府県の各地域並びに海外にて日々、それぞれの異なる気候や環境や仕事の分野と立場で活躍中の、すべての青年及び成年男女の方々、すべてのご両親たち及びその他の方々に申し上げたい。「あなたたちが素晴らしい子宝に恵まれたならば、そのお子様がある年齢に達したならば、ご自身のお子様方を決して度を越して甘やかし過ぎてはいけない。溺愛し過ぎてはいけないのではないだろうか」と。確かに、ご自身のお子様に愛情と慈悲とを注ぐのは至極当然であるし、必要なことでありましょう。しかしながら、何事も度を過ごしてはならないのではなかろうか。というのは、日々成長していく子供たちや孫たちに対して、人間として何が善いことで何が悪いことかの弁別は比較的可能な早期より各家庭で教えられるべきだからである。そして、このような事柄は、基本的に学校では教えてくれない。その愛情や慈悲を注ぐことと養育することの各々の「さじ加減」は、両親として祖父母として、善にしてかつ大いなる深い智慧を伴うからである。従って、筆者は次のように考える。すなわち、両親や祖父母は、子供たちが16歳くらいに達したならば、愛情をもって見守りつつも、彼等彼女等を世間に送り出すための「子離れ」作業の準備に取り掛かるべき責務もまた担っておられるのであると。

なお、幼年期の子供に対し、前述の益軒は、例えば、現代風に意訳して読み替えると、次のように述べておられる。すなわち、「……幼少より養い豊かにして、扱いが手厚く、本人の要求どおりに心のままに応えてあげて、安楽な状況にしてあげていると、本人は次第にわがままになり、私欲の多い性格に育っていき、病気が多く、困難な現象に出会った場合、それに耐えることができず、……もし何らかの変化に出会うなり直面した場合、その苦しみに耐えられない。仕事場または仕事の現場に長くいては、苦悩を耐え忍ぶことが難しく、病気にかかり、仕事場、労働もしくは勤務の現場に臨んでは、心に仕事に対するやる気や勇気があっても、その身はおとなしいために、積極的かつ活力ある行動を起こし難く、周囲の人々の勤務成績よりも低くなりがちで、手柄を立てて名を挙げ出世する事は困難である。……」と。

　そして、そのような本来守るべき通常の正しい心の軌道から外れた子供や青年にならないように、善なる生きた教育をするための父母の心構えとして、現代風に意訳して読み替えると、「父母は子供に対し、（人の道に沿った）正しく善なる教育方法に関しては、（当然のことながら、思いやりや慈悲心及び愛情を持ちつつ）厳しければ、子供というのは畏《おそ》れ慎んで、親の教えをしっかりと聞いて背かないものである。これによって、親孝行の道が育まれかつ培われるのである」と述べておられる（前出[11]）。従って、益軒は、逆説的に、これらと逆の行為をしてはならないことも教示してくれているのである。すなわち、現代風に意訳すると、次のようになるであろう。「父母が単に表面的にやさしくて、慈愛に基づく、正しく善なる厳しさを示さずに、子供に対する愛情の度合が過剰ならば、子供はやがて、父母を何ら畏れずに、父母の教えは守られず、してはいけない戒めは守られることがない。このために、子供は父母を軽蔑し、（親孝行などの）孝行の道は育まれず培われない。婦人や愚かなる人は、自分の子供を正しい方向へ育てる道を知らないで、常に子供をわがままにさせ、気ままになるのを注意しないがために、その子供の思い上がりは、成長するに伴って、どんどんと増していく。普通の人は、それによって気持ちが暗くなり気が重くなり育児に迷い、子供への愛に溺れて、その子供が（親の眼の届かない所で）悪いことをしているのを何も知らない」（前出[12]）と。

　更に、益軒は、『和俗童子訓』巻之五において、「女子を教ゆる法」も説いている[13]。その中で、例えば、「女児はひとえに、親の教え一つで育つものである」の項目にて、「親からの（正しい）教えがなく育てられた娘は、礼儀を知らない。女の道に疎《うと》く、女徳《じょとく》を慎まず、かつ、女功《じょこう》の学びなし。これ皆、父母の子を愛する道を知らざるなり。」[14]と説かれている。ここで、女徳とは、女の心ざまの正しくして善なるものを言い、和と順とを守るべしという。また、女功とは、女子の仕事もしくはお役をいう。因みに、前述の『養生訓』の出版年月は、草稿の完成した1713年の後、まもなくの頃と推定されるとのことである。従って、江戸時代中期に発行されたにも拘らず、現代にも殆どそのまま通用する生活の智慧が宝石の如くちりばめられていると言い得る。実生活に密着した育児や子供との接し方やそれらの方法など大いに参考にすべきである。例えば、現代における若者の犯罪、家庭内暴力やいじめなどの防止法も前述の智恵を活用することにより、あなたのお子さんが悪や怠惰などの道に入り込まないように、迷い込まないように、愛と慈悲と健全なるいくらかの善なる厳しさをもって、指導を続けて頂きたいものである。

子宝に巡り合えない方々へ

ところで、十数年前に、友人より、次のような相談を受けた。「なぜ、我々は子宝に恵まれないのだろうか」と。これに対し、筆者は、その時、何故か、次の仏智《ぶっち》を戴いたので、それを彼に伝えた。「あなた方には、お子さんがおられないからこそ、他の人々には真似のできない善行ができるのではないか。つまり、神仏は、あなた方のような境遇の人であるからこそ、現在の仕事なりお役を可能ならしめる機会を与えてくださっているのではないのだろうか。あなた方には、他の人々では現実的にでき難い事柄を通じて、どのような小さな事柄であっても、世のため、人のために尽くす天職が与えられているのだよ」と。

一方、苦悩するような問題が生じた場合、一般的には、それを少しでも解決へのゴールへと導くために、次のような手順を踏むのがよりよいと考えられ得る。すなわち、まず、真剣に自分自身や智慧者の意見も仰ぎしかも建設的な智慧を一生懸命に出し合うことである。次に、誠実さと情熱と善なる目的を持って、熱い議論をすることである。そうすれば、神仏は、必ずや我々が真剣に苦悩した長く暗い心のトンネルの行く手に、その分量もしくはエネルギーに相当し得るだけの、貴重なるヒント、仏智または神智《しんち》を授けてくださることであろう。それは、当事者にとって、喜びもひとしおな一筋の光が射し込んでくるかの如き、より妥当性もしくは合理性を有する糸口になるとも言い得る。そのように筆者は真心より信じている。それ故、あなたの目の前にあるいは心の中に、日々、次々と現出してくる様々な現象や課題や難題に対し、第一に、その内容が善か悪に弁別し、善ならば検討の対象とし、悪ならば検討不要または不実施の大前提の下での教訓もしくは戒めの対象として頂きたい。しかる後に、あなた自身から見て、重要度の優先順位を設けたら如何であろうか。但し、その判断が難しい場合、仕事については善き上司、先輩、友人などに、学問は両親、祖父母、善き先輩や先生などに、家庭については両親、祖父母、兄弟姉妹、善き親しい友人などに聞いたり相談してみたら良いのではないだろうか。

そして、一つ一つを真剣かつ地道に、期限を設定して検討するようにしたら如何であろうか。具体的には、例えば、まず、対策と実行及び検証のための資料及び情報を入手すること。もちろん、それは、個人、家庭、地域、社会（集合体、組織、班、職場、団体、企業、その他）及び国家の各次元に応じてなされるべきであろう。しかる後に、完全でなくとも、法律が定められている場合はそれを遵守し、それ以外の場合には、例えば約65％以上の賛成または賛同を得たならば実行すべきと考える。但し、例外がある。例えば、仮想敵国群及びそれに類する組織や集団などが、我が国を侵略してきた場合は、約65％ではなく、完全に負けない状況が確立される時点までは、反撃を開始すべきではない。しかも、時代や時間が停止することは全くあり得ない。だからこそ、少なくとも、国防力、防災力及び（国内治安などのための）警察力並びに消防力などについては、従来通り、常に定期的な訓練を怠らず、補強補充しかつ改良改善し続けなければならないことになるのである。

挑戦する心の必要性

ここで、少し観点を変えて、開発または研究分野に眼を向けてみよう。例えば、２０１０年の某学会誌によると、科学技術系分野の中の、「米国　フィジカル・レヴュー及び同フィジカル・レヴュー・レタース」について見ると、中国は２０００年頃から、我が国及びドイツその他の国々（ただし米国を除く）の同各雑誌への投稿数を抜くと共に、それら各国からの投稿数の約二倍量で、同国のそれは増加し続けている。しかも、その増加数はほぼ指数関数的に伸び続けているのである。他のアジア諸国も同様に増加し続けている。これに対し、我が国と欧州は、ほぼ飽和状態で推移してきている。これはかなり由由《ゆゆ》しき問題であり、対策を講じなければならない問題の一つであろう。もちろん、開発または研究というのは、量よりも質であることは論を待たないであろう。しかしながら、国の豊かさ（国富）という観点からすると、我が国の若者たちの興味もしくは関心は、以前と比較して、科学技術系よりも経済系・経営系・商学系及びそれらの非生産系もしくは非製造関連系の方向へ流れてきている傾向がみられるということは否定し難いであろう。これもまた、ある意味で由由しき問題である。このままの傾向を放置しておくと、ますます、現在及び将来の我が国の「大日本丸」（仮称）という名の仮想船が左舷もしくは右舷のいずれか一方の側に次第に傾いていく可能性の高まっていくことが懸念され得る。

ちなみに、例えば、２０１１年1月10日の報道にて、京大教授の山中伸弥氏は記者団からの質問に対し、次の主旨の事柄について述べておられる。「一、未来像（ビジョン）と仕事（ワーク）。すなわち、未来像を持って一生懸命に頑張る。二、米国での挑戦。三、日本では大学の研究者でも雑用が多い。四、世界が困難と考えている主題を未来像に選んだ。五、外科医を逃げ出し、研究者を目指した。六、9回失敗しても1回成功すれば良い。七、失敗することは恥ずかしいことでも悪いことでもない。八、挫折をバネに変えていった」と。これらの事柄もしくは語録の一部については、何人かの先達も以前に同様のことを述べておられた。しかしながら、同氏のこれらの語録はまた、我々、特に、これから様々な人生の荒波や荒野に立ち入り挑戦していこうとしている数多くの青年及び少年の男女にとって、心の糧となると共に、大いなる勇気を与えてくれる金言となるであろう。

ところで、米国ハーバード大学に在学中のマーク・ザッカーバーグ氏（当時19歳）が「遊び心」で立ち上げた「フェイスブック」が、２０１１年3月の時点で約5億人の利用者を得たという。そして、その前年２０１０年2月前後の時点（この時、弱冠25歳）で、彼は総資産６０００億円の富豪となっている。なお、彼の興味の一つは、プログラミングであったという。彼が立ち上げたこの会社の従業員はほとんど20歳代である。勤務時間はいずれの社員も自由であり、1日24時間体制を採用しているという。従って、世間一般の常識的企業の勤務時間帯における朝から夕方までという人もいるし、当日の夜に出勤して翌日の朝まで働くという人もいるようだ。要は、すべて本人任せという勤務体制が敷かれている。従って、恐らく自己責任制及び自己管理体制が採用されかつ徹底されているものと推察される。すなわち、ここは、ほぼ典型的な米国企業の一つであると共に、成果第一主義と言い得るであろう。食堂、遊技室、喫茶室などの各利用代金はすべて無料。作業服は規制がなく自由である。いかにも米国風と言い得る（２０１１年3月3日または4日頃の某テレビ）。世界には、このような若者が実在しているのである。もちろん、ここでは、彼の資産額や年収の多寡を問題にしているのではない。彼の自由な生き様または生き方を、これからの我が国における数多くの若者の参考にして頂きたいがために、ここで一例として採り上げたのである。因みに前述のプログラミングに係わる教育は、その後、例えば２０１８年4月時点にて、我が国の小学校での必修科目となっている。これについては大変結構なことであろう。

我等が愛する大日本国からも、彼等のような自由な環境でのびのびと、自分の好きな分野で、充分な情熱とやる気と開拓者精神またはその魂を持って、しかも生きがいを持ちつつ自分自身も同時に楽しみながら、自分の生活費のみならず、必要に応じて、両親の生活費の一部も含めて、自分で稼ぎ出す工夫や方法などに挑戦する精神的に逞しくかつ意欲のある若者たちをどんどんと輩出して頂きたい。つまり、会社の規模は大中小に無関係であるが、他の人々に迷惑を掛けず国内外の違法行為をしないという大前提の条件下において、北は北海道から南は沖縄県までの全国各地から、数百万人ないし数千万人単位でどしどし、このような若者が出てきてほしい。そして、ほんの少しでも各地域の特長を活かした、互いに異なる様々な分野に関して趣向の違った開発や開拓などを目指して頂きたいものである。

まさに現代の、そしてこれから将来の約50年先、１００年先、５００年先の時代をじっくりと見据えた上で、堂々と担っていく青年に対して、「青年よ、（善なる）大志を抱け」と心の底から熱くしかも真心を持って強く訴えたい。申し上げたい。すなわち、少なくとも精神的には、決して小さくならずに、より大きく、国内的と同時に世界的もしくは国際的な広い視野を持って頂きたい。しかも、大局的（ただし、着手時は小局的）な志を抱いて頂きたいと切に願うものである。我が国の若者も、このように、できるだけ自主的に自分自身の大好きな分野を願わくは16ないし20歳代くらいまでにある程度絞り込んで頂ければと思う。具体的には、両親、祖父母、兄弟姉妹、信頼し得る友人、知人、諸先輩、先生などの善なる知恵や情報を頂き、かつ、自分自身で理解できるように自ら咀嚼《そしゃく》して、最後には自ら決断し、自らが最終責任を負うという決定をすべきであろう。併せて、自らが今後そして将来に向かって一歩一歩着実に歩み進むべき人生の大道を決定するべきである。これこそが、自由と民主主義の世界における善い面の一つではなかろうかと考えるのである。

　このような大いなる希望と勇気と気概と活力に満ち溢れた数多くの若者たちが、我が国から、どんどん輩出されてきてほしいと、心より熱く強く、そして真に願うものである。あたかも、春にタンポポや菜の花がそこここに、明るく爽やかに咲き乱れ、または、雨後の筍の如く、あるいはサトウキビ畑のサトウキビの如く、我が国の緑豊かな大地の地下茎に力強く元気に広がり進んでいくように。しかも、次々と時代を超えて、一人ひとりの個性や独自性を大切にしつつ、世の中に現われてきてほしいものである。そうなれば、我が国は再び明るく大いなる活力が漲《みなぎ》り、充満してくることであろう。そして、それが、全国都道府県の各地域に、社会に、我が国に、そして世界全体へと伝播し拡大していくならば、確実に、我等が愛する国全体としての活力もしくはエネルギーが二倍増、三倍増あるいはそれ以上になると信ずるものである。この場合、善かれと判断した結果、万が一、本人にとって期待していたものではなかったとしても、それはそれで、自分にとってもしくは周囲の人々にとっては今後のそして将来のよい教訓となって、自らの頭脳や身体に記憶となって刻まれ刷り込まれることであろう。従って決して無駄な行動にはならないのである。つまり、自ら十二分に深く考え、かつ苦悩した結果、善と思って決断したならば、失敗を恐れてはいけない。逡巡してはいけない。勇気を奮って、その第一歩を踏み出してみよう。

　将来に夢と希望を抱いている多くの青年男女がこのような考え方もしくは自らの人生や世界を切り拓いていく際の考え方として、次の文言を贈りたいと思う。「一度や二度の失敗で挫折を味わったからといって諦めてはならない。諦めてはいけない」と。本当に好きな分野であるならば、再度挑戦すればよい。ただし、平均的には、もし三度目も失敗や挫折を味わったならば、心をまたは方針を切り換えた方がよいであろう。別な言い方をするならば、「三度目の正直」という古よりの諺もあるため。それ故、三度目まで失敗したならば、別の道への人生を歩み出すこともよいのではないだろうか。もちろん、このような場合でも例外はあり得る。いずれにせよ、はっきりといえることは、自らが深く考え、自分のやりたい分野において、他の人や家庭、地域、社会、国家並びに世界に迷惑を掛けず、それらに少しでも貢献できる善なる考えに至り、それを目標に定めたならば、迷うことなく、その目標に向かって前進することである。そして、一歩一歩力強く足元（すなわち、あなた自身が今後是非やりたいと思うその分野の基礎力）をしっかりと固めながら、歩き続けることである。そうすれば、必ずや、その目標に限りなく近づけるであろうし、努力次第では、そこに到達できるであろう。仮に、様々な困難な状況や環境の影響により、途中で万一挫折せざるを得ない状況に追い込まれたとしても、その願いを正しく強く持ち続けると共に、その正しい思いに沿った行動を続けるならば、それは実現可能と思うのである。すなわち、この場合、必ずや神仏が、あなた本人に直接もしくは第三者を通じて、あるいはある巡り合わせもしくは機会を通じて、あなたに助力してくださり、別の現象もしくは何らかの希望という光を与えてくださるであろう。筆者はそのことを真心より強く確信するものである。

心と起居の正しく美しい人は周囲に感動を与える

ところで、2011年4月1日の某テレビの番組の中で、20歳代半ばくらいと思われる一人の女性と彼女のご母堂様が登場されていた。というのは、この番組は、同日時点でいくつかの国内外より救援を受けている東日本大震災に係わる支援を目的として彼女が出演していたようである。その推定理由は、彼女が書道に長《た》けているためのようであった。そこで、彼女はご自身の体全体と両手両腕とを充分に活用し、明らかに大きく重たそうな筆を抱きかかえるようにして、太く大きくしかも力強く安定した二つの文言「元気」と「絆」とをその被災者の方々を支援するために書き上げ完成させた。同番組のスタジオ内で直接それを見ているゲストの方々はもちろんのこと、全国の視聴者の方々もまた、恐らくその画面に釘付けになられたことであろう。筆者もある種の感動を覚えた。しかし、私を感動させたのはその立派に完成した書体だけではなかった。恐らくそのテレビ画面からの推定で長さ約4メートルないし5メートル、幅約1メートルもあろうかと思われる大きな白色和紙の前で、彼女は正座し合掌して、「神様、これから大津波や大地震で被災された人々を支援するために力（パワー）をください」という主旨のことを真摯に請願しお祈りをされた後、深々と頭《こうべ》を垂れ、背中を曲げられて、神にお祈りを捧げていた。そしてその後、彼女は力強く一気に書き始めた。

彼女のその姿は、それまでいい加減な気持ちで見ていた筆者を、思わずきちっと正座し直させるほどの不思議な力を放っているようにみえた。それほどの真摯な姿を見ているうちに、筆者の瞼《まぶた》より思わず透明なものが溢れ出てきたのである。これは、彼女が神に真剣にお祈りしたことにより、彼女が神よりの使者、すなわち、ある意味で「天使」のようになって、その映像を通じて数多くの視聴者と共に、我々の瞳の中へ入ってきたためではないだろうか。あるいは、これを仏教的、法華経的に解釈すると、次のようになるのではないだろうか。すなわち、神を信ずる彼女の純粋で真摯《しんし》な善行を、映像を通じて目の当りにしたために、筆者は瞬《またた》く間に感涙にむせんだのではあるまいかと考えられる。そして、彼女のその真摯な気持ち及び行為・行動と比較して、筆者のより低水準の煩悩との差（ギャップ）があまりにも大きかったが故に、筆者自身が神仏により気付かせて頂いたためではなかろうか。または、彼女の言動を観たことにより、筆者の心が、それに共感（もしくは共鳴）したためと考えられる。そのように筆者は受け止めさせて頂いた（このような受け止め方として、例えば〔15〕、〔16〕及び〔17〕に、これらの心理学的もしくは宗教的な受け止め方及びそれらの数理的な一解釈法が開示されている）。なお、彼女と同様の状況にある方々の多くは、一般的に感性が敏感であり、しかも心が非常に美しく純粋であると風の便りに聞いている。そうであるからこそ、筆者は、日常の自らの言動を振り返る時、彼女のような神仏に対する畏敬の念をしっかりと心の中に保持し抱いておられることに基づく純粋な言動とその実践に対し、筆者自身の日々の不甲斐なさを改めて強く思い知らされた結果、深く頭を垂れねばならなかったのではないか、と推察し、真に自省した次第である。因みに、彼女のその後の活動状況が、例えば、2018年6月の某テレビにて紹介されていた。それによると、彼女は、ご母堂様の愛とお慈悲に基づいて、独立生活を始められていた。実生活上の小さな失敗は生じてはいるものの、彼女自身の心の美しさ、誠実さ、素直さや、ご母堂様への誠実な愛と信頼関係などが、あらゆる言葉や所作に反映されているように観えた。その結果、彼女自身の努力とご母堂様の助力とにより、彼女は、眼には見えぬ神仏様とご先祖様によるご守護、ご加護を受けていることを、筆者は痛感したのである。更に、筆者がその他に感銘したことの一つは、彼女の発する言葉使いである。彼女はカメラの裏側におられるであろう番組担当者よりの質問に対し、「お母様に何々してあげたい」、「お母様に喜んでもらいたい」という主旨の事を、常々述べておられた。筆者は、そのことを思うにつけ、ご母堂様による、幼少期からの彼女への言葉使いや所作などに係わる教育方法の正しさが、お嬢様である彼女に、そのような発言が自然にできるように習慣づけられたと想像するのである。そして、彼女の言葉使いを通して、我等が愛する「美しい日本語」の一端を、目の当りに観ることができて、深く感動させて頂いたと共に、真に心が洗われ、救われた次第である。

各種暴力行為に対する警戒心の必要性

また、一方、筆者はかつてある友人から、次のような主旨の悩みを告げられたことがあった。彼の話によると、ある組織内研修にて、言動による暴力行為（パワーハラスメント）等防止ビデオを鑑賞する機会があったという。ところが、これにより、彼がその対象になっていることを知り、非常に悔しく残念な思いをさせられたという。それと共に、その内容が彼自身にとって全く身に覚えのない捏造《ねつぞう》であったため、更に衝撃を覚えたという。それ以降、彼は、例えば2年ないし5年を経ても、気を休める時間帯などの時に、そのことが心の中に湧出してくるという。すなわち、外傷的神経症（トラウマ）的状態に悩まされているとのこと。これは、一つには、「悪意の捏造とデマを知ってしまったことにより、新たな苦悩が生じた」と言い得るであろう。そこで、筆者は、彼に、概略次のようなことを述べたように記憶している。すなわち、その内容を知ったことにより、その実行した相手側の犯人または複数の犯人たちの本当の心の奥、または今まで彼等犯人側が表面的にまたは単なる社交辞令的にひた隠し続けて来た悪の本性が、逆に、その機会を通じてお天道様の下に露見されたので、かえってよかったのではないかと。なぜなら、彼等犯人側の本音の陰険で悪の深層心理が現実的言動により克明にみえてきた、または浮き上がってきたと見做《みな》せるからである。従って、これからの彼等に対する心構えや対処方法が明確となり、却ってすっきりしてよかったのではないかと。彼は、この言葉を聞いた瞬間は、少々驚きを隠しきれなかった。しかし、しばらくして、ようやく納得してくれた表情に変わっていった。

この事例は、一方で、ある程度、今後及び将来にわたり、我々一般の国民にも共通する教訓を示唆してくれていると考えられるのである。つまり、「曖昧《あいまい》な友達よりもはっきりとした敵であれ」ということである。というのは、言葉を換えて言うならば、そのような類の人間には、老若男女を問わず、常にある程度の精神的、心理的及び実際的距離を置きつつ警戒心をもって対応もしくは対処せよということを、神仏が我々に示唆してくださっていると考えられ得るからである。すなわち処世術としての教訓の一つを教示してくれていると解釈し得るのである。国内外を問わず、彼等彼女等のような犯人側の言動を心底もしくは完全に「盲信」してはいけないということである。たとえ彼等彼女等が上司、先輩、同僚、後輩、友人もしくは知人いずれかであるとしても。更に、付言するならば、その犯人たちがいかなる立派で数多くの重い肩書を有していようとも、何ら恐れるに足らずである。人格的観点もしくはその視野からすれば、彼等彼女等は明確に欠落者、欠陥者または失格者と言い得るからである。従って、彼等彼女等を決して頭から盲信してはいけない。盲信してはならないということである。これは、老若男女を問わない。但し、当然のことながら、人格的にも尊敬に値し得る方々が除外されるのは当然である。更に、この事例は、次のことをも教示してくれているのである。つまり、人は、誤解され得るような理由（少なくとも要点）は予め相手側に明確かつ充分に伝えておかないと、相手側に気随に歪曲されて解釈される可能性が極めて高くなるということである。その結果、真実から大きく離れた内容として誤解され、逆恨みをされ、嫉妬心を引き起こされ、相手との決定的な対決心及び心の交流に係わるズレもしくは亀裂を生ぜしめてしまう可能性もあり得るということを。

ところで、数十年前より今日に至るまで、例えば経済系または金融系業界において、当局から摘発される事件が後を絶たない。これは一体どういうことであろうか。確かに、この種の業界に携わっておられれば、他の業界よりもかなりの報酬を得られる確率が高くなることは容易に予測され得るであろう。あるいは、その当事者が努力した度合に対する見返りの報酬が、他の業界より向上する度合が高い傾向にあるとも言い得るであろう。しかしながら、安易であるが故に、逆に、彼等彼女等の事件当事者は経済的な違法行為もしくは、その誘惑に引き込まれ易いか、あるいは、この業界は、他の業種よりも、その誘惑のハードルもしくはポテンシャルが低いと考えられ得る。なぜなら、このようにして、違法行為の範疇もしくは沼池に嵌《はま》り込んでしまったその容疑者や犯人は、その殆どが当局に対して、次のように反論や反駁をしてくるからである。すなわち、「なぜ我々だけが逮捕されねばならないのか。どうして他の者たち、または、他の企業も同様な行為を平気でやっているのに逮捕されないのか」などといつも、他人を巻き込むことを考えているように観えるからである。そして、自分の罪の重さを第三者に向けることにより、自身の罪の重さを希釈させ軽減させようとする自己中心的な心理、魂胆もしくは深層心理が見え隠れしているからである。また、容疑者もしくは犯人の本音としては、次のような自己中心的な妄想を独断的に思い描いているか、または、タカをくくっているかなどの可能性が全くないとは言い切れないのではないだろうか。つまり、この種の罪を犯しても、せいぜい1ないし2年程度の拘置所関連の暮らしを我慢すれば、五体満足な体で出所できるはずだ等というような。それ故、筆者は、これらのことは、その関連事件の容疑者もしくは犯人の心の受け止め方などに起因している可能性がかなり大きいと考えるのである。

関連当局におかれては、より具体的な更生方法の選択肢の一つとして、時代の経過もしくは進展と共に、常により改善、補正または追加などの検討をして頂き、法律の一部改正の検討も開始して頂くことを願うものである。なぜなら、このようなふしだらで醜い大人の世界をマスメディアを通じて、好むと好まざるとに拘わらず、見せられる全国（及び可能性としては世界中）の多くの幼児、少年少女、青年男女たちの気持ちにもなって頂きたい。これからの我が国の未来を背負っていく、数多くの明るく希望に胸を膨らませて、日々元気に活動してくれている子供たちの気持ちに。少なくともある瞬間は、強制的に見せられ得る彼等彼女等への心理的及び教育的な観点からの「悪影響」は計り知れないものがあると、筆者は考えるからである。この種の事件に拘わらず、一般的に、悪行をして、世の中や社会にまたは国家に迷惑を掛けたことの裏付けが取れて、確証が得られた場合、「ただ単に、謝るかまたはお詫びするだけでは不充分である」ことを、その当事者は身を持って悟り、心からお詫びする姿勢を実践として示さなければならないはずであろう。そのような善なる社会的規則もしくは規律が充分に確立されなければ、我が国の地域、社会及び国家は、現在の「曖昧で腰砕けの状態」から脱却することは殆ど不可能になるのではないだろうか。であるからこそ、その原因と対策とを曖昧にせず、明確かつ適切なる対策が講じられるべきであると考えるのである。

第十一章　その他の一般事項（国内の治安など）

賄賂

いわゆる賄賂もしくはそれに類する行為が古《いにしえ》より、陰の世界で実施されてきている。この悪弊は一体なくならないものであろうか。確かに、例えば、現代における隣国中国では、役人への賄賂が根強く暗躍し続けているという〔1〕。しかし、この継続的な弊害は、何も最近始まったことではない。約2000年前の昔より習慣化してきているのである。つまり、同国人民のこの習慣は、欧米各国でも既に公知となっているのである。従って、我が国の議員や役人及びその他の一部にも何らかの賄賂が、彼等から渡されている可能性が皆無であると断言することは、場合によっては、困難であるのかもしれない。もちろん、我が国内での同様事件も含めて、皆無であることを願っているのは言うまでもないが。また、一例を挙げると、アフリカ大陸の東隣に位置するマダガスカル国に出稼ぎに来ている中国人は言う。「このマダガスカル国の偉い者にはより多くの、そして、そうでない者にはより少ない賄賂を渡せば、同国政府のほとんどの許可を貰うことができた」と。ちなみに、最近では、例えば、2013年7月に中国の元党中央政治局員であった薄熙来及び彼の一家が最終的に不正蓄財をしており、その額は4800億円（60億ドル）に上っている。また、本人自身は、約4億円相当の収賄罪及び横領罪などで起訴されている。同氏はその他の事案を含め、同年9月21日に無期懲役を言い渡され、同年10月25日に確定している〔2〕。これはいわば厳罰のようにみえるが、当局があえて厳罰を言い渡すことにより、自国人民及び国際社会に対し、当局の正当性を宣伝（プロパガンダ）するための戦略戦術の一つとしての可能性は完全否定できないと考えられ得る。諺に曰く、「水清ければ魚棲まず」。つまり、理想や綺麗ごとだけの環境下では、人民は近寄って来ない、活動したがらない、活動しに来ない、あるいは日々の食に有りつけないということであろうか。残念なことである。いずれにしても、同国の賄賂の授受の悪弊は2000年ほど前から綿々と継続されてきたのであるから、そう簡単にはその弊害もしくは慣習を皆無にすることは殆ど不可能に近いのではなかろうか。一方、我が国においては、確かに、過去に種々の、例えば近年ではロッキード事件などが世間を騒がせた事件の一つとして想起され得る。しかしながら、ここで、その両者には一つの差異が認められる。それは、両者における本件関連事件が露見された当時において、我が国内の企業人の年間平均所得に対する当該事件に係わる額の比率が、大略的に見ても約数百倍の開きが存する点である。すなわち、彼等は当然人口が多いものの、本件と同様の何らかの事件を起こした際の額もまた、我が国内でのそれに比して、大略百倍ないし数百倍大きな事件を起こす可能性が高いと考えられ得る。

国内の不審火の多発

例えば、２０１８年7月22日には、東京都内にて、穀物類の倉庫が日曜日の非操業日で、作業員が居ない状況下で出火し約15時間燃え続けた。当局による懸命な消火活動にも拘わらず、猛火と猛煙を上げながら。この事象はなぜ発生したのであろうか。当然、当局により、これからその出火原因は究明されるであろう。ところで最近の過去約30年間にわたり、全国各地で人気のない場所での商店、住宅、集合住宅（マンションを含む）、工場、空家などでの不審火がかなり頻発してきている。果して、これは単なる偶然の出来事なのであろうか。確かに、前記実例では、当日は約38ないし39℃の猛暑であった。この工場も外観的にはかなり老朽化していた。そのため、電気系統のある部分に粉塵などが溜《た》まり、そこが過熱して発火したとも推察され得る。しかしながら、それだけの理由であろうか。なぜなら、他の数多くの同様な事象を含め、このような火災現場の跡地は、平均的に、次のような流れになるからである。すなわち、当該地は更地とされ、次に、不動産業者などに売却されてきているからである。この場合、当然、売り主側としてはより高値で売りたいと考えるはずであろう。従って、国際政治的な観点より、野望に燃えている諸外国（取分け、反日系の強い諸外国の外郭団体やその企業など）に売却されてしまう可能性が極めて高いと予測され得るからである。もちろん、国内業者も含まれ得るが。……。そしてその後、表面的には従来よりも豪奢で近代的な高層もしくは超高層マンション、百貨店、駅ビル、多目的ビルなどの建物が次々に新築されることになるであろう。しかし、その建物の全体もしくは一部が、その所有権者である諸外国の各アジトにされてきている可能性は完全否定し難いと強く推察されるのである。それ故、筆者はその点を懸念しているのである。当局はもちろんのこと、読者諸兄諸氏におかれましても、どうか、現在のみならず将来にわたり、恒久的に、この点に注視し、警戒し続けて頂きたいと切望するものである。

教育の必要性

我が国は、以前の高度経済成長期に、例えば、長期に目指す信仰心もしくは宗教心及び心の方向性、国防力、防災力並びに全国民に対するそれらの基礎的な教育の必要性に注力しておくべきではなかっただろうか。確かに、正しい信仰心もしくは宗教心の育成と政教分離問題とは、ある面で微妙な領域と言い得るかもしれない。しかしながら、その両者は厳密には別次元の問題であり、自由かつ民主主義を貫くためには、正しく善でありかつ確固たる信仰心もしくは宗教心を有する少なくとも幼少年期及び青年男女期の各時期における教育が極めて重要であり、必要不可欠と考える次第である。なぜなら、正しい信仰心もしくは宗教心が心の奥底に深く刷り込まれ刻まれていない年少者は畢竟《ひっきょう》、何が人の道にとって善いことなのか、あるいは悪いことなのかの弁別が不可能な青年及び成人へと育ってしまう可能性が大きいからである。その結果、どのような人間に至るかと言えば、たとえ知識は豊富であっても、例えば、すぐに心がキレたり、幼児や小動物をむやみに殺生したり、放火したり、周囲の人々に暴力を振るったりするなどの過激な人間として育っていく確率が高くなるからである。従って、筆者は、次のように考える。すなわち、世界及び我が国内の不景気や景気に拘わらず、我が国は、それらに惑わされず、中断することなく着実に、文武両道の精神並びに国防力、防災力とそれらに係わる教育及び通常教育を、幼少年期より、今まで以上に着実に実行させていくべきではないだろうかと。しかもそれは、単に投資額という次元の問題だけではない。全国民に対する国防及び防災教育（知育〈特に善悪の弁別と、悪行を為さず、善行を勧め、悪の誘惑に負けない、善なる精神面の教育〉・体育）が特に重要となると。これらは家庭、学校、地域、社会及び国家でも同様に重要であると。

火山の噴火

また、例えば、２０１１年2月1日に、宮崎・鹿児島両県の県境付近に位置する新燃岳《しんもえだけ》がその数日前（1月19日）から断続的に複数回噴火している。ここはその後、２０１８年3月6日頃にも再び噴火している。なお、先述の２０１１年の前後に鹿児島県の桜島でも噴火し、同年1年間だけでも計９９６回の噴火が記録されている[3]。そして２０１４年9月27日に御嶽山（長野・岐阜両県境）が噴火したことにより、死者12人、その他、心肺停止などの犠牲者が出た。死亡確認をした医師らによると、この12人中、少なくとも9人は噴石の直撃が原因であるという[4]。その他の多くの報道媒体の映像や写真によると、この山頂近くの山小屋の屋根やガラス窓などが大きく陥没したり破壊されていたりしたのが明確に映っていた。例えば、前述の報道写真によると、山頂付近の山肌は、あたかも月面の如く、大小の隕石が山の表面に高速度で衝突したかのような窪みがあちこちにみられた。これでは恐らく、登山者の多くの方々が大変な危機感を抱かれて決死の思いで避難され、下山され、逃げ惑われたであろうことは想像に難くない。

そしてまた、この噴火の前に、九州・阿蘇山が２０１４年１月13日に噴火している。その際に、ここでも御嶽山と同様に噴石、火山弾、火山灰及び火山ガスなどが噴出した映像が放映されていた（２０１４年10月１日、某テレビ）。しかし、後者の場合は、御嶽山の場合と異なり、関係当局の努力により、噴石、火山弾、火山灰及び火山ガスから登山者の身を守るための避難壕がいくつか既に建設されていたのである。これは素晴らしい善行な試みである。この避難壕の外観は防空壕とほぼ類似していた。これらの壕の増設は、国防的には当然に必要不可欠のことであるが、それのみならず、今回の御嶽山噴火（今のところ、水蒸気爆発に基づくといわれている）及び阿蘇山噴火などを大いなる教訓として頂きたいと思う。それ故、筆者は次のように考える。すなわち、その救援活動が完全に収束した後に、早急にロードマップなどを作成し期限を設定して、国、全国都道府県及びそれらの各自治体などが一致協力して、法制化して頂きたいと。そして、より迅速に、それら壕のより多くの建設開始を是非実行へと移行して頂きたいものである。この建設の大目的は、少なくとも我が国の貴重な共通財産の一つである全国民の命を守るためのもしくは死傷者を極力出さないためであることは明白である。あるいは、それを可能な限り減少させるための善行であり、決して悪行ではないはずである。悪行でないならば善行である。善行であるならば、直ちに迷わずに、国会等で審議して頂き、遅滞なく速やかに実行へと移すのみであると。そのような善行に向けての行動ならば、本件やそれに類似の件で亡くなられた方々や重軽傷を負われた方々及び前者のご遺族のご意思が活かされるのではないだろうか。なお、このような今後も半永久的に続くと予測され得る我が国特有の天災などに係わる、いわば我が国内における救国かつ救命事案に関しては、最優先の処理水準に引き上げて頂きたいと切望する次第である。換言するならば、我が全国民の生命を守るという崇高なる最優先順位の一つの次元に立って頂きたい。特に、予算よりも、善悪の判断を強力に優先し、かつ同時に、より上位へと位置づけを移動して判断し、大勇気を持って決断して頂きたいと切望するものである。

ある奇妙かつ奇怪な事故処理法

ところで、まことに奇妙かつ奇怪な、あるいは陰険、陰湿な事故が、例えば２０１１年７月23日に中国で起こった。浙江省・温州市の高架線上にて新幹線が脱線し、先頭４両が宙吊りになった鉄道事故である。確かにこの事故の直接原因は、当時の世界瞬間最高速度がフランスと同一の時速３５０キロメートルを同線路上のある区間で出したためと言われている。つまり、速度の出し過ぎが事故原因であった可能性が大きいようである。しかしながら、この事故に係わる世界各国の主たる注目点は、過速度の点だけにあるのではなく、この事故に対する彼等当局の事故処理方法についてであった。この事故は、テレビやインターネット動画により世界中に配信された。なぜなら、世界で問題になったのは、その事故に巻き込まれたいくつかの車両自体が一夜のうちに、その高架線下付近の大地に大きな穴を掘って埋められてしまったからである。恐らく当局などの命令により、該当する鉄道当局が作業員数百人ないし数千人またはそれ以上に命令し、緊急動員し大型クレーン等を多数用いて、報道関係者に気付かれないうちに、例えば夜中のうちに、埋めた可能性が極めて高いと考えられ得るのである。何が言いたいのかというと、彼等の党及び政府にとって一番嫌がることまたは恥ずかしいこと（もっとも、彼等には恥ずかしいという概念自体が存在しないであろうが）の一つは、彼等自身の権力と権威と面子《めんつ》が潰されることである。

従って、彼等がそれを維持し続けるためには、考えられ得ることについては、恥も外聞もなく、国際法を破ろうが、外国の指摘や批判などを受けようが、即刻、自分たちの負現象となる課題は、自身の人民の耳目から遮断できる場所に隠蔽したいという類の強い意図が見え見えなのである。すなわち、それらを全く無視してでも、または、国際法自体を力や暴力や独善的かつ覇権的な論理などにより、ひねりつぶしてでも、彼等は極めて強引なる実行を第一優先するであろう。したがって、彼等独特の異様なる帝国主義的、覇権的、独善的、独裁的、膨張主義的かつ共産系社会系主義的考え方における現実の処理方法もしくはその姿のほんの「氷山の一角」が、世界各国の国民に対し、いみじくも、彼等自身による行動により、自ら明確に露見され露呈され具現化されてしまったとも言い得るであろう。この実例に観られるような考え方と実践方法は、我が国のそれらとは明確かつ極めて相違していることに我々はまず注目すべきである。それ故、筆者は次のように考える。すなわち、我が国民の老若男女は、好むと好まざるとに拘わらず、隣国の現実的問題もしくは国家現象の一つとして、冷静、沈着かつ厳正に、五感を大きく見開いて、より強くより深く再認識すべきであると。心に刻み込み刷り込むべきことの一つであると共に、今後とも、我が国は関連諸外国の挙動をも冷静に観察、監視し、それらに対する警戒心及び警戒体制を継続して強化すべきであると。更に、彼等彼女等に対し決して気を緩めたり、彼等の言動を十二分に検討もせずに、まともに受け取ってはならない。騙されてはいけない。決して油断してはならない。決して盲信してはならない、と。これらは、あなたの耳にタコができるまで、または、あなたの骨の髄に沁み込むまで何度も何度も繰り返し強調しておきたいことの一つである。

彼等国内での経済バブル的社会現象の顕われ

また、因みに、中国国内でのマンション、億ション及び戸建て住宅などの類に関して、例えば２０１５年1月22日の報道によると、中国にはかつての我が国のような経済バブル崩壊の兆しが見えてきているという。その実例の一つとして、不動産の乱開発や乱造により、それら物件の販売が不振となり、開発業者の資金繰りが悪化し、極めて困難な状態になってきている。そのため、在庫物件を値下げせざるを得なくなり、価格の下落を招くという悪循環に陥ってしまったようである。

また、２０１４年12月の同国家統計局の都市住宅価格統計によると、同国の70都市中66都市が下落している。この厳しい実状を当事者は当然熟知していることであろう。このためもあってか、同年7月には河北省の大手不動産業者が、そして、その翌月には、別の４つの同業者が夜逃げまたは倒産宣言をしている。このため、例えば同年5月の天津市では、それらの高層マンションの居住者は皆無であり、ほったらかしにされてきている。また、建設工事が中断したままの地区も幾つか存在している。このような理由から、幽霊街（ゴーストタウン）化している地区が各地で発生してきている。

弱者への虐待連鎖の防止

話題を少し変えよう。例えば、２０１０年12月26日の某テレビの討論番組によると、米国では、物が市場にほぼ通常どおりに出回っているにも拘わらず、不安感を抱いたり子供への虐待が増えているという。特に、後者の虐待発生件数は、我が国では約4万４０００人、米国では約１７０万人とされている。つまり、米国は我が国の約40倍である。しかしながら米国の人口（２０１０年4月時点で、3億８７０万人[5]）は我が国のそれの約2・3倍（２０１１年時点）であるため、２０１１年3月時点での、日米の国民一人あたりの虐待発生件数の平均比率は、約1対17程度と推定される。しかも、米国の実例では、米国の女性社会学者の意見によると、それらの虐待を受けた子供たちは親から暴力的に自宅を追い出されたり、または虐待の恐怖から逃れるために、自主的に家出をしてホームレスとなったり、家出した子供たち同士による小さな共同体を作っているという。何とも米国の寒々しい現実社会の一断面を垣間見たような思いである。少なくとも我が国は、親子の精神的絆もしくは温かい信頼関係をずっと維持していけるような社会であり続けたいものである。また、前述の社会学者によると、幼少年期に虐待を受けた子供たちは、年月が経ち、自身が親になった際に、同様の虐待を、知らず知らずのうちに自身の子供たちにも加えてしまう傾向が強くみられるという。筆者はその理由として、次の二つが考えられ得るとみている。すなわち、第一に、自身が両親より好むと好まざるとに拘わらず、引き継いだ遺伝子作用などにより引き起こされる言動もしくは行為であると。第二に、宗教、より公正にみて正しいとされる宗教であるならば、いずれでもよいが、例えば仏教の中の法華経的に解釈するならば、因縁果報の法則に基づく結果であると。

あるいはまた、米国は、例えば２０１０年時点で、老人の被虐待数は約６００万人に達しているという。米国の２０１０年時点での人口は、前述の約３億８７５万人であるから、我が国の総人口に単純に移行して比較換算したと仮定すると、その老人の被虐待数は約２５３万人程度と推定される。その一方で、我が国の２０１３年度における老人もしくは高齢者の被虐待数は約１万６０００人である〔6〕。つまり、日米の老人に係わる虐待発生件数の比率は、それぞれ、約1対１５８である。したがって、この件に関しては、概ね次のように言い得る。すなわち、我が国と米国とを本件だけからみた場合、高齢者もしくは老人にとって、その時点では、我が国の方が米国よりも大略１５８倍程度恵まれており、住みやすいと言い得るであろう、と。ただし、この単純な数字の背景には、例えば、米国は科学技術が異常に発達している国であるため、それらに関連した若者たちにとっては便利で居心地の良い所であろう。しかしながら、その反面、例えば、約65歳以上のご婦人や壮年などにとってはいくらか肩身の狭い思いをして日々の生活を送ることになるであろうことも示唆していると考えられ得るのである。前述したように、家庭内で虐待を受けた経験を有する幼児は、成長するに伴い、学校、その他、社会の集団や組織において、他の弱者を加虐する傾向にあるという。これは、心理学的、社会学的または経験的にも言われてきていることである。したがって、その家庭という小集団もしくはその集団規模を更に拡張し拡大した、地域、社会、国家及び世界の各次元についてもまた、同様であると言い得る。

従って、この弱者への虐待に係わる連鎖は、是非とも防止せねばならないと、筆者は考える。

揮毫《きごう》、国旗、国歌

ところで細かいことだが、次のこと（例一及び例二）が気にかかる所ではある。これは、恐らく、多くの国民が感じている点ではないだろうか。当局にてご検討をして頂ければと思われる事柄の一つである。例一として、国家機関の一つである防衛省の看板の字体を「もう少し太くかつ力強い形態に」して頂ければ幸いであると思われるが、如何なものであろうか。確かに、それは、著名人により揮毫《きごう》されたものと推察され得る。しかしながら、一方において、それは恐らく日々力強く業務に励んでおられる現場の当該隊員・職員諸兄諸氏の心理状態をあまり反映していない可能性が存し得るのではなかろうか。なぜなら、同省自体の心構えがあたかも消極的であるかの如くに誤解されて受け取られかねないからである。従って、それは、我が国としても心理的意味での損失の一つに繋がると考えられ得る。また、例二として、せめて官邸や全省庁や全国都道府県及びそれらの各自治体の庁舎などにおいては、それぞれの建物の四隅に対して各1本の合計で少なくとも4本の国旗を設置して頂きたいと願うものである。もちろん、現状では、対象となる各建造物あたり、少なくとも1本の国旗は設置されているであろう。とはいえ、これは、配置などを増加することに伴う経費の負担増などという視野が狭く低次元の問題ではないはずであろう。我が国の全国民の気持ちを毎日毎日、そして将来にわたり、全国民に向けて、誇り、自信、勇気、活力その他の気持ちを奮い立たせる力とエネルギーの源もしくは手段の各要因の一つとなり得るからである。なぜなら、読者諸兄諸氏ご自身が誕生した国、もしくは様々な理由で帰化した国、自身がお世話になっている国などの各国旗に対して、尊敬の念や慈愛の念を抱くこと自体は果たして悪行であろうか。否、決して悪行ではなく、人間として極めて自然で当然なる行為であろう。明らかに、悪行には属さないと断言できるであろう。極めて一部の者の中には、過去の約3000年間のうちの一時期における戦争のことに直結させて、何でもかでも短絡的に反対するかもしれない。しかしながら、それは全く非本質的な考え方であり、極めて視野が狭く、そそっかしく早合点な考えでしかないといわざるを得ない。あるいはまた、他国からの圧力に安易に屈した極めて一部の洗脳された可能性の高いと思われる集団もしくは組織の見解かもしれぬ。いずれにせよ、良識ある世界の他の多くの自由かつ民主主義国家圏の国々では、当然に実施されてきていることなのである。

我が国の国旗や国歌のそれ自体に対し、心底もしくは本心より不快感または嫌悪感を有しているか、もしくは心に抱いている諸兄諸氏が極めてわずかながらでも、もし万が一、居られるならば、その方々は、仮にたとえて言うならば、しかも極論するならば、我が国の国籍を無理に有しておられる必要性及び我が国の領土内に無理して居住されている必要性に関し、疑問を抱かざるを得ないと言い得る。従って、これらの当事者ご自身が本心より同意されるならば、自らの意思で自ら決定《けつじょう》して、我が国の国籍を放棄されると共に、そのご自身が居住及び所有されている少なくとも不動産類及びその他は我が国へ返却もしくは返納されるべきであろう。このような事項も視野に入れられたら如何であろうか。従って、そのような状態にあるか、もしくはそのようにみえ得る一部の組織、団体、報道機関などや全国都道府県及びそれらの各自治体における各々の一部の心構えの方々の方がむしろ世界常識的観点からは異常な部類に属するのではないだろうか。それ故、前述の真心からの愛国の心もしくは情を有すること及びそれを具現化することは悪行でないはずであるから、それは善行のはずである。善行ならば、即、国会や全国都道府県及びそれらの各自治体にて審議し、可決して頂き、迅速に実施化へと是非とも踏み切って頂きたいものである。なお、国旗の標章や国歌の一部に関して、例えば、向こう8年（4年ずつ2回に分割するなどして）を掛けて、真心より恒久的に、より善くなってもらいたいという大目的で、一部を加筆または変更したい等という事案は、また別次元の課題であろうけれども、少なくとも一度は誠実に検討を始めてもよいのではないだろうか。

滑稽《こっけい》もしくはユーモア

さて、皆様は滑稽《こっけい》もしくはユーモアに関してどのような心証もしくは印象を抱いておられるであろうか。本書の他の章とは内容が異質と思われるこの課題を選んだことに対し、「なぜ」唐突にと思われる方が少なくないのではなかろうか。

　筆者があえてこの副題を設けた理由は、次のためである。我々一人ひとりは、この世に誕生して以来、日々これ緊張の連続であり、世間の様々な種類の厳しい嵐の中に曝されてきているのである。そして仕事（アルバイトを含む）、家事、育児、奉仕、種々のお役、勉学もしくは運動（以下、「他の活動」と略す）などをしてきている一日一日のその時間帯及びそれらの各種行動における人間関係などは、心身共に緊張の連続であろう。このため、一日の仕事もしくは他の活動を終えた後、あるいは仕事の休み時間などは、適度にしかも周囲の人々や環境に悪影響を及ぼすことなく、息を抜く必要があるはずである。あるいは、自らそのように、例えば、各家庭などに戻ってから息を抜けるような環境に置かなければ、そもそも自らの身が持たないであろう。

　人間は、周知のように、緊張し続けたり、ストレスが蓄積すると、いずれ心身ともに種々の病に罹《かか》るかまたは発症状態に陥ってしまう可能性を有しているのである。しかしながら、そうは言っても、息を抜きっぱなしでは、風船のように、どのような方向に行くか不確定であろうし、いずれは萎《しお》れてしまうことであろう。そこで、下品でない滑稽もしくはユーモアを発することは、次のまたは明日への仕事もしくは他の活動へのやる気を残しつつ、肩の凝《こ》りを除き、心身の再度のリフレッシュと若さと気力（または、精神的、医学的な健全化）のエネルギーを維持するためにも役立つと思われる。そして、滑稽もしくはユーモアは、通常、笑いを伴うであろう。それは、話し手による内容が聞き手の予想しうる事柄からはずれたことが紹介されるためであろう。昔から「笑う門には福来る」という諺がある。我が国には古《いにしえ》より、狂言や上方落語もしくは江戸落語及びその他に、全国各地の、北は北海道から南は沖縄県までの各地元地域に特有のものも含めて、いくつかの落語やそれに匹敵し得る昔話、おとぎ話や小話的なものが文化の一つとして、現代までも脈々と引き継がれてきている。このことは大変喜ばしいし、大いに誇りに思ってよいであろう。是非、今後とも、数百年、数千年、そして恒久的に承継していかねばならない素晴らしくかつ誇るべき文化及び技芸の一つではないだろうか。

我が国の滑稽に係わる具体例

そこで、我が国の滑稽に係わる具体例を採り上げる前に、その概略史を振り返ってみたい。そもそも我が国の古典芸能には、古代の雅楽、中世の能・狂言、近世芸能としての歌舞伎・人形浄瑠璃などが挙げられる。中でも、現代人に最も受け入れられ易いのが狂言であろう。というのは、スマートな演技と現代語に近いセリフと、笑いとを含んでいるためでもある〔7〕。

狂言は中世南北朝の動乱の頃に発生した庶民向けの喜劇である。狂言は猿楽能《さるがくのう》（能の古称）と共に演劇文化の代表の一つである。しかし、この狂言は、我が国の文芸史上では珍しく「笑い」を主題にしている点に特徴がある。平安中期の「新猿楽記」などの所作には、笑いをもたらすものがあった。これらが基礎となって、能や狂言が成立した。ちなみに、「狂言」という用語は、たわごとや冗談といった、ある種の言葉を表わす語であったようである。前述の猿楽能に対し、滑稽なままで、劇の形態まで育て上げたのが狂言。現代では、能は幽玄の芸術、狂言は笑いの芸能とされている。狂言は、中世末期から近世初期に掛けて、ようやく定着、固定の時期に入ろうとしていた。発生期から長い間、相当自由に演じられてきた狂言も、この時期に至ると、定着のきざしを見せてきたと言える〔7〕。

その後、狂言界はしだいに大蔵・鷺《さぎ》・和泉《いずみ》の三正統流派鼎立《ていりつ》時代に入り、上演曲目や演出も整備され、狂言は完全に武家の式楽たる能の一環としての地位を確立するに至っている〔7〕。また、近世初期に、狂言は古典劇かつ普遍的に人間喜劇へと発達したと言われている。その古典劇に徹することにより、狂言は更に、世阿弥《ぜあみ》のいう「幽玄の上階のをかし」を目指す方向で、様々に手が加えられていった。時代を経るに伴い、次第に狂言の内容が整備・洗練されていった。こうして、狂言は古典芸能として、近世三百年を経過して近代を迎えている。その後、明治維新後には大蔵・和泉の二流に絞られて現代に至っている。なお、現代に見られるような軽妙洒脱な舞台も上品なユーモアも、古典劇として高度に完成された力強い芸に裏付けされているためと言われてきている〔7〕。

このような変遷を経てきた狂言の数例を挙げてみよう。まず、第一例として、「大黒連歌《だいこくれんが》」。室町時代より盛んになった福神《ふくじん》信仰を素材にした狂言。概要は、比叡山の三面大黒天《さんめんだいこくてん》を信仰する二人の男が御前に参籠して、大黒天を称える連歌を詠《よ》むと、大黒天が出現し自らの由来を物語り、両人に福を授けるという話である〔8〕。第二例は、「神鳴《かみなり》」。概要は、（京の）都で食い詰め、東国へ下る医師の前に神鳴《かみなり》（雷）が落ちてくる。しかし、落ちたはずみに神鳴は腰を抜かしてしまった。そばにうずくまる男が医師だと知って、治療せよと言う。診察の結果、針を立てるのだが、大きな針、手足をばたつかせる神鳴の誇張と倒錯の面白さがある。どうやら全治して、めでたく神鳴が昇天していくという話である〔9〕。第三例は、「宗論《しゅうろん》」。概要（その一部は意訳させて頂く）は、身延山《みのぶさん》（現在の山梨県）から帰る法華経の僧侶と善光寺（長野県）参りをした浄土の僧侶が旅の途中で道連れになる。初めは仲良くしていたが、相手の宗旨が分かった途端に、いがみ合いが始まる。頑固な法華経行者と洒脱な浄土宗行者とのやりとりもしくは対照が面白い。熱中したあまり、気が付いてみると、何と法華経行者が「南無阿弥陀《なむあみだ》仏《ぶつ》」、浄土宗行者が「南無妙法蓮華経《なむみょうほうれんげきょう》」と（逆に）唱えていた。そこで、やっと仏《ほとけ》さまの教えは唯一無二であることに気付いて、二人が仲直りするという話である〔10〕。第四例は、十返舎一九の「東海道中膝栗毛」の中での弥次《やじ》さんと喜多《きた》さんとのやりとりではないだろうか。概要については、公知のため、ここでは省略させて頂く。これらはいずれも、狂言及びそれから派生した歴史的代表作とも言い得るのではないだろうか。そして、更に、第五例として、我が国における近代滑稽文学（仮称）の開拓者の一人とも言い得る漱石の代表作「吾輩ハ猫デアル」（上巻、１９０５（明治38）年10月発行）を採り上げることができるのではないだろうか。そこで、主人公の猫の飼い主である夫婦の些細《ささい》な口論のやりとりの例を採り上げてみたい。その中に、次の件がある。但し、本書では幾らか現代口語風に意訳させて頂いているので、読者諸兄諸氏におかれては、その旨ご了承願いたい。また、現代から観ると、やや差別的な表現が存するものの、１９０５年当時の時代背景をご考慮頂いて、これもご了承願いたいところである。

自宅内で、妻の近くで夫が喫煙している。その際に、夫がつれづれなるままに、その煙の行く末をまじまじとながめている情景が、実に精細に描き出されている。その煙が自然と妻の頭の方へ流れていく先を観察している時の会話である。

『その煙が徐々に妻の脳天に達した時、覚えずあっと驚いた。――主人が偕老同穴《かいろうどうけつ》を契《ちぎ》った夫人の脳天の真ん中には真ん丸な禿《はげ》がある。……思わざる辺《あたり》にこの不思議な大発見をなした時の主人の眼は眩《まば》ゆい中に充分の驚きを示して、……一心不乱に見つめている。……「何だって、お前の頭には大きな禿があるぞ。知っているかい」「えゝ」と細君は依然として仕事の手を已《や》めずに答える。……「お嫁に来るときからあるのかい。結婚後新たにできたのかい」と主人が聞く。もしお嫁にくる前から禿げているなら欺《だま》されたのであると口へは出さないが心の中で思っている。「いつできたんだか覚えちゃいませんわ。禿などどうだっていいじゃありませんか」と大いに悟《さと》ったものである。「どうだっていいって、自分の頭じゃないか」と主人は少々怒気を帯びている。……「女は髷《まげ》を結《ゆ》うと、ここが釣《つ》れますから、誰でも禿げるんですわ」と少々弁護しだす。「そんな速度で、みんな禿げたら、四十位になれば、空《か》らやかんばかりできなければならない。それは病気に違いない。伝染するかもしれない。今のうちに早く甘木（医師。（注）筆者追記）さんに見てもらいなさい」と主人はしきりに自分の頭をなで回している。

「そんなに人のことをおっしゃるけれど、あなただって鼻の孔へ白髪が生《は》えているじゃありませんか。伝染するなら白髪だって伝染しますわ」と、細君は少々ぷりぷりする。「鼻の中の白髪は見えないから害はないが、脳天が——ことに、若い女性の脳天がそんなに禿ちゃ見苦しい。○○だ」「○○なら、なぜお貰《もら》いなったのですか。ご自分が好きで貰っておいて、○○だなんて、……」「知らなかったからさ。全く今日まで知らなかったんだ。そんなに威張《いば》るなら、なぜお嫁に来る時、頭を見せなかったんだ」「馬鹿なことを（おっしゃい）！　どこの国に頭の試験をして及第したらお嫁にくるなんてものがあるもんですか」……「あなたもよっぽど人を馬鹿になさるのね」と細君は袖《そで》なしを放《ほう》り出して主人の方へねじ向く。返答次第ではそのままでは済《す》まさないわよ、という権幕である。……その後も主人が真面目な顔をして妙な理屈を述べていると、……。妻君は喧嘩《けんか》を後日に譲《ゆず》って茶の間へ逃げ込む。……』とある。

この小説の発刊当時は、確かに、男性上位もしくは、特に、文言に係わる男尊女卑の弊害や人権問題などの状況下にあった可能性が高かったことは否めないであろう。しかしながら、その点を控除した上で、この夫婦喧嘩のやりとりから、次の事が読み取れるのではないだろうか。その第一は、この夫（苦沙彌先生）は世情に無頓着であり、奥様に対する繊細さ（デリカシー）に極めて欠けている点である。第二は、その一方で、この奥様は、夫から言われるままに服従しているような昔風のタイプではないように観える点である。それは、単に忍耐強いというだけでなく、理不尽なことを言われた場合には、彼女自身の知的要素を十分に発揮して、懸命に反論している点である。彼女のこの行為は、当時としては、希有ではないだろうか。逆に、現代においても十分に通用するし、かなり民主的な言動に属すると考えられる。因みに、漱石は英国に留学した経験があるため、当時の我が国民の平均的発想に起因しているとは考え難い。従って、筆者は、それよりも彼自身の少年時代より心に内在し醸成されてきた考え方及び留学時代に培った英国式の人生における滑稽の必要性、有効性及び有益性などが、彼自身の実生活での体験なども混じえて、この小説の中に具現化された可能性が高いのではなかろうかと推察するのである。

曖昧《あいまい》さの払拭《ふっしょく》

ところで、少し話題が変わるが、2012年2月5日のテレビ討論の番組によると、その参加者の一人である佐高信《まこと》氏は次のような主旨のことを述べておられた。一例として、「薬害問題と消えた年金問題」について。なぜなら、この事件では、「当事者の責任を薄めてしまおうとするある力がいつも働く。そして責任を曖昧にして終結させてきてしまっている。最後には、責任を日本人全員にしてしまっている。しかし、これらの責任追及をはっきりさせないと、次の問題が生まれてこない」

と。筆者も少なくともこの件に関しては、佐高氏の考えの一部にほぼ同感であり、そのとおりであると思う。但し、その反面、当該問題の調査等にはある期限が存在していることは当然ではないだろうか。従って、ある現実的かつより適切な期限が設定されるべきである事は、やむを得ないであろう。この判断は、我が国内のみならず、世界の他の主要国でも同様と考えられ得る。我々国民の一部は、新しいニュースにすぐに飛びつきたがる。だがその一方で、事故に係わる問題は、往々にして最後はいつもうやむやで終わってしまってきている。だから、先述したように、類似したような事件が何度も何度も繰り返されてきていると考えられるのである。もっと我々国民全体も、重大な課題の真実に迫る努力と継続の力の協力体制がほしいものである。一例としては、あまり適切ではないかもしれないが、2011年12月に当時ある議員の方は、「2011年3月11日の東日本大震災は1000年に一度の大震災である」という主旨のことを述べておられた。しかしながら、これは少しおかしいのではあるまいか。なぜなら、全国都道府県及びそれらの各自治体の地震の歴史を紐解けば、後述するように、多少の誤差はあるものの、約80年ないし約150年程度の周期で巨大地震やそれに伴う巨大津波が発生していたことは古文書などで既に公知だからである。そしてまた、全国各地の石像や記念塔などの一部にその当時に水没した時の海水などの水の高さなどが後世への教訓として刻み込まれているからである。もちろん、当然のことながら、それらの過去の時代には、現代のような最新式の電子測定機器など存在するはずもないのだから、地震や津波の数値などがかなり定性的もしくは半定量的であったのはやむを得ないことであろう。あるいは、前述の外にも、例えば、ロッキード事件、森友加計学園事件、その他の幾つかの外国における大統領選挙関連や政敵者に係わる醜聞や暗殺事件などを含み、古《いにしえ》より現代に至るまで、多種多様な事件が世界中の国々で発生してきている。それらの多くは未解決のまま、うやむやな状態で、闇から闇へ未解決事件として、それら自体が葬《ほうむ》られてきているのである。……。これは一体どうしたことであろうか。確かに、これらは国内に限らず、世界的傾向にあるとも言い得る。なぜなら、世界の様々な国々では、重要人物の暗殺事件などが後を絶たないからである。従って、筆者は、これら数多くの事件が未解決のままで闇に葬られてきている背景には、巨悪の圧力が掛かってきている可能性が極めて大きいためではなかろうかと推察している。

スティーブ・ジョブズ氏

また、2011年11月23日のテレビ番組によると、米国の実業家であるスティーブ・ジョブズ氏が46歳の若さで癌《がん》により死去された。同氏は、その後現代までも大流行のアイフォーンを開発した男性である。同番組では、彼の死までの経緯が約1時間ものとして劇化されていた。その中で、彼は、「事業に成功するには、徹底的に無駄を省き、自分の直感を信じること。そして、善かれと思ったことについて、集中することだ」という主旨のことを述べていた。例えば、実際に、彼が米国アップル社の役員会にて解雇された後、同社は赤字に転落してしまった。だが、その後、その中の一人が彼に助けを求めて来た。その時、彼はたったの1米国ドル（約１００円程度）でその依頼事項を引き受けた。そして、彼は、当初約３５０種類もあった数多くの業務課題を、たった10種類という極めて大胆な約35分の1にまで激減させるという絞り込みを断行した。その結果、見事に黒字への転換に成功したという。その黒字化に成功した一方で、彼は膵臓癌の告知（余命3ないし6か月）を受けてから約9か月もの間、彼の担当医師、奥様及びお子様たちからの診察の勧めを拒否し続けていた。そのため、癌細胞が肝臓その他の臓器に転移し、２０１１年10月5日に永眠された。その日は、彼のお子様が高校を無事に卒業した直後だったという。この時間的経緯をみると、筆者は、何か神仏の計《はか》らいを感じないわけにはいかない。……。

油断は怖い

「油断」について少し考えてみたい。現代における若者たちに人気のある野球、サッカー、テニス、ゴルフ、ラグビーなどでもよいのであろうが、一例として、ここでは約２００年の歴史ある大相撲を採り上げてみよう。日本人及び外国人の力士に拘らず、例えば、場所ごとに注目され得る上位の各力士の関脇時代について、ある力士が、今、平均的な場所数を経て、大関昇進のための必要条件に関して、約70％程度を超えた段階に到達したと仮定しよう。すると、多くの報道関係者に注目され始める。本人も少しは気にし始めることであろう。そして、その昇進という目前の目標が見え始めてくると、本人もまた、その目的意識を今まで以上に、より強固に温め、煮詰め、かつ熟成させるべく稽古に励み、より強い体力、技術、基礎力、応用力及びより強い精神力を身に付けていくことであろう。それを実践、実行した力士は、通常の力士たちと比較すると、素人がみても歴然としている。それは、前者の力士の肌は非常につやが良く（つまり、血行が非常に良く）、身体も常に上気していると共に生気が漲《みなぎ》っているからである。また、肩の筋肉が各力士に固有の身長や体重に応じて盛り上がってくるのである。加えて、他の部位も稽古によって鍛え上げられたために、全身の筋肉が締まってくるのが目に見えてくるからである。そして、更に稽古に励むことにより、ついに昇進を手にする力士が出現してくる。但し、その段階で稽古を怠ってしまうと、通常、昇進は次の場所以降へと見送られることであろう。それはともかく、昇進が決定し、無事にその儀式が終了した後は、恐らく相撲部屋の親方を始めとする同門の力士たち、同部屋の人たち、後援会及びその他の方々によるお祝いの非公式行事が何日か続くことであろう。人気力士であるならば、更にテレビその他から、様々な企業向け宣伝の出演依頼も来るのではないだろうか。確かに、それらに出演することは、彼の行動条件などに違反しないならば何ら問題はないであろう。

しかしながら、この頃より平均的傾向として、当人の身体に負の変化が現れてくる可能性が増してくると言い得る。それは、地位も名誉も安定して来ると、今度は、その地位を維持するため、一般的には、保守的になりやすくなる傾向がみられるからである。前述の大衆報道や宣伝などへの出演時間も次第に増えて、彼等本来の大相撲に対する稽古や精神集中及び各場所に対する気合いや執念のような、本人にとっての勝負へのこだわり度合が減少してくるのである。なぜなら、そのような高い地位を目指していた初期の頃は、常に、場所中であれば、次の取組のこと、あるいは、場所終了後であるならば、次の場所のことを常に考えていたはずだからである。しかし、心の中の一部に、例えば、「自分は、下の地位にいた時期から稽古を積んで上がってきた（精進してきた）のだから、そうそう簡単に地位が今の自分より低い関取たちに負けるはずはあるまい」という類の気持ちが、少なくとも何回か湧き出てくる時があるのではないだろうか。この一瞬一瞬を本人がいかに受け止めるのかが、その後の彼等の（力士もしくは、あらゆる）人生を大きく左右し得ると考えられるからである。従って、筆者は次のように考える。すなわち、この時期を乗り越えるためには、身体的な面はもちろんのこと、それまで以上に、精神もしくは心の面での稽古、鍛錬もしくは修行が必要になってくるのであると。いわば、本人にとって、如何なる外的または内的からの誘惑や困難もしくは苦難に襲われようとも、それらを乗り越えて歩むことができるだけの、「心の鍛錬」もしくは「より正しく善なる精神面での鍛錬」をより強化する必要性に迫られてくるのであると。なお、これらの考え方は、大相撲に限らず、前述の各種スポーツ分野にも適用可能であろう。更に、通常の分野の方々の人生に対しても、同様に、適用可能と考えられ得る。

全体主義者と自由主義者の一般的傾向とその比較

一般的傾向として、全体主義者は、可能性として、次のことが言い得るのではなかろうか。つまり、自由主義者と比較して、相対的に、彼等は自らが考案し創作または創造するという点に関して、いくらか苦手なのではないだろうか。その理由として、次のことが推察され得る。すなわち、仲間意識が強いため、自分一人だけが何も苦労し苦悩して新しい概念や業務、仕事、役務などを創出したり考案したりするよりも、大勢で意見を出し合って考える方が、かえって、より短時間で結論を出すことができる確率が高いと考えるためではないだろうか。もちろん、一般的であるためバラツキがあり、当然、例外も存在し得る。しかしながら、その場合、あえて不充分な点として抽出するならば、常に関連する複数の人々を考慮しているため、自身の至らない点は、その班（チーム）、群（グループ）、組織、団体、集合体、企業、地域、社会もしくは国家などの中の他の人たちが協力して考え出してくれるであろう、というある程度の期待感もしくは安心感を抱いている可能性があるのではなかろうか。これに対し、自由主義者は、同時に個人主義者である場合が少なくないため、自身が納得するまで、とことん追求する型（タイプ）が多いのではないだろうか。その結果、新規な創意、工夫、考案または発明などを生み出す度合もしくはその確率がより高くなるものと考えられ得る。

中東情勢

また、２０１２年2月16日のテレビニュースによると、その前日の2月15日に、イスラエルの副首相兼国防相のバラク氏及び同側近者が来日し、当時首相の野田氏（旧民主党）と会談した。内容は、イランの核開発に協力しないこと及びイランから原油を輸入しないことの要請であった。これに対し、野田氏は次の回答及び要望をした。つまり、国際社会と協調して対処し、政治的・外交的方法で冷静なる対応をイスラエル側へ要望していた。この背景として、イランの強行な核開発推進に対し、世間では、イスラエルが同年4月頃にイランの核施設を爆撃するのではなかろうかとの憶測が飛び交っていたためもある。また、バラク氏は同テレビ担当者との単独インタビューで、シリアのアサド政権はいずれ崩壊するだろうとの見解を述べていた。なお、同年6月4日時点では、国際原子力機関（ＩＡＥＡ）とイランとの交渉継続の可能性が残されていることもあってか、イランとイスラエルは現在までのところ互いに静観しているようである。

他方、シリアは、アサド政権が反政府軍及び一般市民を巻き込んで反政府軍を徹底的かつ軍事的に弾圧してきているため、内戦状態に陥ってしまっている。２０１２年1月28日に、欧米はシリアのアサド政権に制裁を警告するための国連安保理決議案を提示した。しかし、同年2月4日の採決では、前年の２０１１年10月の時と同様に、ロシアと中国が拒否権を発動し行使したため、採決されず廃案となった。その2か国以外の理事国13か国は賛成だった[11]。また、２０１２年1月時点で、北大西洋条約機構（ＮＡＴＯ）軍は、アサド政権に対し、制裁を決議した（２０１２年1月の報道）。従って、今後については不透明である。２０１３年5月5日の同報道によると、イスラエル軍は隣国シリアの化学兵器に関する施設を夜間に空爆した。イスラエル政府は「コメントしない」との声明を出しているが、同報道解説によると、その化学兵器がレバノンの過激派組織「ヒズボラ」の手に渡ることを極めて警戒し阻止するためではなかろうかとのことであった。そして、２０１３年８月21日に国連調査団がシリアの首都ダマスカスを中心に実態調査を行なったところ、化学兵器が使用されたことを確認した〔12〕という。

一方、同年９月の米国大統領オバマ氏の声明によると、米国はアサド政権が一般市民を含めた相手側に向けて化学兵器を使用した証拠を摑んでおり、米軍はいつでもアサド政府軍を攻撃できる準備ができている旨を発表した。しかし、米国の世論と議会（２０１５年時点では、上院は民主党、下院は共和党がそれぞれ過半数を占めており、いわば「ねじれ議会」の状態）は軍事介入に消極的で、英国でも武力行使を否定している〔13〕。なお、米国は、この化学兵器使用で、少なくとも１４２９人が死亡したという報告書を、同年８月30日に公表した。更に、国連にて、この案件が議題として採り上げられた。しかし、シリアのアサド政権を攻撃する議案に対し、ロシアと中国とが再び反対したため、この軍事攻撃は棚上げとなった。また、その化学兵器は旧ソ連製とみられていたが、ロシアはこれを否定し、それは反政府軍が使用したのではないかと反駁した。その後、ロシアはシリアに次の事案を促したという。まず、シリアは化学兵器廃止条約に直ちに加盟し、かつその直後に化学兵器を廃棄することなどを盛り込んだ条約を結び、直ちに実行すべき旨を要求することとした。なお、アサド政権はこのロシア案に賛成の意向を示している。先のバラク氏の予言に関し、例えば、２０１８年４月時点においても、シリアは戦闘状態にある。そのため、各都市は同国政府軍（ロシア支援によるアサド政権）と反政府軍（米国支援）とが対峙しており、相互の爆撃が頻発している。それに伴い、数多くの避難民が母国シリアを脱出して、近隣及び遠くの欧州各国を目指し続けている。その結果、同国の各都市は廃墟化してきている。そして、２０１９年10月には米国軍が同国より撤退したものの、その直後には、トルコ軍が北部地区に攻撃を開始している。しかし、その後、独仏両国首脳の提案もあってか、一時休戦状態になっている。いずれにしても、先のバラク氏のほぼ予測どおりになってきていると考えられ得る。

人口減少問題

或る統計予測によれば、我が国の人口は２０５０年には現在の約二分の一の約六千万人ないし約八千万人程度まで減少するという。筆者として、これは、国家としては極めて重大かつ危機的な問題であり、大損失を招きかねない事態と考える。なぜなら、我が国は今後益々、諸外国からの強大な脅威を受け続けることになると予測されるからである。現在でさえ、人口が我が国よりも数倍ないし約十一倍程度も多く、しかも、原水爆を搭載可能とする核兵器のみならず、その他の軍事力、重火器及び戦闘用兵器などが数十倍ないし数百倍もしくはそれ以上を有する国々が実在しているからである。それと共に、毎年、軍事力を増強し拡大し続けてきている国々は、核兵器を全く持たない我が国にとって、益々、とてつもなく強大なる脅威となって日々のしかかってくることであろう。因みに、我々は、軍事大国でない通常の世界の国々でも、自国を守るために、真摯な気持ちから、男女ともに一定期間の国防及び徴兵訓練を受けている国々さえ既に実在していることを、一方で、決して忘れてはいけないであろう。例えば、欧州のノルウェーやスイスなどである。

それ故、我が政府当局は、人口減少問題に関しては、例えば、国家的な人口問題対策を目的とする適切な新法を創設するための検討部会を立ち上げたほうが善いのではないだろうかと考える。

第十二章　我が国の防災・防衛措置

我が国の不動産・動産の外国による買い占めの抑制と制限

我が国の全国都道府県及びそれらの各自治体の島しょ、山野、土地、住居もしくはマンションなどの多くが、少なくとも2010年9月ないし10月の時点以降において、既に中国を含むアジア、欧州や南半球の国々によって買い占められているという。例えば、北海道のある山野の土地に関しては、地元の役場の台帳などには、その所有権者の名前すら記載されていなかったという。実に行政当局の管理体制が甘いし曖昧であり、杜撰《ずさん》そのものであると言い得る。果してこれらは、いずれも、当局の最悪事態に対する危機感、警戒感、警戒体制、並びに善に基づく気合い及びまたは気迫が充分であると言えるのであろうか。確かに、関連当局は日々の通常業務で手一杯であろうことは充分に想定できるし、理解し得るところである。しかしながら、全国都道府県及びそれらの各自治体に居住されておられる全国民各位が現在ないし将来にわたり、安心して生活できるようにするため、当局は、善なる課題もしくは事項については、先手先手を打つべきであろう。なぜなら、例えば、関連する事件や事故が発生していないからといって、その課題をいつまでも後回しにすべきではないはずだからである。そのようにして手をこまねいている消極的な姿勢、態度もしくは体制は、却《かえ》って、問題発生の「種」を増殖し易くすることに繋がるからである。我等全国民のためになる善行については、積極的に行動を起こすべきと考えるからである。更に、当局が仮に今後とも消極的態度を執り続けるならば、次のような危険的もしくは危機的状況を招くことになると予測され得るからである。すなわち、このような油断と隙が、多くの野望や野心に燃えている諸外国の格好の標的とされ、かつ、彼等彼女等に簡単に狙われてしまうからである。具体的には、例えば、我が国を間諜の支部化、隠れ家化、アジト化、世界各国からの人民の根城化やアメーバ化などの土地、空き地及び空き家などを、本音の部分で、悪の基地用もしくは拠点用の利用化を招くことになるからである。極めて残念な事であるが、我が全国主要都市における多くの地域、施設、集合住宅、マンションなどは、既に彼等彼女等のアジトと化してしまっているのである。従って、筆者は次のように考える。すなわち、これらの最終的な管理責任は、国、全国の都道府県もしくはそれらの各自治体に帰すると思われるが、如何なものであろうか。それらの一戸一戸を厳格に管理して頂きたいものである。単に、関連する税金の損得やそれらの各所有権者の問題で済ますべきではないのではなかろうか。我が国の大地やその下に数万年ないし数千年来ずっと眠ってきている水源や資源も併せて狙われ、かつ、国外へと持って行かれるという重大な問題も含まれているのである。更に、それ以外の前述の間諜や温暖化による我が国のみならず、諸外国の水没化に伴って、今後、我が国への何十万人ないし何百万人という極めて大量の人民や難民がなだれ込んでくる可能性は完全否定できないであろう。しかも、このような問題は国や前述の各自治体が責任を持たなくて、一体誰が持てるというのであろうか。否、個人では、誰一人として持ちきれないであろう。今後とも引き続き、大いに気を引き締め、善なる気合いを入れて、改善し、厳正にそれらの法制化を実行して頂きたい、と。更に、大いなる警戒心を培い、しかも警戒体制作りを迅速に実行していって頂きたい、と。

このように筆者の懸念が現実となった一例が次の現象である。すなわち、２０１７年11月29日前後に、北朝鮮の難民と思われるイカ釣り漁船が、その過去約一ヵ月間に、我が国の主に日本海側の各県に次々と合計約９ヵ所に漂着してきたのである。それらの一部船内には遺体もあったようである。これは、恐らく北朝鮮によるミサイルの頻繁な挑発行為に対する国連の経済制裁に基づく影響などにより、同国人民が飢餓などの現象を通じて、もろにしわ寄せを受けてきている結果ではなかろうかと推察され得る。このような難民や不法侵入者あるいは故意による潜入者が不法入国してくる現況下に対し、当局は、我が国内法及び国際法に基づいて、直ちに厳正に対処かつ防止し阻止すべきであろう。

親子の対話の必要性

現代の我が全国民は、国内のごく一部の者や、アジア諸国、中東、ロシア、インド、アフリカ、その他、世界中の殆どの国々や地域から狙われてきているのである。犯罪（強盗、テロリストによる拉致、暴行、窃盗、麻薬、危険ドラッグ、人質、射殺、などの事件）も同様である。従って、このような現実を、少なくとも、両親や祖父母は、子供や孫たちに幼少期、少年少女期より、家庭で正しく年齢に応じて徐々に教示してあげるべきではないだろうか。確かに、そのような時期には、子供や孫たちにとっては、遠い将来への夢や希望を抱いてもらうことは必要かもしれない。しかしながら、その一方で、極めて明るく派手な浮わついた側面ばかりでなく、現実の側面も少しずつ伝承していく必要があるであろう。なぜなら、この現実の世の中では、それこそ毎日のように種々雑多な事件や事故、あるいは悪人や悪玉菌を数多く保有している個人や団体などが全国に散らばり、蠢《うごめ》き、暗躍し続けてきている。このような厳しい現状もまた併存してきているからである。従って、筆者は少なくとも次の五項目を遵守する必要があると考える。すなわち、第一に、極めて明るく派手な浮わついた側面ばかりでなく、現実の側面も少しずつ伝承していく必要があるであろう。第二に、特に、母親となり得る婦女子への年少期からのそれらの教育は重要と考える。夢見る夢子さんやユメオ君ばかりを目指すのではなく、我が国内及び海外すなわちあらゆる外国の現状の厳しさなども織り交ぜて、子供、孫もしくはひ孫たちに教示すべき重要な責務があると。第三に、子供、孫もしくはひ孫たちが成長し続ける各年齢に比例して、機会あるごとに、一日あたり一言でも良いから、少しずつ具体的に分かりやすくかつたとえ話も含めて、悪や悪人の実在を徐々に教示していく必要があると。第四に、機会あるごとに教示してあげること。第五に、短時間でもよいから、両親などが心を落ちつかせて、子供、孫もしくはひ孫たちの悩みや質問などを、聴いてあげる機会を無理をしてでも創出して、対話をするべきであると。なお、学校や進学のための知識の習得も勿論、必要であろうが、これらは、それ以上に、正しい人間形成のために、より上位に置かれるべきものであると信ずる次第である。万が一、子供たちの質問に答えられない場合は「今は分からないので、一緒に調べてみよう」と答えるのも一つの方法であろう。いずれにしても、そのような短時間の各家庭での生の教育がしっかりと着実になされるべきである。

このような活きた教育や事柄は、原則的にもしくは基本的に学校では教えてくれない。従って、全国のそれぞれの各家庭の両親が、やさしく、ある程度、毅然たる態度と善悪の弁別と理性とを持って、個人的感情に流されることなく、家庭内で子供たちにしっかりとその重要性を繰り返し繰り返し教えることが必要であるし、かつ、それらの事を少なくともある程度は教える責務が両親にはあると信ずる。

我が国の不動産・動産の確保

前述の役場や役所などを監督・管理する関連省庁の当局は、今後は十二分に、例えば、特に金額に関して、外国及び外資系ばかりに落札されないように、我が国の財産の一つであることを強く認識しかつ理解して頂いて、ご指導及び教育を徹底し、強化し浸透していって頂きたいものである。ここでも、長期的な正義及び善を守れるかあるいは目先の金銭の損得に囚《とら》われたり釣られたりして、全国各地元の国民及び区市町村が過疎化し空洞化する結果、後悔し堕落し廃《すた》れていくか否かの分かれ目になるのである。つまり、善悪の判断と決断とが各人に求められるのである。これらの少なくとも一部は、間接的に、例えば2

０１５年2月時点で進められている、環太平洋パートナーシップ協定（ＴＰＰ）などにいくらか関連し得るであろう。ちなみに、このＴＰＰ交渉は２０１５年10月５日に大筋合意に達している。ただし、トランプ政権後、同交渉は米国を除く形になっている。米国は我が国との二国間交渉を希望もしくは要求しているようである。更に、２０２０年の米国大統領選挙の開票結果が明らかになった頃より、中国がこの協定への加盟を目論んできているようである。いずれにしても、今後とも充分に注視する必要があるであろう。

合同パトロール隊の結成及びその実活動の必要性

近年、我が国内では、諸外国人等による各種動産（部材）の強奪事件が急増している。これは、我々の側の警戒心もしくは緊張感の欠落・欠如の現れに依るとも言い得る。特に近隣諸国による我が国の全国都道府県をそれぞれ標的とした、極論するならば、いわば、乗っ取り計画及び奪取戦略の一つであることに係わる読みの甘さ、欠落または欠如の結果とも言えよう。例えば、被害例の、その一として、２０１６年６月に北海道滝川市内の少なくとも四か所で、合計約２・２キロメートル長の電線が切り取られていた。また、その二として、同月30日の報道によると、新潟県内における複数の家屋の網戸が数十個略奪されていた。これらの犯人の目的は何なのであろうか。確かに、これらの金属類は転売すれば売上げに繋がり得るであろう。しかし、これらの犯人は、それ以上に、それらを彼等の過激で好戦的な母国に直ちに持ち帰り、陸、海、空、ミサイルの各軍用の兵器、武器、弾薬などの原材料の一部に転用する可能性は決して完全否定できないと推察され得るのである。なぜなら、単に軍資金用とするならば、金属類に、しかも、使用中の物品に固執する必要はないはずだからである。従って、筆者はこれら悪の犯罪を防止する対策の一例として、次のように考える。すなわち、全国都道府県水準にて各々独立に、健康な青年ないし壮年男子を募集して、例えば官民による合同警邏《けいら》隊（パトロール隊）を結成し、その役割を実行に移した方が良いのではないかと。そして、各地元の区市町村を着実に警備する体制を確立するようにせねばならないと。もちろん、この場合、地元警察の協力を仰ぎつつも、その準補助的役割とも言い得るであろう。このような隙だらけのまたは油断だらけの事実が、アメーバ的に全国のあちこちで明らかになってきているのである。これらは、我が国としてかつ全国都道府県及びそれらの各自治体にとって、極めて由々しき問題であり、早急に与野党を超えて、または与野党に拘らず、厳正かつ厳格に法律的にしかも実質的に歯止めを掛けねばならない。それと共に、国と全国都道府県及びそれらの各自治体とが、早急に全国の地元の国民に対し、金銭その他の誘惑に負けたり陥落したりしないような、我々の国家と領土、領海、領空、領小宇宙、領電磁波域などを、厳正かつ厳格に恒久的に守り続けるための、善なる正義の不動心を早急に培い養うための指導及び教育が実行に移されねばならないであろう。

現代は、インターネットの時代である。そして近い将来は、あらゆる分野において、相互もしくは一方向の情報伝達の速度並びに情報量が更に増大化し向上した時代を迎えることになるであろう。我が国の「心の」油断と隙と怠惰な面をほんの少しでも見せたならば、その瞬間に、世界中の仮想敵国、国内外の悪の集団や組織、過激派集団や組織あるいは全体主義の国々は、彼等よりもいくつかの面でいくらか恵まれ、妬《ねた》まれている我が国の次のものを、真に本音として、根こそぎ奪取し略奪して彼等自身の所有物にしようという強欲、貪欲、欲望及びまたは野望をむき出しにしてきているのである。例えば、我が国の領土、領海、領空、領小宇宙、領電磁波域及び大地、土地や緑などの不動産、動産、水、熱水、地下資源、鉱物資源、水産資源等の天然資源を。そして、彼等はそれらを数十年前より現在及び将来にわたっても奪取し続けることを大目標の一つに掲げてきているのである。そのため、我が全国民は、この点を心の底から、アンテナを張って、骨の髄から感取せねばならない。それらに注視するように心掛けねばいけないのである。

だからこそ、我が政府はもちろんのこと、全国都道府県、それらの各自治体、市区町村、役所・役場などや所有権者及び我が国民の一人ひとりが、そのような広範な事柄に対する極めて強い危機意識を持って頂きたい。それと共に、強い警戒心を持ち更に警戒体制を構築して、情報と共に言動に注意して、日々を力強く生きていかねばならないのである。このことは、いつ発生するかもしれない巨大地震、巨大津波、原子力発電所またはガスタンク、石油タンクなどの爆発・炎上事故に伴う放射能その他の悪影響とそれらに係わる対応と完全収束までの心労、苦労や苦悩なども同様に含まれる事項である。

彼の国々等による我が国への影響を予知する

また、それらの世界中のいくつかの国々、悪の集団、悪の組織、あるいは狂信的・独裁的な国々は、我が国が有する「甘い蜜」を求めて、金品の多寡《たか》に係わらず、かつ、それを何ら厭《いと》わずに、野望を抱きつつ、我々に近づいてきているのではなかろうか。ここで、金品とは、例えば、小切手、現金、宝石類、品物、接待、肩書、地位、名誉などを含む動産、不動産もしくは物々交換などである。そもそも彼等の目的は一体何なのであろうか。確かに、彼等は通常、社交辞令的と同時に、彼等の腹蔵ある意味も含めて、関連する個人、団体、組織を稀《まれ》に褒《ほ》めたり、反面、その裏では、徹底的に貶《けな》したりしてきている。それらにより、彼等は一部の人脈を構築し、それらを拡大させてきているのである。その結果、彼等は、彼等の最終目的（我が国政府、防衛省ほか全省庁、財団、大中小企業、協同組合、労働組合、教育、研究組織、商店、書店、個人などあらゆる分野における各々の秘法（ノウハウ）、秘密情報、秘密図面、秘密設計図、秘密物品など）を略奪もしくは恫喝してでも奪取してきているのである。しかしながら、それらに対し、我々が警戒すべきは、第一に、それらの未然防止や阻止の実行動を執ることである。第二に、万が一、彼等に目的物が奪取されてしまった場合には、相手もしくは相手集団にとって、我々の存在は無用の長物となるはずである。そのため、彼等が非情にも、態度を豹変させかつ硬化させてくることを、我々は十二分に予測しておかねばならない。その具体策として、例えば、そのための防衛措置を事前に執っておくことは、我が国の最低必須条件である。なぜなら、我が国側の真に思いやりの態度でそれまで接してきた心と期待感が全く裏切られるかのように、まさに180度、彼等は自身の態度と言動とを翻《ひるがえ》して、我が国の個人、協同組合、学校、団体、企業、公共団体、各自治体、全国都道府県もしくは国家の期待を真っ向から裏切るという「逆の強気の言動」、もしくは「負の強気の言動」に出てくる可能性が高いからである。もちろん、その実例は何度も何度も報道機関を通じて報じられてきている。そして、それが頻繁に起こり得るという危険性は常にかつ潜在的に含まれているからである。従って、筆者は次のように考える。すなわち、それらの現象に伴い、我が国側が大損害を被る可能性も否定できないことの覚悟と心構えが、従来と同様に、もしくはそれ以上に、今後は、より一層不可欠になると。すなわちたとえて言うならば、従来のように、あたかも温泉や豪華な接待に浸《ひた》って、目じりを下げて、酒を飲んでいるような気分で彼等彼女等との取引、商売、売買、交渉、協定などを盲信的に取り交わしていたならば、大怪我、大損をすることになりかねないということである。これには、例えば、我が国、全国都道府県、それらの各自治体、企業、団体、各種組合及び個人などが対象として含まれ得る。そして、これらのいずれの方々も、強烈に足元を抄《すく》われてしまい、大骨折し、冷水を浴びせられかねないということである。その結果、我々の種々の団体、組織もしくは個人の多くの方々は大いに苦しみ、悩み、後悔に苛《さいな》まされるという負の状態に陥るか、もしくはその危機感が強く予測されるからである。

いよいよ無期限の政権を目指す中国

特に、彼等の政権がある一定期間で変わる可能性を有していることを十二分に考慮した上で、内容によっては、彼等からの申し込み（オファー）を拒否するかあるいは条件付き期限付きで了解するのか等に関し、充分に繰り返し、深く検討することが必要となるはずである。決してあせって安易に妥協や承諾などをしてはならない。要となる善なる事柄については、特に彼等の豹変、強圧、脅迫などに屈してはいけない。彼等のこれらに関する言動は予め想定の範囲内にて十二分に念頭に置いておくべき基本的事項の一つである。前述の事柄は２０１７年頃までの状況であった。しかしながら、例えば中国では、予想していたとおり、２０１８年3月6日頃に、習政権期間を「無制限にする」旨の法律が同国全人代にて承認された。これは、実質的に、完全なる独裁軍事体制が確立されたことを意味している。従って、筆者は次のように考える。すなわち、この事は、欧米はもちろんのこと、ロシアにとっても一種の脅威になるのではあるまいかと。なぜなら、これからの世界情勢は欧米諸国及びロシアを抜いて、中国もしくは中国共産党が世界を支配する可能性がかなり高まってきたと強く予測され、懸念され、かつ、そのように考えられ得るからであると。

東日本大震災

ところで、前述した２０１１年3月11日及びそれ以降も続いている東日本大震災の対応に係わり、多くの国際援助隊、国内の関連部署、組織、団体、有志などが協力してくれた。巨大地震とそれに基づく巨大津波及び余震並びに福島第一原子力発電所（以下、第一原発と略す）の爆発（水素爆発）、炎上、放射能の放出並びにそれらに伴う地元県民の集団避難、食糧、飲み水などの供給などに対し、世界各国からの救助隊の支援、我が国の自衛隊、消防隊、警察隊、民間の有志（ボランティア）、等の勇気ある行動によって支持されてきている。

その被害はあまりに甚大であったために、同年3月27日になっても、各救助隊の慈悲心と各国の慈悲と宗教的愛と人道的行動をありがたく感謝の心を持って受け入れさせて頂きつつ、当初より規模は減少してきているものの、翌２０１２年8月時点でも未だ復旧作業が続いている状態であった。そのためもあって、当時与党であった民主党は２０１２年2月10日に復興庁を立ち上げた。残念ながら、全対象となる原発事故に対する処理は完了した状態には至っていない。特に、大量の瓦礫《がれき》は小高い山の如く、数多く積み上げられたままである。そして、除染作業なども、気が遠くなりそうな時間が掛かりそうである。ただし、併行して、それらの作業をより迅速化することを目的とした技術開発とその実用化は一歩一歩進行しているようである。この状況は、２０１３年6月時点において、たまに発生している汚染水に関しては、その貯蔵タンクが日増しに増加し続けており、同発電所のある限定された敷地面積に新たな負の問題を提起し始めている。

なお、２０１３年8月時点では、前述の貯蔵タンクの三か所より汚染水の漏洩が発覚した。これには、東京電力及びその関連会社が対応しているもようである。しかしながら、ここで問題なのは、巨大津波の襲来を受けて以来、第一原発には迅速な冷却水の注入が必要とされ続けているため、そのタンク自体があたかも応急措置的とも言い得るほどに簡易方式（すなわち非溶接の接合方式）にて製造されたという。従って、同社による記者団への発表によると、当初の予測よりもかなり急速に部材（金属など）関連の劣化や腐食などの症状が現れてきたらしい。これらのタンクの直径や高さが大きいことから、その内部水圧やその後の余震などの要因をも加味するならば、この問題は長引く可能性を秘めているように推察され得る。

だが、そのような懸念を抱いていた約一か月後の同年9月8日（日本時間）に、南米アルゼンチンの首都ブエノスアイレス市にて国際五輪委員会（ＩＯＣ）主催による２０２０年夏の開催地を最終決定するためのマドリード、イスタンブール及び東京の三都市のプレゼンテーションが実施された。この状況は世界に生中継された。我が国のプレゼンテーションでは、当然に前述の汚染水問題の説明に関して、受け答えできる準備はしておかねばならぬ状況に迫られていたのは事実であろう。そうした中で、当時首相の安倍氏が「福島第一原発の過去、現在及び将来にわたる安全性及び安心度合は確保されているから心配ありません」という主旨のことを世界に向けて明言した。これは、世界各国に向けて約束したことと同等の重みを有しているであろう。

この汚染水の心配は当然のことながら、安倍氏の発表直後の質疑応答の際に、ＩＯＣ委員より「安全だとおっしゃる科学的理由を納得のいくように説明して頂きたい」という主旨の鋭いが主催者側としては当然なる質問が浴びせられた。これに対し、安倍氏は、汚染水は当該湾内の０・３平方キロメートルの範囲内に限定されていて、完全にブロックされていること、そして、東京の水や食物の放射能度合は世界で最も厳しい規準の更に１００分の１であることなど、これらの詳細を明確にかつ堂々と回答していた。そして、第一発表者の高円宮妃久子さまが流暢なフランス語と英語による導入部としての重責を見事に果たされた後、その他、安倍氏を含む何人かの方々によるプレゼンテーションがそれぞれ情熱を持って行なわれた。その結果、紆余曲折しながらも、感動を持って、二大会後の２０２０年夏における同大会の開催地として、東京に最終決定された。なお、同プレゼンテーション終了後に、非公式に我が国の記者等が第三国のＩＯＣ委員の何人かに質問したところ、日本に決まった要因の一つは、安倍氏が汚染水の安全性を明確に保障したためであろうという主旨のことを述べていた。確かに安倍氏は極めて簡潔かつ明快に安全宣言をされていた。我々一般国民としては、後は有言実行あるのみとして見守っていきたい。

先述の話に戻ろう。そうした中で、食料となる米や野菜のいくつかは全品検査ですべて合格し、出荷の手配が開始されたのは誠に喜ばしいことである。これらは、今後に、明るい希望の光が射してきたことを示唆しているようである。今後に期待したい。また中国や韓国では、輸入禁止措置に踏み切っている。

このような事態は、巨大災害後のしばらくの間は予め想定しておかねばなるまい。諸外国のこれしきの対応で、我が方が慌てたり、怯《ひる》んだりなどする必要は全くないであろう。それよりも、我が全国民が一致協力して、被災地産の放射能度合の数字が、例えば公正に国際基準値以下の食品に関しては、積極的に食していこうではないか。ただし、もし基準値以上の地点があるならば、その地点ではより厳重かつ、例えば三重四重の汚染ブロックまたは遮断措置を実行して頂くことは当然ではないだろうか。

なお、ここで、筆者としては次のように考えている。すなわち、基本的には、このような大事故や大災害に属する負現象が、今後、発生したと仮定した場合、あるいは、このような国家非常事態に陥った場合でさえも、約一か月ないし約三か月以内で、その負現象もしくはその被災を終息させると共に、その放射能を完全かつ安全に遮蔽《しゃへい》させ、しかも、冷却用等の汚染水を元の正常で医化学的に安全な水に戻すというような技術や設備が、もし現在、確立され整備されていないならば、少なくとも、それらの諸技術が確立されるまでは、当該操業を停止すべきではないかと。ここで、負現象とは、例えば、原発の放射能漏れや、複数の某仮想敵によるミサイルや空爆などにより、我が国の複数の原発が破壊される事態などを意味している。更に、現在及び将来に向けて、我が国は当然のことながら、原発依存率をたとえ少しずつであっても、減少させていくべきではないだろうか。確かに、全国の原発を一斉《いっせい》に停止させるのは種々の理由から非現実的かもしれない。しかしながら、それでも、例えば、風力、地熱、波力、その他の非原発で平和的かつ安全性の高い代替エネルギーに移行させていくべきではないかと。これらの一部は既に実施されているが、それらの建設数量を増加し、改良するのも一法ではないだろうか。なぜなら、そうでもしなければ、大多数の国民の不安感は完全には払拭されないと推察されるからである。従って、筆者の希望としては、関連当局におかれては、向こう約20ないし30年以内の達成計画書もしくはそのロードマップを作成して頂き、それに沿って前向きに実行へと移行して頂きたい。すなわち、原発から前述のクリーン・エネルギーへと準完全に置換できれば幸いであると考える次第である。

巨大災害からの防止策の提案例

また、２０１２年3月27日の報道によると、その日までの巨大地震と巨大津波の両者による経済的損害額は約12兆円ないし24兆円に達しているという。但し、これには原子力発電所の爆発、炎上、放射能放出などによる損害額は含まれていない。ちなみに、阪神・淡路大地震の場合は約10兆円であったという。なお、その巨大地震のみならず、今後約10年ないし30年後には首都圏の直下型、東南海及び南海の各巨大地震も当局により予測されている。また、同2012年1月に東大地震研の某教授は、今後4年以内にマグニチュード7級またはそれ以上の大地震が首都圏地域で起こる確率は約70％（その後、50％に修正されたもよう）であると発表している。そこで、我が国が海で囲まれた海洋国であるという事実から、これらの巨大地震に伴う巨大災害から物理的に可能な範囲で、被害を極小もしくは可能な限り低減させるための対策例として、筆者は次の五項目を考える。

第一に、全国の防波堤及び防潮堤の高さを（可能ならば）今の高さから約30メートルまでに増加させるべきであると。これにより、関連各地の海岸線における景観がいくらかそこなわれてもである。なぜなら、我が国の国家財産とは何かといえば、それは「人」である。その国家の基本単位である「人」が災害発生のたびに、数千人ないし数十万人が死傷することを見逃すとか、見て見ぬふりをすることなど基本的にできないはずである。この数字は、世界各地で過去に発生した種々の局地戦争での戦死者に匹敵またはそれを上回るものであるとも言い得る。そうであるならば、景観よりも、将来の10年、50年、100年、500年後の我々の子孫が安心して生活し働き続けられる全国各地の地元の土地、山林及び海岸線などを抜本的に見直すべき絶好の機会が、まさに、今、来たと考えるべきであろう。従って、それを具体化するために、コンクリートの原材料や鉄骨などを世界各国と協力関係を推進することなどにより、早急にかつ継続的に確保しなければならないし、確保しておかねばならない。もちろん、財源確保の工夫及び智慧も必要になってくる。この高さを実現させるためには、従来の海洋・土木・建設の地震的及び津波的耐久性を含めた力学的、耐塩水的、耐衝撃的、耐衝突物的、耐弾丸的、耐爆発力的などの概念のみならず、新しい開拓的かつ情熱的な概念に基づく、官産学の横断的で大規模な真の誠実なる大協力体制が不可欠となる。

防災兼国防用としてのシェルターの全国的創設の必要性

第二に巨大地震、巨大津波、巨大震災による被害を極小に抑えることのみならず、同時に、防衛的・国防的観点からも、我が国の全都道府県及びそれらの各自治体の海岸を有する都道府県から、優先順位を設けるのも一法であろう。あるいは、予算や材料、人数を確保した後に、併行して、防災用、津波防止用、国防用などの多目的かつ共同使用可能な強固建造物として、例えば、次のような施設が考えられる。すなわち、海抜が少なくとも約40メートルの高さを有する略円錐、略円錐台または山の各形状からなるシェルター類。そして、それらは海岸から沖合方向に向けて一定距離の箇所に複数個（空から海面に向かうほぼ鉛直下方向視した場合に、それぞれ市区町村における海岸線の形状にほぼ平行とさせつつ、しかも、例えば、互い違いのもしくは千鳥足状の配置）になるように建造することがより望ましいと考える。

この場合、地元住民及びその地域で働く人々が、有事の際に直ちに避難できるような避難通路、避難高台を含む避難場所や津波、海水、台風、吹雪、満潮、高潮、低気圧などからの強力な暴風雨を凌げる高台などの避難場所並びにシェルターのような、国民を安全に守り得る場所などを、それぞれ予め設置しておくことが必須であると考える。

また、この計画、実施もしくは実行が中断や頓挫することなく、是非とも頑張って継続し完成して頂きたい旨を提案させて頂きたいと共に、強くお願いしたい次第である。

具体的には、次のような姿勢で対応して頂きたい。つまり、こうである。全国の防衛省系、海上保安庁系、消防庁系、警視庁系、国土交通省系、厚生労働省系、通信・連絡系、海洋系、海洋工学系、土木工学系、地質工学系、地震工学系などの技術（開発）部門、関連する全国都道府県及びそれらの各自治体、大学関係などが広範な領域において、しかも大縦横断的に誠実に協力し、智慧を出し合って頂きたい。そして、それらの関連する全分野の関係者が前述の唯一の大目的達成のために、かつ「我が国の全国民の子孫の世代の生命を恒久的に守るために我々は実行するのだ」という主旨の気高く尊く強い善なる大目的意識と責務感とを持って、是非とも実行に移して頂きたいのである。また、少なくともその大目的が達成されるまでは、いかに衆参両議院が解散され、何度も内閣が改造されようとも、その他の外力が襲って来ようとも、何らビクともせず、その大志と目的とがぐらついたり動揺したり中断や頓挫しないように、善なる執念を持って頂きたい。更に、悪影響を受けることなく、あるいはたとえその影響を受けても、それらを回避し、退けることによって成し遂げて頂きたいものである。そしてその相互協力により、模擬実験をするなどして、充分なデータを収集し解析して、建設・建造に着手すべきと考える。

しかも、前述のシェルターは、巨大津波の強力な破壊力を力学的に減少させる大目的と共に、仮想敵国（群）または過激派組織等の戦艦、空母、戦闘機、爆撃機、各種ミサイル、潜水艦、上陸用舟艇などが、我が国の領海内または海岸線に向けて、予告の有無に拘らず、突然攻撃してきた場合の準もしくは本最先端基地にも転用を可能にさせる目的をも有するのである。それ故、このシェルターは、我が国の全国東西南北の沿岸や島しょ及び離島における防災的、対津波的及び国防的などの従来よりもかなり幅広い一石四鳥以上の有効性、応用力及び柔軟性を有し得る観点から、数多くかつ迅速に、建設する必要があると考える。もちろん、そのすべてのシェルターには、できる限り、少なくとも複数の監視員、連絡設備、護身具などが常駐され常備されるべきであり、その方がより現実的であり、より妥当であろう。

なお、この種のシェルターは、前述の善なる大目的のみならず、更に、我が国の少なくとも活火山を有する全国都道府県におけるそれらの周辺の自治体におかれても、これらを今から有事の前から、早目早目に創設すべきと考える。少なくとも今後の近い将来に噴火や土石流及びそれに伴う火山弾や火山岩の襲来から地元住民及び観光客などの身を守るために、今から、関連する各自治体にて期限を設けて審議を開始して頂くと共に、善なる実行動に踏み出して頂きたいと強く願うものである。これ以上の尊い犠牲者を出さないためにも。かつまた、その善なる行動は、亡くなられた多くの方々への供養と、今、神仏により命を戴いている我々からの恩返しの一つにもなると考えられ得るからである。このような我が国及び各自治体にとって根本的かつ基本的に重要な、いわば社会基盤施設（インフラストラクチャー）かつ緊急を要する一つとでも言い得る事案に関しては、必ずといってよいほど、制動が掛かり易い。予算が足りない、予算が間に合わないなどの理由付けで頓挫してしまい、更に多大の死傷者が出てから、どうにかこうにか、やっとこさ重い腰を上げるのが通例だからである。従って、そのような厳しい状況をもあえて乗り越えて、審議から実行へと移行し、第一歩を踏み出して頂くことを筆者は切望するものである。

第三に、非常事態宣言を発すべき水準の天変地異や局地戦争が発生、勃発した時のために、国、全国都道府県、それらの各自治体、各企業、各教育機関、各家庭などは、常に、可能な範囲内で、少なくとも不可欠な物品などは備蓄しておく必要がある。例えば、次のような物であろう。すなわち、安全で飲める水、毛布、衣服、防水靴、救援隊、病院、家族親族の探索などの移動等のためのトラックや自動車用の燃料、防寒用の設備や用具、食料品、及び医療器具、医療薬品、医師等を、それぞれ、日々に中規模に備蓄、保管、巡回並びにそれらの盗難、略奪もしくは奪取、放火、破壊などの防止を図るための警備を継続して定期的に何回か実訓練を行なうことは不可欠である。

第四に、先の２０１１年3月11日の大震災が従来のそれと大きく相違するのは、周知のように、巨大津波の襲来に伴う原発からの放射能による悪影響及び汚染の大事故が併行して起こっている点である。

第五に、我が国の原発が、過激派集団、テロリストもしくは仮想敵国（群）等によって軍事的に攻撃、爆撃または爆破された場合の対策及びそれらの可及的速やかなる復旧もしくは復興方法を探求すべきではないだろうか。これに対し、現在までも第三者委員会が設けられて対策の努力は為されてきているようである。また、現実的には、電力供給の一方法として、原発は必要かつ重要な手段かもしれない。しかしながら、その設備が何らかの外力により破壊され崩壊した場合、その放射能漏れに係わる技術的かつ根本的な改善策は殆ど未解決のままのように観えるし、そのように考えられ得る。なぜなら、その具体的対策法として、例えば、約2か月ないし3か月以内で少なくとも放射能汚染源、火災源、汚染物発生源からの放射や発生などを完全に遮断することが最重要事項もしくは課題のはずだからである。しかも、完全に終結させ終息させることが、少なくとも全国民から切望され、求められているからである。それにも拘わらず、現状は能動的とは言い難く、受動的な防災一方のように見受けられるからではないだろうか。従って、筆者は、その対策法を新たに構築して、ここ1年ないし3年のうちに国会や各自治体での議会などで審議して、それらの対策に係わる可能な模擬実験もしくは模擬訓練を実行すべきではなかろうかと。

あるいは、我が国としては、次のような正確な発生時期の予測困難な天変地異とそれらによる巨大事故のような国家的最悪事態が同時に発生しても、なおかつ強靭なる我が国家基盤が崩れないような対策は、予め可能な限り、数多くの智慧を集め絞って、検討され講じられておくべきであろう。すなわち、例えば同年3月11日及びそれ以降に起こった巨大地震並びにそれに伴う巨大津波、原発の爆発、炎上、放射能放出とそれらによる地元及び周辺の関連自治体への多くの分野への影響が生じても、なおかつ、それ以前とあまり変動・変化することなく、維持できる体制を日々考え、対応策を講じ、努力を継続していくことが、国家としての本来の根本的姿の一つではなかろうかと考えるのである。

筆者は、この少なくとも三重苦あるいは多重苦とも言い得る大震災及び大事故は、むしろ、例えば三重苦と仮定した場合は、それ以上のあらゆる関連分野における直接的間接的（風評的などをも含む）実被害及び我が国民並びに一部の外国へ影響し得るのではなかろうかと思う。著名もしくは大規模な企業や国家機関などであればあるほど、大事故に拘わらず、常に、それらが実在している限りは、準恒久的に、国内のみならず世界中から監視または注視され続けていることを、決して忘れてはならないはずであろう。なぜなら、これらはいずれも、我が全国民の数年後に、及び一部については、我々の子孫へも影響を及ぼしかねないという可能性も完全否定できないからである。

現に、例えば、２０１２年2月頃の関連当局のコンピュータ予測によると、それから数か月後（約6ないし12か月後）に、前述の東日本大震災に基づく巨大津波により破壊された東日本各県の瓦礫が太平洋をほぼ東進または北東進し、複雑な回転や衝突を含む運動もしくは流れをした結果、米国の西海岸に漂着する可能性が高くなってきたという。実際、報道によると、同年4月21ないし22日頃、米国アラスカ州の島に陸前高田市の青年のサッカーボール一個（名前付き）が漂流しているのである。その島と同市との距離は約５４００キロメートルである。今回の少なくとも三重苦とも言い得る多重苦事態は、我が国の国会議員が真剣に対応すべき事柄の一つと言い得るのではないだろうか。確かに、議員各位におかれては、日々重要課題を抱えておられ、多忙ではありましょう。また、公式の休暇日及び休暇期間などが除外されるのは当然でありましょう。しかしながらこのような国家水準の非常事態もしくは最悪事態を、予め極めて冷静に、厳格に、冷徹にかつより適切に常日頃から十二分に想定することができ、かつ、対策を講じられ得る者こそが、我々全国民が求めている「真の国会議員」ではないだろうか。あるいは、換言するならば、我が国の「真の国会議員」となるべき、国民から推薦もしくは推挙されるべき、またはそのように呼称されるべき資格もしくは資質の一つを備えているとは言えないことはないと思うのである。なぜなら、これらの重大なる国難事態の絶対的な防止策及びその実行を常に念頭に置くことができる資質や能力を有しているであろうと、国民から期待されていたからこそ、選挙にて当選させて頂いたのではなかろうか。従って、筆者は次のように考える。すなわち、逆説的に、最重要課題のことを考えられない方々は、国会議員の水準に留まって頂く資格、資質または立候補する資格は殆どないのではなかろうかと。極論するならば、例えば、あたかも、ご自身の家族や親族の安心・安全・安楽・安泰・出世などだけしか念頭にない方は、議員をご辞退して頂いた方がよろしいのではないだろうか。または自己の地元応援組織の利益のことしか考えることができず、かつ排他的なお考えの老若男女の方々は、国会議員としての資格を殆ど有していないのではなかろうかといっても過言ではないのかもしれない。このような資格・資質水準に未だ到達しておられないように推察され得る方々であって、なお、どうしても議員になることを強くご希望され熱望されておられる場合には、国会議員を自主的に断念されて、全国都道府県またはそれらの各自治体における区市町村などの議員水準に留まって頂きたいと切に願うばかりである。

それ故、このことからも、より正しい判断力を有する全国民であるならば、誰でもがお分かり頂けて、かつご明白なように、勢力争いや重箱の隅を突っつくような、少なくとも低水準の課題・議題などについては、時間の浪費であるし、税金の無駄使いであり、国会議員たる資格が明らかにいくらか欠落、欠如していると言わざるを得ないのではなかろうかと思われる。であるから、そのような場合には職を辞して頂き、選手交代して頂いた方が、今後及び将来の我が国、我が国民のためになるであろうと考えられるのである。なお、我が国が有史以来の地震多発国である事は、読者の皆様方を含め、世界中の国々においで、少しでも我が国に感心を抱いておられる方々は殆どご存知のはずであろう。従って、我々一般国民が、我が国の全国都道府県のいずれに居住しているか、または、労働、勤務、家事、手伝い、あるいは奉仕活動などをしていると仮定した場合、この地震という有史以来の天災地変から逃れることは、殆ど不可能であると言っても過言ではないであろう。

大地震発生の際に、ほんのわずか約10ないし約20分間にわたって、その関連地域の全国民が一斉に、できれば大地から、山や丘陵から、海面から、河川の表面などから、家屋や床から上方へ約1ないし2メートル以上浮かび続けない限り、揺れの度合いを軽減する方法はあるにしても、ゼロにする方法もしくは、その揺れから逃れる方法は殆どないであろう。すなわち、この地震という現象は我々全国民にとって、基本的に恐いものであり嫌いなものではあるものの、いわば一種の宿命とも言い得るのではないだろうか。もちろん、同じ地震であっても、それが、もし人工的もしくはある戦略的戦術的に引き起こされた場合は全くの論外であり、次元の異なる問題であろうが。

また、前述の国家的または全国民的善行を強力に推進するためには、第一条件として、予算を渋ってはいけないであろう。換言すれば、全国民は同悲同苦の精神をもって、「過去の高度経済成長期における殆ど無制限に近いとも言い得るような贅沢と欲望と貪欲とに対する反省と懺悔《さんげ》とをするつもりで、その何割かを自らの理性で抑え、あるいは幾分か我慢する心を大いに養い、かつ善なる習慣付けをするための絶好の良き機会である」と、我が国民の一人ひとりが心の中で受け止めもしくは捉えるべきであろう。決して経済的損得の次元のみで判断すべきではないと、筆者は考える。あくまでも、例えば、少なくとも１００年ないし５００年の単位での将来を見据えて、我が全国民を救済するために、善か悪かの弁別のより高い次元に立って、根本的な方針を定めるべきと考える。

油断、怠慢、傲慢及び貪欲の戒め

ちなみに、１９８０年代の我が国における経済バブルの崩壊は、このような殆ど無制限と言い得るような贅沢、欲望、貪欲及び極端な使い捨てや食べ残し及びそれらと同様に、心や精神の使い捨てなどのために発生したとも言い得るであろう。例えば、当時、「消費は美徳である」という主旨の文言が新聞、雑誌、書籍類、テレビ、ラジオなどの報道または情報伝達媒体を通じて、巷に数多く流布され、人々の間に浸透していったのである。そして、そのような社会現象に対する我々国民一人ひとりの反省不足が前述の一因となったとも推察されるのである。従って、我々は、それらのことを真に教訓として、二度と同様な負の社会現象を引き起こさないような対策を打たねばならない。

ところで、このような状態もしくは状況というのは、恐らく、例えば、絶頂期の平安時代や江戸時代、あるいは古代ローマ帝国の各全盛期に類似しているのではないだろうか。確かに、それらの時代は、いずれも全盛期を過ぎると、油断、怠惰、怠慢及び傲慢などの雰囲気がその時代の権力者、為政者及びその関連者たちの間に蔓延し、それらが彼等彼女等の家族、親族や大臣及び彼等の部下たちにも伝播し、蔓延していくという傾向が観られるのである。そしてその後、彼等彼女等の周辺の地域、社会へと更に伝播し拡散していっていると言い得る。しかしながら、そのような潮流が発生し、それが次第に拡大し増殖しているにも拘わらず、平均的に、それらの当事者は殆んどそのような動きや運動に気付かないし、気付いていても自省とその行動が観られない可能性が極めて大きいと言い得るのである。なぜなら、肝心の前述の各当事者自身の心の中が油断、怠惰、傲慢及び貪欲などにより満たされているため、自省したり、謙虚になって、改善策を直ちに検討したり、実行に踏み切るという「心のゆとり」が殆ど無きに等しい状態に陥ってしまっているからである。その結果、それらの風紀の乱れや風潮に反対し反発する、相対的に非富裕層より構成され得る集団や組織の小さな勢力が生まれてくることになるのである。そしてそれが次第に成長し拡大し拡張して、次なる活力またはエネルギーを秘めたある新たな反政府勢力が勃興する可能性が高まってくるのである。そのため、彼等による武闘（武力闘争）、戦闘などを通じて、それまで権力者及び為政者の有していた権力、権威及び権限などがことごとく奪取され略奪されて地位が転覆され逆転されるなどして滅亡してきているのである。従って、筆者は、次のことを危惧している。すなわち、このまま本質的かつ根本的な大改善または善なる大英断を実行しなければ、現在の我が国は、それらと同様に、過去の繁栄から将来の滅亡へという負の道筋を辿ってしまうのではなかろうかと。

平和への道

だからこそ、全国の老若男女の読者諸兄諸氏に心の底から誠意と情熱を持って申し上げたいのである。皆さんにお伝えしたいし、皆さんから皆さんの周囲で活動している老若男女の方々へと伝えて頂きたいのである。伝承して頂きたいのである。「目を開いてください、目を覚ましてください、耳を傾けてください」と。そして、一人ひとりはわずかな力でも、皆で地道に協力し合えば、大きな善行が可能となり、平和を目指す活力ある我が国が、そして、その結果として、世界の平和が実現するのである。しかし、誤解してはならない。平和というのは、他人任せや、他力本願だけでは維持できないし守ってはくれないのである。ただし、もし、真心の祈りもしくは供養が無いならば、その願いの結果である現象が生じる事はなく、まったくのゼロとなるであろう。従って、筆者は、お祈りもしくはご供養は、善行を湧出させ、その実践を開始させるための、人間としての善なる内部エネルギーを誘発し、それを高めるための必要条件の一つと考えるのである。それ故、我々が平和、安心及び安全を得るためには、我々一人ひとりが善にして、誠実かつ純粋な気持ちで、それらの願いを強く神仏にお祈りする必要があるのである。それと共に、我々は可能な範囲で、一人ひとりの現実的役割を通じて、智慧と体とを働かせ動かし、善なる行動を開始しかつ働かせることにより、初めて「平和の『へ』の字」の第一歩が始まる事になるのである。つまり、我々自身が平和を維持するための大目的を抱きつつ、自身の家庭、地域、社会及び国家、そして世界を守るための行動を開始しなければ、真の平和は近づいてこないし保たれないのである。ただし、「可能な範囲で」という条件もしくは限度があることは、家庭的、地域的、社会的及び国家的の各次元に関して、それぞれ、了解しかつ理解せねばならない。このことは、常に我々全国民は認識し続けておかねばいけない事柄の一つである。我が全国民は、自らが誕生したその時から、たとえどのように小さな事柄であっても、その責務が課せられているといっても過言ではないであろう。

換言するならば、我々一人ひとりがこの世に誕生する直前までは、我々の両親、祖父母、兄姉、親戚、親友などが、神仏に対して、心の底から真正にかつ強く希望し恋慕渇仰してくださったのである。特に、あなたご自身の両親においては尚更であり、この世界の中で誰にも負けないほどに、最も強くその気持ちを抱き続けてくださったのである。その極めて強く熱い想いを、我々一人ひとりは頭のてっぺんから足のつま先に至るまでの体全体に一身に受け、生命《いのち》の増益《ぞうやく》を授かって、この世に生まれ出でさせて頂いたのである。我々が自らの意志と力だけで、この世に誕生したなどという思い上がりの気持ちは、間違っても抱かないことである。抱いてはいけない。間違っても考えないことである。万一、抱いていたならば、それこそ、大間違いも甚だしいといわざるを得ない。従って、現在、あなたと同居しているか否かに拘わらず、または生存しているか否かに拘らず、ご両親には大恩があるのである。それを、いかなる事情があるにせよ、間違っても逆恨みなどしてはいけない。まず、この事実に関して、あなたご自身の両親、先祖そして、その強い願いに応えてくださった神仏に対して、生涯にわたり感謝し続けなければいけないはずである。そうでなければ、それこそバチ（罰）が当たるであろう。あなたご自身が苦悩することになるであろう。その具体的方法もしくは手段の一つが、あなたご自身が自信を持って実行できてしかもご自身が心の底から好きだと思える分野での仕事や活動（精神的なものも含み）を通じて、どのような些細な事柄でもよいから、いわゆる「世のため、人のため」に、悪行をせずに善行を尽くすことではないだろうか。これによって、まずは、あなたから社会への恩返しの第一歩を踏み出してみてはどうであろうか。それを実行したことによって、あなたの心は非常に清々しく明るい心持ちの状態に必ずなるであろう。それと共に、心からの新鮮さ、幸福感や満足感を身に染みて感得できると思う。しかも、そうすれば、神仏が必ずやあなたを守ってくださる。必ずである。筆者はそのように確信している者の一人である。

シェルターの早期建設の必要性

話を戻そう。先述したような決断が難しいのであるならば、例えば、複数の仮想敵国もしくは過激派集団や組織などから我が全国民の生命を守るために、次のような各種シェルター（避難豪、防空壕《ごう》、もしくは避難施設）の建設を開始すべきではないだろうか。確かに、これらの、言わば、社会基盤施設を建設するには多くの人力と費用とが掛かるであろう。しかしながら、その一方で、多数の国民の失業対策もしくは就業救済に役立つことであろう。そのため、敢《あ》えて当局に切望したいのである。なぜなら、例えば、仮想敵国などからの弾道ミサイル攻撃などから全国都道府県及びそれらの各自治体に係わる公的関連建物、施設、設備並びに全国民の住宅などの全てに係わり、それらを事前に守るための必要条件と思われるからである。従って、筆者は、このように考える。すなわち、全国規模の防空壕（大型、中型、小型の各種）、兼大規模なまたは適度な大きさの地震避難場所、兼その他の善なるかつ国益のための地上、地下もしくは山腹などの各避難所などの建設関連並びにそれらの警備及び管理などの迅速なる立法化とそれらの実行の必要性を。ただし、それらを建設・建造する場合は、天変地異もしくは仮想敵国からの爆撃、火攻め、水攻め、泥・岩石攻めなどに遭っても、防止もしくは阻止できる状態に予めしておかねばならない。あるいはその中の大勢の国民が他の安全な場所へ充分に（迅速に）移動できるような通路を考慮して強靭な力学的、土木・建設工学的、耐震工学的及びその他の国防的、防災的、防寒的、防熱湿的、安全的かつ実用的な種々の他分野の知恵が可能な範囲で十二分に網羅した設計がなされるべきであろう。

防災・防衛用の地下避難街等創設の必要性

このことに関して、例えば全国の大都市圏内における一部地域では、台風、豪雨、梅雨時の累積の大雨などにより、道路が冠水したり、床上、床下の浸水等を防止するために、幹線道路の地下に直径約7ないし10メートルまたはそれ以上のトンネルもしくはマンホールのような巨大な空洞が建設されてきている。これらの空洞施設は、何らかの一部分の改修工事などにより、水や汚水などが絶対に流入不可能となるようにした上で、今後及び将来に起こり得る竜巻などの災害発生時における、我々国民や種々の物品や建造物の一部などが舞い上がるのを防止または阻止するための避難場所の選択肢の一つとするようにできないものであろうか。防止のみならず、そのような人や物の避難用などにも兼用または一部専用にすることも考慮して頂ければ幸いである。ただし、そのマンホール上の地表道路に、大型のトレーラー、国防用及び過激派集団に対する防護用の特車（例えば、装甲車や戦車などの重量車輛）が行列を作って運行もしくは移動したとしても、その肝心の道路が陥没したり、落盤したりすることなく、それらの合計重量に対して十二分に耐えられるほどの耐久性を有していることが大前提となることは当然である。

これと同様に、例えば、全国の各区市町村に、中小規模単位または数百人ないし数万人あるいはそれ以上の人数単位向けに対応・収容可能な、大規模な国民が避難できるような地下防空壕、地下避難所、地下連絡通路または地上のそれらの各施設や避難場所などの複数個所ができないものであろうか。しかも、放射能、爆風、爆撃をそれぞれ防止でき、またはそれらを充分安全な水準までに減少でき、耐震性などを少なくとも具備している設備が今後2ないし3年のうちに迅速に建設して頂きたいものである。しかも、少なくとも3年間はそれらの環境の中で生活し続けられるようにすべきであろう。そのためには、光、電気、水、食料、簡易風呂、洗濯物干し場所、簡易便所、排水、暖房、換気（湿気防止など）、及びそれらの配管や配線、並びにそれらの仕切り、病院、図書室などを備えたものが建設されるべきである。この建設には、現代のような過激派テロ集団の危険性はあるものの、本格的な局地戦争などが現実化する前の今が絶好の機会（チャンス）であると思う。これには全国の多くの男性に参加してもらうべきであろう。

ただし、この場合、前述のように、仮想敵による火攻め、水攻め、ガス攻め、泥・岩石攻めなどに遭っても、それらを完全にもしくは充分に低減させ緩衝させる等して回避できるような付属の扉、換気、配水、配電及び送風装置などの設備または設計を具備することは、当然の防災的かつ国防的手段であろう。ここで、仮想敵とは、過激な組織や国々に限らず、天変地異、火山の噴火、土石流などの大災害、巨大災害などの大自然に基づく大災害をも当然意味している。ちなみに、２０１２年２月に、国内での海底トンネル工事中に、ブレーカーの漏電と推定される、トンネル内への海水流入事故が発生している。これらの災害もしくは事故防止を真に実現化するための「善なる法律」を早急に審議し立法化して頂き、例えば、4ないし8年間で完結させることも実施方法の一つであろう。

それこそ、現在及び未来の我等国民の子孫たちが滅亡しないために。この構想及び実施化はそもそも悪行であろうか。否、この建設自体は近隣諸国のどこに対しても迷惑はかけないはずである。それならば悪でない。悪でないならば、善である。善であるならば、即実行である。「善は急げ」という我が国の古代からの貴重な諺、格言もしくは智慧も存在しているのだから。それ故、筆者は、今から4ないし8年以内の計画で真正に実行に移すべきであると考える。もちろん、現行もしくは既存設備の地下鉄の駅ホームなども、特に人的安全面を現行以上に強化し補充すれば、兼用可能かもしれない。行政、例えば土木系（耐震系、浸水防止系などを含む）、防衛・国防系、防災系、食料系、医療・衛生系、警察系、消防系などの関連する幅広い専門家たちを含めた実効ある大規模かつ集中的な検討（ただし、関連各省庁が独自の事前討議をして、現状と対策方法とをまとめた後）が必要となるであろう。しかしながら、一度に少なくとも数十万人ないし数百万人あるいはそれ以上の人数向け程度を収容できる規模の複数個所における大建設の実施となると、今から真剣にかつ本腰を入れて国家事業として計画せねばならないはずである。更に、その内容について国会及び関連する全国都道府県並びにそれら各自治体の承認を得て実行に移さなければ、有事の際までには、とてもとても間に合わなくなるであろうことは明白である。だからこそ、善行の国家的大事業については、先手、先手を打たなければならないのである。それらと併行して、まずは各地域向けの比較的小人数（例えば、数千人）分を収容できる設備の建設から実施するのも一法であろう。

我が国における防核壕（仮称）建設必要性とその現状

更に、有事の際には、電気が切れて、例えば、すべてのエスカレーターやエレベーターのいずれもが停止してしまい、その場の全員が真っ暗闇の中を歩くかまたは急がねばならないことになるかもしれないのである。現実に、防核壕（仮称いわゆる核シェルター）に関しては、例えば、北欧を含む欧米の一部、ロシア及び中国では既に建設済みである。そこで、我が国における防核壕の必要性を論じる前に、諸外国の実情を概観してみたい。ちなみに、中国の場合、新聞報道によると、記者が現地で見た内容は、次のとおりであったという。つまり、中国の旅大市及びその他では戦時に備えて地下１００メートルに建設された大地下街が実在している。この中には商店街、小学校などがあり、他にも市内で同じような地下壕を建設中で、万一の有事の際には、１１０万人を同時に収容できる規模になるはずという。ここには4年分の食糧が備蓄され、建設には50万人が参加し、わずか1年で延長2万キロメートルの地下壕を建設したという。大連ホテルの地階からボタン一つで入口が開き、階段伝いに地下へ降りると、網の目状に入り組んだ迷路が何キロメートルも続いている。その曲がり角や交差点のコンクリート壁には、まるで狭間《はざま》のように銃眼や防塞（バリケード）が設けられている。更に、郊外の農村とも繋がっている。原水爆、化学及び細菌兵器などによる敵からの攻撃を防止する工夫が施され、兵器、食品工場、発電所も建設されている。これらの地下壕は、１９６９年、黒竜江省の珍宝島（当時の旧ソ連名はダマンスキー島）で勃発した中ソ（ソ中）軍事衝突のあと、突貫工事で進められた。旅順に軍港を持つ旅大市は、この地下街の完成により、地上と地下との二重構造になり、市ぐるみ要塞化されていると言ってよい、と記者は報告している[1]。ロシアの場合も殆ど同様である。なぜなら、後者の場合は、大略１９６０年代ないし１９７０年代頃にテレビニュースで既に完成された旧ソ連及び北欧の各一部ではあるものの、その大規模な地下壕が前述と同様な設備を紹介していたと記憶しているからである。また、中国の場合は、恐らく政治的軍事的な関係からして、旧ソ連の地下壕を模した可能性は完全否定できないであろうと推察され得る。

なお、欧州の一部では、核シェルターは非有事の場合は、例えば一般市民のための料理店、スーパー、談話室などとして一部開放され兼用されてきているようである。また、２０１８年6月の報道によると、イスラエル国のあるホテル内にも、戦時のための「防空壕、（シェルター）」が既に設置されており、活用されてきている。しかも、そこは年少者の遊戯室をも兼ねていた。更に、２０１８年8月の報道によると、シンガポール国の典型的な通常マンションを建設する際、同時に、「核シェルター」が建設されていた。これらの事からして、筆者は次のように考える。それと共に、我が当局に対し、通常、極めて重い腰を、今こそ、迅速に上げて頂き、これらの建設実行に是非とも踏み切って頂きたいと切望するものである。すなわち、我が国の政府、与野党、関連省庁は勿論の事、その外郭団体及び民間企業の殆ど全ての団体やそれらの方々に申し上げたい。有事の際に、我々全国民が、原水爆及びその他の脅威から逃れるための具体策を迅速に実行に移して頂きたいと。そして、その実行する度合とその速さが、世界と比較して、決定的に遅れている事を強くご認識して頂きたいのである。それ故、関連当局におかれては、これらの事を、最優先的かつ極めて迅速に、実行へと移して頂きたいと切望する次第である。その為には、特に、各分野における最高責任者級の諸兄諸氏の意識改善が必須であろうと。このような世界の現状と比較して、これらの根本的かつ社会基盤として必要不可欠な建造物の建設が、世界水準からみても、我が国は極めて遅れをとっているのである。この点に関しては、我が国は、その危機意識及びその実行度合に関して、四流もしくは五流またはそれ以下とも言い得る。極めて恥ずかしき現状にあると言い得るのである。特に、先進国の中で、これらの分野における建設が大幅に遅れているのは、我が国くらいではなかろうか。その理由の一つとして、世界的視野からみた場合の家庭、地域、社会及び国家水準の各危機意識、危機対策、それらの実行度合及びそれぞれの間での協力度合がまだまだ不充分であると考えられるからである。あるいはまた、こうも言えるであろう。この大幅な遅れや未着手となっている原因の一つは、あまりにも近視眼的なもしくは目の前の極めて短期的な政策や課題に着目したり対応したりし過ぎて、それらのことにばかりに振り回され続けてきているからである、と。これは、現在から約50年先、100年先、500年先及びその先の長期将来をしっかりと見据えるべき能力に係わり、多くの議員諸兄諸氏が決定的に欠落欠如している可能性が高いことの証左と言えないことはないであろう。もちろん、これにも極めて一部の例外に属する方々はおられる。先の理由の一つとして挙げられ得るのは、ある課題を解決するための立法化に踏み切るきっかけが、多くの死傷者や犠牲者が発生してからでなければ重い腰をやっとこさでも上げようとしない実例が観られるためである。あるいは、こうとも言い得る。すなわち、それが支配的となり制動（ブレーキ）となってきているためではないだろうか。確かに、従来よりの課題が山積している現況下で、更に、新たな課題の解決に当たらねばならないことは、時間的及び人的容量からしても厳しいかもしれない。しかしながら、それを充分承知の上でお願いしたいのである。たとえて言うならば、その完成期限は先であるとしても、立法化、その実施化及びその継続については、「今から」開始すべきである。というのは、過去の実例より観ても、このような一見、地味と思われるものの、100年後ないし500年後の将来に、我々の子孫から、「有益だった」と感謝され得るような社会基盤工事関係は、種々の理由により、頓挫してしまう事例が散見されるからである。従って、筆者は、次のように考える。すなわち、国、全国都道府県及びそれらの各自治体が危機意識及びそのための具体策を講じた迅速なる教育及び体制作りが喫緊の課題であると。いずれにしても、真の国家的危機意識が、政府与党のみならず野党もまた、骨身に深くより深く染み込んでいるか、または骨身や心に深く刻み込まれているとはとても言い難いように観えて仕方がないのである。なお、前述に関し、冬期間（例えば当年11月頃から翌年4月頃まで）については、当局は、これらの巨大設備内に自然的、人工的もしくは電気的などのエネルギーを活用した暖房設備の設置をも考慮した方がよいであろう。

我が国の人口分布の不均衡とその解決策

ところで、我が国においては、国民の多くが全国の各大都市に集中するという傾向が続いているように観える。しかし、このような状況が今後とも、恒久的に継続してしまうことは、我が国にとって、本当に善なのであろうか。筆者は必ずしもそうではないと危惧の念を抱いている。確かに、幾つかの大都市圏では、若者や就業人口が増加することにより、税収も増加することであろう。そのため、各地元官庁の財政は経済的に潤うはずである。しかしながら、一方、若者等の多くが大都市圏に吸い寄せられる結果、それにより、減少した地元では、次第に明るい材料もしくは活性化が減少していくと予測される。また、それに伴い、その地元に残り得る方々は、必然的に年輩者となり、その占有率は次第に増加する可能性が高くなるであろう。なぜなら、若者達が大都市圏やその環境に憧れを抱き、かつ、大企業への就職に憧れるのは、彼等彼女等の性向であるとも言い得るからである。その結果、そのいわば反作用の一種として、全国各地における地元の年輩者は自宅や土地を守るために、若者達と共に出ていくという手段もしくは選択肢を捨てざるを得なくなるはずだからである。だが、筆者は、国防的、防災的、全国都道府県及び各自治体の各々の活性化の観点からすると、次のように考える。すなわち、我が国は、例えば、日本海側、北国、島しょなどへも、できるだけ国民の内の自主的希望者を中心として積極的に移動・移住して頂く国策と共に、全国道府県への移住策を期限を設定し、ロードマップを作成して、審議して頂きたい。更に、それを法制化して、実施化に踏み出して頂きたいと。もちろん、それらの各地の特長を生かした産業などに携わっていく方向になってもらえれば幸いであろう。産業がないかもしくは極めて小規模な地域では、該当する都道府県及びそれらの各自治体が積極的に協力及び支援の手を差し伸べて、その新産業の芽の育成及び確立に尽力して頂きたいと。具体的には、例えば、日本海側や北国の各地域については、国費を更に積極的に投じて、地下街、その通路網及びその関連諸施設（全国各地元民の避難所、そのための必需品の保管などを含む）の大増築や建造に注力すべきと。なお、例えば、2013年8月29日の報道によると、同年7月ないし8月における我が国の総人口の内、約50%が首都圏、名古屋圏及び阪神圏に集中しているという。これでは、国家的、国防的及び防災的な観点からすると、極めて危険かつ危機的な状況にあるといわざるを得ない。仮想敵国にしてみれば、これらのたった3か所さえ集中的にわずか数百機程度の爆撃機と空母からの艦載機や戦闘機や中長距離ミサイルなどで爆撃しさえすれば、我が国をほとんど壊滅状態に陥れることが可能になり得るからである。ちなみに、例えば、2018年4月18日の報道によると、中国とロシアは、超高速ミサイルを共同開発したもようである。これは、我が国にとって極めて由々しき問題の一つではないだろうか。何とか大至急、対策を講じなければならないであろう。もし、これが有事の際に現実化されたと仮定するならば、それだけで我が国の人口は約6000万人程度に激減してしまい、その仮想敵国に対抗もしくは抵抗するべき最低限の国力をも失ってしまうことに相当し得るのである。また、大災害もしくは巨大災害も同様に、それらの3か所に人口が集中していることは、決して望ましくないし好ましいことではないであろう。

それ故、筆者は更に、このような危機的状況及び事態を少しでも回避するために、我が政府、全国都道府県及びそれらの各自治体としては、できる限り全国民を東西南北に分散するように善なる指導をし教育して頂くと共に、そのための実生活上に係わる継続的な支援をすべきであると考える。ただし、これは短期では困難のため、例えば、今後10年ずつというような具体的な期限を設定して、それらに対応するように、前述の三大都市圏人口の約10%の方々を約10年間単位で、三大都市圏以外の道県に漸次移住して頂くのも一方法ではないだろうか。このような比較的長期（例えば約50年、100年先のような）を見据えた中構想を設定し、その実現に向けて是非とも大いなる善かつ真心からの勇気をもって歩き始めて頂きたいと考える次第である。もちろん、そのためには、受け入れ側の道県としては、国の支援も受け、互いに協議を重ねて、相応のより適切な準備を予め整えておく必要があろう。そのための優遇措置（例えば、生活費の一部支援など）もある程度は配慮されて然るべきであろう。なお、例えば、2015年3月に政府の提案で、経済の活性化の一環として、全国の大企業の一部を地方に分散させたいという内容の検討会水準の小組織がスタートした。これは、前述の主旨とは異なるものの、善いことだと思われるため是非推進して頂きたい。願わくは、前述の主旨や目的も含めて、総合的かつより大局的観点に立って進めて頂きたい。併行して、堅実かつ強力に、この善行を最終目的の水準に到達するまで継続し実行して頂きたいものである。そして、大略、次の各地域には冬期における地域的特徴により、政府として、幾分かの社会生活用の助成金に類するものを提供するなどして、その実施化への後押しをしては如何であろうか。その地域とは、例えば、北海道、東北、中部、山陰、九州北部の各々ほぼ日本海側に位置し得る領域である。それというのも、これらの地域は一年間あたり約50ないし65%が雪で覆われているからである。具体的には、2012年ないし2014年の1月ないし3月はかなりの大雪になっている。これらにより、地元の人々にとって、実生活上、多くの問題が発生してきているからである。もちろん、継続的に除雪費用などは補助・助成されてきているであろうが。ちなみに、筆者は次のように考える。すなわち、豪雪地域については、地下街をもう少し前向きかつ、積極的に開発し建設してもよいのではないだろうか。もちろん、対震性や洪水による浸水防止をも十二分に考慮して。また、春夏秋は地上にて充分に活動して頂き、冬期は地下も含めて、地元の人たちが充分に活動して頂ける行動様式（パターン）に変更し改善していった方がよいのではないだろうか。なぜなら、今後、約50年後、100ないし500年後の冬期における更なる寒冷化の対策の一つになり得るからである。

一つの参考例として、筆者は次のように考える。すなわち、紀元前約2500年頃[2]に建造された古代エジプトの三大ピラミッド群の各内部構造及びそれらの迷路は、約4500年後の現代において、かなり解明されてきているとはいえ、未だその全貌は明らかにされていないようである。だがその一方で、建設工学的及び土木工学的などの面で、その内容などは、今後の我が国の防災及び国防に係わる国家再建設及びその改善的建設の実行的観点からすると、いくつかの参考となる構成要素が包含されていると考えられ得るのである。だが、少なくとも数多くのセメント及び鉄骨などの原材料は今から着実にまたは可及的速やかに、国内外から（特に国内で）確保しておかないと、これらは実現不可能になってしまうであろう。従って、これに類似し得るいくらか中規模のことを実現化させるためには、アフリカ諸国、インド、南米、オーストラリア……、等々の当該資源保有国と早期に積極的かつ活発に繰り返し交渉して、今から善なる長期戦略を立てて、早急に、実施化を開始する必要があるであろう。もちろん、その一方で、灯台下暗しとならないように、我が国内及び領海内もしくはそこでの資源探査及び掘削の実行も迅速に勇気を持って強力に推進すべきである、と。

しかも、それらの資源保有国で近い将来に、軍事クーデターまたは内戦などが勃発したり、我が国との間の協定、条約もしくは契約などが、突然消滅したり失効したり、一方的に取り消されたり、あるいは頓挫したりすることも十二分にあり得ることである。それ故、そのような悪影響を殆ど受けないような最悪かつ事前の想定及び対策もまた、併行して必ず講じておかねばならないのはもちろんのことであろうし、基本的かつ初歩的な必須事項の一つであろう。恐らく他のいくつかの国々では、軍事目的をも含めて、地球以外の惑星にそれらの原材料となる、例えば、鉄鉱石やその他の鉱物もしくは資源などを確保するために、宇宙基地（ステーション）を建設して、それらの独占権及び優先権などを目論んでいることであろう。我が国もその一翼に入り込むべきである。と同時に、それらの各国から疎外されずに孤立することなく、かつ、加わることができるような経路（ルート）及び連絡網（ネットワーク）を途切れさせないような努力は、少なくとも予算の許す範囲内で恒久的に継続すべきと考える。ちなみに、２０１５年8月3日の報道によると、ロシアは新宇宙基地を建設中であり、その完成も間近である。同国の宇宙開発は旧ソ連崩壊後の一時期は失速状態にあったようである。確かに、従来よりのバイコヌール宇宙基地は使用を継続していたものの、それはカザフスタン国に移管されたため、同国はその基地利用のために、年間日本円換算で１００億円以上を支払ってきていた。そのため、ロシア大統領のプーチン氏は、「ロシアは宇宙大国である」旨の声明を出し、宇宙基地建設は国家の重要事業の一つと位置付けている。同国は最新発射基地を国内に保有することにより、宇宙大国としての存在感を訴えたいもようである。また、他の報道によれば、２０１８年12月ないし翌２０１９年1月13日までの間に、中国は月面の裏側に無人衛星を着陸させて、その映像を公開している。更に、中国は、例えば、2020年5月5日に、宇宙基地建設の為のロケット「長征5号B」を発射させている〔3〕。

なお、前述の古代迷路は、工業的に換算して考慮するならば、ある程度参考となり得るであろう。特に、これらの工業的、建設・土木工学的、防災及び防衛的などの各計算については、超高速電算機（スーパーコンピュータ）などを駆使することにより、それらの（立体的）設計図面作成と実施化に向けた完成への日程を著しく短縮化させることが可能となるであろう。約4500年前の古代エジプト人たちは、恐らく膨大な手計算、夥《おびただ》しい数の人力やあらゆる道具などを駆使し、かつ数十年ないし約100年という長い年数を掛けて完成させたものと推察され得るのである。従って、これと比較するならば、現代の我が国の技術、人力、気力及び電力などを駆使できるならば、全く不可能ではないと考えられ得る。

原発存在の是非

ただし、ここで言う超高速電算機などを善にして、かつ、全国民、ひいては世界平和貢献のための電力エネルギーを着実に確保し続けるために、原発（原子力発電所）が必要であることは、もちろん、分らないではない。我が国には油田が殆ど無きに等しいのであるから。例の海底油田の発掘申請に伴う決断及びそれらの実行推進に伴う失態等がなければ、……。だが、果して本当に原発は必要なのであろうか。確かに、筆者は前者では、原発稼働を完全にゼロにするのは、2012年11月時点では、100%賛成とは言い難いと述べている。しかしながら、その後、現在までそれを再考してきた結果、幾らか疑問視され得るように思われるのである。なぜなら、第一に、仮に放射能漏れ問題が完全に収束したとしても、現実に、その時点で、元の住民もしくは県民の方々がそのご自宅に戻られる確率は低いのではなかろうかと見積られ得るからである。第二に、その対象物質の半減期により種々相異するものの、既存の汚染水タンクの今後の処理方法なども完全に解決されねばならないからである。すなわち、一旦、この種の爆発などに伴う放射能漏れ事故が今後発生したと仮定すると、通常の火災事故などとは全く異質の解決方法に依存せねばならないはずだからである。具体的には、長期的な負の膨大な予算及び危険な作業量とその内容などが関連当局、当該自治体及びその住民などに負荷を掛けることになるからである。しかも、その解決のために、心身の重い苦労、苦難、ストレス及びそれらに伴う強い疲労をも背負うことになるからである。その結果、第三に、数多くの被害者に対し、心身及び実生活の面で、重くのしかかり続けることになるからである。第四に、この種の事故に対する極めて短時日での解決方法及びその技術が世界的観点からしても、現時点では、未だ完全には確立されていないように筆者には観えるし、そのように考えられ得るからである。そして、この後者の点を全面的に解決することが、喫緊の課題の一つではなかろうかと思うのである。その問題解決に向けての議論が交わされ、かつ、より科学的医学的に正しく安全な道筋が明確になるまで交わされるべきであろうと、筆者は切望する次第である。ところが、そのような基盤に立った上での反面、筆者は次の事も気掛りなのである。つまり、もし我が国内社会の一部が要求するような、非原発に基づく安全な電力エネルギー一辺倒になってしまった場合、その完全にクリーンで安全なる電力エネルギー分野の需要競争が国際的にますます激しくなることは必至である。それと共に、例えば、石油などは世界の産油国またはそれらの周辺地域での局地戦争の勃発や天変地異などによっても、我が国への供給が直ちに停止されたり、拒否されたり、石油価格などが急騰することも十二分にあり得ることだからである。天然ガスなども同様である。また、それらの、例えば、海上輸送時に種々の海賊や過激派集団による襲撃、拿捕《だほ》、拉致または戦闘などの危険（リスク）要素も常にはらんでいる。これらの諸事件が一旦起これば、たちまちそれらの原価に反映され、その急騰を招くことが予測され得る。従って、筆者は次のように考える。すなわち、そのような危険的もしくは負の因子も当然予め考慮しておかねばならないのである。その一方で、電力エネルギーは全国都道府県の各家庭、公共施設、食堂、病院、鉄道、空港、港湾、各種分野の工場、企業、漁場、農場、工事現場などの、現代社会におけるほとんどあらゆる分野及び部署での必要不可欠なエネルギーの一つとなっているのである。また、例えば、２０１3年7月ないし9月頃までの夏期において、我が国内のほぼ全都市の平均気温は、前年の同時期よりも、約１℃ないし１・５℃程度上昇している。そして、各地の猛暑日の合計日数がほとんどの地域で増加した。例えば、山梨県では40℃を超えた日もあった。この気温は当然のことながら、我々全国民の標準体温約36・５℃を３・５℃も超えているのである。これは健康的もしくは医学的にもかなり厳しい状況にあると言い得るであろう。もちろん、それに比例して熱帯夜の日数も増加したのである。このため、全国の各電力会社によると、全国各地での冷房使用量が前年同時期よりもかなり増加しているという。それに伴い、当然、電気使用量も増加している。このため、我々全国民にとっても、日々の基本的生活に必要または必須な電力源を１００％断ち切ってしまうことは、一方で殆ど不可能であり、かなり非現実的判断とも言い得る。それ故、先の原発依存率を4年、8年と段階を追って、減少させていくのと併行して、新たなクリーン・エネルギーの創出や開発をしていく必要があると。

すなわち、我が国として、原発の選択肢を自ら完全に廃棄できないのだろうか。確かに、廃棄し、かつ、全原発を永久停止すれば、一番手っ取り早く、安全及び安心を得ることができるであろう。しかしながら、それに踏み切った場合、我が国自身の首を絞めつけることになりかねないのではなかろうかという事も懸念され得る。なぜなら、前述のとおりだからである。また、その事故に基づく放射能漏れや各種汚染は億千万人が避けたいことは当然であるし、それを好む人など皆無であることは明らかであろう。その一方で、我が国の国民生活などに直結し得る一般生活燃料用などとしての源となるエネルギー源の大本の絶対量を絶つまたは大幅に減少させるという考えは、一枚岩的発想であって極めて危険であるし、早合点的な判断であると言い得るのではあるまいか。たしかに、前述のように、安全及び安心は得られるものの、それでは有事の際には、全国民が総崩れまたは共倒れになる可能性もまた極めて大きくなり得るであろう。だから、少なくとも三枚岩ないし五枚岩程度の大局的な器をしっかりと備えた現実的対応を期待したいのである。しかも、国民にとって有効で長期的かつ粘り強く柔軟な政治を行なって頂きたいのである。とはいえ、今後に予測される巨大地震及び巨大津波に対する対策及びそれに対応した建造物が少しずつではあるものの、我が国の東西南北の自治体に設置されてきている。いかなる災害がそれらの原発に襲来してこようとも、何ら被害が発生しないと共に及ばない状況に修復、改良かつ改善されていることが最低必要条件の一つであることは論を待たないであろう。

防災及び国防用設備の必要性

また、次のことも、我が国の参考となり得るかもしれない。例えば1960年12月頃に勃発したベトナム戦争（別名、第二次インドシナ戦争）において、北ベトナム（ベトナム民主共和国・共産党）軍が、いわゆる「北爆」と称する、豪雨のごとき猛爆撃にも拘わらず、多くの北ベトナム人（当時）が生き残った。その理由の一つは、同戦争終結後に外国の報道陣に公表されたことだが、当時の北ベトナム人は密林、多くの大地及び山々などに、膨大な総距離と総本数を有する極めて多くの洞穴や山道などを、それこそ老若男女の全人民が命を賭けて造成していたのである。もちろん、昼夜及び雨期乾期を分かたず懸命に、人力、木材、竹材、機械、その他の手段を用いるなどして。彼等はそのようにして、開拓開墾し続け、しかもそれらの多数の洞穴や連絡通路は、武器や食料の運搬路及び手洗い場その他の多くの用途にも十二分に活用され続けたことによるとも伝えられている。

もちろん、彼等のみならず、当時、軍事同盟を結び軍事支援をしていた共産系及び社会系独裁主義の諸国及び組織などからの軍隊の参画または支援なども当然あったであろう。その結果、彼等はあたかも蟻の巣に類似し得る次のような、極めて狭い空間とはいえ、地下トンネル網及び地下要塞を次々に建設していったのである。それらは、例えば、同国内の平地、山谷、密林などを含む各地域、各地区の連絡用、移動用、避難用、空襲防止用、空爆や艦砲射撃などによる爆発衝撃及び衝撃波の防止用、爆風防止用、火炎放射器防止用、熱線熱風防止用、攻撃用などの一石二鳥どころか一石三鳥以上の多くの実質的効果を挙げることを当然目指したものと推察され得る。そのような最中でさえも、彼等は、高度が約数千ないし1万数千メートル上空からの当時の最先端軍事技術を搭載した米軍の大型爆撃機B52等の大編隊により豪雨の如く投下された膨大な数と多種類の新型強力爆弾からの猛烈な爆発力、火力、熱力、衝撃力などの攻撃、大震動及び大音響などを受け続けた。それにも拘わらず、結果として、当初の外国の予想に反し、彼等の被害はかなりの程度低く抑制されもしくは低減されていたようである。もちろん、犠牲者は数百万人にも上っていたと伝えられているが。

この事実は、我が国の将来に向けて多くの教訓を示唆してくれていると筆者は考えている。すなわち、今後起こり得る大災害及び軍事的被害を極小に抑えるためには、我々は一体どうしたらよいのだろうか、という点である。確かに、現代は、我が国民（特に若者）を含む国内外の大多数は華やかな大都会に憧れて、そこに集中したがる傾向が続いている。しかしながら、そこもしくはその近郊は、同時に、多種多様な施設もまた存在しているのである。なぜなら、その大都会での居住者や活動者を養っていくためには、必然的に、電気、水道、ガス及びその他の公共施設もしくは社会基盤が存在しなければならないからである。その公共施設もしくは社会基盤とは、例えば、石油コンビナート、ガスタンク、薬品類、製鉄所、製錬所及び原発などに係わるものである。従って、これらの各種施設のみならず、それらの各種工場や施設が、爆発・炎上、あるいは、仮想敵国群からの核、放射能、化学、生物、有害微生物、有害ガス、もしくは、通常の爆撃（空、海、海底、船舶、陸、宇宙、電磁波など）または、サイバー攻撃などを受けた場合、並びに、巨大地震、巨大津波、などの襲来を受けた場合、我が国や全国都道府県及びそれらの各自治体は、その被害を最小限に阻止もしくは抑えるため、予め迅速に対策及び対抗手段を具備しておくべきであろう。これは、国ないし各自治体として必要不可欠であり、最低限の責務ではないだろうか。それ故、筆者は、これらの日々の対策、その遵守及び実行が、我が全国民の安心安全を守るための必要かつ有効な手段であると考えるのである。ちなみに、２０１３年8月31日の報道における米国オバマ政権の発表によると、中東シリアで化学兵器が使用され１４２９名の犠牲者が出ているため、米軍は同国に対する軍事攻撃の準備を既に整えているという。同年9月13日の同ニュースでは、ロシア側の提案した、シリアが国連化学兵器禁止条約へ加入申請し、同兵器保管場所の報告及びその兵器使用を中止させる案に関して、米国とロシアとの間でスイスのジュネーヴ市にて協議することとなった。

我が国内の全都市部及び火山地帯に避難壕を建設する必要性

ところで、前述のベトナム戦争以前の先の大戦中に、当時の我が国内のほぼ全家庭の一般国民が既に実体験していたように、防空壕のような地下壕、山腹壕のみならず、更に、それらの少なくとも主要な間を確実に結ぶ山道、道路及び地下トンネルの建設を開始すべきではないだろうか。確かに、今からでは遅すぎるかもしれない。しかしながら、それでも有事を考慮するならば、実行すべきであろう。なぜなら、このような大規模工事は有事の際に開始したのでは、明らかに間に合わないからである。しかも、その際には、国中が大混乱に陥ることが必至だからである。従って、筆者は次のように考える。すなわち、見掛け上、準平和的に観える今から、直ちに、我が政府、全国都道府県及びそれらの各自治体の各々が審議し賛同を得て頂いた後、それぞれの予算及び人力を用いて、(もし不足するならば、全国のそれぞれの、あるがままの人力や機械力などを活用して)建設を開始することである、と。また、これを開始することは、他国に対して何らの迷惑をも掛けることではない。但し、この場合、少なくとも国家的長期展望に立ち、期限を設定、予算は十二分に活用されるべきであろう。従って、基本的には悪いことではないはずである。悪いことでないならば、善いことである。そうであるならば、是非とも国が迅速かつ強力なる指導力を発揮して開始して頂きたいものである。しかしながら、万が一、もし国が実行できないもしくは遅れるというならば、せめて全国の都道府県から、善なる自主的かつ自発的な実行へと積極的に移して頂きたいものである。

ちなみに、防災の実例として、例えば、米国の中部及びその周辺のいくつかの州(すなわち内陸部の州)では、現在でも毎年襲来する超大型で複数の竜巻からそれぞれの家族の身を守るために、各家庭の庭先や裏庭などの周辺に家族全員が入れる程度の空間を有する防空壕、防災壕もしくは地下壕を現実に掘って作り、毎年、毎回、活用し続けてきているのである。従って、筆者は次のように考える。すなわち、この点について、準平和時の今こそ、我々は、我々自身の実体験及び外国の実状も含めて、大いに学ぶべきであると。しかも、防災的かつ国防的に大安心の我が国を再建設することは、我が国にとって全国都道府県民の生命と財産を守るための必要不可欠で不可避な喫緊の課題の一つであろう。また、この実施化については、何ら悪行ではないはずである。そうであるならば、善いことである。善いことであるならば、迷わず国会及び全国都道府県議会などにて審議して頂き可決成立を目指して頂きたい。そして、初めはいかに少額であろうとも、現実的かつ具体的な予算を確保して頂き、迅速かつ期限を具体的に設けて、実行に移すべきであると考える。基本的に優先すべき箇所から堅実にかつ継続的に進めていくことが大切であろう。なお、参考として、例えば２０１２年は茨城県で、翌２０１３年8月は埼玉県及び千葉県で、それぞれ竜巻が発生し、かなり大きな被害が発生した。この時、負傷者もかなり出ていた。これらは、竜巻がこれらの地域に接近してくる前に、前述の地下壕や防空壕などが建設されていたならば、あるいはその地域の人々が事前にそこへ避難していたならば、その際の負傷者数を大略50％またはそれ以下に減少できた可能性があったかもしれない。

また、現在までのところ、１９４５年から１９８９年までの主として米国と旧ソ連（現ロシアが主体）との間のいわゆる「冷戦」時代は一応、一時休止の状態になっている。しかしながら、周知の如く、世界情勢や世界各国の政権や内部事情は、刻々と変化し続けているのである。従って、これからの世界の軍事均衡は当時の冷戦時代の米ソ二超大国のみならず、更に、中国、インド、中東、アジア諸国などの核兵器保有国や各種鉄鉱石類、貴金属類などを含む資源エネルギー、石油エネルギー、天然ガスエネルギー、食料などの産出国・生産国または輸出国などが複雑に絡んでくるはずである。しかも、それらの国々は第二、第三、第四などの米国及びロシアを目指して、大国化を目論み続けているはずである。

だからこそ、見かけ上、準平和状態が維持されているとみえる今から、前述の実行を開始しておかないと、真に現実の有事が発生した際に、我が国のみが大幅な対応の遅れを再びとってしまい、壊滅的大被害を受けることになりかねないのである。しかも、そのような外部的もしくは大自然による攻撃や襲来を受ける可能性など全くあり得ないなどという絶対的な保障が一体どこにあるのであろうか。否、どこにもないのである。誰一人として保障などできないはずである。その一例として、２０１９年12月下旬頃に中国の武漢市で発生し、その後、我が国を含む世界各地に感染拡大し、現在までも継続中の「新型コロナウイルス事件」（後述）を挙げることができるであろう。とはいえ、２０１５年3月の時点までに、例えば、津波対策の一つとして、我が国の一部の地域や自治体にて鉄骨やコンクリートなどで構成された避難塔及び防波堤もしくは防潮堤などが建設されてはいる。しかしながら、全国水準よりみると、その絶対数に関しては、まだまだ不充分な状況であるといわざるを得ないであろう。引き続き、政府、全国都道府県やそれらの各自治体による継続的な善なる粘り強い努力に期待したい。

我が国独自の大目標を掲げる必要性

ところで、我が国としてはアジア、ロシア、中東、南米などの経済成長率が著しい国々に見とれてばかりいないで、我が国自身の独自の大目標を明確に掲げ、それを見失ってはならない。経済成長のみが国家目標ではないはずである。たとえそれが優先課題であるとしても。換言するならば、経済成長とは、国家水準もしくは次元における収入を得るための交換などの活動とも言い得るであろう。従って、その活動は手段の一つであり、必要条件ではあるものの、国家としての大目的もしくは十分条件ではないはずである。つまり、その活動、すなわち、収入を向上させた後の、その使用目的が重要なはずだからである。それ故、筆者は次のように考える。すなわち、その使用目的に優先順位をつけて、併行して実行していくべきであると考えるのである。このことが誤りなく実行されて、初めてその十分条件も満たされる、と言い得るのである。とはいえ、もちろん、経済成長は必要条件の一つではあるであろう。しかし、我が国には、前述したように、約50年後、１００年後、５００年後……、の子孫から尊敬され感謝され、かつ神仏によって現在を生存させて頂いている我々全国民が後悔しないような力強く柔軟なる国家基盤及び国防、防災体制を再構築しなければならないはずである。そしてその時が既に到来したのである。この重大事を我々全国民が気付かねばならない、悟らねばならない時がやってきたのである。この絶好の機会を逃してはいけない。

我々全国民の観察眼や魂は、経済のみの発展、見掛け上のけばけばしい宣伝、皮相的な美、華やかさまたは容易さなどに奪われてはならない。それらばかりを追いかけ追い求め続けていると、どうなるであろうか。確かに、ある意味では、流行の先端を走っているような空虚な優越感を味わったような気分に浸ることができるかもしれない。あるいは幾らかの収入に結びつくような気になるやもしれない。しかしながら、それらは長い眼で観ると、殆ど全て錯覚もしくは幻と言い得るものであり、本質的に貴方自身の身に成るものは殆ど無きに等しいであろう。なぜなら、それらは見掛けの砂上の楼閣の如きものだからである。従って、筆者は次のように考えると共に、危惧の念を抱かざるを得ないのである。すなわち、それらばかりを追いかけ追い求め続けていると、やがて自ら考えることのできない頭の中が空虚でかつ他力本願的な人間に成り下がってしまうからである。それ故、それらが集合化し、集団化したもしくは拡張した家庭も、社会も、地域も、同様に国家もまた自ら考える能力が著しく低下してしまうことであろう。その結果、善なる大目標に対して努力、勇気及び挑戦する心の著しく低下した老人（特有の）家庭、社会、地域及び国家に成り下がってしまう危険性やその可能性が極めて大となってしまうであろう。一旦このような状態に至ってしまったならば、もはや、その国は独立国家の水準ではなく、いくつかの大国による侵略を跳ね返すだけの気力、活力、体力、勇気及び国力を失い、あたかも奴隷国家または傀儡《かいらい》国家の如き国家（国家といえるかどうかさえ甚だ疑問であるが）に成り下がってしまう可能性が大きくなるであろう。

過度の豪奢を求めると失敗し失脚し、または滅亡する

過去の歴史を振り返ってみても、国内外において古代より中世または近代に至るまで、それまでは大国として力強く存在していた国においてさえ、その国の政府、官僚、国民などの魂や心が経済のみの発展や皮相的な華やかさ、豪華さ、安易さ、便利さ、より贅沢さもしくは快楽を求めることに心や魂が奪われた時、その国は既に滅亡への道筋に入り込んでしまっていると考えられるのである。換言するならば、その負の伏線状況下に迷い込んでしまっていると言い得る。その理由は果して何であろうか。確かに、経済が豊かになれば国民生活は向上し、あらゆる事柄が上向きの正の方向へと循環していくことであろう。理想的には。……。しかしながら、現実的には、その国の周辺もしくは近隣諸国に羨望を与えるものの、その羨望が、やがて一転して、次第に、嫉妬、恐怖、憎悪などの逆効果へと変心していく可能性もしくはその確率が極めて高くなるのである。なぜなら、そのような、言わば、悪の心へと一たび変化してしまうと、自国民の彼等彼女等の心を自主的に正常で善良な心に戻すことは、殆ど不可能になるからである。しかも彼等の為政者や軍部などは、前者の繁栄している国は亡ぶべきであるというような超過激な主張をしだすことにもなるからである。更に、それがやがて、その事情や背景の何も分からず、しかも根拠のない嘘と邪悪に満ちたデマなどの大宣伝によってその過激な国の多くの市民や人民たちは、その大宣伝（プロパガンダ）の真偽を正確に検証することなく、そのまま鵜呑みにし、その内容を支持するようになり、一種の熱病の如く蔓延するようになってしまうからである。従って、筆者は次のように考える。すなわち、その結果、その国は敵国または敵軍などに侵略され、多少に拘わらず、各個人の持ち物や私有財産などのあらゆるものが奪取され、略奪され、その国民は殺害され、辱《はずかし》めを受けあるいは直接的間接的に（または精神的にも）奴隷化され、その結果、滅亡に至る確率が高くなる、と。なおそれらの具体例としては、紀元前約８００年に生まれ、紀元前１４６年の第三次ポエニ戦争で滅ぼされたカルタゴ国（現代の北アフリカにおけるチュニジア共和国の首都チュニス近郊にあった古代都市国家）を挙げることができるであろう。この国は、この敗北とあらゆる市民が殺害され捕虜にされたことにより、滅亡すると共に、世界からその姿を消されてしまったのである。この歴史的事実は、我が国の国家機関、全国都道府県、それらの各自治体の各区市町村などに携わる方々はもちろんのこと、全国民が念頭に置き、肝に銘じておかねばならないことの一つではないであろうか。

この事実は、現在の我が国において、他人事ではないのである。なぜなら、現在の我が国は、先述したように、東西南北及び海上、海底、天空などの四方八方を仮想敵国群により軍事的に物量的に電磁波的に完全に取り囲まれている状況下にあるからである。ここで、「東」とは、例えば、某諸国が太平洋もしくはオホーツク海などに空母、潜水艦、ミサイル搭載艦などで航行してきた際に、我が国を急襲もしくは強襲してくる可能性が完全否定できないからである。このような極めて厳しい外国の軍事的挑発やその監視下にあるにも拘わらず、我が国の安全保障問題の例えば基本的問題などに対してさえも、その問題に対して、例えば、ある幾つかの政党は自己主張のみを声高に叫び続けて、相手側の意見を頭ごなしに反対し反論し続けているようである。これでは、我が国を破壊と大混乱の渦中にわざわざ自ら巻き込むことを願って反対や反論をしているかのように第三国からは観られる可能性は否定できないのではなかろうか。もちろん、我が国がそのような破壊と大混乱の状態に陥ることを、あたかも自らの顎《あご》が外れんばかりに大喜びし、涙が出るほどに大歓迎する一部の国々や団体や組織などが居られるようであるが。これもまた、如何なものであろうか。

すなわち、我が国は経済のみの発展や、ともすれば内容もしくは中味の乏しくけばけばしいほどの見掛け上の華やかさや安易さ快楽及び富裕さなどをあまりにも強く追求してきたのではないだろうか。確かに、戦後しばらくの間は、国全体が窮乏していたため、経済復興が喫緊の課題ではあったであろう。しかしながら、今後はそれを過度に追求する前に、我々国民が基本的に安心・安全な生活ができ、かつ、そのような生計を営むための暮らしができるようにすることを優先すべきであろう。そのために、筆者は次のように考える。まず、我が国の防災上及び国防上の自らの足元、社会基盤もしくは土台を最優先して、地道に、堅実に、確実、強靭かつ柔軟に基礎固めをしていくことが必要不可欠である、と。このことは、いつの時代でも、全国都道府県における東西南北の如何なる地域に居住していようとも、決して忘れてはならない普遍的かつ不動な課題の一つである。早い話、我々人間は、たとえどのように数多くの有用で重い肩書を有する者であっても、そして、どのような富者も貧者も、明日何が起こるのかについて、誰一人として具体的内容を完璧に完全無欠に責任をもって予測することはできないのである。

国内外の情勢にもう一歩関心を

また、我々日本人、特に、全国民の過半数は、平均的には、あまりにも世界情勢の変化、動向または危機に対し、関心が薄いのではないだろうか。確かに、我が国は一見あまりにも平和的環境に包まれているから、無関心すぎる傾向が周辺国やその他の外国よりも強いとも言い得るであろう。あるいは、無関心であっても、何とかその日その日を過ごしていくことが今まではできたであろう。しかしながら、これからの時代はそうはいかない。例えば、外国人の入国手続きを無暗に安易に、緩くして自由化してきてしまったのである。なぜなら、一年間に約4千万人超の外国人が来日してくる極めて安易な入国管理制度にしてしまったためである。この中には通常の観光客に混じって、必然的に犯罪目的者や悪人たちも続々と入国してきているからである。もちろん、来日目的を偽って。また、犯罪及びテロなどに対する数多くの防止策の本格的体制を構築し確立させる前に、経済面を優先させてきたために、しかも、諸外国から言われるままに、我が国の善なる頑固さを維持しつつ何ら拒否することもなく、強い反論らしき反論もほとんどせずに、しかも、ほとんど際限ないほどに緩《ゆる》くして自由化してきてしまったから、このような負の結果がもたらされてきているのである。従って、筆者は次のように考える次第である。すなわち、以前のように、本来の厳正かつ厳格なる審査体制に戻すべきである、と。なお、それらの箍《たが》をことごとく消滅、廃止及びまたは省略化して、安易に緩めすぎたために、その度合に比例するかの如く、次第に我が国内における犯罪の量も質も増加してきている（もっとも、当局からみると、減少しているというかもしれないが）のである。それに関連する実例の一つが、２０２０年1月に発生した日産自動車の元社長のゴーン容疑者の逃亡劇であろう。これは、一企業のドタバタ劇ではあるものの、我が国の全空港における出入国管理事務所（規模の大小とは無関係に）の警備体制及び担当官（員）の自衛防具の具備や普段からの厳格な訓練、二重、三重の透過（X線や金属探知などの）装置の徹底した設置とその活用、その他の手段も含めた全荷物や全物品の強制開放義務及び特定の物の臭いを識別できる警察犬の登場依頼などの実施化の不充分さ、欠落、欠如の証左とも言い得る。従って、これらを予め法制化して義務付けておけば、そもそも、このような失態事件は発生し得なかったのではないだろうか。たとえ、付き人が、いかなる理由を強く主張しようとも、それを拒否すべきであったのではなかろうか。それと共に、先の犯罪内容がますます陰湿化し、大胆化し、凶悪化してきている傾向にあるように強く観えるし、そのように考えられ得るのである。

幼少期における善悪の弁別教育の大切さ

そして、最近では、悪行や罪を犯した男女（当然に確たる証拠を基礎にして）は地域や社会に迷惑を掛けたり危険を及ぼし、悪行をしたにも拘わらず、当局の担当官に対して開き直るとかまたはそれを否定するという極めて愚かで悪質な態度がしばしば見受けられる。この現象は一体どういう事なのであろうか。確かに、先の高度経済成長を経験してきた我が国は、ある程度の経済力が付いてきたと言い得るであろう。しかしながら、その反動もしくは反作用の一つとして、甘やかされ、我がまま気随に成長してきた子供たちが両親になり、祖父母などになってきているのである。そして、その孫やひ孫たちが、更に輪を掛けて、いたずらなどをしても、親の言葉掛けだけで、叱られることを知らず、その体験をすることも殆どない。そのため、自らが泣き叫べば、自身の両親や祖父母などが何でもかでも自分の要求内容を叶えてくれて、金品を分け与えてくれるように育てられてきてしまったのである。なぜなら、例えば、その両親や祖父母などが子供、孫、ひ孫の各幼少期に、長期展望を持たずに目先だけの子供教育をし、かつ、善いことをしたら褒《ほ》めてあげ、悪いことをしたら、修正、訂正することを一緒にしてこなかったからである。したがって、筆者は次のように考える次第である。すなわち、それが為に、今日では何が善で何が悪なのかの弁別のできない男女数の我が国の全人口に対するその比率が次第に増加してきている、と。

心の偏《かたよ》りを修正するための対策例

このような傾向及び現象は、その家庭にとっても、地域、社会及びこれからの国家にとっても、長い目で見ると大いなる損失及びまたは失態の一つであろう。なぜならば、このようにして成長した若者や成年たちは、必然的に周囲の人たちの意見や反論に耳を傾けなくなるという自己中心的及びまたは排他的な主義に陥りやすい傾向を有することになるからである。この傾向は、更に拡張して、国際問題や国連問題の次元に発展した場合には、かなり危険（リスク）を伴うことを予め覚悟する必要があるであろう。その危険をより緩和しより減少させる対策法は無いものであろうか。確かに、関連書物などより情報を得ることも一方法であろう。しかしながら、これだと、今学んだことでも、時間の経過と共に忘却の彼方に押しやられてしまう可能性が高いであろう。なぜなら、我々通常の人間の脳は時間と共に忘れるようにできているからである。但し、メモなどに残しておけば別であろうが。いずれにしても、筆者は、前述の危険減少対策の一例として、邪教でない正しい宗教の善行もしくは菩薩行の実践を挙げることができるのではないかと考えている。一例として、仏教の中の法華経における諸法無我《しょほうむが》の法則を予め知っておくとよいであろう。この意味は、すべてのものは関係し合っていて、持ちつ持たれつの関係にあるということである。別の言い方をするならば、この世界は、（人や動植物も含めて）自分一人では生きていけない、他の人の協力が必ず必要になってくるという意味である。これは、前述の意見や考え方でも同様に言い得るであろう。

従って、経済面に限ることなく、我が国の当局による犯罪検挙率もまた、それが世界第一級の約80ないし85％程度の頃の良き状態にまで押し戻そうではないか。そのためには、経済優先のみではなく、善悪の弁別を最優先して、正義及び善を絶対的に守るために、断固として悪と対決する気持ちと姿勢とを決して弱めてはいけないはずである。何でもかでも経済のみを最優先する反作用としての、犯罪などの悪の発生し得る悪性の病原体の増殖を安易に許し続けてよいのだろうか。確かに、その増殖を見て見ぬふりをして何ら善行を起こさなければ、当事者本人は安楽であり、経費も掛からないで済むであろう。しかしながら、そのように無関心でいればいるほど、その無関心度合に比例して、ご本人にも巡り巡って、各種の法的影響、他国からの侵略及び挑発、犯罪、暴行、強盗、盗難などの増加などを受けるようになってくる可能性が従来以上にますます大きくなってくるのである。つまり、他人事ではないのである。なぜなら、今後は、あなた自身やあなたのご家族にも関係してくるからである。従って、筆者は次のように考える。すなわち、他人や社会に対して責任を転嫁するだけでは問題は解決しないのである。自らも反省し、神仏に対して懺悔すべき場合があり得ることも知らねばならない、と。

それというのも、日々の生活、仕事、家事、お役《やく》、アルバイト、学業などに追われて、「そのような直接自分に関係しないことなどにいちいちアンテナなどを張ってはいられない。そんなことは政治家に任せておけばよいのだ」とか、あるいは、「私はきょう一日をどのように過ごし、どのように生きていくかで精一杯なのに、そのような余計なことまで考えているほど時間的余裕などないよ」等と、逆にお叱りを受けるのがオチかもしれない。

しかし、我が国の周囲が海で囲まれていて、他国と地続きでないから、そのような呑気なことが言えるのである。もし我が国が他国のように、向かいの商店街や隣の田圃《たんぼ》や川向こうまたは山向こうが全く異質文化の外国であり、政治的主義や主たる宗教が全く異なっており、あるいは極端な場合、敵国であるならば、そのような悠長なことは言っておられないであろう。なぜなら、そのような場合は、当然、こちらの地域に対して重機関銃などの銃口や大砲が向けられ、かつ攻撃用の戦闘機やヘリコプタ及び地対空ミサイルなどの重火器、監視塔、防御陣地（トーチカ）などが設置されているからである。そして更にそれらの矛先はほとんどすべて我が国、我が都道府県、我が自治体、我が区市町村、我々の各家庭などの方に向けられているからである。更にまた、我が国の方に向けて、敵の兵士や憲兵などが朝昼夜、平日・休祝日、また、春夏秋冬を問わず、暴風雨や吹雪あるいは猛暑日や厳寒の日といえども監視し続けていることであろう。従って、もし我が国が周辺国と陸続きならば、我が国家のみならず、全国民の一人ひとりがこれほど呑気になど、決してしてはいられないはずである。このようなことも原因の一つと考えられるであろう。しかも、もともと誰もが賢いし努力家であるにも拘わらずである。そして、我が全国民の殆どが幾つかの大衆報道や大嘘の喧伝などにより誘導され踊らされてきているのである。このような数十年間に国際情勢は激変してきているのである。その間に、例えば、北朝鮮などは数十回の弾道ミサイルを繰り返し発射してきている。今後も、その傾向はあり得るであろう。従って、同国のみならず、そのほかの諸国からも、我が国は、有事の際に、中長距離弾道ミサイルの標的にされる可能性は完全否定できないであろう。それ故、我々は、この事を常に念頭に置かねばならない。

　このように鋭く指摘すると、多くの方々は次のように反論してくるであろう。「冗談じゃない。我々だって、自分に興味のある国際情勢には日々アンテナを張って情報を得ながら対応しているのだ。余計なことを言ってくれるな」と。しかしながら、彼等彼女等の言う多くの情報とは、例えば、個人、商店、企業、種々の組織や団体などの各々が、いかにして自分たちの今月分の、今四半期分の、今一年間の、売上、利益、あるいは社員や株主のための利益や実績を出すことができるかなどに関する事柄であろう。そして、それらの経済、経営、管理、株式、投資などに係わる情報、食料品もしくは娯楽関係などの情報が大半ではなかろうか。あるいは、自己の商品や技術を売り込むための市場開拓、販路拡大、著作権、工業所有権などの営業系、著作及び農水産物や科学技術もしくは開発系に係わる情報であって、国家として基本的かつ根本的に必須な防災的、防衛的、国防的な情報でない場合がほとんどであろう。しかも、後者はあたかも国家的禁句（タブー）となっているように感じられるのである。たとえいくら憲法で戦争放棄が謳《うた》われているにせよ、他の国々からの脅威が頻発し続けており、かつ現実に、船舶の被害、領海及び領空の侵犯が実行され続けかつ実被害を被っているのにも拘わらず、何の抵抗もできないというのは、あまりにも現実的に矛盾していることは、自由かつ民主主義国家圏における世界常識の一つであることは明明白白であろう。違法でも何でもないであろう。ただ問題なのは、それを足かせにしている現行の法律が一因している可能性もあり得る。

　なぜなら、国家水準を家庭水準に置き換えてみれば、より明確に理解しやすくなるのではないだろうか。例えば、あるX氏の家庭に着目してみよう。X家はほとんど連日のように近隣のY家やZ家から玄関や窓を、朝昼夜のいずれもドンドンと叩かれたり、蹴られたり、物品を投げつけられたり、事実無根で大嘘の罵詈雑言《ばりぞうごん》を吐き続けられたりしていたと仮定しよう。ところが、そのX家には、次の家訓が存在していたとする。つまり、近隣の家々とは喧嘩をしてはいけない、対立してはいけない、などというような。

　そこで、X家の家族はある日、家族会議を開いた。二人の子供のうち一人の息子はこう言った。「このまま相手側の野蛮な行為を見過ごしていたら、相手はますます増長するだろうから、我が家が被害を受けた分だけでもやり返すべきだよ」と。また、もう一人の娘はこう言った。「放っておきましょうよ。もう少し我慢すれば、相手も諦めて何もしなくなるでしょう」と。更に、妻はこのように提案した。「いっそのこと、警察などの当局に訴えて対処してもらったらどうかしら」と。すると最後にX家の主人であり夫であるX氏がこう述べた。「我々はもうかれこれ3年間も我慢してきた。だが、相手は少しも手を緩めないどころか、ますます事を荒げてきている。だから、こうしようと思う。まず、文書をもって相手側に注意と警告とを告げよう。それでも中止しなかったら、当局に訴えて中止してもらうという法的行動に出よう」と。なお、この寓話に少々類することは、例えば仏教の中の法華経における「従地涌出品《じゅうじゆじゅつほん》第十五」にて、釈尊は次のように説かれている。すなわち、「この世界はその住人である我々自身の努力によって清浄にし、平和にし、我々自身の手で幸福な生活を築き上げなければならないのだ。」と。また、「自分たちの浄土《じょうど》は自分たちの責任で築き上げねばならない。そして、自分たちの幸福は自分たちの努力によって創り出さねばならない。……」という主旨のことを。このように、今から約２５００年前に、釈尊は自主的で前向きな、かつ、積極的で力強い現実的な教えを既に説かれておられるのである。それ故、我々は大いに自信を持って、前述の事を教訓として実践しようではないか。

前者は家庭水準の寓話だが、これを自然的に拡張拡大した国家間水準でも同様であろう。つまり、このように、国民同士が真摯に世界と我が国の現状、近い将来及び、例えば、50年後、１００年後、５００年後の比較的遠い将来をも踏まえて、誠意を持って心配をするが故に、あるいは、世界と我が国とが心から善くなってもらいたいと願うが故に、自由にかつ建設的な討論をしている場をほとんどみることがないのである。

このことが、逆に、我が国の国家的弱点の一因になっている可能性もあると考えられ得るのである。更に、我が国は、原則的に自由と民主主義的環境下ではあるものの、まだ、本音を討論できる環境が欧米諸国のように充分に整っているとは言い難いであろう。それ故、国民がこの本音を自由に討論でき、かつ国政に建設的意味において反映できるような、より善かつ充実した民主主義国家となるべき環境を従来以上に、早急にかつ着実に整えるべきである。この場合、全国都道府県及びそれらの各自治体における区市町村内などには、数多くの仮想敵国群の間諜や工作員（いずれも老若男女）が紛れ込んでいる。そのため、我々一般国民としては、少なくとも次のことには日々注意し、かつ、警戒した方がよいのではないだろうか。確かに、あなたの前後左右には様々な国の間諜や工作員が次々と入国し、居住し、次のような闇の悪行をしてきている。例えば、第一に、目、耳、盗聴器やビデオカメラなどを通じての闇や裏もしくは影の活動。第二に、金品などの賄賂を餌にしての国、全国都道府県及びそれらの各自治体、産・官・学分野、教育及びその他の分野の窓口担当者及びまたはそれらの各担当大臣もしくは副大臣あるいは担当取締役などを誘惑し、招待し、招請し、招宴するなど。第三に、間諜や工作員自体の役割としての悪行への勧誘や採用。第四に、間諜や工作員による我が国内における全国地域、社会、企業、教育関係、家庭及び個人の各々の秘密情報または機密情報の奪取や盗難などである。しかしながら、我々は、これらに注意しつつも、更に、彼等彼女等にはそもそも係わらない事である。あるいは、彼等と気脈を通じるような事はしない事である。その方が後日もしくは後年になってからのあなたご自身の社会的地位からの転落などの意味からして、無難であり安全である可能性がより高いであろう。なぜなら、あなたが一度でもその悪行に染まってしまったならば、もしくは、あたかも、その悪行世界の暗い森や沼池に入り込んでしまったならば、各種様々な賄賂での繋がりにより、そう易々と彼等彼女等との関係を断ち切ることは極めて困難であると思えるからである。但し、彼等自身が当局などの捜索を受け始めたら、彼等は我が国内の某飲食店、某語学学校もしくは某マンションなどに逃亡したり、自国仲間のいる隠れ家へ身を潜めた後、早急に国外逃亡する可能性が大であろう。従って、筆者はこのような類の事件もしくは事故などに対しても十二分に監視する必要があると考えるのである。

なお、我が国の防災、防衛・国防及び国土交通などの関連諸省庁及びまたは関連当局は、仮想敵国群及びまたは過激派組織などが、我が領土、領海（海上や海底も含む）はもちろんのこと、領海以外の公海であっても、可能な範囲で、彼等が様々な悪行を仕掛ける活動をしているか否かをより迅速かつ正確にキャッチでき検知できる、例えば電磁気的測定器もしくはその検出器などを、我が国の製造会社に早急に開発依頼するなどして、防災かつ防衛・国防の同時体制を現状よりも更に強化すべきと考える。もちろん、このような国防的内容もしくはその関連事項を具体的に詳細に公表する必要はないであろう。

東日本大震災の疑問

ところで、数多くある震災の中で、今、一例として、東日本大震災を再考してみる。そもそも、２０１１年3月11日に発生した東日本大地震は本当に大自然災害だったのであろうか。確かに、もし震源が始めから複数箇所であった場合、各震源地での震源を点と見做《な》したとすると、そこから放射状に伝播する波が互いに干渉し合成された波になるであろう。しかしながら、それにしても、殆ど同時間内に、東日本のほぼ南北方向の3点（もしくは3か所。以下、点と称する）にあるということが真正なる大自然現象としてあり得るのであろうか。もちろん筆者は地震学系または地震工学系の専門家ではないが。この大地震とそれに伴う大津波は何か非自然災害のように推察され得るふしが存在するように思えてならないのである。なぜなら、通常の東日本沖における地震発生の原因は、プレートテクトニクス理論及び観測結果により、日本海溝の下の海底にある巨大な海底プレートの弾性を有する板状体のはね戻り現象に基づいていることが公知となっているからである。そうであるならば、巨視的には、むしろ曲線状に生じると解釈した方が矛盾しないのではないだろうか。もちろん、その後の調査で、他の原因とも重なり合って地震が発生したように、２０１４年2月時点では観られている。しかしながら、筆者としては、むしろ、次の二つの理由が考えられ得る。すなわち、第一は、前述の３点の相互距離を考慮して、海底の某3地点に人工起爆装置を設置して、その爆破時刻を微妙にずらす（調整する）ことにより、その3点でのまたは3点からの波動を互いに共振させ合成させることを予め計算しておいて、結果的にその波頭が前述の東日本の太平洋沿岸に到達する頃の時刻に、巨大な津波（もしくは巨大な振幅）となり得ることを計算的に想定して、次々と時限装置またはその遠隔操作により爆破させたという可能性があり得るのでは、と。この可能性は果たして１００%完全否定され得るであろうか。否、完全否定はされ難いと推察され得るのである、と。また、第二は、我が国の地震学系専門の方々が、異口同音に次のような主旨のことを述べておられるからである。つまり、「地震の発生機構もしくは機作《きさ》が未だ解明されていない」、「理論的に予測できる段階に達していない」または「アスペリティ模型は単純化し過ぎた」など。ここで、アスペリティ模型とは、地震学では統一的に定義された用語ではないようである。例えば、通常は強く固定していて、ある時に急激にズレて地震波を出す領域のこと。あるいは、断層中の突起などや断層面で通常は強く固定しているものの、地震時には大きくズレ動く領域のこととされている。ところで、我が国の地震学は推定で百数十年程度の世界的にも一流の学問的知見及び立派な歴史的業績を有してきている。それにも拘わらず、我が国の多くの著名学者の方々が否定的もしくは悲観的な見解を表明されている。ということは、取りも直さず、極めて甚大なる被害がもたらされたために、従来以上に、極めて慎重になられているように観えるのである。学術研究方面を目指しておられる方々であるならば、そのような見解をとることは自然の流れであろう。しかしながら、筆者は、今回の巨大地震は、そもそも従来の学術的研究対象の度合もしくはその基本概念から大きく逸脱したものと推察されるのである。あるいは、従来より対象とされていた地震エネルギーの範囲よりも大きく離れた特異現象の集合に起因している可能性が高いように考えられ得るのである。

一方、前述の筆者の疑問及び仮説とは独立に、フルフォード氏は、既にご自身の著書[4]の中で、次のように述べておられる。すなわち、この3・11の大震災を見て、彼は「これは、何者かによって引き起こされた」ものと直感したという。そして更に、それが人工地震であると考えられる状況証拠を探り出し、4項目ほど挙げている。その中で特に注目すべき事項は、地震兵器の存在は、国際政治の深部では公然の事実であること。例えば、その存在は米国防省のホームページに記載されているという。また、我が国内でも、２０１１年7月11日の衆議院復興特別委員会で、当時、総務大臣政務官の浜田和幸氏が「地震や津波を人工的に起こすことは、……国際軍事上においては常識化されている」という趣旨の発言をされているという。そして、第四の状況証拠として、某組織が原発を爆発させた理由は原爆の使用を隠蔽するためと推察されている。

外国による不動産等の買い漁り

ところで、先述の外国勢による我が国の不動産及び動産などの買い漁りの件に戻るが、これに関しては、損得よりも、少なくとも１００年先及び５００年先を見越して善なるかつ国防的観点から対処して頂きたいものである。それは立場を逆にして考えたら明確であろう。彼等の土地に工場などを建設する場合、彼等は、彼等の人民の雇用と技術の見返り及びその他を必ず要求してくることであろう。翻って、彼等が仮に我が国の、例えば、次の不動産や動産を買い漁る場合、一体どのような見返りを我が国にもたらすつもりなのであろうか。ここで、その不動産とは、山林、野原、湖沼、河川、温泉、原油、鉄鉱石、石炭、天然ガス、土地や水、田畑、家畜、及びホテル、旅館、集合住宅（マンション、高級マンションを含む）、ビル、空き家、赤字計上した企業、空き地、その他の資源などである。確かに、彼等彼女等はその取引契約などの際には、小切手や現金などの支払手段もあるであろう。しかしながら、それらは年月の経過に伴い、物価が上昇し得るのであるから、10年後、20年後、50年後、それ以降になると、その当時に受理した価値は非常に下落して、殆ど無価値な程度となってしまう可能性も有しているであろう。なぜなら、世界的傾向として、平均的に観ると、地価や物価は、特例を除いて、殆ど上昇し続けてきているからである。一方、彼等は奪い取るだけ奪い取って、実の成るものは何も残さない可能性が大きいと言い得るからである。ちなみに、例えば、２０１９年3月上旬には、大阪の下町で、中国人街創設のための買収があったようである。更に、それのみならず、某国々の日本支部的、同拠点的もしくはアジト的な位置づけにするのではないかと懸念されるし、その可能性が考えられないことではないからである。それが一旦固定化もしくは常態化されたならば最後、我が国は、大変な事態に陥る危険性やその可能性も否定できないのである。目先の個人的もしくは官民の個人もしくは一部の集団の利益しかならずに、外国に次のような我が国の不動産及びまたは動産を、我が国及び全国の当該各都道府県における公文書による許認可なく、譲渡したり、売却したり、そのための覚書、契約、条約を締結できないようにすべきではないだろうか。このような危険性もしくは危機的状況を払拭するには一体どのようにしたら良いのであろうか。確かに、その該当する全国都道府県の各地元にとっては、例えば、諸外国人が超高額の現金または小切手等をトランクに入れて、交渉相手の目の前で、それを見せつけられたなら、その当事者は瞬間的に動揺するかもしれない。しかし、その前に、じっくりと考えて頂きたいのである。その土地などの不動産や動産などは、この指定を国や地元自治体より譲渡されて管理させて頂いているということを。それを金銭の多寡に拘わらず、外国に譲渡したり、売却したりしてはいけない。なぜなら、一旦そのようにして譲渡したり売却してしまったならば、それ以降は、どのような大金を積んでも半永久に彼等彼女等は、我が国もしくは国民に返却しないことが明白だからである。ここで、その不動産や動産とは、例えば、島々、土地、家屋、山林、野原、河川、湖沼、池、水、鉱山、原油、石炭、天然ガス、海、海岸、海底などの各種の不動産・動産や財産、資源、エネルギー源及び各種の機密情報などである。それらを譲渡や売却したり、そのための覚書、契約、条約を締結したりした者は、その内容如何によっては、大いに反省して頂くと共にその行為による咎《とが》めを受けかつ責任を受けるような法制化を早急に検討する時期が既に来ていると考える。そして、もしそのような違法行為があったならば、それ等の内、極端な場合には、売国行為にも相当し得るであろう。なお、２０１６年の報道によれば、中国は、我が国の周辺の公海の殆ど全てに対し、自国名称を付して出願手続を完了していたのである。これには、大いなる危機感及び警戒感を持って、至急確認し、場合によっては、または我が国の領海内等に係わるならば、迅速に異議申立及び取下げ等の法的手続も検討し開始する必要があるのではないだろうか。当局の勇気ある迅速かつ正確な行動に期待したい。それ故、筆者は次のように考える。すなわち、そのような行為を実行する前に、必ず当局への届け出義務を課すと共に、全国都道府県及びそれらの各自治体の内の、少なくとも3ないし4箇所の当局の審議、許認可または拒否・拒絶も内容によっては充分可能になるような条文を加味するように、法律及び条令などを早急に改正すべきではないだろうか、と。この場合、幾つかの外国からは許認可の諸手続の簡略化を強く要求してくるはずである。しかしながら、我が国としては、彼等の要求内容をそのまま鵜呑みにしてはいけない。彼等の本音の戦略及び戦術を十二分に考慮してから判断すべきであろう。従って、これらの法的手続をあまりにも簡素化することは、我が国家として、逆効果であり、例えば、3回ないし4回の障壁もしくはハードルを設けた方が、かえって大きくかつ重要な犯罪防止に寄与し得ると考える。各種の公的手続の利便性や安易さなどをより追求すればするほど、その度合にほぼ比例して、必ずといってよいほどに、悪のもしくは巨悪の犯罪が次々と発生してくるからである。つまり、各種の公的及び非公的もしくは民間的な手続の利便性もしくは簡便さとそれに係わる犯罪発生度合とは表裏一体もしくはほぼ比例関係にあるとも言い得るからである。このことは、我々老若男女のすべての国民は予め知っておかねばならない基礎的事項の一つであろう。

更に、国、全国都道府県及びまたはそれらの各自治体の議員や個人が、それらの当局の議会全体での採決を受けることなく、勝手に裏取引や約束などで、諸外国または外国の諸地域と何らかの覚書、契約書、条約書もしくは協定書を交わした場合であって、その内容が我が国及び我が国内及びそれらの各自治体に不利益をもたらす場合には、例えば、その各書面や口約束は始めからなかったものと見做すことができる、またはそのように判断できる旨の法律などを早急に確立し、違反した者、組織もしくは団体などは、何らかの罰を受けるような検討を開始し、更に、もしそのような法律が存在しないならば、早急に、具体化し立法化すべきではなかろうか。確かに、国、全国都道府県もしくはそれらの各自治体のそれぞれの所有地については、各責任においては対処されてきていることであろう。しかしながら、それら以外の各個人名義などの所有地についてては、例えば、6か月または1年ごとにその所有権者が自ら申請して、自己の私有地であることを証明できる書面などを提出すべきことを、法的かつ早急に、義務付けることとする、ということの検討を開始すべきであろう。なぜなら、そのように所有権者及び申請手続体系を堅固にしておかないと、その隙間を狙って、某国々や某組織の間諜や工作員等の大多数がその不明瞭な土地等を奪取するために、必ずや、群がって来るからである。例えば、金銭などで雇われた工作員、労働者、主婦、学生もしくは失業者などの男女が、ある標的にした家屋やアパートに放火するように指示・命令されて、それを実行する事も、全くあり得ないことではないと推測されるからである。あるいは、このような類の陰険、陰湿な悪行を平然と実行し得る悪者が既に入国しかつ横行してきているからである。それ故、筆者は次のように考える次第である。すなわち、もし毎年管轄自治体の役場、役所または担当窓口などに、更新登録などを猶予期間も含めた所定期限内に申請しなかったならば、例えば、それらのすべての権利は、我が国家及び該当する都道府県の共有財産に帰す、というような法律をつくることによって、規制を設けた方がよいのではなかろうか。決して曖昧にせずに、より具体的に、それぞれの時代に適応した、現実的かつ明確にすべき、と。しかも、これらは迅速かつ具体的数字を用いて短期限で実行へ移すべきであろう。

何でもかでも、法的にも、優しければよいというわけではないであろう。いつでもどこでも誰にでも温厚であればよいというわけではあるまい。時と場合と内容と相手によって適切に使い分けるまたは判断や判別すべきこともあって然《しか》るべきであろう。特に、相手側が無法的に悪行し、過激な個人、集団、組織、過激派もしくはそのような類の国家の場合は尚更であろう。その場合には、我が国民の全員が警戒心の上にも警戒心を抱きつつ、警戒体制をより広範囲により強靭かつ柔軟に構築させて、相手側に対抗し得る十二分の力を、日々、事前に養い培いかつ備えておかねばならないのは、国際的にみても、至極当然で最低限の必須事項の一つである。また、決して気をゆるめてはいけないし、油断してはいけないことも必要最低条件の一つである。このまま安易に油断して見過ごし続けていたならば、我が国はとんでもない転落的状況下に陥り成り下がるであろう。そして我が国は、その当該諸外国や表面上は日本企業名義の外資系、過激派組織もしくはその他の国々によって内部から根こそぎ、心も物も不動産も動産もその他のすべてが、略奪され占領される可能性が極めて高くなるのである。あるいは既に過去数十年にわたって無許可で模倣され続けてきている。例えば、各種分野の技術秘法（ノウハウ）、工業所有権または著作権などを含めて。そしてそこに、彼等彼女等の子孫らを極めて数多く住まわせてしまうことに繋がってしまうのである。それによって、選挙権をも取得しかねない潜在的危険性もしくは危機をもはらんでいるのである。

　そうなると、彼等彼女等は、そこを母国の独裁的共産系、社会系、労働主義系、過激派系、暴力系もしくは犯罪系などの軍事的及び生活圏を含めた他の系統に係わる日本支部的位置づけ（例えば、コミンテルン系もしくは秘密本部〈アジト〉系など）してしまうことになるのである。現にその潮流が殆どではないだろうか。そして、そこに各種の電子機器、設備及び資料などを具備し構築し、根城（アジト）や隠れ家とし組み立てて（陸上のみならず、地下などに）、間諜活動の支部拠点を全国的に増殖させかつ設置させ続けていくことであろう。更に、水面下で、そのような悪の戦略戦術で今日も、明日も明後日も、将来も続けていくはずである。これは、見方を変えるならば、少なくとも先の大戦終結前後及び今日迄も継続して実在してきている秘密組織の活動場所を提供することになりかねないのである。すなわち、中国、アジア諸国及び我が国内に実在していた前述の旧ソビエト・コミンテルンに相当し得る、アジアなどの諸外国のコミンテルンのような秘密組織を増殖させ続けているのである。これらは、例えば、各種の料理店、書店、パチンコ店、語学専門学校、企業、学校、団体の一部もしくは集合住宅（マンション、高級マンションを含む）などに設置させ続けていく可能性が極めて大となることを意味しているのである。なお、これらの中には、あたかも大衆に善行を主張するかのような偽善団体も数多く見受けられるため、強い注意力、警戒心及び警戒体制が要求される。我が国のこれらの関連省官庁、全国の公共団体、企業もしくは教育機関などは大いに警戒の上にも警戒すると共に、警戒体制及び一部の法改正をも含めて迅速に確立し、善なる対策の先手先手を打って出るべきであろう。

このような正義の勇気ある国防的及び公安的対策は、後手に回ったら最後、敗北に繋がるのは必至である。当然、当局は既に実効ある数多くの複数の手を次々と数多く幾つも打ってくれていると強く願っているが。釈迦に説法であってほしい、と心より強く念じる次第である。

我が国の大災害からの教訓

ところで、例えば、2010年9月8日ないし翌9日にかけて台風9号が日本海上を東進して我が国に上陸後、太平洋上へと通過した。この間に数々の大きな風水害、土砂災害及び山崩れなどが惹き起こされた。これらの大被害は、同時に我々に今後及び将来への大きな課題と教訓を残してくれているのである。もちろん、この年に限らず、以前にも当然、類似例があったであろうけれども、それ以降の少なくとも2014年8月頃までは、我が国は同様の自然現象に見舞われている。特に、2013年8月前後は、従来、あまり台風や集中豪雨に見舞われる度合や確率の低かった東北、日本海側や北海道の各地域でさえもかなり大きな風水害を含む被害に見舞われたのである。なお、2015年10月8日から9日にかけて、台風23号から低気圧に変わったものの、北海道のオホーツク海側での市街では、河川の氾濫や高潮などにより、床上床下の浸水災害に見舞われた。また、強い暴風雨により屋根などのトタンなどが舞い上がって電線に絡みついたことなどが原因して、その関連地域は停電にも見舞われた。このように、温暖化現象により、従来までは、台風でも、それほど影響を受けることのなかった北海道でさえも次第に影響範囲内に入ってきたと言い得る。これは、台風もしくは温暖化の影響領域が従来よりも、次第に北上してきていることを如実に示しているのではなかろうか。

前述の課題と教訓とは、次の点である。第一は、過去数年ないし数十年もの間、河川及びその周辺地域や近郊の集中豪雨による同様の氾濫現象が断続的もしくは継続的に発生してきていること。第二は、台風が接近し通過した区市町村などでの床上床下浸水が多発していること。第三は、街中での地下マンホール内への流量限界以上の雨水の流入により、地下マンホールから逆流した雨水や濁流が、マンホールから噴水状に道路上に吹き上げるという現象が多くの町で発生したこと。そして、それらによる道路などの冠水のため、多数の大型小型の自動車に拘わらず、運行が妨げられ、場合によっては、それらの重い自動車でさえも強い濁流によって流されたり、交通渋滞をも数多く発生したこと。また、そのあふれた濁流は各都会の多くの地下街や地下鉄の出入り口へどんどんと流入し、かつ地下街や地下鉄のホームの天井から、多くの雨水や泥水となって間断なく下方へ流れ落ちていた。これらの被害状況は、その後、例えば2013年9月上旬に、沖縄本島と台湾とのほぼ中間海域の上空で発生したとみられる台風17号でも、前述の第一、第二及び第三と類似する被害現象が、この台風の進路に直接関連する各県で発生した。特に、ここで注視すべきことは、従来の台風の発生する空域は、ほぼフィリピン諸島沖という我が国からみればかなり南方に位置している事例が殆どの割合を占めていたのである。

しかしながら、その発生域が従来とは異なり、2013年9月の事例では、かなり北上してきた点である。このことは、海水及び海面（実際には海底も含めて）の各温度が上昇してきていることに依存していると言い得る。つまり温暖化による影響の一つの現れである可能性は否定できないと考えられ得る。これらの台風を含む降雨災害に係わる我が国への影響とその症状は、このまま手をこまねいていると、次第に傷口が広くなっていく可能性が極めて大である。そして更に、今回の浸水などにより、たとえ後日には自然乾燥したとしても、あるいは半強制的に乾燥させたとしても、その後、汚染や錆などの当該広域の実生活に係わる不都合な諸現象は進行してしまうであろう。従って、それによる各箇所を構成する被浸水材料の劣化、腐食、感染症及びそれらの部分、領域や人数などがそれぞれかなり増大し進行していくことであろう。すなわち全国の区市町村における人的物的損害は、有効かつ迅速なる処置を着実に実行しない限り、その漸次拡大は確実であり不可避であろう。ちなみに、それ以降の例えば、2017年9月17日ないし18日においても、当時の台風18号が北海道内に次の被害をもたらしている。例えば、前述に類似し得る街路の冠水、樹木の倒壊、マンホールからの泥水噴出現象など。

ところで、我が国の土木・下水工事、電気・ガス工事などは先の大戦後に、全国的にしだいに建設・工事されて以来、少なくとも大略70年程が経過している。特に、地下の下水道などは、全国都道府県やその中の小地域、場所によっては、大規模修繕工事をずっと実施していない地方自治体が全くないとはいえない状況であろう。従って、これらは抜本的に見直して、国、全国都道府県及びそれらの各自治体は、これらの状況をそれぞれ報告して頂くなどして、予算を計上し、大いに改善すべき時に既に来ていると考える。このようなことを願っていた後の2013年12月24日に閣議決定された[5]。これにより、国土交通省の次期2014年度の一般会計予算は約5兆1616億円となった。これは結構なことである。ただし、問題はこの予算を通過して頂き、具体的な懸案事項に取り組んで頂くと共に実行して頂き、更なる10年、50年先、それ以降までも充分に機能し得るような、実質的に強靭で安全なる工事を完了させて頂きたいと願う次第である。ちなみに、例えば、2019年12月頃に、一部の地域で老朽化した水道管の交換工事が実施された。それは誠に結構な事であろう。しかしながら、その傾向が全国的規模へと拡大していって頂ければと切望する次第である。

前述のように、著者が2010年9月に懸念していた時期後の2012年12月2日に、我が国内の中央高速道路における笹子トンネル内のコンクリート製の天井板（一枚あたりの重さ約1・2トン、幅5メートル、奥行き1・2メートル）270枚が距離138メートルにわたって落下するという事故が発生した。犠牲者は死者9名、負傷者2名で、その他、自動車3台が下敷きとなり、うち2台から出火した[6]。その後の調査結果によると、それらの天井板を上部から吊っている金属製ボルトの劣化が主原因である可能性が高いということであった。これは、厳密には、前述の種類とは幾分相違し得るであろう。しかしながら、この場合は、竣工より約30年を経過していたということである。この場合は、前者と相違して、高速自動車道路のため、例えば5トンや10トンなどの大型重量級トラックやバスなどが非常に頻繁かつ数多く走行しているために、かなり強い振動、衝撃などの負荷を受け続けていたことも他の原因の一つとして挙げられるであろう。あるいは、まれに発生し得る交通事故などにおいて、例えば、トラックなどに積載されていた各種の重量材料や化学物質などが道路上に散乱したり浸透したりして、その道路の構成材料に衝撃や化学変化を与えたり、それらを加速させ促進させたりしてきている可能性は完全否定できないであろう。従って、前述との比較において、類似しかつ参考になると言い得る。

今後、我が国の与野党による政治が現状のまま順調に行くにせよあるいは仮に再び逆転するにせよ、政権がどのように変わろうとも、その政治的事象もしくは状況とは無関係に、我が国の殆どの善良なる国民は、日々文化的かつ堅実に力強く一歩一歩と前向きに働き、生活し、適切な税金を納付して、正しく生き抜いていくであろう。また同時に、我々はそのための人間としての基本的権利を有しているはずである。従って、我々国民一人ひとりが、国、全国都道府県及びそれらの各自治体に対して、誠実に真剣にかつ着実に善なる対策を迅速に実行してもらうように請願しようではないか。また、そのようにすべきであろう。なお、政権に関しては、2012年12月16日に衆議院選挙が実施され、結果は、それ以前まで野党であった自民党が逆転し圧勝（294議席を確保）となった。一方、それまで与党であった民主党は選挙前の4分の1以下の57と大幅に議席を減少させて敗北した。現職の閣僚なども何人かが落選した。これにより、政権が大きく交代することとなった。

　また、我々各個人が例えば全国の自治体や区市町村などの役場や役所を通じて、それぞれの法律や条例を守りつつ、協力できることは協力して、より住みやすい国家、地域、社会にしようではないか。国、地域や社会だけに１００％まかせっぱなしだけでなく。そして、そのようなことが可能となり得る体制により改善していきたいものである。現在、そしてこれからの１００ないし５００年後及びそれ以降の世の中は、国や地方自治体のそれぞれに適切な代表者を送り出しつつ、できる限り自らも建設的な正しいことを言うべき時は言い、悪行ではなく、善なる非暴力的行動を起こすべき時は行動を起こすという時代になってきたのである。ただし、明らかに悪及び悪意の言動は慎まねばならないことは至極当然であろう。このことは、一部の国民のみならず、多くの方々も認識されるべきであろう。

　ところで、こうした中で、例えば、２０１１年3月11日（金）午後2時46分に、東日本大震災が発生した。マグニチュードは９・０という巨大地震であった。この地震の大きさは２００４年12月26日にインドネシア国のスマトラ島沖で発生した巨大地震（この時のマグニチュードは９・１であり、この地震の名称は２００４年スマトラ沖地震。死者は22万人、負傷者は13万人。被害地域はインドネシア国の他に少なくとも約７か国）[7] 以来の巨大規模である。前者の巨大地震は三陸沖の北部と南部付近の約２か所または３か所で少なくとも各１回発生した。この後に１回、２回そして３回の、しかも回を追うごとに漸次大きくかつ強力な巨大津波が、その前日までは全く心配無用であり大丈夫といわれ続けてきた堤防をいとも簡単に乗り越え、破壊してしまい、東北から関東に至る長大な範囲の太平洋沿岸の各県の区市町村を襲った。巨大地震に係わり、ある意味で、従来までの我が国の安全神話や安全宣言がいかに科学技術的に根拠が稀薄で耐久性に不充分であり、はかなく空しいことかを、逆に、証左してしまったような巨大災害であったといえよう。

　特に被害の大きかった県は、岩手、宮城、福島、茨城、千葉等であった。筆者はたまたま関東の某建物内にいた。始めは自身の体の具合が悪くなったのか、それとも、気持ちが悪くなったのかと錯覚した。ところが、10秒ほど経つうちに天井や壁がガタガタと音を立てて揺れだした。「これは大変なことになるぞ」と直感したので、天井や上方に注意しながら外に出た。すると、今、自分が出てきたコンクリート造りの建物、周辺の建物あるいは家屋が、万人が目視でも明らかに分かるほどに左右に大きくゆっくりと揺れていた。目の前の歩道に出ると、歩道と自動車道路との境に一定距離ごとに設置されているコンクリート製の電信柱間に架けられている多数の電線が大きく波打ち、電信柱の上部に固定された道路標識や看板、並びに街路樹なども大きく揺れていた。それまでは順調に行き交っていた多くの自動車はそれぞれ左側に寄せて停まり、救急車がけたたましくサイレンを鳴らしてどこか近くの被害現場に急行していた。同時に、行き交う多くの歩行者も立ち止まり、恐らく見知らぬ者同士をも含めて、歩道に数人くらいずつの小集団を作って、その場にしゃがみ込んで、皆さんは一様に上空や周囲の状況を不安そうに見つめていた。

また、同日、多少その大地震の揺れが一時的に収まった時点で、その建物に戻ったところ、既に昇降機（エレベーター）は自動停止しその扉は閉まっていた。幸いに、その中に人は乗っていなかった。また、関連する方々に電話を掛けたが全く通じなかった（もしくは「大変混んでいるので、後で改めて掛け直して下さい」との電子音声の回答しかなかった）。更に、各階とも一部の壁のタイルやセメントが剝がれ落ちていた。このような建物の被害状況は、その後の報道によると、他の建物についても程度の差こそあれ、同様またはそれ以上のようであった。もちろん、新築の建造物では、そのような状況はみられなかったと思われる。ただし、後の報道によると、都心などの超高層ビル群では、かなりゆっくりとした長周期振動がみられたという。その日の帰宅時間帯の夕方以降には、既に多くの電車が全面的に運休していた。そのため、多くの利用者が最寄駅の改札口で、電車の運転再開時間などについて駅員さんに問い合わせていたり、帰宅の方法を思案している人々でごった返していた。その後の報道によると、筆者の場合はまだ恵まれた部類のようであった。

翌3月12日ないし3月14日と日が経つにつれて、その被害の甚大さが次々に明らかになっていった。3月12日頃から、米国、英国、ドイツ、フランス等の数十か国と地域がそれぞれ国際救援隊を我が国へ送る声明を発表していた（各社の新聞及びテレビニュース）。また、同日頃より、千葉県の石油コンビナート群の一部が、同地震の影響により炎上した。そして3月13日頃には、最も恐れていた原子力発電所（以下、原発と略す）事故のうち、福島第一原発の1号機で建屋《たてや》の爆発が発生した。翌14日の正午頃には、同3号機の建屋がその内部に溜まっていた水素ガスにより爆発した。このような緊急事態に伴い、当時首相であった菅《かん》氏及び同官房長官の枝野氏が非常事態宣言を発表した。そして、14日に、東京電力は5地域をグループ分けして、計画停電を実施すると発表した。これにより、首都圏各社の鉄道は、同日朝より、それぞれ運休や数十％の間引き運転の実施に踏み切った。

巨大津波の恐怖と教訓

話を前述の大震災に戻そう。前述の結果、巨大津波の極めて強力な引き波により、人々、自動車、船舶、建屋、家屋などが海中、海底へと引きずり込まれた。あるいはまた、数多くの人々が土砂、瓦礫《がれき》、建造物などの下敷きとなり犠牲となられた。実に痛ましい限りであった。２０１１年3月26日時点で、死亡及び行方不明者数は当局の調べで約2万７０００人に達した。しかし、地元のいくつかの役所もしくは役場の建物自体が壊滅的被害を受けたり、様々な重要物品が流されたりしたため、地元住民の登録台帳原本などの極めて重要な永久保存版的書類までもが流失、紛失または破損などしてしまっていた。そして、更に大略1万人程度の犠牲者が増える可能性も否定できないことが当局より発表されたのである。

同年3月27日の報道によると、港湾技術研究所の調査結果から、宮城県南三陸町を襲った津波の高さは16メートルであることが判明した。この事実から、次のことが推察される。つまり、通常の鉄筋コンクリート製建物の約4階以下のすべては海水、汚濁水、家屋材、金属材、自動車、船舶などを含む巨大な合成力によって破壊され押し流された事が。しかも、津波襲来時の波の速さよりも更に極めて強力な引き波及び潮流の力によって、海中、沖合、そして物によっては重力により海底へと沈み流されたと考えられ得るのである。それ故、人々は建物などの約5階以上に向かって必死に逃げないと助からなかったということが明らかとなった。これは、従来の我々全国民の、津波が襲来した場合における、一般的もしくは標準的な避難基準や手順に係わる固定概念を遥かに超えた壮絶なる実態であった。

また、翌２０１２年1月ないし2月頃に、今回の津波の高さを専門家がコンピューター解析などの手段により更に詳細に調査したところ、約20ないし21メートルにも達していたことが判明した。また、報道によると、同年2月中旬頃（すなわち、この巨大津波の発生から約11か月後）には、今回の巨大津波により破壊された量の一部とみられるいくつかの瓦礫が、米国西海岸シアトル市の沿岸にまで到達していた。既に同市民の間では、この処理方法について検討を始めているという。なお、同年5月中旬での報道において、カナダの西海岸でも同種の漂流物が見つかったとのことである。

２０１１年4月4日の報道によると、今回の東日本大震災において、岩手県宮古市の大津波は沿岸の丘38メートルの高さまで駆け上がったことが、測定により判明した（東大グループ）。また、宮城県気仙沼市沿岸では、約1ないし数メートル程度の大きな地盤沈下が発生していたことが観測と電算機解析によって判明した（阪大グループ）ようである。この地盤沈下は、近年では、かなり大きな値もしくは現象ではなかろうか。その後の２０１１年8月25日の台風12号及び満潮などの影響で、前述の大津波を受けた地区は、再び家屋や道路が海水などにより浸水または冠水した。なお、この台風12号は、自転車並みのゆっくりした進行速度のため、紀伊半島の数県にも甚大な豪雨被害をもたらした。

これに対し、日本三景の一つである宮城県松島町は、他の多くの隣接するリアス式海岸の区市町村が壊滅的な大打撃を受けたにも拘わらず、家屋、田畑、商店街、建物、自動車、橋、船舶など、殆ど被害を受けなかった。この大きな理由として、今回の大津波の襲来にも拘わらず、松島特有の沿岸に散在する数多くの島々が、その襲来してきた巨大なエネルギーまたは力を少なくとも第一次的にまともに受け止めてくれたこと。すなわち、それらの巨大津波がその進行方向に関して、その島々の後ろ側に位置していた前述の家屋、田畑、商店街、建物、自動車、橋、船舶などに到達したときにはその破壊力がかなりの程度もしくは充分に弱められていたこと、または減衰されていたことなどが考えられるのである。東大・地震研究所の研究員の方もこれと類似の見解を独自に記者団よりの質問でそれらの一部について応えておられた。いずれにせよ、この地区の居住者の方たちは、奇跡的に救われたものと推察されるとのことであった。誠に不幸中の幸いであったと思う。

巨大津波防止用人工構造物の早期建設の必要性

そこで、筆者は、関係省庁もしくは当局に次のことを切望し要請したいのである。すなわち、まず、我が国の今後及び遠い将来にわたる長期的な巨大津波（もちろん、巨大地震をも考慮しつつ）に対する国土交通、防災及び防衛対策を迅速に講じる必要があると考える。その対策の一つとして、我が国の領海内におけるすべての海岸線に係わり、特に近年中に勃発または襲来の確率が高いと予測されている地域を優先的に、次の実行へと是非とも移行して頂きたいのである。具体的には、それらの沿岸に巨大地震を予防し得る程度の数の、人工の島々、それに類似するもしくは相当し得る人工構造物を防災工学的（仮称）に、かつ地盤沈下現象、更に温暖化による毎年の海水面の上昇分などをも考慮して頂きたいところである。我が国は、「世界で第一級の防災かつ国防と同時に強靭かつ柔軟なる国家を目指し、新たな大建設の第一歩を踏み出すのだ」というような「極めて崇高かつ現実的で地道もしくは堅実で強固なる正義感に燃えた一大決意」を表明もしくは宣言をして、それを実行に移して頂きたいのである。なお、これは、我が国と同様、または我が国のみならず、地震で悩まされ続けてきている世界の地震多発国及びそれらに関連する多くの人々に、多大の恩恵をもたらすことにも繋がるであろう。すなわち、広義には、多くの人類の手助けにも繋がる善行もしくは菩薩行に通じる行為であると考える。このような防災用の人工構造物（もしくは人工〈埋立〉島）であり、かつ、我が国の領海内及び湾内などを対象とするならば、明らかに、諸外国より反対や非難を受ける対象外ではないだろうか。確かに、中国は南シナ海諸島にて、世界からの反対を無視して、強引に軍事用の人工島を建造してしまったのである。彼等はそこに、軍港、戦闘機や爆撃機等の滑走路、通信、ミサイル及びレーダーなどの各種軍事基地を建設し終えてしまっているのである。この建設当時、米国オバマ政権は彼等の暴走を止めさせることはできなかった。極めて残念である。しかしながら、この要請事項は、それとは全く別異の目的物なのである。なぜなら、それは、今後とも決して恒久的に皆無になることが無いと断言し得る巨大災害の防止もしくは阻止に係わる事だからである。そしてまた、我々がそれに立ち向かい、かつ、我々及び我々の子孫がそれに決して負けないための先手先手となり得る手段の一つだからである。従って、筆者は次のように考える。すなわち、この建設は諸外国から何ら非難を受ける筋合いのものではないであろうと。それ故、少なくとも悪行ではないはずである。そうであるならば、全国民や観光客などの安心・安全を守る事に通じうる善行である。善ならば、是非とも、全国都道府県において、巨大地震などの予測されている地域の、例えば、主要湾内から、優先的かつ迅速に議会の承認を得て、建設を開始して頂きたいと切望する次第である。

特に、全国の都道府県に実在する大学などにおける工学部、工学系大学院及び開発機関における、例えば地震工学系、土木工学系、建設・建築工学系、海洋工学系、船舶工学系、港湾・沿岸工学系などの関連する学部、大学院や国土交通省、文部科学省、環境省、防衛省及びその他の関連省庁などの指導者及び責任者などの各位は、現状でも各業務に携われて多忙と思われる。しかしながら、それを充分承知の上でお願いしたいのである。すなわち、それに満足することなく、更に我が国家及び国土の向こう約50年、１００年ないし５００年先をしっかりと見据えた大再建に向けて立ち上がって頂きたいのである。具体的には50年後、１００年後、５００年後に、例えば、今回（２０１１年3月11日）の水準の巨大地震及び巨大津波が再び襲来してきたとしても、その天変地異という名の大自然の一面（の顔）を有する敵に決して負けないだけの防災、防波、防潮及び防衛体制を強固に構築して頂きたい。そして、そのような善にして高い目標を掲げて、これらの分野のみならず農学系、水産学系、森林学系などの実学系をも含む分野の産官学の関連業界の力強くかつ善なる勇気と共に指導力と協調力及び実行力を発揮して頂きたい。そのための基礎教育、基礎訓練、基礎実験及び応用実験などの実行を是非ともお願いしたい次第である。更に、例えば、少なくとも実績を有する大学を含む諸大学及びその他の教育機関は、それぞれの各地域において、前述のような善なる大志を抱きつつ、指導的かつ先導的な大役を真の大勇気を奮って積極的、着実にかつ力強く推進していって頂きたい、と真心より熱望するものである。

もちろん、これらの業界や機関のみならず、民間の大手、中小企業も参画し互いに誠実に協力して、全国的な規模で発信し実行に移して頂きたい。なぜなら、これらは設計や実施計画が確立したならば、民間企業へ委託すれば、親会社、子会社及び数多くの孫会社などへも委託が連鎖反応的に拡大することになるであろう。大いにスクラムを組んで、力強く第一歩、第二歩、第三歩などへと踏み出していって頂きたいのである。この分野も軌道に乗れば、アメーバ的に我が国の失業対策にもつながり、新たな産業の活性化や景気の更なる現実的な活性化やその善なる後押しにも繋がっていくものと考えられるのである。

すなわち、このような諸課題が迅速に審議され、実行へと移管されるならば、多くの就活者や失業者（老若男女を問わず）にも就職及び就業の機会及びその間口が広がり、全国都道府県及びそれらの各自治体に、様々な前向きで明るい活性化及び元気力を産み出すことにまたは活性化をもたらす可能性が高まることであろう。ただし、この場合も、前述の各種工学系分野の技術のみならず、必ず我が国の防衛的・国防的の観点及び視野をも同時に、併行して、十二分に考慮をした上で、設計及び実際の施工をして頂きたい。そして更に、実際の現場端で建設、土木、構築及びそれらを依頼し施工する各々の現場担当の数多くの業者各位へも、事の重大さの要点を説明して、

建設工程について確認・点検し周知徹底して強靭なる施工をお願いしたい次第である。

特に、巨大地震や巨大津波の被害を受けやすく、その確率の高い我が国の全地域から優先順位を付けることなどを考慮する全国都道府県及びそれらの各自治体の財政が真正に使われるならば、我々自身の一人ひとりの各自治体の財政が真正に使われるならば、我々自身の一人ひとりを含む数十万人ないし極端な場合数1000万人またはそれ以上の将来における仮想被災者を救うことにも繋がることになるのである。それ故、全国民はそれらのために、各人の収入分に比例した、幾分かの税金が増えることには、よもや反対などはしないであろうと信ずる。このような提案に猛反対するような自己中心的な議員や国民の各諸兄諸氏ばかりではないはずであると推察されるからである。果たして、このように確信するのは筆者だけであろうか。そうでないことを心より願う次第である。

なお、この巨大災害に関して、2011年4月14日ないし15日の報道によると、福島第一原発事故に係わる同番組で、日本に駐在するフランス人記者の一人は、我が国政府と原子力安全・保安院と東京電力との間に何らかの強い関係が存在しているのではないか。そのことが、今回の原発大事故の対策や対応速度または収束速度を大幅に遅延させている可能性があるとい

312

う主旨の疑問を投げかけていた。これは当たらずとも遠からずかもしれない。また、同年4月15日の頃は、福島第一原発の放射能阻止の進捗状況のニュース放映時間が幾分減ってきた感がある。ただし、これは例の3月11日の巨大地震に基づく余震（震度が約5ないし6の大きな規模）が頻繁に（ときには3時間あたり約20回ないし30回も）発生したため、当該原子炉周辺の冷却作業がかなり頻繁に中断されたことも一因していると推察される。

東日本大震災に関するある討論会

ところで、同年4月16日のＮＨＫ「マイケル・サンデル究極の選択」によると、まず、我が国の東日本大震災に関して、米国新聞『ザ・ニューヨーク・タイムズ』紙は、この未曾有の大震災にも拘わらず、日本では暴動や略奪が起こらなかったこと、しかも秩序が保たれたことなどに対して一様に驚嘆していた（司会者サンデル氏による解説）。また、原子力との関わり方について、次の三極スタジオをテレビ衛星生中継でつないだ討論会が実施された。

①原子力を推進する意見（原子力は現実にはゼロに収束させることは困難であろうが）

②原子力への依存度合を減らしてでも、原子力をなくすべきだ。（この意見に賛成した日本の芸能人及び学生数＝6人、上海の学生数＝3人、ボストンの学生数＝0人）

③殆ど世界中から支援がきている。

これら三項目のすべてに対し、中国・上海の学生は否定的もしくは批判的であった。

しかしながら、ここで、後者のように、彼等が批判する心の裏側には、彼等が生まれる以前からの反日教育及びそれに基づく反日感情の心の芽生え及び記憶への刷り込み並びに今日（及び将来にわたる）までも延々と継続させてきている中国式独裁的覇権的かつ膨張主義的な共産系社会系主義に基づくそれらの反日教育（家庭教育も含む）などが強く影響してきているためであろう。従って、そのような背景が彼等彼女等の心の根底に、あるいは幾世代にもわたる遺伝子的な記憶の中に存在し、心の中に刻み込まれ刷り込まれてきているからであろうことは疑いのないところであろう。あるいは、もし仮に、我が国の参加者の意見に単純に賛成したならば、この番組が終了した後に、彼等彼女等の国の家族、地域、社会及びまたは国家から村八分にされるかまたは突き上げられる可能性の高いことが予測され得る。

1945年8月における我が国の敗戦に伴うアジア諸国及び我が国内における各々の軍事裁判で、その戦争責任の処理問題が国際的かつ世界的に完結し、かつ、我々一般国民がその後今日までの長年にわたって反省し続けてきているにも拘わらず、彼等はその弱みを逆利用して、我が国及び我々（一般）国民をも奈落の底へと突き落とそうとし続けてきているのである。すなわち、世界中で罵詈雑言や残虐性を各国に吹聴し、科学的根拠の極めて乏しいでっち上げの人数などに関わる大嘘を含む誇大宣伝をしてきているのである。現在も相変わらずである。この悪行のための費用もかなり莫大な額（日本円で数兆円規模）に上っている。そして、彼等はこの悪行と共に、我が国を彼等の完全なる手下化と共産化及び消滅化を狙ってきている可能性が極めて大と考えられる。この挑発や強引なる実行動は、まさに、彼等及び彼等と同等もしくは類似の諸国に特有の独裁的な共産系社会系主義的な陰険かつ陰湿な悪行そのものであろう。

なお、この番組の討論会を終わるにあたり、同司会者は、何か言いたいことがある人はいますか。もしあったら意見を述べてください、という主旨のことを、そのスタジオの参加者に向けて質問した。これに対し、米国の大学生ローラ氏がこう発言した。「たとえ米国と日本のように、お互いに距離が非常に離れていても、私は日本が秩序正しくかつ大震災に対して勇気ある行動を示したことに対し、同じ人間として感動と共感とを覚えます」と。筆者は、若者の代表の一人としての同氏の淡々とした発言の中にも、何か本質を見つめてくれていた人が、この広くしかも約70億人もの人々が居住する全世界の中で少なくとももこの唯一人が、この同じ年月日の同じ時間帯に実在してくれていたのだということを目の当たりにし、実感しかつ確信した瞬間、なぜか分からないが、何か自らの心の中で次第に高まってくる感動とわなわなと震える自身の体とを抑えきれなかった。言葉を換えて言うならば、神仏が、彼女を通じて、この番組を観ている全世界の中の真心からの良心的視聴者に向けてご感想もしくはご意見を述べてくださったのではないであろうか。すなわち、神仏が彼女を通じて代弁してくださったのではないだろうか。筆者はそのように受け止めさせて頂いた。そのように思えた瞬間、筆者はその画面に向かって無意識のうちに合掌し、頭《こうべ》を垂れ、瞼《まぶた》から溢れ出て来るものを抑えきることができなかったのである。……。

一方、この番組では明確な結論は得られなかった。討論番組であるため、それはある意味で当然もしくは了解済みのことなのかもしれない。しかしながら、サンデル氏によれば、この問題は今後何年も何十年も続くであろうとのことであった。筆者も原子力の推進派、反対派及びそれらの中間派という三つの意見は、現在の世界の主要な国々の状況に鑑みるならば、それと同様の予想とならざるを得ないと考えている。すなわち、この番組での討論の結果は、概ね世界各国の現状における平均的な超縮小版といえなくはないであろう。そして、筆者も前述のとおり同意見であると感じたことを、まさにサンデル氏がこの番組の最後に、締めの言葉として次のような主旨のことを述べて画面から退場された。「私が最後に結論としてまとめたかったことを、いみじくも今、ローラがそのすべてを述べてくれた。私は彼女の言葉をそのまま（このテレビを視聴している全世界の人々）皆様に送りたい」と。

福島第一原発事故の検証（中間報告2011年12月）を纏めるにあたって、事故直後の担当当局の責任者の多くは「1000年に一度の大災害」と述べている方が居られたが、それは詭弁ではないであろうか。そして、1000年に一度だから、自分らの属する組織や政党などには責任はないのだと暗に示唆したいことが極めて見え隠れしているようにも考えられ得るのである。従って、自らすすんで予算を掛けて実施することではないと考えるのではなく、実施もしくは実行する政党または個人が誰もいないならば、自分一人でも、または自分たちの属する政党だけでも直ちに防災・減災の迅速なる対策を実行し始めるのだ、というくらいの大いなる気概と真の勇気と志とを持って頂きたいものである。それが、国会議員の真のまたは最低限の国民から求められ、尊敬されかつ恋慕渇仰される資質条件の一つではなかろうかと思うからである。

なぜなら、我が国における大地震や大津波の歴史を紐解けば、高々約100年ないし150年程度に一度は全国のいずれかもしくは東日本で発生していたことは公知だからである。例えば、近年では、少なくとも1823年（文政6年）陸中岩手山で地震、1835年7月の宮城県沖地震（津波あり）、1933年（昭和8年）昭和三陸地震、2011年3月の今回（東日本大震災）が東北太平洋沿岸及び内陸で発生したことが記録に残っているのである。もちろん、これら以外にも数多くの大地震や大津波の発生が記録に残っている[8]。したがって、前述の「1000年に一度の大災害」という言葉は、国内外の有識者からすれば、幾らかの矛盾を含み得ると解釈されるかまたは反駁される可能性が大きいと言い得るであろう。

一方、これらの時代にも天変地異は当然発生していたことであろう。例えば1585年（天正13年）に天正大地震が発生している。京都のある神社の神主による日記には、丹後（現在の京都府の北部）、若狭（現在の福井県の西部）、越前（現在の福井県の東部）の海岸地域に大津波が襲来して大災害をもたらしたということが記載されているという。また、ポルトガル人宣教師ルイス・フロイスの『日本史』にも、若狭の国で大津波が襲来したという記載がある（2011年5月30日の某テレビという。ちなみに、過去の我が国における大地震の記録を振り返ると、次のことが明らかになってくる[9]（これは、気象庁、内閣府の地震調査研究推進本部の資料及び理科年表〈国立天文台編〉をまとめたもの）。すなわち、我が国での最初の地震が西暦416年（古墳時代）に記録されてから平安時代（〜1191年）までの775年間にマグニチュード7もしくはそれ以上の大地震は20回（つまり約39年に1回の割合）発生し、鎌倉時代から戦国時代の1192年から1602年までの410年間に16回（約26年に1回の割合）、江戸時代の1603年から1867年までの264年間に60回（約4・4年に1回の割合）、明治及び大正時代の1868年から1926年までの58年間に29回（約2年に1回の割合）並びに昭和及び平成時代の1926年から2014年までの88年間に48回（約1・8年に1回の割合）が、それぞれ、我が国の全国各地のいずれかの地域で発生してきているのである。

なお、これらの数字によると、古代から現代へと時代が進むのに伴い、大地震の発生割合もしくはその頻度が次第に増加していることが分かる。しかし、この傾向は恐らく、地震発生時の精密測定及び記録技術の各水準、記録の保管方法並びに環境の変化などにかなり依存しているためとも考えられ得るという。また、これらの他に、例えば、記録に残る大地震と火山の爆発としては1783年（天明3年）の浅間山の大爆発がある。記録によると、この年の7月27日（旧暦）朝8時に大風が起こり、地鳴りを伴い、日ごとに（それが）増加して何か恐ろしい大災害が起こるような脅威を与えつつ、8月1日までそれが続いた。その後、ついに浅間山の頂上が裂けて火焔（マグマ）が立ち上った。この衝撃がやんだのは、やっと12日目であり、この大災害は40里四方に及び、死者は3万名を超えた[10]という。

教訓を生かすこと

また、たとえマグニチュード9・0にこだわったとしても、前述のように、この大きさは2011年の約7年前の2004年12月に、インドネシアのスマトラ島沖を震源としてインド洋に係わる海域で発生しているのである。従って、この時の大津波もしくは巨大津波を我が国のことのように真摯に受け止めて、より詳細な科学技術的情報を入手して、事前に具体的対策（コンピュータ解析とその応用など）及び補強工事を真剣に少しずつでも実施していたならば、もう少し被害を低減させ半減させもしくは減災させることができた可能性があったかもしれないのである。特に、福島原発の周辺においては。これは、政府、原発を所有する全国道府県及び関連企業の少なくとも三者が真正に強い防災意識と警戒及び危機意識を有し、期限付きで討論及びまたは審議を行ない、ある水準の統一見解をまとめた後、実行に移せるような体制ができていることが望ましいであろう。このような体制が確立されていればよいが、そうでなければ、早急に構築しておくことが必要であると思われる。なお、原発関連については、その後、次の概略経違がある。例えば、報道によると、2015年3月17日には、関西電力の取締役会にて次の原発5基の廃炉が決定されている。すなわち、敦《つる》賀《が》第一号、美浜第一、第二号及び浜岡第一、第二号原発である。廃炉化は良いが、それらの廃棄物の受け入れ場所の確保が今後の課題となるであろう。また、前述の福島第一原発に係わり、学術会議委員会の検証結果（２０１６年６月26日報道）では、この事故は「慢心と想像力の欠如」であると判断されている。ちなみに、元トップ級の計三名の全員には無罪の判決が下されている。

少なくとも今後は、もう少し範囲を拡大して、例えば、太平洋、東南海、南海の各プレートの起震により大津波または巨大津波の悪影響を受けやすいと予想されている太平洋沿岸などの各都道府県は、真剣に、これらの防災及び減災の方策を講じて頂きたい。例えば1年、4年、8年などと年数を設定し、それに向かって、具体的な善となる実行動を踏み出して頂きたいと願うものである。既に２０１３年６月時点以降では、それに類する活動を開始している一部の自治体もみられるが、この行動は大変結構なことであると共に、その他の自治体も積極的に実行に移すことを願うものである。

我が国を、現在ないし遠い将来にわたって中断することなく、当局は継続的連続的に十二分なる耐久力を有すると共に強靭かつ柔軟なる国家を更に維持し構築していって頂きたい。そのためには、前述の外国で発生した不慮の災害に対して援助及びその想いなどを馳せると共に、我が国の出来事のように、真に慈悲心をもって、それらを直ちに教訓としまたは教訓に変換することが極めて重要であると考える。そして更に、その課題について審議し、それを我が国の新たな大いなる智慧として活かすことを強力に実行し推進していくこともまた善なる必要課題の一つであると考えるのである。

ところで、一般的なことであるが、明らかに万人が考えて善かれと思うことは、政府はもちろんのこと、全国都道府県及びそれらの各自治体においても、ご自身の発案で、所属する当局での審議及び討論を仰いだ後、過半数の賛成を得たならば、どしどし積極的に実行すべきであろう。例えば、２０１２年3月6日の報道において、四国の某県では、「津波対策用の救命ボート」を実用化したようである。これなどは、今後も襲来する可能性の高い次なる巨大地震に伴う巨大津波に対する、全国民の助力の一手段となり得るであろう。その意味において、今後の更に現実生活や活動に適合し得る本件も含めた種々の技術発明とその改良などの進展を期待したい。

我が国の東アジア諸国への小さな貢献

我が国の太平洋沿岸海域には、公知の如く日本海溝があり、それによる地震がしばしば発生してきている。今、我が国の全てが海底深くまで没したと仮定してみよう。そうすると、どのような現象が予測されるであろうか。確かに、そうなると、その長大かつ深淵なる海底での超巨大プレート跳《は》ね上がりの際には、それに基づくエネルギー放出現象により、巨大地震が発生するはずである。しかしながら、この場合、我が国は仮想的に海底に沈んでいる訳であるから、その際に発生する地震波及びそれに伴う巨大津波は、必然的直接的に、極東ロシア、朝鮮半島、中国等々の国々に影響を及ぼす可能性が高くなると予測され得る。なぜなら、その巨大津波を遮《さえぎ》るものが殆ど無くなるからである。従って、筆者は次のように考えている。すなわち、そのような観点に立って眺望するならば、我が国の領土及び同諸島は、彼等人民及び国土の代わりに、巨大津波をまともに受けて、我々全国民のご先祖様以来今日まで、尊い自己犠牲を古代より払わさせて頂き続けてきているとも言い得る。あるいは、そのような防災工学的、波浪工学的もしくは地質工学的等の観点からすると、前述の東アジア諸国に対して、我が国は、間接的に、眼には見えにくいものの、今後とも恒久的にかなりの貢献を、させ続けて頂くことになるのではないだろうかと。

新型コロナウイルス感染症の猛威拡大

２０１９（令和元）年12月下旬頃に、中国武漢市にて発生したとされている「新型コロナウイルス（ＣＯＶＩＤ—19）感染症」は、２０２０年1月に、世界保健機関（以下、ＷＨＯ）のトップらがようやく中国を視察した。彼等は、本件に関する記者会見にて、明らかに中国寄りで公正さを欠いた発言により、『まだ大騒ぎする程ではない』旨を述べていた。世界の担当当局がこのような悠長な対応で本当に善いのであろうか。確かに、中国はその時点では、ＷＨＯへの寄付額が米国に次いで第二位なのであろう。その為もあってか、ＷＨＯは中国に対して強い指導力や指示が公式に発揮できなかった可能性が高いのではないだろうか。しかしながら、肝心のＷＨＯ当局は、そのように、この感染症の発生初期段階（実際には、前述の更に約1か月ないし2か月前に発生していたとも伝えられているが）にて悠長に構えていたようである。そのような見解を公式に（世界に向けて）発信してしまったが為に、それを受信した世界各国の対応及び対応力が微妙に影響された可能性は完全否定し難いと考えられ得る。すなわち、本件に関連する世界各国の省庁は、その公式声明を真正直に受け止めてしまった可能性が極めて高かったと言い得るし、そのように考えられ得るのである。国連機関の一つであるＷＨＯが、そのような寄付金の多寡により、勇気と正しく善なる判断とを躊躇《ちゅうちょ》したり、慎重になり過ぎたりして、果して善いものであろうか。更に、ＷＨＯ当局は、世界各国に向けた本件に係わる適切、かつ、より具体的な防疫対策法などを迅速に発信しておくべきだったのではないだろうか。なぜなら、当局がそのような悠長な記者会見をしている間にも、この感染症は中国国内のみならず、我が国を含む他の近隣アジア、欧米、中東、豪州など、世界各国へと飛び火してしまったからである。なお、本件は現在までも、発症者は増加し拡大し続けてきている。ちなみに、以前までのＷＨＯでは、他の感染症の際には、比較的迅速かつ適切に対応されていたようである。しかし、今回については、その対応が、特に、重要な初期及び前期段階において、遅々として進行していないように観えたからでもある。これは、世界の関連各国も同様に感得していることではないだろうか。そして、２０２０年2月25ないし26日頃に、米国の保健衛生関連の女性高官は、「この事象は『パンデミックの前兆である』」との主旨の声明を出している。従って、筆者は少なくとも次の三点が関連しているように考えるのである。すなわち、第一点は、このように世界中に悪影響や恐怖を及ぼす可能性が極めて高い感染症に係わる事象については、その医学面での善悪水準を経済面でのそれよりも、充分上位に持ち上げて判断し決断した方が善いであろう、と。なぜなら、今回の場合、ヒトに感染し、最悪の場合、死に至るという新奇で特異な部類のウイルス事象と考えられるからである。このような意味において、ＷＨＯ当局の初期対応の判断及び世界各国への対策指導もしくはその指示に係わる通達は、より具体的でなく、従来よりもかなり弱腰になっていた可能性が高いように推察され得るのである。極めて残念ではあるが。第二点は、このウイルス事象の発現は、その患者の多くが、武漢市のような野生動物の取引市場に出入りしていた、その事が一因しているとされている。従って、その動物の体液や糞《ふん》などに存したウイルスを飲食していた可能性も高いと推察され得る。それ故、世界各国民が平均的に飲食してはいない野生動物を飲食していたことに起因しているようにも推察され得る。もし、この起因が発現の主因の一つであることが真実であると仮定するならば、食材の安全面において、このような不明もしくは不確定な要因（ウイルス）を保有している可能性の高いと思われる動物を飲食することは、今後、回避した方が安全面もしくは健康面において、より無難であろうと考える次第である。更に、第三点は、そもそも、本件事象はかなりキナ臭いように観えるし、そのようにも推察され得るのである。……。

第十三章　我が国力を取り戻す方法

我が国史概略

今、なぜ、「我が国力を取り戻す方法が必要」なのか。それについて語る前に、まず、我が国自身の歴史（概略）を振り返ってみたい。但し、これは、皆様も十二分にご承知済みのことと思われるので、冗長に振り返るつもりはない。ここでは特に、我が国力が急速に伸びた時期に注目したい。それは一体いつ頃だったのであろうか。換言すると、その加速度が、他の我が国の通常の時代と比較して著しく増加した時期はいつだったのであろうか。それを想起してみたいと思うのである。例えば、西暦５７年に後漢の光武帝に倭国（我が国）が貢物を捧げて朝賀している。これにより印章及び下げ紐を授けられている（金印　漢倭奴国王）[1]。２３９年には女王の卑弥呼《ひみこ》が魏の国に朝貢した「親魏倭王」と刻まれた金印と銅鏡とを授かっている[2]。６０７年（推古天皇１５年）７月には小野妹子《おののいもこ》が隋の国に。６３０年（舒明天皇２年）８月には犬上御田鍬《いぬかみのみたすき》が唐の国に（例えば[3]）。聖徳太子（５７４～６２２）の時代以降には、例えば前述の小野妹子が、それぞれ、遣わされている。

その後、６３０年から８９４年までの間に十数回にわたり遣唐使が送られている。阿部仲麻呂《あべのなかまろ》もその一人である[4]。これらの時代及び戦国時代などを経て、江戸時代を終焉へと導いた明治維新及び明治時代などではなかろうかと考えられる。これらの時代は、いずれも、我が国及び国民が政治、国防、防災、文化、技芸など、あらゆる分野での活力を強く求める時、あるいは技術力、情報力及び経済力の各向上などを強く恋慕渇仰する時に勃興しているのである。

すなわち、我が国が、他の国々と比較して、総合的な国力、国防力、国民の生活水準などが著しく低くまたは何らかの脅威を強く感じる場合に、次のような現象が認められるのである。つまり、その時代の為政者及び多くの国民などに、「このままではいけないという極めて強い気持ちが沸々と湧き出てくるものである。あるいは「全国民が必死になって、真剣に対策を講じなければならない、そのための善なる行動を起こさなければいけない、頑張らねばいけない」という真摯な気持ちと勇気や気概などの自国を憂う善なる気持や想いが。これは、正常な人間社会であるならば、極めて自然な現象であろう。そして、このようなことは、どの国においても大同小異ではないだろうか。

確かに、このような緊急かつ重大なる事態の場合でさえ、国民、地域、社会及び国家などが何らの気持ちも気概も湧き出て来ないならば、その国家は、もはや空虚な心しか持ち得ない国民集団に陥ってしまうことであろう。そしてその後、ただただ衰退の一途を辿り、他国依存のみの弱体的、老人的または傀儡《かいらい》的な国家に成り下がることが必至であろう。その結果、その国家自体は自然にもしくは外力により急速に消滅してしまう運命を辿り得ることになるであろう。しかしながら、我が国民の中には、そのような最悪の事態を自ら望む無知蒙昧な者など決して一人も居られないはずと信じたい。なぜなら、我々の多くの先達は、身を賭して、それらの苦難を乗り越えてきてくれたからである。従って、筆者は次のように考える。すなわち、そのような最悪の事態を回避する方法もしくは手段を互いに真剣に考えようではないかと。考えるのみならず、実行動に移していこうではないかと。

そこで、例えば、聖徳太子の時代は、独立国家としての我が国のより具体的な国家体制造りの本格的時代でもあった。そのため防災力、政治力、法律、経済力、国語力など、特に、国政の記録及びその保存などに関し、我が国は、当時、専制主義時代であった隋の国へ使者（例えば小野妹子）を派遣し学ばせている。また、時代はかなり一気に下るが、明治維新前後の混乱期は、江戸時代までの封建制度もしくは専制国家体制と鎖国状態における利害両面が存在し、当時としては最新鋭の部類に属したであろう欧・米・露などの列強の戦艦による我が国の領海・領土への侵攻、接岸及び艦砲射撃などを受けたのである。それらにより、我が国は、当時の江戸幕府のみならず一般市民の大半も、彼等の巨大軍事力による脅威、威圧、及び恐怖などを現実に直接生活上の身近に受けることとなったのである。これらの諸外国による圧倒的な武力、軍事力及び威嚇などを通じての開国及びその他の通商に係わる強い諸要求が突き付けられたのである。それらにより、我が国は極めて早急なる開国を迫られ、善悪の明確なる弁別力及びそれに伴う実行力などを有する良識ある数多くの熱く勇気のある若き志士たちによって、全国的な熱情と実行動とが伝播し沸き上がっていったのである。この幕末から明治に掛けて、我が国は、当時の欧・米・露などの列強と比較すると、国家としての国防力、政治力、種々の分野における生産力、経済力などのすべての点で極端に劣勢であった。それこそ天と地ほどの差は歴然としていた。従って、これらのすべての分野における我が国力と能力と実力とを最速度で彼等に追いつくことが、我が国の彼等による植民地化、もしくは傀儡政権化を防止するための自主的な緊急かつ至上命令または課題であったのである。

　このような真に我が国の存亡に直結し、かつ極めて緊迫し切迫した国家非常事態を真心から真剣に考えかつ実行動へと移していったのは、真の民主主義的気概を持ち、しかも善なる武士道精神を有した全国の極めて多くの有志たちであった。彼等の多くは商人ではなく、むしろ武士道精神を有し、もしくは、それに憧れている農民、庶民、浪人などや武士たちの中の行動派たちであった。もちろん、将来の我が国の理想的姿を夢見、恋慕願望しかつ洞察力を有する一部の商人たちが、その行動派へ少なからず支援したであろう可能性は充分に考えられることである。それらと共に、我が国民の全員が精神面においては彼等と同等または一部ではそれ以上の正義心及び善なる意味での武士道精神を各家庭の先祖代々の永きにわたる幼少期から、実生活を通して、全国の各家庭教育及び各々の地域での教育の浸透により、既に保有していたのである。つまり、当時、全国の各家庭において、このような精神的な基礎ポテンシャル（仮称）が既に現代人よりもかなり高い水準を保持していたと考えられ得るのである。ここで、精神的な基礎ポテンシャルとは、個人個人の礼節、その時代時代に対応した衛生面での気配り、独立心、善悪の弁別力である。具体的には、それらは、自らは悪行をせず、悪を懲らしめ善を守る心とその実行力、勇気、弱者を労《いた》わり悪を挫《くじ》く精神、不撓《ふとう》不屈の精神、決断力などを含む総合的な精神及び精神力を意味している。だからこそ、１８００年代の当時、世界中が弱肉強食の時代であった、その真っただ中にあって、我が国はそれらの世界の列強の植民地化、もしくは傀儡政権化を防止することができたのである。逆に、１８００年代後半に、もしも我が国民のすべてが、現代社会のように武士道精神及びそれに基づく生活観や価値観を何ら有しておらず、しかも、経済安楽及び快楽のみを追求していたならば、列強の巨大な軍事力との大差もさることながら、「精神面」または全国民の「心の面」でも彼等に完全に圧倒され、打ち砕かれ、泥靴で踏みにじられ踏みつけられていたに相違ない。また、それらの行為に対し、彼等に反発し反論し抵抗し対抗する気力も体力も体制も持てなかったのではないだろうか。

　もしも、当時が、そのような国情であったと仮定したならば、今日のような我が国は全く存在し得なかったであろう。恐らく、我が国は複数の地域に政治的及び軍事的に分割されて占領され統治されていたことと推察され得る。それに伴い、現代の我等の愛する母国語としての日本語は、もちろん完全に強制的に消滅させられてしまい、死語となっていたかもしれないのである。これは、我々にとって最も屈辱的なことの一つである。あるいは、換言するならば、我が国の小中高校などの社会科系や地理系の教科書から、我が国の国名がすべて抹消され、他国の名称になっており、かつ、我々は他国の言語、文化及び歴史などを強制的に教育されていた可能性も否定できないのである。更に、例えば宗教についても、仏教や神道などの我が国における殆どの宗教及び宗派が弾圧され消滅せられ、それらに関連するお寺、神社や仏閣などもすべて破壊され解体されていたことであろう。それと共に、彼等外国の宗教もしくはそれに相当し得る精神論理体系に強制的に修正させられ教育され洗脳されて、今日まで継続されてきた可能性も皆無ではなかったであろう。万一、そのような事態が現実化したと仮定するならば、現代の我が国民の考え方や価値観などはそれこそ、かなり激変したであろう。最悪の場合は、それらの善なる真実を真実と認識する考え方や価値観は強制的に消滅させられてきた可能性が大であったことであろう。だからこそ、現代の我が国はまさに、前述の強靭なる精神と勇気ある行動とを大いに参考とすべきなのである。すなわち、柔軟性を有しつつ、強力で強靭であり、しかも不撓不屈の基盤を備え、更に、総人口に比例した分相応の善なる精神及び国防力などを有する国家を逞しく建て直さなければならないのである。

指導者に求められる能力

　我が国の政府や企業のそれぞれに属する一部の方々が、現在までに、「想定外でした」と連呼して記者団に各々独立に頭《こうべ》を垂れるお時間があるならば、その対象事案の現状に対する「少なくとも三倍程度の強度や高さまたは安全度を維持」できるように、または「早目、早目に善なる先手先手を打つ」か、もしくは今からでもやむを得ないが、「早急に迅速に、かつ真剣に補強・補充すべき」ではなかったのではなかろうか。あるいは補強すべき対策を迅速に打ち立てて、実行に移すべきであると考える。確かに、このような事案を実行に移す際には、当然のことながら、それらに要する経費もしくは予算が問題になるであろう。しかしながら、この時に赤字を計上する可能性が万が一、高くなるとはいえ、その比率が経営的にある程度の許容範囲内でありかつその実施目的が善の範疇《はんちゅう》に属するものであるならば、実行に踏み切るべきであると考える。なぜなら、永い眼で見たならば、結局、その方がプラスになるからである。つまり、そのような決断をした方がむしろ、事件、事故や災害などの発生した場合における人的経済的社会的支出や国内外に対する信頼度の低下もしくは低落の度合を著しく減少もしくは半減させ、かつその後者の低下などをも抑えることが可能となり得るからである。

　換言するならば、それらの上層部に属するかもしくは位置する方々は、そのような先見力、洞察力、実行力及び善なる真の勇気を有していると見做されているからこそ、彼等の周囲で一生懸命に日々働いている数多くの部下たちよりも年俸がより多く保障されているのである。それ故、次のような方々は、どしどし自ら率先して、その大役や肩書などを捨てるかもしくはその表舞台から降りるか、あるいは他の部署や職種に移動して頂いた方が、我等が愛する国家、政府、社会、地域、企業、団体、集合体もしくは組織などのためになるのではないだろうか。すなわち、そのような手腕を振るえない方、そのような事故や事件の各防止策の迅速なる早目早目の指示を出せない方、その実行力が不十分もしくは欠落しておられる方々、または殆ど何も考えずに、単に部下の人数を増やして、ご自身の権力を増大させ、前面に出してふんぞり返っているだけの方々は。

このように、我が国が仮に、どのように豊かになろうとも、現状に決して満足することなく、将来如何なる最悪の事態が発生しても決して狼狽することなく、冷静かつ沈着に対処し対応しなければならない。すなわち、我々人間の力では如何ともしがたい、制御できないような事態も現実には起こり得るから、政府は、国民のために（あるいは、民間企業ならば、株主及び従業員のために）、社会のために、より安全な善なる手段を検討せねばならないであろう。しかも、その後、善なる先手先手を打って実行動を起こすのがトップ水準の国会議員、全国都道府県及びそれらの各自治体の議員、もしくは企業や団体などの責任者水準に属し得るお役を戴いている方々の最小限の責務ではないだろうか。だからこそ、彼等は一般の中位または下位の管理職、職員、アルバイト等のそれぞれの方々よりも報酬もしくは年俸が高いはずなのである。そのような真の善なる先見力、洞察力、勇気及び実行力が不足、欠落欠如しておられる方々は、早めに職種を変更して頂くとか、自主的に他の職場へ移動して頂いた方が、あるいは、その能力を有しているやる気のある方々と交代して頂いた方が、我が国家、国民、数多くの全産業分野における企業、組織、団体、教育関係または協同組合などのためになるであろう。換言するならば、例えば、局長や上級取締役以上と一般社員との各役割をごった煮同然にすべきではないということである。彼等彼女等の間には当然各々の異なる役割の分担・識別・区別・経験の長短及びそれらに伴う責任の重さの相違などが厳然と存在しているはずだからである。

これが近年または最近の、経済、大災害または機密情報などにおける被害、被盗難、被奪取、被侵害、漏洩などによる損失程度だから、前述のように様々な職種の最高幹部（トップ）が頭を垂れる程度の軽い行為で、一見、一つの節目が付くようにみえるのかもしれない。しかしながら、このような失敗が繰り返されればされるほど、我が国の政府及び様々な事件を引き起こした当事者の各企業及びその関係団体に対する世界各国よりみた信用度は、事件の発覚後、極めて低落することになるであろう。なぜなら、これが、例えば産業界であるならば、必然的に株価の著しい低下を招くことは避けられないからである。なお、これらの失敗により、我が国の種々の産業分野における低落を心待ちしている某組織や某国々が実在している現在、彼等を喜ばせるような失敗もしくは過ちは可能な範囲の努力を注いで頂き、二度と繰り返して頂きたくないと願うものである。その失敗を繰り返さないための防止策の一つは、今迄に何度も述べてきているが、例えば、当該対象案件及び悪に対して隙を与えないことである。そのために、我々は様々な善なる手段、勇気及び決断とを持って迅速に先手先手と実行していくことである。のんびりと構えているだけで他を批判するだけでは、何もしていないことと同等であると言い得る。しかも、一旦低落してしまった信用や信頼を当該事件前の水準に再び戻すためには、その事件や事故の発生以前よりも何倍も多くの時間と経費と多大の労力とが必要とされてくることは明白だからである。

従って、筆者は次のように考える。すなわち、そうであるからこそ、このような多くの事件、事故、災害が起こる前に、あらゆる最悪の事態を想定し、その防止策を可能な限り、既存情報を収集すると共に、極力自らも考案し創出し努力して、それらの中から根本的かつ基本的に必須な重要項目を抽出し、それから優先順位を付けて順次、着実に一歩一歩実行していくべきなのであると。これからの時代は、このような地味で地道ではあるものの、善でかつ堅実なる先手先手の具体的な手段、方策及び期限などを決めて実行する部隊となる部門を創設しかつそれらを実行できる地域、社会、集合体及びまたは企業などだけが生き残っていくことのできる可能性が大きいと。このように、悪行でなく、善かれと思うことを強力に実行しない、先延ばしする、意図的に逃げ続けるような社会、組織、団体、個人は、やがて近い将来に、不要な社会、組織、団体、個人と見做されるであろう。また、批判や罵倒だけは他人の二倍ないし数百倍はするものの、その対象案件の建設的かつ善なる代替案を持ち合わせていないような社会、組織、団体、個人も、いずれ廃止、廃棄、消滅、売却、倒産、希望退職、肩たたきなどのいずれかの厳しい対象となり得る現象や現実に出会うことになるであろうと。あるいは、それらの周囲の他の組織、社会、団体、集団、個人、友人または知人は、それらから次第に、遠のき、離れていく可能性は極めて大となるのではなかろうかと。

ところで、我が国が仮想敵の国々により軍事的に侵略されたという最悪事態を仮定した場合、我が国は一体どのような対応を採るのであろうか。もちろん、これは国家機密に属し得る内容ではあろうが。……。確かに、その場合、我が国は当然のことながら、まず、その実状を迅速に分析し、対策を講じるであろう。つまり、それが、単なるフィッシング的なのか、または、本格的なのか等を。そして、その後、憲法に沿いまたは事前に憲法を迅速に一部改正するための国会審議での決議もしくは了解を経た後、相応の正義の反撃を開始せねばならないのではなかろうか。しかしながら、一方が動けば、当然相手側の当事国及びその同盟諸国も更に動き出すのは必然であろう。なぜなら、これに関連して、例えば、２０１８年5月に米国大統領トランプ氏は中国などに対し、鉄鋼などの関税を大幅に引上げる法案に踏み切っている。一方、これに対し、その直後に、例えば中国は、米国向けの農産物などの関税引上げの報復措置を執っているからである。この両国のやりとり自体は、経済面とはいえ、関連実例の一つとして採り上げることができ得るであろう。従って、筆者は次のように考える。すなわち、これが経済摩擦ではなく、本物の、言わば、我が祖国防衛戦争では、負けない戦術を執らねばならない。だが、もし仮に我が国が本当に敗北を喫するような事態に至ったとするならば、例えば旧東西ドイツ、南北朝鮮のように、我が国が、例えばX圏、Y圏、Z圏などに、北は北海道から南は沖縄県及びそれらの周辺の我が領土内の島々並びにそれらの領空のすべてに至るまで、それぞれの某戦争勝利国によって、完全に分割占領されることも考えられ得ると。そして、各々の地域でX、Y及びZそれぞれの互いに異なる外国の言語、文化、歴史などと共に、共産系社会系主義あるいは、彼等独自の教育が強制的に実施されて洗脳される可能性は完全否定できないと。さらに、彼等の絶対命令に服従できない者は、直ちに各々別々の本国の劣悪なる環境の地域に強制的に送り込まれて、本人の意思に反する重労働などを科せられることになるであろう。男性のみならず婦女子や子供たちは、彼等本国の者たちとは異なる人種差別や虐待や強力なるいじめまたはそれ以上の暴力や罵詈雑言を浴びせられる可能性は否定できないであろうと。だからこそ、そのような最悪の事態に至らせないために、次の方々は、最悪の水準を曖昧《あいまい》にしてはならないのである。その方々とは、例えば、我が国及び全国民のための善なる舵《かじ》取りを担うべき重要な大役の立場にある為政者もしくは国会議員、防衛省、文部科学省、国土交通省及びその他の関連省庁、全国都道府県及びそれらの各自治体の議員並びにそれらで働く多くの方々である。少なくとも可能な限り、現実的かつ数字的根拠を持って認識し、より迅速で善なる実行動を起こさねばならないはずであろう。そして、そのような潮流が発生することを心より願うものである。

第十四章　我が国における正しい宗教観及び信仰心の必要性

心または精神が最重要

ここで、話題を少し変えて、我々人類の身体について考えてみたい。つまり、人類の頭部が胴体の上に位置している理由は一体何であろうかということである。皆様は何であると思われるだろうか。筆者は次のように考えている。つまり、それは、神仏が、我々人類に対して、胴体よりも頭部の方がより重要であるということを悟らせてくださっているためであると。そして、頭部の中の脳に関して、眼、耳、鼻、舌、よりも上部に配置してくださっているのは、それらの中で、脳、すなわち、心または精神が最重要であることを我が全国民を含めた全世界の人類に悟らせるためであると。だから、我々人類は、何を差し置いても、心の中の善悪の弁別をつけ、悪行をせずに、善行を積むことを、我々一人ひとりの判断基準とせよと。言い換えるならば、それを第一優先とせよと。すなわち、これが、個人、家庭、地域、社会、国家及び世界の問題にとって最優先されるべき最重要事項であるということを、神仏が、我々人類の一人ひとりに教示してくださっているのであると。

ところで、我が国は、幸いにも、戦後に著しい経済成長を成し遂げることができた。しかし、その反面、次第に核家族化が進行し、現在では、それが定着してきてしまっている。それに伴い、各家庭における子供たちが、同じ屋根の下で直接、両親や祖父母などから神仏を拝むことの意義を教示し伝承してもらえる手段が跡《と》絶えてしまったように観える。なぜなら、そのことなどが起因して、我々は、神仏に対して畏敬の念を保つこと、及び、この現世には、我々凡夫には遠く及ばない事柄や現象が数多く存在することを教示されてきていないからであろう。そして、自分自身の子供や孫たちに言い伝えることが極めて困難もしくは不可能になり、結果的に、それらの伝承が衰退し、殆ど跡絶えてきてしまっているためと。筆者はそのように観ており、考えている。そこで、本章にて、我が国における、狂信的でなく、正しい宗教観及び信仰心の必要性について考えてみたいと思う。

ここであえてこのような課題を採用したのは、戦後より現代までを見つめ直した時に、あまりにも非常識もしくは非人道的と言わざるを得ないような事件や出来事が増えてきたためである。もちろん、戦前にも同様の事件等は極めて稀には存在していた可能性はあるであろう。あるいは、外国人の個人や集団の入国者数の急増に伴い、それによる事件が増加してきていることも完全否定することは困難であろう。従って、それにも依存していると考えられ得る。しかしながら、その全国的な発生比率とその内容が異質になってきているように観えるのである。そこで、その原因を突き詰めるべく、しかも外国人による犯罪実例はここでは別にして、我が国内におけるこの課題を採り上げてみたいと思うのである。まず、宗教の必要性に関する見解の一例として、ひろさちや氏は、「『人間に宗教は必要か』という『問い』自体が、ナンセンスに思えます。と言うのは、人間は宗教を持つから動物と区別されるとわたしは思っているから」[1]、と述べられておられる。また、直接的に宗教的な見解ではないが、時間概念として、人類と動物との相違点がトケィヤー氏により述べられている。すなわち、「時間概念は、人類だけが保有するものであって哺乳動物はもっていない。その証拠として、墓を作るのは人類だけだからである。時間概念のない哺乳動物は、死の事実を確認できないので、墓のもつ意味を理解できないのだ。古生物学者たちの研究によれば、人類の墓は、すでにクロマニヨン人たちの手によってつくられていたとのべられている」[2]という。

これらの見解を別の方向もしくは立場から観てみると、次のように言い得るであろう。つまり、動物たちは、彼等自身の家族や血族などが死亡した場合、我々人間のように決して墓を建てて供養や祈りなどはしない。これは否定し難い事実であろう。すなわち、信仰心などは有していないと考えられ得る。そうすると、逆に、人間と動物との共通点は何かというと、食することと、寝ること、食料もしくは餌を得ること、食料を得るためや縄張りを守り維持するために、場合によっては戦い（武闘）を行使すること、活動もしくは労働すること（自身の家族のために）、青年期になったら親から独立して、新たな自分の家庭を持つこと、及び生活の智慧を身に付けること、などを挙げることができるのではないだろうか。従って、我々人間は、これらの動物と共通の項目を実施する際には、自身の人格的水準がそれ以外の時よりも急激に低下することに対応し得るから、それらの行動または言動には人間的な文化的社会的な品位を保ちつつ注意せねばならないことになる。現代における我が国内での流行の一つである食通（グルメ）の流行もその項目に含まれるため、注意を要するべきである。立食いや公共的乗物（例えば、電車、バス、船や飛行機など）内での許認可のない場所での飲食は控えるかまたは慎むべきではないだろうか。以上の概要を知り得た上で、次に進もう。

宗教の意義とその必要性

それでは、宗教とは一体何か、という問題に入りたい。ある方によると、宗教とは、主に次の二点であるという。「第一は、（人間の）生き方を身に付けるものであって、知識を学ぶものではない。第二は、その教えを学んだら、その通りに実行して、わが身に体《たい》していくことである」と。従って、筆者は、宗教を次のように考える。すなわち、宗教とは、「正しい処世術と信仰心の教えとを学びかつ身に付けたのち、それを日常の実生活にも反映させながら生きていくこと」と。単に処世術ということだけならば、例えば、先述した益軒の『養生訓・和俗童子訓』を何度も読誦して学び、かつ、その内容に沿って実行し続けることも良い方法の一つであろう。しかし、宗教には、それに加えて、更に「信仰的な正しい教えを学び」かつ「それを実践し、日々の生活に反映させるように実行していくことが必要である」と。この後者が、単なる処世術を身に付けるだけでは、まだ不充分であることを意味しており、かつ、そのことも言っているのである。ここで、周知の如く、世界の宗教には、例えば、我が国で主体的な仏教、神道などの他に、キリスト教、イスラム教、ヒンドゥー教、ユダヤ教などがある。したがって、例えば仏教を例に採るならば、前述の「生き方」もしくは「処世術」と共に、仏教の正しい教えを学びかつ身に付けつつ、その教えを日常生活のあらゆる場面に反映させ適用し充分に活用して生きていくことと言い得るのである。そのため、戦後からの学校教育では通常の学科目の学習で占められているため、宗教、宗教観もしくは信仰心は全くといってよいほど、子供たちや青年たちの心や身に付いていないと共に、心身に刻み込まれていないし刷り込まれてきていないのである。もちろん、極めて一部のご家庭内で実施されてきている可能性はあるであろう。

これは、次のようにも言い得るのではないだろうか。すなわち、平均的に観ると、戦前までとは異なり、心の中に宗教観もしくは信仰心が殆ど存在しえない空虚な人間が毎年毎年、学校を卒業して社会へと巣立ってきているのではないだろうかと。但し、義務教育を通じて、少なくとも基礎科目だけは学んでいるであろう。確かに、我が国では、毎年毎年、当該省庁の保護や指導の下で全国の各学校を通じて、あらゆる分野の企業や官公庁などへの就職合格や自営業などを目指して、一人ひとりがあたかもベルトコンベア上に載せられて、入学し、基礎教育、基礎体力及び基礎情操力などを育成され教育され身に付けて頂いてきている。そして、所定の年数を経た後、次々と、春に（近い将来は秋の可能性も予想され得るが）卒業させて頂いてきていると言い得るであろう。しかしながら、これでは毎年毎年、卒業して巣立っていく少年少女及び青年男女が、殆ど何らの正しい宗教観及び信仰心を持たないままの状態で、次々と成人及び社会人となっていくことに何らの歯止めが掛からずに、今日まで延々と来てしまっていると考えられるのである。なぜなら、これらの社会現象の傾向に対して、何らの疑問も抱かずに日々生活を送ってきている人たちが極めて大量に、送り出されてきているからである。従って、筆者は次のことを危惧するのである。すなわち、これらは、大いなる危険性もしくは危機的要因に繋がり得ると。そして、そのような負の社会と共に、それに伴う人口比率が着実に増え続けてきていると考えられ得るからである。それ故、このような社会現象を何で憂えずにいられようか。

この傾向は、特に、戦後の約１９６０ないし１９７０年代の我が国の高度経済成長期に加速されたと考えられ得る。その一つとして、当時、一部で所謂、経済動物（エコノミック・アニマル）と揶揄されたものの、脇目も振らずに猪突猛進し続けてきたがために、確かに、経済力は向上したであろう。しかしながら、反面、それに伴い、負の現象が発生してきたのである。というのは、「精神または心の面」をないがしろにしてきたツケが回ってきたからである。従って、筆者は次のように考える。すなわち、逆に、これからの時代は、この負現象に制動（ブレーキ）を掛けて、本来のより正しい状況へと改善し、かつ、これらの負現象を見直すための絶好の機会ではないかと。併わせて、この折角の心の改善の絶好の機会を何も実行せずに逃してしまうと、我が国は、ますます深刻な状態へと低落していく危険性が高まってしまうのではないかと。

正しい宗教観及び信仰心を持たないことによる社会及び国家等への弊害

前述したような正しい宗教観及び信仰心を持たずに社会へと次々に送り出されてきた結果、いかなる人間が生み出されてきたのであろうか。確かに、社会人や企業人などになった暁には、上司から指示・命令された業務に関しては誤りを少なく処理することはできるであろう。しかしながら、その反面、例えば、善悪の弁別のできない者、すぐに短気を起こして暴力を振るう者、年長者や年下に関係なく、直ぐに喧嘩腰になる者、人生の価値観を経済もしくは金欲を第一優先のみに置く者、または弱者を慈しむ心が消失もしくは減少している男女を大量に世の中へ送り出してきているのである。なぜなら、彼等彼女等の心がこのような狭く、無感情的、何でもかでも計数（デジタル）思考的、負の状態的及び刹那的であるために、例えば、平気で婦女子、幼児もしくは小動物を殺傷したり、罵詈雑言をはいたりしてきているからである。あるいは、インターネット上で根拠のない大嘘の誹謗や中傷を極めて容易に掲載したり、他人や社会に著しく迷惑や恐怖を与えたり、陥れたりする事件が急増してきていると考えられるからである。従って、筆者は次のように考える。すなわち、これらの加害者像もしくは犯人像としては、少なくとも約２０００年を生き抜きかつ乗り越えてきた実績のある正しき宗教観及び信仰心の欠落欠如が一因していると。そして、更に、我々の自由かつ民主主義国家圏内の基盤上において、日々の実生活を送っていくためには、これらの正しい宗教観及び信仰心が、どうしても根本的に必要不可欠であると。

なお、善悪の弁別をつけることは、明らかに悪行ではないはずである。但し、極端にそれに拘泥し過ぎると、自らがそれに束縛されて苦悩することになりかねない可能性はあり得る。従って、そのような負の状態に陥らないための防止策としては、正しい宗教観及び信仰心をあなたご自身の身に体《たい》する外に道はないのではなかろうか。公正に観て、正しい宗教観を有するものならば、いずれでもよいであろう。ただ、筆者は、例えば、少なくとも、仏教の中の法華経はこれらの様々な苦の解消に応えてくれていると考えている。もちろん、世界には前述したように、幾つかの宗教が存在しているため、それらのいずれでもよいであろうが。

第十五章　我が国における「多神教」と「一神教」

多神教その一

例えば、２０１１年８月25日から９月５日に掛けて我が国に襲来した台風12号の影響により、某神社（神奈川県下であったと記憶されるが）のご神木といわれてきた一千数百年の樹齢を誇る大木が、それによる落雷により損壊し倒壊してしまった。更に、その前の同年３月11日に発生した東日本大震災の影響で、東日本地域のいくつかの地域において、墓石やその他の関連石仏、神社仏閣などの設備の一部が倒壊した事実が明らかとなった。その他にも多数の実例を挙げることができるであろう。しかし、ここでは、この二例について考えてみたい。

帰依の対象等の損壊時における受け止め方の例

つまり、前二例は、少なくとも部分的に損壊、倒壊または消失したのであるから、そのご神木や墓に霊魂が宿っているとされる八百万の神々や当事者の先祖に係わる遺骨を通しての、霊魂もしくは帰依の対象もまた、損壊、倒壊、流失されたり、それぞれの少なくとも一部分が損失、欠落されるかのように見做され得る可能性は完全否定できないのではないだろうか。確かに、全国都道府県及びそれらの各自治体における地元の国民は、我が国の古《いにしえ》の時代からの慣習として、各家の先祖代々の本家や分家としての墓石の先祖及び帰依の対象に向かい、合掌し、お礼を伝え、念じたり、お祈りをしたりしてきている。また、信仰の対象は、少なくとも盆や暮れあるいは冠婚葬祭の儀式などの際に、大いにお世話になってきている。その対象またはその一部が今回、損壊、倒壊、場合によっては流失などにより消失してしまったのである。一方で、これらの有形な墓、仏壇もしくは札《ふだ》などの対象物は、様々な条件や年月が経過することにより、変化または消滅していくものである。場合によっては、長い年月により劣化したり腐食したりする可能性が否定できないであろう。そのために、その対象物の運営や管理などに携わる数多くの人々が建て替えるか修復工事を実施する場合もあるであろう。また、例えば、八百万《やおよろず》の神々の神棚に配置するいくつかの札などは、毎年、大晦日《おおみそか》を除く年の瀬に、新しい札に更新し、古い札は地元の神社（すなわち氏神）に依頼して焼却して頂く地域が殆どではないだろうか。そして、前述の対象物を建て替えるような場合、以前の年数を経た信仰の対象と微視的に全く同一に建て直すことは、一般的に、かなり困難であろう。もちろん、肉眼で確認できる尺度という意味では、殆ど同一に修復することは可能であろうが。いずれにせよ、この現象を言い換えるならば、例えば、仏教的には「諸行無常」とも言い得るであろう。

しかしながら、これらの災害は、帰依の対象が宿るとされる対象物は、同一の位置、状態または形で永遠に全く同一で実在し続けるという保証は少なくとも困難であることを、神仏が我々に教示してくださっているように思われるのである。なぜなら、我々の眼には見えない霊魂や帰依の対象が神道の「カミ」のような場合には、八百万の神々であって、多神教の神であるから、天上界に居られる「高天原《たかまのはら》の神」は実体がなく、例えばエーテルのようなものであり、そのカミが地上に降りてきて、「気（き、又は、け）」という霊力やエネルギーになる[1]であろう。しかるに、それらの八百万の神々、霊魂もしくは帰依の対象である有形の各々が損壊、倒壊、破壊もしくは流失してしまうとなれば、信仰の対象には、本質的にはなり得ないかまたは、その対象となる量もしくはエネルギーは著しく減少するはずだからである。

以上のような状況ではあるものの、筆者はこう考える。すなわち、信仰的には、ある地点や場所に、愛する先祖または亡くなられた家族や親族などがそれぞれ埋葬されている墓地などが流失したと仮定しても、信仰的には、そこで亡くなられた先祖や親族の霊魂は残っている、漂っているもしくは宿っていると解釈するのが一般的であり、より矛盾のない、科学的合理性を有する見解ではなかろうか、と。

多神教その二

ところが、我々日本人には、それこそ過去約３０００年以来の（あるいは、人骨などに基づく人類学的、遺伝子学的及び考古学的立場からみると、約1万６０００年程度まで遡ることもできるが）智慧がある。ただし、蛇足ながら、ここで歴史の永さを自慢するつもりは毛頭ないことを予めご承知おき願いたい。なぜならば、歴史の永さだけを単に問題にするならば、我々人類の誕生以来の歴史は、既述のように、約２７６万年である。それでなくとも、我々と共に、この地球上で生活し活動を続けてきている、例えば、瀬戸内海で現在も生息しているカブトガニは過去約2億年ないし3億年の歴史を有しているといわれているからである。従って、我々人類が鼻高々に威張れる立場にあるわけではないであろう。すなわち、我々人類は科学技術の力によって、この地球上のみならず太陽系の支配をも自由に制御でき得ると考えている世界の一部の組織や集合体があるやに風の便りで聞こえてくるが、そうは簡単にいくものではないであろう。ただし、それらの真の目的及び内容が善行ならば当然可能性は残されているであろうが、もし悪行や罵詈《ばり》雑言などにより世界の人々や人類を苦難、苦悩及び恐怖のどん底に貶《おとし》めるような行為が為《な》されるならば、神仏はもはや黙ってはおられないであろう。

神仏の対応

また、彼等がいくら卑劣でおぞましい悪の遠大なる野望や貪欲を増大させたとしても、それらの全てに対する反作用が、彼等自身の国内から、動植物などの自然現象と同様に、自然発生的に生じてくることであろう。そうでなければ、真の正義、愛、智慧及び慈悲などを重んじる神仏が、いつまでも沈黙し続けておられるはずはない、と筆者は確信しているからである。

帰依の対象や墓などを破壊もしくは汚染する犯人像

そこで、話を戻すと、例えば、帰依の対象が損壊、倒壊、破壊、流失もしくは消失され、あるいは盗難され汚染され汚濁されたりしたならば、特に、それらの中の犯罪行為に関しては、例えば、我が国以外のいくつかの国々では、それこそ、それらの犯人や犯人組織に対し徹底した報復をする可能性が極めて高いのではないだろうか。確かに、我々日本人は、当然、まず、そのような死者を冒瀆するような野蛮的、低俗的な犯罪かつ悪行自体を実行しないし、犯さないのが通例であり、世界公知である。しかしながら、我々は同時に、当局へ犯人逮捕の依頼はするであろうが、その後の対応の度合が彼等と極めて大きく相違するであろう。なぜなら、そのような平均的な国民的精神的感情を維持しつつ、少なくとも過去約３０００年間実践してきているからである。言い換えるならば、そのような人為的な野蛮行為は我々の遺伝子の中には平均的または原則的に組み込まれていないためとも言い得るからである。または、死者を冒瀆するような、人間として人格的に極めて低水準で下劣な蛮行かつ悪行は本性的に嫌うからであるとも言い得るからである。従って、筆者は逆説的に、次のように考えるのである。すなわち、前述の信仰の対象となり得る帰依の対象や墓を人為的に損壊、倒壊、破壊、盗難、汚染もしくは汚濁を実行した真犯人もしくは黒幕像としては、そのほとんどは日本人以外の、むしろ外国人、その中でも、特に、アジア人である可能性が極めて高いと推察され得る、と。なお、残念ながら、同様の野蛮的、低俗的で陰険、陰湿な事件が、例えば、２０１８年7月23日に大阪府阪南にて発生している。その内容は「無念仏の約30体の墓石」が何者かにより破壊、損壊されていたというものである。これにより、地元の住職さんが悲嘆に暮れていた。この真犯人もしくは黒幕は、反日系、強い儒教系もしくは過激派系の者である可能性は完全否定し難いと推察され得る。

なぜなら、これに関連して、例えば、「漢民族の場合、死者はいつまでも生者の時代のことを引きずり、死後もそのことを問題とする」という。加地氏は、古代中国の春秋時代（筆者注・紀元前770〜前440年。我が国の縄文時代後期の懿徳《いとく》天皇時代頃にほぼ対応）に、楚《そ》の国の平王《へいおう》によって殺された怨みを抱いた伍子胥《ごししょ》が、後に楚《そ》の国に攻め込んで、平王の墓を暴き、遺体を引きずり出して、更に鞭うつ、という我が国の通常観念からすれば明らかに残酷とも言える例を、『史記』伍子胥《ごししょ》伝を引用して解説しておられる〔2〕。また、同氏は、「古代のみならず、中国大陸政権成立後、社会主義のもと、小作人がもとの地主の墓を発《あば》き辱《はずかし》めたことが多くあったし、近くは文革期に紅衛兵たちが同様のことを行なったことが伝えられている」旨も述べておられる。後者については、その類例として次のことも知られている。すなわち、かの中国の元首相であった周恩来は、1975年当時、余命いくばくもない病床で、彼自身が死後に批判され政治的に抹殺されることを非常にかつ真剣に恐れていた〔3〕という。

これらの事例により、次のことが鮮明に浮き彫りにされてきたと言い得る。すなわち、覇権的、独裁的かつ膨張主義的な共産系社会主義の軍事大国の一つとなっている現代においてもなお、中国人民（及びその他の一部の民族）は、前述の生者の時代のことを死後も引きずり続け、それを問題視し続けてきているのである。そして、これは、儒教（孔子を祖とし、仁を根本とする、政治・道徳の教え。一般的に宗教とは思われていない）の本質的な根もしくは遺伝子が前述の実例に係わる背景となり、それらが根底に横たわっているためと考えられる。但し、儒教を心の糧としている他の国々や地域の人々の、外観の容貌からは全くみること知ることは不可能であるが、心の中には脈々と先祖から引き継がれてきているのである。ちなみに、彼等の精神もしくは心の中はこのような論理もしくは構造により構成され支配されていると考えられる。そのため、筆者は次のように考える。すなわち、我が国の死生観と彼等のそれとは、加地氏も一部述べられている如く、半永久的に一致点を見出す日が来るのは、殆ど不可能であり、結果的には、両者は殆ど平行線を辿ることになると予測され得る。このことは、例えば、靖国問題にも関連し得ることであろう。

人の心根は猿《おん》こうの如し（善なる頑固さの必要性）

さて、このような状況下において、話を元に戻そう。前述のご神木、神社仏閣の帰依の対象または墓の一部が損壊、倒壊もしくは消失あるいは盗難や汚染や汚濁などの被害に逢着《ほうちゃく》した場合でも、我々国民の殆どは別の新たな対象を見つけ出したり洗浄や清掃や研磨などして、何とかその苦難の状況を乗り越えることであろう。そして、それを第二の新たな対象として再生させる可能性が高いと考えられ得る。また、この第二の帰依の対象または墓が再び同様に損壊、倒壊もしくは消失あるいは盗難、汚染もしくは汚濁などという（例えば、当事者にとって、完璧な防止が不可能で）不慮の事態に逢着したならば、更に、第三、第四、……などの帰依の対象または墓を用意して、その苦難を乗り越えていくものと考えられ得るのである。もちろん、ここで、前述の盗難、汚染もしくは汚濁が人為的原因ならば、当局により犯人もしくは犯人組織を捜索し逮捕して頂く流れになるであろう。すなわち、たとえるならば、これは、あたかも「（源）義経の八艘《はっそう》飛び」のようであり、あるいはまた、例えば「心根《しんこん》は猿《おん》こうの如し」（仏教の中の法華経における仏《ぶっ》説《せつ》観《かん》普賢《ふげん》菩薩《ぼさつ》行法経《ぎょうほうきょう》の一句）に類似しているようにも考えられ得るのである。

つまり、我々人間の心は、この二例から示され得るように、長時間もしくは永久に同一の静止状態を保つことはなく、時間の経過及び目前の現象内容と共に、しかも状況に応じて、現時点の心の状態から他の新たな心の状態へと容易に飛び移る（ジャンプする）ことができるとも考えられ得るし、そのようにも言い得るであろう。更に、心は仏性と単数もしくは複数の煩悩より構成され、かつ、その仏性及び煩悩はそれぞれ粒子または仮想粒子として表現され得ることが具体的に開示[4]及び[5]されている。なお、それによると、前述の心は、煩悩粒子の挙動またはその運動の振舞いに依存していると共に対応しているとも言い得る。それ故、前記「多神教について、その一」の二例のように、例えば「現時点における心の中の煩悩の状態」（Aとする）が、大災害などの自然災害及びまたは盗難、損傷、略奪、奪取、放火などによる人災により、当事者にとっての大切な「帰依の対象」が損傷、破壊もしくは消失されるなどの災難により、精神的及び現実的に行き詰まってしまった場合、古来よりの八百万の神々は、「他の（信仰の）対象という新しい状態」（Bとする）を与えてくれていると考えられ得る。更に、我々の中の多くの方々は、各家の先祖と八百万の神々とを同じ屋根の下に、一緒にもしくは別々に離して祀《まつ》っている家庭が殆どではないだろうか。確かに、我々としては、ご先祖さまと八百万の神々による数多くの帰依の対象から、より多くのご守護を賜りたい、という心理が働いているとも考えられ得る。しかしながら、これでは、善なる思いや意識に係わる頑固さに欠ける可能性がないとは言い難い。なぜなら、「こちらが駄目なら、あちらへ」、「あちらが駄目なら、更に次の向こうへ」というように、いくらでも心を移すことが可能な深層心理が働いているか作用していると考えられ得るからである。このような心の働きは、一見、合理的であるかのように見える。だがその反面、これは次のようにも考えられ得る。つまり、信仰もしくは帰依の対象を複数（二体またはそれ以上）あるいは複数体持っていることを意味している。もしそうであるならば、その分、その持ち主は、その対象一つあたりの信仰度（合）が、希釈され薄められると考えられ得るからである。そして、このことは、個人、家庭、地域、社会、国家及び世界の各水準もしくは次元において、意外と、重要な意味合いを有していると考えられ得るのである。平均的な我が国民の心の動きがこのようであると考えられ得るから、それを拡張した集合体である家庭、地域、社会、国家及び世界もまた、このような平均的な「心」（もしくは、その中の「煩悩」）の状態を有していると考えられ得るのである。つまり、現代における我が国の平均的国民性としては、ある課題に対し、「善なる頑固さに欠ける」、「曖昧な状態のままでの終結」、「優柔不断」、「責任回避」、「他人もしくは他集団への責任転嫁」、「真の善なる勇気の欠如」、「善なる決断力の不充分さ」もしくは「約５００年ないし１０００年もしくはそれ以上の長期を見据えた展望と洞察力と決定《けつじょう》の不足」を有していると言い得るし、そのように考えられ得るからである。従って、筆者は次のように考えると共に、現況を憂慮している。すなわち、我が国民の多くが、このような平均的な心の動きや働きをする可能性の大きい特性を有しているが故に、様々な分野で数多くの問題に突き当たり振り回されているのである。あるいは行き詰まっているのである。そして、我が国民がすっきりと納得のいく解決法を見出せずに、時間及び関連経費などが無情に過ぎていき増加していく事例が、残念ながら、かなり頻繁に観られてきていると考えられるのである。

責任転嫁と推察され得る例

例えば、２０１５年７月に噴出した、２０２０年７月開催予定であった東京五輪に係わる国立競技場建設についての責任回避、他者や他部署への責任転嫁の問題を挙げることができ得るであろう。それ以前の欧米における五輪開催の場合でも、五輪終了時点での予算執行額が当初の予算額の約3倍ないし4倍前後にまで膨れ上がる（資材費や人件費の高騰などを含めての）ことは周知の事実であった。従って、関連する指導者及び担当者などによるこれらの見通しや事前調査の度合が極めて甘かったといえないことはないであろう。逆に、この現象は、そのことの証左であるとも言い得る。ましてや、原材料、その他の資材、設計及び技術などの一部を供給する側の多くの外国の中には、五輪競技という世界水準の催しのために、これ幸いとばかりに、我が国の担当部局に標準額以上の高額を吹っかけてきたり、反日感情を洗脳されている数多くの国々では、これまた、これ幸いとばかりに、国家を挙げて通常以上の価格見積額を回答したり、資材の供給を渋ってくる可能性は完全否定し難いと言い得る。このあたりの諸外国の心理をも含めた資材交渉や取引などができないと、相手側の価格攻撃や彼等の交渉ペースに易々と攻めまくられて、相手側からの超高額の要求の前に陥落してしまう可能性は否定し難いところであろう。また、参考ではあるが、当初の予算額は、我が国の担当部局内での見解であって、相手側の判断分が予め含まれていたのであろうか。例えば、不確定要素の増加分などの危険因子を当然考慮すべき分の確保が不充分であったのではあるまいか。いずれにせよ、少なくとも本件に関しては、先見力もしくは洞察力の不足、欠落及び欠如が目についたということは言い得るであろう。その後、設計変更（A案とB案）されてA案に決まったようであるが。

神仏または神、仏（本仏《ほんぶつ》）及び八百万の神について

ここで、神仏または神、仏（本仏）及び八百万の神とは何であろうか。しばしば言われてきていることであるが、まず、神仏における「神の定義」について少し考えてみたい。まず、通常、我が国で神仏と言った場合の神とは八百万の神を指していることが少なくないであろう。ただし、ここでの神仏の中の神は完全無欠である方を指しているものとする。であるから、我々人間とは完全に別の存在と言い得るのではないだろうか。確かに、我々は自分自身が生きている間もしくは神仏によって少なくとも本日まで生かされている間は、数多くの様々な種類や重要度を有する煩悩により苦悩してきていると共に、たまに喜びをも授けて頂いてきている。しかしながら、我々の殆どの方々はそのことを忘れてしまったか、または、そのことを全く念頭に置いていないのではないだろうか。あるいは、神仏の存在自体について、ご自身の祖父母や両親などから、殆ど聞かされてきていないのではないだろうか。なぜなら、後述するように、我々国民は戦後、次第に無神論者が増加してきている傾向が観られるからである。そこで、筆者は次のように考える。第一に、結論的には、より早期にご逝去された各家のご先祖さまは、成仏されるものの、厳密には完全無欠の神と同一とは言い難い。すなわち、両者は厳密には互いに相違すると言い得るのである。人間は幾つもの欠点を有しているが、神は欠点を有していないと。

第二に、神は平均的人間の有するような欠点の少なくない人間とは異なり、我々人間のすべてに対し、「人種差別をしない」、「愛と慈悲心とを持ち、こちら側から問いかければ、我々人間と対話をしてくださるかまたは示唆、智慧もしくはヒントを授けてくださる」、「神は永遠に不滅である」。換言すると、「神は、時間が存在する限り、時間の中に存在し、時間と共に存在してくださっている」、「神は、特別な国、地域または特定な場所にだけ存在（すなわち、局在）するわけではない」、また、「正しく善なる言動をして活動している限り、いかなる民族に対しても平等なる愛と慈悲と時間とを降り注いでくださっているのである」。ただし、それがまだいくらか遅れている国や地域がいくつか存在してはいるが。

第三に、神は、皆様が日常生活をしている場所や空間を含

め、この地球とそれを含む太陽系の全惑星及びそれらを包含する銀河系を含み他の全銀河系をも含む「全大宇宙に実在する全体そのもの」と言い得るし、そのように考え得るのである。このような意味において、「神」は、例えば、我々が日々居住し活動しているこの大地や大海に係わる、原始神道の範疇《はんちゅう》と言い得る「山の神」、「樹木の神」、「河川の神」、「海の神」、「(動植物)の何々の神」などの自然物、自然現象、動植物の神格化されたものや、「地球」、「太陽系の全惑星」及び「全銀河系を含む全大宇宙」を秩序立てており、しかも統轄しているものと考えられ得る。ここで言うところの「神」とは、前述の原始神道、並びに記紀神話(天地の始まり、国生み、高天原《たかまがはら》、出雲、天孫降臨、日向の順で展開)及び古代神話、すなわち、天に在る神が我が国を生み、天照皇大神《あまてらすおおみかみ》の子孫が高天原から降りてきて、その後、我が国の発展に関与する旨の内容〔6〕のいずれにも係わる神々をも包含するものである。また、後者の各神道を統合したものが、いわゆる「八百万《やおよろず》の神」と言い得る。したがって、八百万の神とは、森羅万象に神の発現を認める古代の我が国における神の観念であり、数多くの神、全ての神〔7〕を意味している。

それ故、筆者の言う「神」とは、八百万の神を更に拡大拡張した、いかなる大国の力や大軍事力をもってしても支配することは全く不可能であり、かつ、我々が日々生活しているこの地球上の全世界の力とその大軍事力とを総合計したそれらでもなお支配し抵抗しかつ征服することが全く不可能なる超広大無辺なる範囲にわたって統轄し、しかも前述の神々にも変わらぬ愛と慈悲と智慧などを送り続けてくださっている全大宇宙に存在する唯一絶対の完全無欠のお方、存在、現象もしくは現証と言い得るし、そのように考えられ得る次元もしくは概念のものである。

日本人の宗教意識

ちなみに、我が国では、多種多様の職業分野が存在しているが、巷では、それらの文化、工芸、芸能、技術、運動、体育(スポーツ)などに卓越した方々を、しばしば、「書道の神様」、「将棋の神様」、「野球の神様」、「蹴球(サッカー)の神様」、……などと、かなり安易に「何々の神様」という文言を口にしたり記述したりしてきている。特に、大衆報道などの分野では日々の売上向上などの目的もあってか、かなり使用頻度が高いようである。しかしながら、これは、基本的には、言葉の乱用であって、言葉の使用方法としては「誤り」であると考えられる。なぜなら、「神」という文言は、本来は、あたかも八百屋やスーパーマーケットにおける一部の野菜類、果物類もしくは菓子類などのように大安売りをして、薄利多売などする分野の次元とは根本的に相違すると共に、眼には見えないが、気高い精神もしくは心の問題であると考えられるからである。この言葉には、もっともっと高度なる品格及び威厳が備えられ付加されるべきである。考えてみると、このように多くの大衆報道や国民が「何々の神」という文言を安易にしかも数多く使用してきているという事実自体が、実は、とりもなおさず、我が国民の一部が、真に、「神」という存在を真摯に考えていないか、または、あたかも付け焼刃的に安易に軽くしか考えずに、場合によっては揶揄《やゆ》しつつ、日々を過ごして今日に至ってきていることの証左であり、裏返しであるとも言い得るのである。もちろん、それらの一方で、神や神仏について真摯にかつ真心より研究されたり、神や神仏と対話されたり、祈りや供養を捧げたり、善行や菩薩行などを真心から実践している方々も現実におられることでありましょう。しかしながら、我が国民の全人口に対する比率からすると、残念ながら、それはかなり低いと推察され得るのである。

ちなみに、例えば、ＮＨＫが以前に日本人の宗教意識に係わる調査をした結果によると、宗教を信じている人は我が国民の約3分の１（33・3％）であり、約４０００万人の信者がいるとのことである。その一方で、各宗教法人が当局へ届け出た信者数の合計は2億人以上となり、我が国の人口（約1億２０００万人）を上回っている。つまり、一人が四つも五つも神様を信じていることになる[8]という。これは、信仰心という面からすると、かなり大きな矛盾であろう。このような傾向にあるから、逆に、我が国民は一つの神の信仰に対する、いわば集中度もしくは集中エネルギーが薄められ希釈されるために、一つの神に対する信仰心もしくは帰依の度合が希釈され、軟弱となり、その結果、その度合がより低減されてきてしまってきているとも考えられ得るのである。

仏とは何か

次に、前述の「神仏」における「仏」とは何であろうか。通常、「仏」とは、仏陀、仏像、釈迦牟尼、亡くなられて仏式で葬られた人、または、無邪気な人や慈悲深い人のたとえ及び死人を意味しているであろう。しかしながら、ここでの「仏」とは、本仏のことを意味している。つまり、仏とは、言い換えるならば、「宇宙の真理」のことである。従って、現在の宇宙が創造されてから（開闢《かいびゃく》以来）約１３８億年の過去からこのかた、ずっと無限の未来まで仏は全大宇宙のどこにでも満ち満ちておられるのである。このような意味の仏を、ここでは「本仏」という。その本仏が、ある人間を通して、この現実の約2５００年前に出現されたのが釈迦（釈尊もしくはシャカムニ・ブッダ）であり、その教えを学びかつそれに沿って実行することにより、その真理に達することができるのである。

ここで、「神」と「仏」とはどの点が相違するのであろうか。それを少し考えてみたい。確かに前者は唯一の絶対者もしくは創造主の存在を大前提にされており、我々個人が「神」

と、いわゆる契約を結ぶという形態を採っている。それに対し、後者は絶対者を認めておらず、全大宇宙の実在自体を本仏と捉えている、と言い得る。なお、ひろさちや氏によれば、大乗仏教では釈尊を「宇宙の仏」と捉えており、同氏は、これを「宇宙仏」と名付けておられる(9)。とはいえ、その一方で、例えば、キリスト教と、特に大乗仏教とは、かなり類似する面もみられる。というのは、同氏によると、神からのメッセージを携えて、宇宙仏としての「如」(縁起)の世界からわたしたちのもとにやってきたのが、お釈迦さまだからである(10)。従って、キリスト教と大乗仏教とはいくつかの点で共通点を有すると考えられ得る。その意味からすると、例えば、仏教から他の宗教をみた場合、前述のキリスト教のみならず、その他の宗教についても、それらの根本の教えに関して、少なくとも我々人類もしくは世界の人々などの救済を目指しているという点においては、共通点を有していると言い得るであろう。

法華経的解釈の例

ところで、我が国内の多くのご家庭における青年男女は、例えば就職活動の年頃やその時期になると、自分だけはより安定した企業や公務員などの就職試験に合格しますようにと、何らかの帰依の対象にお祈りをすることになるであろう。または両親や祖父母が自分たちの子供や孫だけは有名幼稚園や保育園、小学校、中学校、高校、(または中高一貫校)あるいは大学もしくは企業に合格しますようにと。全国の有名もしくは地元などの著名な神社仏閣に出かけて行って、祈願したり、その祈願供養を依頼したりするであろう。これらは、厳密に考えると、他の家族、友人もしくは隣人などに対する一種の差別的な思考もしくは行為の一つではないだろうか。もちろん、我が国は節度と限度とを有する自由かつ民主主義の国であるため、この行為は各家庭の個人的な行為の一つに属し得るであろうが。神仏からみれば、恐らく、それぞれの分野において、健康状態その他が優れなかったり、実力が未だ備わっていなかったりしていれば、またはその試験日までに間に合わなければ不合格になるであろうし、あるいは逆に、実力がその日までに充分に備わっているならば当然合格することであろう。

また、その一方で、例えば仏教的観点(特に、法華経的受け止め方)からすると、仮に、本人にとって重要な入社試験や資格試験などに不合格または不採用になったからといって、精神的に落ち込む必要はないのである。確かに、不合格や不採用の通知を受ければ、受験者本人は痛く傷つくことであろう。その気持ちは充分理解できる。しかし、そうだからと言って、その時点での自分自身の実力と相手側の学校や企業の求めているそれとの間に差があるにも拘わらず、仮に、例えば裏金を使うなどして、無理に入学したり入社したりしても、結局、入ってから、その本人自身が精神的に苦しむことになるのは明白なのである。なぜなら、学校の場合、そこに入学後、数多くの臨時及び定期の各試験に苦しまねばならないはずだからである。あるいは、企業の場合、そこに入社後、上司からの数多くの業務指示や命令及びその他に対して、どのように迅速に処理してよいのかの判断に苦しむことになるのではないだろうか。そうして、次第に、仕事上の壁に当たり、自分一人が周囲から浮いてしまうことになりかねないであろう。また、それにより、同輩や先輩たちからも白い眼で観られ始めることになると予測され得るからである。従って、そのような負の環境下では、本人にとって、益々、自由に伸び伸びと自身の才能や実力を発揮することが困難になってくる可能性が高まると思うのである。それ故、筆者は、不合格や不採用もまた「神仏のお計らい」であると受け止めた方が、本人の今後の心身の健康のためにも善いと考えるのである。この場合、万が一、それに落ちたら、また、心を入れ替えて、次の目標に向かって挑戦すれば善いのである。一回、二回程度落ちたからといって諦めてはいけない。このような、ありのままで無理のない受け止め方をすることによって、自分自身の精神状態を常に平静にもしくは平常心に保つことができるのである。言葉を換えて言うならば、あなたの目の前に現れるすべての現象を、神仏からのお計らいとして、かつ、神仏を心より深く信じて、「ありがたい」、「ありがたい」と思って、「ありがたく」受け止めさせて頂くのである。このような受け止め方をするならば、如何なる失敗もあるいは成功も、今後のあなたが歩んで行く、人生という、でこぼこした、ぬかるんだ、あるいは、時には暴風雨雪に見舞われるかもしれない登り坂での、大きな智慧となって、感謝の心を抱きつつ活かされていくはずである。

世界の信仰者の比較

また、他のデータによると、我が国の無神論者は51・8％と過半数を占めているという。世界的には、社会（及び旧社会）主義国で無宗教の比率が高く、1位は中国の93％、2位はチェコの64％、3位はベラルーシ及びロシアの48％となっている。社会（及び旧社会）主義国以外では1位がオランダの55％で我が国が52％で、これに次いでいる。また、我が国では仏教が34・9％と多く、神道は、仏教の10分の一の4％とそれほど多くない[11]。なお、ある専門家によれば、かつて１９６０年代に来日され、我が国の宗教界に貢献された国際宗教研究所所長のウッダード博士の調査によると、我が国の仏教は、仏教でありながら、釈迦を本尊としていない不思議な仏教が数多くあるため、彼は、日本の仏教を釈迦を本尊とする仏教と釈迦のいない仏教とに区別しているという。ところで、社会（及び旧社会）主義国における宗教については、実質的にそれらの各国は共産党や社会党もしくは労働党などの一党独裁主義と同等であると見做し得るため、それらの各国の為政者もしくは権力者の語録や主義が自由主義国家圏における主たる宗教に相当すると考えられ得る。従って、これらの国々で無神論者が約64ないし93％と過半数を占めているのはいわば当然の帰結であるとも言い得る。つまり、この数値が、仮にそれらの各国において約100％であったとしても、驚くに値しないであろう。あるいは、その比率が我が国のそれより高くとも、別に何ら驚くに値しないし、どうということもないであろう。それ故、その数値を我が国のそれと比較し判断する基準としては適切でないのかもしれない。

一方、世界におけるキリスト教徒（キリスト教信者）の数は2002年の集計で約20億人である。また、イスラム教徒は13億人、ヒンドゥー教徒は9億人程度である。従って、キリスト教は世界で最大の信者を擁する宗教である〔12〕。ここで、前述の共産系社会系主義などの全体主義の各国家を一つの宗教と見做すと、これらの信者数は約17億人程度になると推定され得る。ちなみに、我が国は統計的にみて約8470万人が仏教徒であり〔13〕、（その仏教徒の数は）全世界で3億6000万人である〔11〕。なお、別資料によると、約5億人とされている。ちなみに、2019年の某大学教授の調査結果によると、例えば、同年における我が国内の神棚、仏壇の保有率に係わり、その20年前と比較して、次のような変化が現われているという。ここでは、20才以上の男女4000人を対象としている。それによると、「神棚はない」が50％から62％に増加、「仏壇はない」が42％から50％に増加及び「拝む頻度」は「神棚が32％から21％に減少」、「仏壇が45％から39％に減少」していたという。このように、それぞれ、かなりの変化が見られている。更に、都市部のみならず地方でも減少傾向が見られた。以上により、同教授は、古来の深い宗教文化が希薄化していると危惧されている。確かに、この調査結果は由々しき問題であろう。しかしながら、時代は様変りしてきている。現代では、初詣、入学もしくは入社などに係わる心願成就の際に参拝するのが精々《せいぜい》なのではないだろうか。なぜなら、この結果は、筆者が先述来危惧し、警鐘し、指摘させて頂いてきた様々な負の社会現象及びその傾向の分析結果を裏付けているほどに対応していると考えられ得るからである。従って、筆者は次のように考える。すなわち、我が国の老若男女の方々には、改めて、正しく善なる信仰心を培《つちか》い、それを維持し、かつ、あなたご自身に体《たい》して頂きたいと。更に、それをあなたの実生活に活用し応用して頂くことが、今後、真正に強く求められている、と。

全体主義国家圏の宗教観

なお、我が国民にとって馴染深く、お世話になってきている仏教や神道などの考え方は、共産系、社会系、労働系の各独裁的な全体主義国家圏の国々及び過激派組織などにとって、殆ど通用しないと、我々全国民は心得ておくべきではないだろうか。確かに、例えばロシアなどでは、ロシア正教なる宗教が存在してきている。しかしながら、その一方で、宗教の政治への介入は全く許されていない。そして、ここでも宗教は一部の人民にしか通用しないと考えられ得るのである。先の仏教や神道などの考え方が平均的に通用しない点では、中国、北朝鮮なども殆ど同様である。成程、極めて一部の人民が宗教に係わっているように観えるかもしれない。だが、彼等の総人口に対するその比率からすれば、それは微々たるものである。なぜなら、彼等の思想内容は、我が国のそれとは全く相容れない、あたかも「水と油との関係」に相当するからである。従って、筆者は我が国としては、予めそのように観て対応した方が、明らかに無難であるし、科学的合理性を有していると考える。

神と先祖との相違

神と先祖について考えてみよう。まず、神（ここでは、以下、唯一神を単に神と称す）と先祖は、明らかに混同してはいけない。その理由として、まず、神について考えてみたい。世界には多くの人類を救済しかつ彼等彼女等の身代わりになり厳しい修行を積まれた結果、神または本仏になられた方々が実在されていた。ここで、神または本仏になられたとは、人間としての極めて高い心の境地に到達された方々を通じて「なられた」ことをも意味している。例えば、「神の子」であり「救い主」としてのイエス・キリスト、「預言者」であり「神の使徒」としてのムハンマド（もしくはマホメット）、「宇宙仏」としてのシャカムニ・ブッダ（釈迦）などがおられる[14]。しかしながら、主にそれらの方々以外の通常の人間の場合、いかに微量、少量であったとしても、ある程度の短所を有しておられるのではないだろうか。確かに、我々は日常生活を振り返ると、何らかの喜怒哀楽の感情やそれらに伴う言動を発信してきているように思われる。しかしながら、その感情の一つ一つについて、周囲の家族、親族、友人、知人、職場などに迷惑を掛けずに、正確に処理し続けてきているであろうか。否、それは処理可能な場合は直ちに処理でき得るが、その反対の場合には、当事者間での反発や衝突という事態も生じ得るであろう。あるいは、種々の背景により、忘却の彼方へ押しやられているのではないだろうか。なぜなら、前述のように、我が国民の約半数が無神論者ということからすると、その方々は、少なくとも過去約2000年間生き抜いてきた神仏による大いなる智慧の一部をも備えておられないと推察され得るからである。そして、そのような方々は、すべての心の内を赤裸々に打ち明け、日々の苦悩または喜びなどの、心より湧出する素直な気持ちのすべてを打ち明けることができる、または安心して告白や懺悔《ざんげ》または随喜の感謝の気持ちを伝えることのできる「帰依の対象」を心の中に保持されてきていないと言い得るであろう。これは極めて勿体ない事であり、その方にとって、大きな損失ではないだろうか。従って、筆者はこう考える。すなわち、その完全無欠の方である「帰依の対象」が、「神」（もしくは、「本仏」）と言い得ると。そして、これを自分自身の心の中に保有しているか否かにより、その方の言動、挙動もしくは所作並びにご本人の自信の有無などに大きく影響力を与えると。それ故、このような意味において、逆説的に、我々人類または人間は「神」（もしくは、「本仏」）により生かされている、と。

苦は誰もが持っている

また、我々一般国民より観た場合、如何に高く重い数多くの肩書を有し、あるいはご立派な家柄に生まれ育ってこられた方々でも、我々のような苦悩を果して有しておられないのであろうか。確かに、そのような方々は、通常、例えば、経済的には恵まれ、生活に余裕があるように観える。しかしながら、その実態もしくは現実の生活状況においては、多種多様の苦に悩まされてきていると推察されるのである。なぜなら、端的に、今、例えば、富裕者と非富裕者（もしくは低所得者）の二例を考えてみよう。そうすると、前者の中には、そのような立場に至るためには、先祖から継承してきている資産家もおられることであろう。しかしながら、通常は猛烈社員などになって、例えば、売り上げに貢献すべく、働き続けねばならないはずである。そのためには、取引先の開拓、販売の継続、トラブルの解決、その他の多事多端の状況下に、必然的に巻き込まれることによるストレスが蓄積されていることであろう。一方、後者は、一生懸命に働いているにも拘わらず、報酬などに恵まれ難いために、ギリギリの生活を送っており、かつ殆ど常に、経済苦に追われてきていることであろう。従って、両者の苦悩の内容はかなり相異するものの、苦悩自体が常に存在するという観点からは共通していると考えられるのである。それ故、筆者は次のように考えるのである。すなわち、如何なる肩書や家柄の方々であろうとも、人間である以上、前述の「心の内」、または「苦悩」は皆無もしくはゼロ％ではなく、たとえ少量といえどもいくらかは必ず有しておられるはずであると。しかし、そうだからといって、前者は後者を軽蔑したり、見下したりしてはならない事は至極当然であろう。一方、後者は前者に対して卑屈になったり、阿《おもね》るなどの必要も全くないであろう。そして、それらを打ち明けずに我慢し続けるならば、その苦悩はそれ以降ずっと持続され得る。もしそれらを周囲の人に打ち明けられたならば、心は大いに安らぐことであろう。しかしながら、打ち明けられた側の人は、その苦悩内容をずっと自身の心の中にしまっておくことは殆ど不可能と思われる。従って、いずれ近いうちに、第三者へ口外してしまう可能性は完全否定できないのではないだろうか。現代ならば、例えばインターネット、ツイッター、フェイスブック、ラインなどの手段を用いて友人や他人により公開されてしまうかもしれない。その個人的内容が、特に、他人や不特定多数に知られたくない場合、本人は嫌悪感を生じ得るであろう。ちなみに、例えば、２０１３年8月ないし9月までの期間において、いくつかの匿名による悪意を有する他の中傷、東日本大震災に遭われて苦しんでおられる数多くの方々の心を逆撫でするような文言をツイッターなどに記載した極めて愚かで悪質な公務員が出没する始末である（なお、この犯人はその後、当局により逮捕された）。

更に、神（もしくは本仏）は、我々通常の人間が日々生活し活動し、運動もしくは静止している場所、位置、時間などにより何ら変化されないし依存も影響もされない。また、我々人間のように寿命を有していて、いつの日か天寿を全うされ、天国、霊界もしくは彼の国へ召されるということもない。すなわち、この我が国を含む地球上の全世界に存在し、我々が日々生活し活動しているこの地球のみならず、この太陽系の全惑星（長さにして約10の13乗メートルほど）及び全銀河系（長さにして約10の21乗メートルほど）を含む全大宇宙（長さにして約10の26乗メートルの超巨大さを有していると科学的に見積もられている）が誕生する瞬間より、天国、霊界、彼の国に居られたのである。従って、八百万の神々さまの上またはその外側の上位概念から、愛と慈悲と智慧などをもって、我々人間を含む動植物などよりなる森羅万象を見守り続けてくださってきているのである。その期間は今後ないし遠い将来にわたり、この地球、太陽系及び全大宇宙が秩序正しく運行し実在する限り存続し見守り続けてくださっているのである。

ところで、神（もしくは本仏）は、どのようにして善悪に係わる弁別をされてきているのであろうか。確かに、我々人間としては、善悪の弁別が明確な場合は、通常の者ならば、その判断は可能であろう。しかしながら、その両者の境界と同等もしくは近い概念の言動については、現実的には、往往にして無視され易いのではないだろうか。あるいは、当事者が幾らか悪の領域に属しうることを承知していたとしても、その最終判断をすべき時点で、周囲の人物、物的、経済的などの諸状況に精神的に追い詰められているなどの切羽詰まった状況のために、悪または誤った判断が実行に移されることもあり得るであろう。なぜなら、人間は、よほどの人格者でない限り、日々、様々な現象に悩まされ、苦悩してきているため、神（もしくは本仏）のような完全無欠な方は殆どおられないからである。もしおられるとするならば、それは、神（もしくは本仏）であろう。従って、善悪に係わる正しい判断をくだせる方は神（もしくは本仏）のみと言い得るし、そのように考えられるのである。それ故、筆者はこのように考えるのである。すなわち、神（もしくは本仏）は、人間に対し直接的もしくは間接的に、仮に人道的に悪であることを強く願うかもしくは実行する者に対しては悪の結果、負の功徳もしくは報いを与えると。そして、善なることを誠実に強く願うかもしくは実行する者に対しては、その請願者本人自身の能力と実行動力とに対応して、その者の請願に耳を傾けてくださると。しかも、その者に対し、その請願者が理解できる人格的水準に合わせて、その人にとって理解しやすい結果としての現象をその人の前にまたはその人の心の中に、それぞれ、出現させてくださるのである。

先祖について

一方、先祖は、両親、兄弟姉妹、祖父母、親族、友人または知人などを通じて、子孫の心の中に、それぞれ特定の、先祖に係わる生前の姿、言動、言行、挙動などが具体的に再現され、子孫である彼等彼女等のその後の生きる活力、勇気、エネルギーなどの本《もと》の一つとなることであろう。具体的には、例えば、その数多くの先祖の中のある対象となる先祖の一人が、多くの善行を積んだ方ならば、その子孫たちは大いに尊敬し、自分自身の将来の人生の目標の一人とする可能性もあり得るであろう。

これに対し、先祖の中の何人かが、例えば極端な場合、悪人または悪を実行してきた場合には、その子孫たちが仮にまっとうで善悪の弁別が充分につき、しかも善行を積んでいる人物であるにしても、少なくとも直ちに尊敬され羨望の眼差しで観られるようなことは稀ではないだろうか。確かに、子孫が善行を積んでいけば、やがて世間の眼は改善されていく可能性が高まるであろう。しかしながら、少なくとも直ちに羨望の眼差しで観られるのは稀ではないだろうか。というのは、そのことに対する世間の不信感が消失するまでは、かなりの年月を要することになるからである。それどころか、命日になっても、供養されることは極めて少ない場合も考えられ得る。霊界もしくは天国に居られる先祖にとって、これほど寂しいことはないであろう。先祖といえども、生存中は、我々通常の人間と同様な人間であったはずだからである。従って、筆者は、如何に優秀なお方であっても、神（や本仏）のように完全無欠ではないであろうと考えるのである。

心の大黒柱の喪失

ところで、現代における我が国は、あたかも父親が亡くなられた母子家庭に類似しているように観えないことはないであろう。もちろん、現実には、我が国の全国都道府県に居住され、日々を一生懸命に、正しく逞しく生き抜くために働いているすべてのご家庭の方々は、「今更、何を言い出すのか。おかしなことを言うな」などと、特に、すべてのお父さんやお母さん方、祖父母の方々より、手厳しいお叱りを受けるかもしれない。しかしながら少しお待ち願いたい。ここで述べた「父親」とは、次のことを意味しているのである。すなわち我が国での古よりの（少なくとも3000年前より1945年頃までの）「男らしさ、善なる自由かつ民主主義的で正しき武士道精神が、心身の隅々まで、いわば骨の髄まで、男らしさで満たされている者のことを。それと共に、悪の言動をせずに、周囲の人々に対して宗教的もしくは信仰的な愛と慈悲の心及び弱きものを労わる心をも持ち合わせている、というある意味で、ほぼ理想的な父親像を有する男性」のことを。だが、このような眼で我が国の現状を俯瞰してみると、このような人物は恐らく殆ど実在し得ないのではなかろうか。確かに先の敗戦直後までは、言わば天皇陛下が我が全国民の中心的もしくは準父親的に、そして皇后陛下が全国民の準母親的に、それぞれ相当する存在であったと言い得るであろう。ところが、我が国の敗戦が決定し、そのことが玉音放送にて、天皇陛下より直接全国民に向けて流されるや否や、当時の殆どすべての老若男女は、突然、父親を失ってしまったかのような喪失感を味わうことになったのである。これは、あたかも自国の父親の超大役の席に、全く異質の世界で活動してきた外国の代理父親と彼の大勢の仲間たちや息子たちが、我が国という家に突然入居してきたような、極めて重く、複雑で沈痛な心境状態に陥ってしまったかのような感覚に類似し得ると思われるのである。そして、戦後の新憲法発布により、陛下は「日本国の象徴であり日本国民統合の象徴」と規定され位置づけられることとなった。戦中までのような極めて重要かつ大きな権力と権限とを有することが失われてしまったのである。また、それにより、我が全国民は、言わば、その日より突然、心の中が空虚になり、あたかもそれまでの大安心の状態から「心の大黒柱」に相当し得る中心的もしくは準父親的存在を喪失してしまったかのような気持ちに長い間陥ってしまったのである。逆に、この大混乱期を絶好のチャンス到来と捉えて、同時期に各国の共産系、社会系、労働系及び過激派系などの個人や各種の団体、組織、部隊及び国内のそれらの分子等が、我が全国都道府県におけるあらゆる自治体へと雪崩込んできたのである。彼等彼女等は自国用のアジト、（スパイ用の）隠れ家及び拠点などを設置し、それらを現在及び将来にわたり、拡大させ、増殖させ続けてきているのである。それらの場所とは、例えば、街中などの戸建、集合住宅、団地、マンション、店舗、料理店、喫茶店、書店、古書店、語学教室、学習塾、空屋、パチンコ店など様々である。それというのも、その混乱期から現在に至るまでの幾つかの政府、与党及び関連当局の一部が厳正にそれらの大量の流入傾向に対し、強い制動（ブレーキ）もしくは歯止め政策を怠ってきたからではないだろうかと強く危惧される現象がしばし観られるからである。従って、筆者は次のように考えるのである。すなわち、終戦直後からは、当時の全国民がそれ迄に拠り所としていた準帰依の対象的なものが一気に弾《はじ》けてしまったがために、殆どの全国民はその時から遠い将来に向けて、一体何を頼りに生きていけばよいのかと、極めて途方に暮れたのではないかと想像するに余りあると。

しかも、その敗戦直後の我が全国土は殆ど焼野原となり、住居は焼失し壊滅していた。直接、地上戦となった沖縄県の方々、広島及び長崎で直接被爆された方々、その他の数多くの全国の被災・被弾された方々のことを想う時、胸が痛むのは筆者のみならず全国各地のすべての方々であろうと思われる。また、空爆などにより焼失した家屋以外の残った家屋は、地域の住人が協同利用する地域も数多く存在していたようである。また、交通の利便性が良く、辛くも爆撃〈空爆〈爆撃機及び艦載機などによる〉及び艦砲射撃〉を免れた比較的丈夫なまたは立派な家屋や建物の一部は、占領軍により強制的に接収された。これらの被害者の方々は、恐らく行き先を失ったことであろうし、極めて精神的かつ本質的なご苦労をされたことであろう。

絶望下に必須な信仰心

このように打ちひしがれた全国の数多くの一般国民にとって、これから新たに、一歩一歩人生の登り坂を歩んでいくために大安心の得られる希望の光とは一体何であったのであろうか。確かに、当時の国民の殆どは自分たちの土地がない、または荒廃して農耕に適していない、家がない、欲しいときに食する食料が極めて少ないかもしくはない、飲み水が満足にない、衣服がない、金がない、冬期になっても暖房源や暖房器具が不足もしくはないし、夏期に猛暑になっても冷房器具がない、食事用及び風呂焚き用ガスが出ないかもしくはない、家族がバラバラに離散したり、外地に行ったまま帰国しない全員揃っていない、などの「ないないづくしの状態」であった。そのため、大半の人々はその日その日の食糧を入手することで頭が一杯であり、それが毎日の生活における最優先課題の一つであったと思われる。しかしながら、そのような厳しい状況下であっても、人々の心の中は、まだ、しっかりと自由独立性と共に、正しい信仰心を一人ひとりが保有していたのである。なぜなら、人々は互いに各地元の町内会、村内会などにおける各々の中小規模に係わる集合体単位での協力、絆、隣人的、隣村的もしくは結束関係がしっかりと成り立っていたからである。従って、筆者は、その協力ないし結束関係の大本《おおもと》は、心の底から帰依し得る信仰心もしくは宗教心であったと考えるのである。ここで、その内容とは、例えば、正しくかつ心より信頼でき、信用でき、しかも決して裏切られることがなく普遍的なものを意味している。そこで、当時の多くの一般国民が、既存の宗教及び宗派のみならず、1920年代ないし1930年代頃から勃興してきた新しい宗教をも含めて救いを求めたのは、人間として自然の流れであるし、無理からぬことであろうし、必然であろうと推察され得るのである。

貧の新時代

ところで、その敗戦直後の大混乱期における多くの国民にとって、日々の想いとは何であったのだろうか。それは、「貧《ひん》・病《びょう》・争《そう》」、すなわち、「貧乏・病気・争《あらそ》い」に起因する日々の生活に直結する苦しみや苦悩との新たなる戦いの始まりであったのではないだろうか。確かに、当時の全国民の中の殆どはいないづくしの状態であった。このため、それによる精神面での落ち込みも極めて大きかったに違いない。しかしながら、我が国にとってのそれ以上のマイナス面は次の事であったと思われるのである。すなわち、敗戦という現実の絶望感、虚脱感もさることながら、マスコミ（新聞やラジオ）により、罪悪感を必要上に植え付けられてきた洗脳教育に依る可能性も高いであろう。そのために、一般国民は終戦後も精神的攻撃を更に受け続けてきた事も一因していると考えられ得るのである。なぜなら、前者については壊滅状態になってしまったからである。この当時の状況は、例えば、現在の中東シリア国及びその他の諸外国の惨禍に似ていると言えないことはないであろう。もちろん、その背景などは相違するが。このような厳しい状況下においてさえも、当時の全国民は一日も早く、立ち上がりたい、これからの生活基盤を持ちなおしたいと当然思ったはずである。そして、我々は理性的な平常心を取り戻し、正常な生活をも取り戻し、復活させたいと願い続けてきているのである。そのために、後者の如き、幾つかのマスコミ等（陰の黒幕的存在）による自虐性の植え付け押し付け的大罪の戦略戦術（仮称）とも言いうる国内外の圧力が、我国全体の前向きの善なる活動に対し、ブレーキを掛け続けてきていると考えられ得るからである。従って、この内外力をはねのける力を、我々全員が養い、培わねばならない。正常でまともな数多くの国民が自らの意識と意志と反発力で、それらの眼には見え難い内外力をはねのけ、活力ある明るい未来へと続く善かつ正義の我等の国創りに一人ひとりが参画しようではないか。というのは、現代が、既にそのような重要な時期に迫られかつ置かれているからである。そのように我々は感得せねばならないし、そうなるように我々一人ひとりが自分のできる事を一つづつ実行せねばならない、と考え続けてきたはずだからである。それ故、筆者は次のように考える次第である。すなわち、この前者のような物質的な欠落、欠乏のみならず、後者の精神的な絶望感、失望感もしくは虚脱感から、我々全国民が脱却するためには、どうしても正しく善であって、しかも、永い歴史を有する宗教に依存せざるを得ないと。これらは、残念ながら、哲学や心理学などの学問のみでは不充分であり、数多くの人々の心は救い切れない、つまり、当時の（もちろん、現代にも十二分に通用するが。）老若男女の一人ひとりにとって、これらの苦しみの毎日から、「何とかして、何としてでも、救われたい、這《は》い上がりたい、今の生活から脱したい」、と誰もが思っても、決して不思議ではないはずである。そういう心の底から沸々と湧き出てくる気持ちを大きく包み込んでくれる宗教、すなわち、神仏に一日も早く巡り合って、真情を全て吐露したいと思うであろう。それが人として当然であり、自然な心理的生理的現象であろう。それと共に、我々自身だけでなく、自身の家族や親族のみならず、隣人も、お世話になった方々も、温かいご指導を賜ったにも拘わらず、上手にもしくは円滑にお礼の表現ができずに、種々のまたは自分自身では気が付かない間に多くのご迷惑をお掛けした方々も、この人も、あの人も、全国の各地域の皆さん全員が救われてもらいたい。お互いさまに、幸せになりたい、平和になりたい、おいしいご飯やおかずを腹いっぱい食べたい、自分の好きなことでかつ周囲の人々に迷惑を掛けないような趣味や夢を叶えたい。そういう善なる強い強い想いから、人々は、より正しく、より善であり、より大きく確固として、恒久的にぐらつくことがなく、大いなる包容力のある真に誠実なる宗教に救いを求めたのであろう。あるいは、強く求めたのではないだろうか。……。

このように切迫し、差し迫った、切実なる想いの社会現象は、何も前述のような戦後のみに観られたわけではないであろう。例えば、時代を一気に遡って、例えば、平安時代（794～1192年）の約400年間や、更に時代を遡って、仏教が我が国に伝来した古墳時代（538年または552年とも言われる）の世相にも類似しているように考えられるのである。なぜなら、前者の平安時代では、飢餓や天災などに幾度となく見舞われ、当時の多くの国民がそれらに恐れ慄《おのの》く結果、当時の宗教や陰陽師などを通じての陰陽五行思想などに依存し、その当時の現在、近い将来及び未来の吉凶の予測などをしてもらっていたであろうことは、多くの文献などにより充分に知り得ることだからである。ここで、陰陽五行思想とは次のことである。すなわち、一切の万物は陰と陽の二気によって生じ、五行中の木、火は陽に、金と水は陰に属し、土はその中間にあるとし、これらの消長により、天地の変異、災祥、人事の吉凶を説明する思想である。そして、その中の「凶」に属する言動を回避し、「吉」に属する言動を守り維持したであろうこともまた充分に予想され推察され得ることである。また、後者の古墳時代は、前者より時代的に遡るが、当時の為政者、権力者、一般国民である村人たちや一般住民などが、原始宗教、陰陽師及びまたはその民間化した呪術師などに依存したり影響を受けたりして、政治、国防、防災、経済、文芸、生活上、その他の不安や迷いなどを解決するために、それらの専門家の教示や示唆などを受けつつ実施していた可能性は否定できないと考えられ得るからである。

更に、これらの現象は、2011年3月11日以降をも含めた現代の我が国の世相に類似しているのではないだろうか。つまり、現代は、時代と共に、科学・技術は非常に進歩し続けてはいるものの、自然災害的な巨大地震、巨大津波及び原発の水素爆発による放射能放出に関する大事故などによる脅威、過去の経済バブル崩壊、リーマン・ショックなどによる経済的衝撃（ショック）及び経済的にはギリシャに端を発した欧州金融危機、我が国の巨額債務、などに起因し得る不景気、国民各世帯の平均収入の減少、買い控え、購買困難などによる経済的悪循環などに基づく「新貧乏時代」、すなわち現代における新たな形式の「貧」の時代、の到来と言い得るのではないだろうか。ただし、2012年の衆議院選挙で、その前の約3年半の政権状況に対し、逆転圧勝した自民党（安倍）政権が、三本の矢の一つとして2013年1月に発表したリーマン・ショック以来の緊急大型景気対策として、日本銀行と協議して約10兆円の国債を発行した。これにより、東京外国為替市場では1ドル約89円台、同年1月19日には約90円台、翌2014年1月には約103円程度のそれぞれ円安となった。首相の安倍氏は2014年1月19日のテレビにて、ここ長年来の不景気からようやく脱出して景気が上向く傾向にあり、しかもこの景気を安定的にするためには、この2014年はその正念場であるという主旨のことを述べている。従って、今後の景気動向については、徐々に上向きつつあるものの不透明な点も多々あるため、しばらくは静観していきたいものである。このように観ていた時期の2014年12月に安倍内閣は内閣を解散し、同月14日に衆議院選挙を実施した。更に、同内閣は2017年10月に解散され、その後、衆議員選挙が実施された。なお、上述の新貧乏時代の中には、経済的格差と共に、「心のもしくは精神的な貧」もまた現代病の一つかもしれない。しかも、その「心の貧」が後述する「争」の一因をなしている可能性がかなり高いと筆者は考えている。

病《びょう》の新時代

また、我が国民の多くは成年以上の男女に拘わらず、青年男女の若年層であっても、各種の成人病に罹《かか》っており、その予備軍の割合が年を追うごとに増加しているという状況にある。我が国は他の国々に比してほとんど異常なほどの食通（グルメ）ブームに染められてきているようにみえる。そして、そのブームによる、例えば糖尿病、高脂血症、高血圧症、骨粗鬆症《こつそしょう》、脳溢血、脳梗塞、各種臓器に係わる癌《がん》などを含む生活習慣病または成人病の患者もしくはそれらの予備軍（婦人及び成年男性に限らず、青年男女も）の数の増加傾向は、まさに前述の「病」自体の症状を呈していると言い得るではあるまいか。確かに、それがために、我が国内の、例えば、青年や中年男女について、欧米並みの肥満体型の方々が増えてきていることは問題の一つであろう。逆に、その点を防止する為の商品を売り込む向きも観られるが、それはまた、別次元の事であろう。しかしながら、平均的かつ医学的観点からは、このような過度の状態は決して望ましいとは言い難いであろう。なぜなら、そのような状況は様々な生活習慣病に直結し得るからである。このため、最近では、全国の報道関係や書店では肥満対策、その防止方法及びそれらの関連商品に係わる宣伝や情報が溢れている。従って、筆者はこう考えている。すなわち、一人ひとりの個性に合致した体型を保つためには、あなたご自身の現在の健康状態と共に、身長、体重、年齢、血圧などに見合った量を摂取すること、適度な歩行及び軽い運動を実践することなどである。これらは当然、その日その時の状況や体調に合わせて、過度にならないようにすることが肝要である。ちなみに、例えば単に、あなたご自身の体重をより適切な程度に減量させたいと強く請願した場合、スポーツのみでその目的を達成させようと実践しても、かなり困難かもしくは殆ど不可能であろう。一番無理をせずに有効な方法は、それよりも食事療法である。これは筆者自身の体験からしても、そのように言い得ることである。もちろん、実践者のご意志が強固で、運動と食事療法の両者を、健康を損ねることなく、同時に実践できれば、それに越したことはないであろう。但し、最近の、例えば、青年男女の一部については、脚の筋肉の細さが眼につく場合がしばしば見受けられる。これは恐らく、食事療法もしくはダイエットのやり過ぎのためと推測される。それ故、これらの方々は、その度合を幾らか緩めて頂いて、ご自身に合った適切な摂取量に戻して、元の健康な体型にして頂ければと願うところである。

争《そう》の新時代

更に、昨今の報道を賑わしている、家庭、学校、職場、地域、社会などの各集合体、集団もしくは組織の内部における不和や、次のようないじめや暴力、虐待、殺害などの悪行が、前述の「貧・病・争」の中の「争」に対応し相当していると考えられ得るのである。ここで、いじめとは、例えば、各種の電子情報媒体、ビデオ、ディーブイディー（ＤＶＤ）、インターネット、ツイッター、ラインなどの媒体を用いた無智、悪意、幼稚さ、低俗と品位の欠落欠乏に起因しかつそれらに満ち満ちた、根拠や証拠のない、でっち上げで嘘の、悪口、誹謗、罵詈雑言などである。これは、加害者もしくは犯人の「心の状態」が、未完成、未熟もしくは無智であることなどに起因しており、彼等彼女等自身の目には見えない精神面が未だ真の誠実なる大人的人格的に確立されていないことや、本人の自信のなさ、善なる意味における頑固さ、心の余裕やゆとり、または心もしくは人格的な器が極めて小さいことなどの証左であると言い得る。従って、それらの心の完成度に係わる極度の水準の低さが、それらの様々な悪行に走る原因の一つとなって現れてきていると考えられ得るのである。

儒教色が強く非宗教的な国々の考え方

　ところで、前述の仏教は、そもそも古代インドにて誕生し、隣国の古代中国にもたらされ西暦５８０年頃に流行したが、古代中国には、それ以前の紀元前１３６年に儒教が国教化されていたため、一時それと共存する状況となった。しかしながら、その後、古代中国では数多くの戦争による国の興亡を繰り返してきた。特に、近代以降の共産主義革命後の中国において、それは馴染まなかった。なぜなら、今述べた度重なる戦乱、戦争及び同国内における革命闘争による血生臭い歴史を数多く繰り返してきたため、言わば、優しい心、または穏やかで平和な心を追求し醸成し育成し教化することを大目的とする仏教（特に、その中の法華経、すなわち、諸行無常《しょぎょうむじょう》〔15〕と諸法無我《しょほうむが》〔16〕とに基づく涅槃寂静《ねはんじゃくじょう》〔17〕という大安心の心の境地を目指す大平和境を建設する壮大なる教え）は、彼等の共産系社会系主義思想とは根本的に相いれなかったであろうことは容易に想像し得ることである。それに加えて、彼等は彼等の主義に強く関連している唯物弁証法を崇拝しかつ強く教育されてきているため、尚更、キリスト教、イスラム教、チベット教、仏教などの宗教に対しては、基本的に否定的もしくは拒絶的思想を心の奥底に刻み込まれ刷り込まれ教育されてきていると考えられ得るのである。別の現実的な観方をするならば、その両者は背反関係、対極に位置する関係もしくは水と油との関係にあるとも言い得る。もちろん、彼等人民の中の極めて一部には、仏教徒などの人民も存在している。しかしながら、彼等の全人口に対する仏教徒数の比率は、極めて少なく（筆者の推定で約０・０００３６％ないし０・０００３８％程度）、同国の全国内における少なくとも過半数の人民の心に係わる、現状に合致するほどの「教え」にまではなり得なかったあるいは馴染まなかったと考えられ得るのである。

　従って、同国では、例えば、２０２０年時点で約14億人の人口を抱えつつも、仏教徒の占める人口比率は、特に近代以降において、我が国と比して、殆ど増加することなく発展してこなかったという見解は否定できないであろう。特に、文革中はキリスト教、イスラム教、チベット教、仏教及び道教などが迫害を受け、それらに関する人々に対しては逮捕、暴行、殺害、死刑、財産の没収、それらの関連施設の破壊及び収奪などが実行された。その中でも特に、イスラム教徒への弾圧の例として、１９４４年の統計（民国統計局）発表では同信徒数が４８１０万人であったのが、中国大陸の１９５４年版（『時事手冊』）では１０００万人を超えていない。つまり、その10年間に３８００万人が減少した。その大量の人民の差は一体何を意味するのであろうか〔18〕、と著者の加地氏は読者に判断と疑問とを問いかけておられる。これらについては、多くの専門家が推察されているように、強制的もしくは強圧的国外退去命令（しかし、命令だけで、果たして約３８００万人もの大多数の人々が、従順的に素直に自身の家族の土地、住居、家屋や実生活を簡単に投げ捨てて、迅速に安易に移動することに応じるものであろうか）及びまたは殺害などの可能性もまた完全否定し難いと考えられ得るであろう。そして、加地氏によれば、１９７５年１月に公布された中国憲法第46条では、「公民は……宗教を信仰する自由及び宗教を信仰せず無神論を宣伝する自由を有する」と、規定されているという。もともと中国では信仰の自由は有名無実であり、同国は政治的理由から宗教を利用せざるを得なくなったため、１９７９年に、キリスト教系、イスラム教系、チベット教系及び仏教系のミサや礼拝などを表面上認めるようになった。しかし、ここでも疑問を抱くべきであるという。それは、宗教の受け入れが「いっせいに」許可されたということは、宗教が、上からの指令一本で動く、あやつり人形の一つに貶《おとし》められていることをまず見破らねばならない〔19〕、旨を指摘されているのである。

中国の宗教事情

また、同氏によると、東北アジアの伝統どおりに、中国では政治が宗教を管理しているという。政教分離といっても、東北アジア（儒教文化圏）とキリスト教文化圏とでは、動機が異なるという。１９７９年６月に同国政府は、宗教団体に対し、全面的に政府に協力することを誓わせた後、同年７月から一斉に宗教活動を再開させたのである。だから、どの宗教団体も政府の御用団体に過ぎない。はっきり言えば、外貨稼ぎ用であり、同時に同国は、宗教を最も馬鹿にした形で認めているに過ぎない〔20〕という。ちなみに、その証左の一例として、次の事件を挙げることができるであろう。すなわち、例えば、２０１５年９月25日のテレビニュースによると、中国浙江省で、その地域に実在するキリスト教会が、地元当局により建前は違法建築などの理由により強制的に教会が破壊され取り除かれ、同教会の象徴である高さ約６メートルないし７メートルの十字架も18人ないし19人の実行者により取り除かれるという事件が起こった。これは、当局及び同教会の中国人の責任者も一部述べていたが、同キリスト教の発展があまりにも早く信者数が多くなり過ぎているとの警戒感から、同国共産党の事実上の一党独裁支配を揺るがす存在になりかねないために実力行使に踏み切ったと考えられ得るのである。この事実は、我が国の仏教や神道でも、仮に同国で広宣流布することにより、それらの信者が急増してきたならば、同様の運命を辿ることをも強く示唆しているのである。従って、我が国と全く無関係の事件であるとは言い難いと考えられる。なお、前述の宗教を認めていない理由は次の通りであるという。１９７９年２月に、同党は宗教関連の会議を開き、同国宗教学会を成立させ、その一方で、その前年の１９７８年12月に、同国無神論学会を作った。この時の討論論文集の要点及び関連研究所の目的は、無神論優位の学術的権威化にあるという。つまり、仏教は迷信であるが、儒教は仏教をずっと批判してきたからよい、という。つまり、儒教や孔子の名誉を回復できると共に、仏教を大いに叩けるため、という。これにより、彼等には大きな国益の一つが転がり込むという。

つまり、彼等傘下の宗教団体を御用団体として再建させ、対外的に交際させることにより、宗教の自由も認めていると（外国に）宣伝して、これまでの中国大陸のイメージを変更させる。と同時に、これをきっかけとして、自由諸国と接近を図り、国家再建に役立たせようという政治目的がある〔21〕、との主旨を、同氏は考察されておられる。また更に、同氏は指摘する。中国大陸の首脳は、政治は宗教を支配すると考えているため、前述の宗教関連の会議にて、はっきりと、「わが国（中国）の社会における宗教問題を研究し、……正しく宗教の発生、発展、そして消滅（原文は「消亡」）して行く客観的原則を認識する」と述べている、と。また、宗教によって「国際間の友人と団結し、各国宗教界の人士を包み込むことができ、……」と、いう。これが同国の宗教政策の本質であるとしている。そして、同氏は、我が国の宗教関係者に向けて、次の如く激励し促しておられる。すなわち、我が国のこの分野の関係者は、この本質をしっかりと認識すべきである〔22〕と。

彼等による我が国に対する共産系社会系思想の強制化の危険性

彼等によるこの方針から、次のことが読み取れる。すなわち、仏教は、我が国を含む、例えば東、東南及び南の幾つかのアジア諸国及び世界の幾つかの国々において、今日まで、実質的に主要な宗教的位置づけで各国民の間で信奉されてきているのである。しかしながら、彼等は、それを心の奥底もしくは本音の部分では、それを全面的に否定し非難しているか、もしくは、それに相当する観念を保有してきていると考えられ得るのである。ここで、特に危機感を抱かざるを得ないのは、次の二点である。すなわち、第一点は、同氏も指摘されているが、宗教の消滅もしくは消亡していくのをはっきりと認識する、と述べていること。第二点は、外国人と表面上は協力しながらも、彼等の基本的な心構え及び本音としては、その人々を自分たちの共産系社会系主義的で独裁的で覇権的かつ膨張的な考え方もしくは思想に包み込む、丸め込むまたは洗脳することを憲法の中に明文化していることとである。これは極めて危険でありかつ恐ろしいことに繋がると予測され得る。そして、これは、換言するならば、我が国を含む世界の自由かつ民主主義国家圏に属する国々で、少なくとも約2000年間の永きにわたり信じられてきている、崇高で真の宗教観とは真逆の精神構造及び思想の強制化である。このような考え方もしくは思想からは、帰依者並びにその教えに対する真の喜び、我々自身の体の震えを抑えることが極めて困難なほどの真正な感動、感激、感謝及び懺悔《さんげ》（例えば[23]）の心は生まれてこないであろう。それどころか、逆に、それらの世界に実在する幾つかの宗教に対する排他的かつ憎しみ、怨み、嫉妬心などがますます助長される可能性が増大すると考えられ得るのである。

また、武田善憲氏[24]によると、元ロシア大統領のエリツィン時代では、ロシア正教はロシア人民に対し禁止されていた。確かに2011年1月時点でのメドヴェージェフ＝プーチン体制では政教「不」分離として公認されてきた。しかし保護されてきているとはいえ、ロシア政府、すなわちロシア共産党政権は宗教の政治への介入を許しているわけではない。だが、これは当然ではないだろうか。なぜなら、共産系社会系主義の実質的な独裁国家では、その共産・社会主義自体が国家の理念及び大目的なのであるから、基本的に宗教自体を受け入れる可能性及びその余地などは殆どなきに等しいと言い得るからである。仮に、一部の宗教を許認可しているとするならば、その理由は、諸外国及び自国人民に対し、単なる偽民主化を実施していることを宣伝（プロパガンダ）し納得させるための単なる演技もしくは見せかけ（ジェスチャー）である可能性が高いと観た方が無難であるし、より現実的妥当性を有していると考えられ得るからである。

戦後の我が国における宗教観の変遷

ところで、我が国は、戦後、米国式民主主義及び個人主義に基づく自由と民主主義の思想を導入してきた。しかし、我々は、このときに、個人主義を利己主義と取り違えてしまってきたと考えられるのである。個人主義とは、個人を出発点及び目標とし、社会や集団の利益に優先させて個人に主要なる意義を認める主義である。従って、本来は、互いの私生活（個人の秘密、プライバシー）を尊重する所から発しているはずである。つまり、自分自身の私的な時間を大切にするということは、取りも直さず、例えば、祖父母、両親、兄弟姉妹、友人、知人、師、諸先輩、諸後輩もしくはその他の人間関係にある人たちの個人の時間をも尊重するという考え方や視点に立っているという、比較的次元の高い思考体系であると考えられるのである。これに対し、利己主義とは、他人の迷惑を顧みず、自分だけの快楽、利益、都合もしくは主張だけをはかり、満足させようとする主義または前述のようなわがまま気随に勝手な行動をする主義のことである。例えば、祖父母、両親、兄弟姉妹、友人、知人もしくはその他の人たちへの影響などは考慮しない主義のことである。従って、両者は、互いに明確に相違する考え方である。そして、先の大戦後の我が国は、後者の利己主義的言動が支配的になってきているように観えるのである。しかも欧米型の個人主義に一応属し得るものの、我が国のそれは、彼等の個人主義とは幾らか異質であると考えられるのではないだろうか。確かに、その背景としては、先の大戦終了後に大挙して大陸から共産系社会系主義に洗脳されて外地から帰国した人々や、国内で拘束されていた同主義者等が開放された状況などから、同様の人々が国内に一気に増加し始めたことも一因しているる可能性は否定できないであろう。しかしながら、それはばかりではないであろう。つまり、終戦直後の大混乱の状態を絶好の機会と捉えて、近隣諸国及びその他の同類主義の外国人たちが、前述の帰還者等に紛れ込んで、大量に我が国内に密入国してきた可能性は十分に考えられ得る。なぜなら、数万人ないし数十万人単位の旧ソ連（現ロシア）、中国及びその他での日本人捕虜が終戦になったからといって、単に、事務的に右から左へと、簡単に送還されるとは考え難いからである。つまり、その送還のために、彼の国々としては、捕虜に対して、様々な負のハードルを設けてきたはずだからである。従って、筆者は次のように考えるのである。すなわち、従来のような教科書や大衆報道などからは到底知ることが困難であり、現代に生きている我々一般の国民にとっては、なかなか知ることのできない厳しい現実（例えば、強制的洗脳訓練を受けさせられた事など）を背負って帰還されたのではなかろうか、という推測は完全否定し難いと。それ故、そのような背景に依存し得るために、先の戦中以前と比較して、我が国の総人口に対する無神論者の比率がかなり増加してきた可能性が大きいと推察されるのである。その背景として、国内の一部並びに、戦後に大量のアジア系及びその他の外国人が来日してきたためと思われる。その外国人とは、特に、共産系、社会系及び労働系主義者の工作員や間諜などである。彼等彼女等が我が国内で様々な職業、活動、サークルや、仲良し活動など、あらゆる分野の各種の勧誘、例えば、学習塾や団体、その他などを通じて、我が国の老若男女の一切合切を標的にして、現在までも彼等彼女等の思想を執拗に洗脳し続けてきている可能性が極めて大きいと考えられ得るのである。しかも、それらの勧誘手段は、テレビ、ラジオ、新聞、インターネットなど、全ての宣伝媒体を通じて実行されてきているのである。従って、我々一般国民は、それらの宣伝をまともに受けるのではなく、その宣伝の背景や真意がどこにあるのかを考えてから行動すべきではないだろうか。何らの疑問も持たずに、それらの宣伝を頭から盲信してはいけない。その内容をあなた自身がよく吟味し、取捨選択しなければいけない。その判別能力について、あなたご自身が今現在のところ、自信がない場合には、家族、親族、親友もしくは賢者に問い合わせて確認してからでも充分間に合うはずである。従って、落ちついて行動して頂きたいと願うものである。決して、焦ってはいけない。なぜなら、通常は、その位の時間的余裕はあるはずだからである。このようなことから、「神仏の存在を否定」しているか、「神仏そのものがどのようなものなのかが本当は分かっていない」、「神仏のことについて、祖父母や両親や周囲の方々から何も教えてもらってきていない」か、もしくは、それらに起因して「信仰心」を有していない方々が増えてきている可能性が大きいと考えられ得るのである。その結果、我が国民の無神論者の全人口に対する比率が約33・3または51・8％（[25]及び[26]）のやや高比率になっている背景ではなかろうかと推察され得る。

正しく善なる信仰心の重要性

この傾向は、我が国民の多くが心の中にしっかりと根付いた芯のような、心根または心の大黒柱とでもいえるような正しい宗教（心）もしくは信仰心が安定的かつ強固に根付いていないからである。換言するならば、眼では見ることができず、しかも極めて高価値の「精神的な宝もの」が欠落欠如していることが一因していると考えられ得るのではないだろうか。確かに、現代の若者はもちろんのこと、その両親さえも、祖父母や両親などから、活きた現実生活を通じて教えられるべき最低限の必須事項が、通常の学科目などよりも最優先して、教えられてきていないことにも一因しているであろう。あるいは、あなたのこれからの人生にとって、単に学科や学問や仕事の内容が教えられ、それらを身に付ければ通常の平均的生活は送れるであろう。しかしながら、それだけでは、不充分なはずである。なぜなら、その場合、多くの知識は養われても、多人数の中で生きていくための智慧が未だ備わっていないからである。そのためには、少なくとも約2000年の永きにわたり人類の実生活を通じて生き続けてきた現実の体験と実践と歴史（時間）を含んで歩み刻み込まれてきた、宗教に対する真心からの帰依心が根本的に不足し欠落欠如しているからである。従って、筆者は次のように考える。すなわち、我が全国民の過半数の方々は、この現実の世の中（すなわち適切かつ有限の自由かつ民主主義の世界）で、正しく落ち着いて、堂々と真の誇りを持って人生を生き抜いていくためには、正しく善なる宗教と正しい信仰心とが絶対的に必要不可欠であるということに未だ気が付いておられないように観えるのである。それ故、学科、技術、学問あるいは業務内容の知識は、個人、家庭、地域、社会、国家及び世界にとって必要ではあるものの、これからの長く厳しい現実の人生を力強く生き抜きかつ乗り越えていくには決して十分であるとは言い難いと。

我が国においては、少なくとも原始信仰時代を含めて、約3000年間（人類学上、遺伝子学上もしくは考古学上の期間をもあえて考慮するならば、約1万6000年間）の体験、実践、文化、文芸及び歴史などが、我々の先祖及びその遺伝子を通じて全国の各都道府県に居住する各個人に刻み込まれ刷り込まれて今日に至ってきているのである。しかし残念ながら、多くの方々は、そのことに殆ど気付いていないか忘れてしまっているかのように観えるのである。言葉を換えて言うならば、宗教心または信仰心は、我々、全国民にとって水や空気と同様に、絶対的に必要不可欠な要素の一つであると断言し得るのである。特に、我が国のような非全体主義で適切かつ有限な自由かつ民主主義を尊重し維持し続けてきている国民にとっては、根本的かつ普遍的に必要不可欠な要素の一つであると考えるのである。あるいは、この正しく善なる宗教、その信仰心及びそれらに伴う帰依の対象を持たない人間にとっては、心の中は常に充分には満たされず、新たなる不安と不満と欲望と貪欲など種々の強い煩悩に支配され蝕《むしば》まれるがために、苦しみ続けることになり得るのである。それらの方々が仮に如何なる巨億のあるいは無上の（最上の）富や財宝や資産を手に入れることができたとしても、あるいは既にそれらを所有しているとしても、彼等彼女等自身はそれらの富や財宝や資産が盗難に遭ったり略奪されたり紛失したりしないかという様々な心配事や不安感に悩まされ続けることであろう。そして、この帰依の対象は、共産系社会系主義で独裁的もしくは覇権的で膨張主義の幾つかの国々にとっては、彼等の「最高指導者の教えもしくは語録」が、言わば、自由かつ民主主義国家圏における各種宗教の帰依の対象による教義に相当すると考えられ得るのである。

我が国民が目指す方向

話が、正しい宗教心もしくは信仰心を抱くことの重要性と必要性の分野に幾分入り込んでしまった。そこで、少し話を戻そう。前述の正しく善なる宗教心もしくは信仰心が仮に人々の心の中に宿っていないかまたは安住していないならば、それらの方々は孤独感や孤立感に陥ったり、目の前の様々な現象や根拠のない嘘の発言、デマ（嘘の知らせ）や記事もしくは偽の噂などに振り回され、もしくは悪の誘惑や脅しなどに悩まされたり屈したりする可能性が極めて高くなるのではないだろうか。確かに、我が国は、現在のところ、利己主義的症候群（仮称）に罹っていると見做せないこともないような個人や組織が一部に存在しているようである。また、その他の多くの方々については、信仰心を有しておられることであろう。しかしながら、それにも拘わらず、我々は現代における国内外の数多くの様々な事件や事故などに四苦八苦してきているように思われる。なぜなら、それは、それらの各現象に係わる対処もしくは解決に向けた実行が後手後手になっているためのように観えるし、そのように考えられるからである。残念ながら、そのような実例にしばしば遭遇してきているためである。従って、筆者は次のように考える次第である。つまり、我々は善なる智慧を働かせて、神仏、すなわち我が国の宗教史を構成してきている仏教系に属し得る奈良仏教系、天台系、真言系、浄土宗、禅系、日蓮系、新宗教系、神道及びキリスト教[27]、その他の宗教のそれぞれの善い面と神（唯一神）との善い面とを融合して、我が国自身の約３０００年間に培ってきた数多くの長所を生かしつつ、それらを、あたかも一体化するような新しくより広範かつ広大無辺なる概念を包含しかつ有する宗教を創造するのに絶好な時期及び機会が、今、まさに今、来たと考えるのである。というのは、そうすることにより、我が全国民の心は現代及び将来に向けての新たな時代にも充分適用が可能となるからである。しかも現実的な矛盾点をより解消してくれると共に、より上位概念的立場から、我が国内及び世界で日々起こりかつ激変してきている数多くの出来事や社会現象なども統一的に理解され、かつ、対処する方法を見出せる可能性が高くなると考えられ得るからである。しかも、それにより、悪の宣伝（プロパガンダ）、嘘の物語や嘘の歴史の捏造《ねつぞう》、創作もしくは黒幕たちの言動や行動などに振り回されることなく、それらを冷静かつ厳正に落ち着いて特定し対処できる可能性が大きくなると予測され得るからである。更に、我が国が、仮に、我が国自身の過去の歴史や文化の長所や反省点を教訓として生かすことをせずに、あるいは、世界の中で独立性と共に適切な距離を有した協調性を維持していかないならば、一体どのような事態が予測されるのであろうか。確かに、企業及びその他の環境下で活動している数多くの方々が日々努力されているため、ある一定の国民総生産量（ＧＮＰ）に伴う経済上昇は見込めるであろう。しかしながら、そうは言えども、かつての（第一次）経済成長期のような順風満帆に事が進捗するとは予測し難いであろう。なぜなら、その第一の理由は、米国、欧州のみならず、アジア諸国などの台頭が目立ってきているためである。第二のそれは、我が国の少子高齢化のためである。従って、筆者は、この問題の打開策として、次のように考える。すなわち、我々一人ひとりがそのような善なる道もしくは心の軌道から外れるような傾向に陥るのを防止することである。そのための具体的手段として、まず精神面での善なる独立性及び特長を早急に養成し有するように教示することが求められる。また、エネルギー的及び物質的には、世界の見せかけや偽物でない真の同盟国、関連諸国と協力関係をより緊密にしつつ、お互いの提供可能なものを現在及び将来にわたって継続されるように善なる努力をし続けることを決して怠ってはならないのである。更に、我々は貪欲を戒めつつ「少欲知足」の精神を維持して、しぶとくも、柔軟で応用力とユーモアを育成しつつ、心身の耐久性、強靭性、柔軟性及び広大性にも富む民族を目指すべきである。ただし、我が国は、世界でもかなり天災などに見舞われる確率の高い国に属するため、全国民の災害時及び被災時における非常食や水の保存やその管理は最低必要条件の一つであろう。

彼の国での異常事件及び関連する歴史的背景

ところで、2007年12月から2008年1月にかけて、中国餃子毒入り事件が発生した。内容は、中国天洋食品の冷凍餃子を食べた千葉及び兵庫の両県の計10名が下痢などの中毒症状を訴えた事件である。そして、この餃子から殺虫剤メタミドホスが検出されたため、2010年4月に、中国当局が同社の臨時工員を逮捕し、同年8月に起訴した事件である。これは、その後、東日本大震災の勃発により、一時頓挫してしまった感がある。なお、この事件は、我が国の関連当局が科学的根拠に基づく調査結果を相手側に提示したにも拘わらず、予想どおり、相手側はその科学的事実結果を素直に認めようとはせず、受け入れようともしなかった。それどころか、全面的に反論し、我が国の捜査当局が苦心して分析し究明した事実結論を根底から覆してきた。恐らく彼等は、自身による科学的反論が不可能なことを充分に承知の上で、彼等自身の人民に対する権威付け、信頼度及び面子《めんつ》が極めて失墜し降下するのを恐れたため阻止したのであろう。すなわち、その事実を我が国を含む世界各国に対し覆い隠し隠蔽するために、国際的に違法であろうが無法であろうが何であろうが、恥も外聞もなく、我が国からの科学的根拠に反論して、かみついてきたのであろう。

このような彼等の手法もしくは常套手段は、彼等の近年の過去約150年間実行してきた、先述の彼等の共産系社会系主義的な言論闘争、文書及び武力闘争の手法の一つであると充分に考えられ得る。そして、もう少し彼等から離れて冷静かつ客観的に観るならば、このような彼等の解決方法は、同国では、何も近年に始まったわけではなく、1500年前ないし2000年前ほどから度々起こってきていることなのである。ただし、この事件は、2015年に中国当局により、その容疑者が逮捕され、無期懲役を言い渡されている。それら後者における古代からの所業に比べれば、あるいは彼等の先祖からの因縁もしくは遺伝子的な要因からすれば、これなどは、むしろかなり軽い事件に属すると考えられ得る。なぜなら、彼等の先祖から脈々と続いてきている心底残虐な歴史（例えば、麻生川氏の著書[28]）を知れば、この程度の悪の仕業は彼等の国内及び世界中で活動している中国人にとっては殆ど驚くには値しないまたは取るに足らない程度の類に属すると感じている可能性がある、と言い得るからである。

というのは、近年における具体例としては、例えば、中国の歴史教科書問題に関して、中国人である著者の袁氏は1840年のアヘン戦争と1899年の義和団事件を軸に検証（袁偉時著・武吉次朗訳『中国の歴史教科書問題』、日本僑報社。他）しており、次のように述べているからである。すなわち、「義和団は西洋人を殺し、外国人や外国文化に少しでも関係のある中国人までも殺した」と。また、「1900年6月24日から7月24日のひと月間に全国で義和団によって殺された外国人は2

31名、内子供は53名、中国人の被害はもっと凄まじく、北京では、『当時の知識人たちが少なくない実録を残してい』て、それによると、6月18日、『死者は十数万人に上った』『日頃快く思っていなかった者を教民（キリスト教信者）だとして一家惨殺する』『刀や矛で殺され、バラバラに切り裂かれ、生後一月未満の嬰児すら残酷に殺され、人道は地に堕ちた』」と袁氏は生々しい指摘[29]をされている。更に、袁氏は制度改革を望まない勢力によって、その当時の清朝政府の下で「一億人以上の中国人が『非業の死』を遂げた」と記しているという。このような虐殺の歴史（の中）を生きてきた中国人民は人間殺害のイメージ（心象、印象）を、自分たち中国人同士の体験に基づいて記憶しているのではないか。中国人は、欧州諸国、ロシア及び旧日本の当時の各列強国との戦い及びそれ以降の旧日本軍との戦闘における同軍の行為を非難し続けてきている。しかしながらその一方で、彼等自身による残虐行為は、我々日本人には考えられないもしくは想像すら不可能なほどの強烈さと残酷さとを有している点にある、とも言い得る。つまり、我々の想像を遥かに超えた水準のものである。彼等による主張の原因は、中国人自身による中国人及び外国人などに対する前述の大虐殺の過去の連綿とした暗黒の歴史の記憶が、反日批判の洗脳教育やそれによる大きく歪みかつ増幅された憎しみの感情などに転写され重ねられてきていると考えられるのである。このような背景及び経違により、彼等自身の強烈なるストレスが発散されていったと思われる。しかも、それのみに留まらず、彼等は同時に彼等人民のみならず、世界中の文部省系、文部科学省系、外務省系及びその他の関連省庁系や各国の政府要人や各国の新聞社などに働き掛けて、我が国を貶める陰湿で陰険かつ悪意に満ち満ちた裏工作や表工作を実行してきているのである。それが、過去から今日までかつ今後の遠い将来にわたってもずっと実行し続けていく背景もしくは理由の一つである可能性は否定できないであろう。

また、これも、「嘘も百回言えば、本当になる」式の旧ソ連国家保安委員会（ＫＧＢ）員で戦略家のミトローヒン（１９２２～２００４）による旧ソ連式共産主義教育を、彼等中国の指導者たちが八世代前ないし五世代前ほどから受け継いできており、現在もなお引き続き、それを真に受けて実行し続けてきている可能性は否定できないであろう。真実を衝かれた場合、彼等はその指摘された内容自体を根底から覆して、ひねくれ、歪んだ彼等共産系社会系主義的理論もしくは論理を、直ちに捏造し採用してきている。そして、その本来の世界の良識ある自由かつ民主主義国家圏に居住する数十億千万人が認めざるを得ずしかも否定することが科学的に不可能なことでさえも、彼等はその真実の事象もしくは現象を完全に転覆させた言動をしてきているのである。従って、そのような思想及びそれらによる文闘や武闘などの形で引き継いできているということと全く無縁ではないと考えられ得るのである。

更に、彼等中国に前例のない大型援助を開始する条約を、元首相は尖閣諸島についての我が国の主張を展開することなく結んでしまった〔30〕。それがために、当時の我が政府の意図とは裏腹に、彼等によるその使途が、我が国にとって極めて大きな負の事態となり得るような、次の種々の分野に向けられてきている可能性は完全否定し難いであろう。すなわち、例えば、彼等の党、政治局員、軍人の賄賂、反日のための軍事武器、衝突用偽装漁船、特命を受けた過激集団を募集するためのアルバイト料に。しかも、反日教育、反日テレビ番組、反日映画、反日書籍類及び悪質な反日宣伝（プロパガンダ）、反日用の暴力用具もしくは反日用の武器、及び我が国を軍事的に四方八方から封じ込めるための核兵器を含む陸海空軍及び宇宙軍用の各設備と施設に。そして、それら向けの、戦車、軍艦、空母、原子力潜水艦、戦闘機、爆撃機、核弾道ミサイル、核実験用材料、それらを移動させるための各種の道路建設、軍港、基地整備、軍事攻撃用衛星、我が国の領海内における海底油田や鉱物資源の開発、開拓及び掘削費用に。更に、我が国向けのコンピュータ関係のサーバー攻撃用などの各種機器、燃料代やそれら各々に係わる大多数の人件費並びに人員投入費などの各々の一部に。

更にまた、例えば２０１３年10月末にはウイグル族家族が北京の天安門で自動車にガソリンを積んで自爆する事件が発生している。このため、中国当局はテロ取り締まりを強化している。なお、このウイグル自治区では、ロプノール核実験場の付近を中心に、１９６４年から46回の中国による核実験（地下も含めて）が行なわれており、放射能汚染の被害が指摘されてきている。このことに関して、高田純氏は同地域の調査をし、19万人が死亡しており、健康被害者は１２９万人と推計している。また、ウイグル人の医師によると、中国政府はこの地域の放射能汚染やその後遺症の存在を認めず、しかも海外の医療団体の調査を認めておらず、立ち入ることを規制しており、すべてが隠蔽されている〔31〕という。

また、近年しばしば発生してきている中国西部の新疆ウイグル自治区における少数民族による民主化デモ、反政府デモや反政府行動に対して、彼等は軍隊もしくは警察隊を投入し、これを排除している。ちなみに彼等少数民族はイスラム教徒である。そして中国は、我が国の東西南北の上空、近海及び深海からひたひたとまたは大胆に領空的、国土及び海底の資源的、領海的、領土的、軍事的に近づき、様々な挑発と揺さぶりを繰り返し、かつ忍び寄ってきたり、しばしばあからさまに侵犯してきている。それも一次的、二次的、三次的……、というように今後も何度も何度も、我々の世代を幾つ超えてでも、我が国への軍事的侵略の真実とはほど遠い口実及び実績をつくってくることであろう。そして彼等は、何度も何度も、執拗に、執拗に、更に執拗に、あたかも空腹の極みにある蛇やハイエナの如く、しかもその行動を世界に向けて、彼等にとってのみ一方的に国益となる、独断的な、あたかも既成事実であるかのような大嘘の宣伝をし続けてくるであろう。あるいは、我が国を挑発し侵略して一気に占領し、そこを彼等の実質的な軍事拠点や軍港などにしてしまい、最後に彼等の領土や領海として占領してしまう戦略戦術を打ってきている可能性も考えられ得る。そして、彼等は自国と国連加盟国の各国の教科書に我が国の領土及び領海なども彼等のものである旨の大嘘の記載を強要し、それらの各地の地名なども、例えば、日本語名から彼等の言語名に変更させてしまい、強制的に記載させせかつ認知を恐喝的に迫る可能性を完全否定することは困難であろう。これらの予測に関して、我が政府は、今後ともずっと、極めて強い警戒及びより実効性を有する真の強い対策が求められる。

　これはまさに、ミトローヒンが述べていた「嘘も百回言えば、本当になる」の言葉を基礎にして、それらを現実に何百回も何千回も実行してきているように観えかつ考えられ得るのである。これらの実例として、次の二点も挙げられる。２０１４年7月に、米国務長官のケリー氏が、中国は国際法を無視して防空識別圏を勝手に変えようとしていると、我が国と共に批判していた。また、同年11月にケリー氏は、「中国は一方的な行動で東シナ海の現状を変えようとしている」とも非難している。更に、例えば、２０１８年5月ないし6月に、米国大統領のトランプ氏は中国に対し、南シナ海の人工島の軍事基地化の動画を公開して、彼等の一方的な侵略行為を非難している。これに対し、中国は国内干渉を楯に苦しい反論をしている。

　更に、あたかもアメーバが増殖していくかの如く、彼等は、我が国の近海すべてを、いろいろな手段（例えば、初めは民間の偽漁船や航空機など）を使用し、大嘘かつ悪意に満ちた口実をでっち上げてくるであろう。その結果、我が国が外交的、国際政治的、国際経済的及び国防的に八方塞がりとなり、四面楚歌となるように仕掛けてくるであろう。従って、彼等は我が国の政府及び全国都道府県の管轄する近海及び島しょを、現在も含め、近い将来に雪隠《せっちん》詰めにするという戦略を目論んでいる可能性が極めて高いと予測し得る。その証左の一つとして、彼等は、党の論文として、２０１３年5月9日に、沖縄県や尖閣諸島の領土は中国領である旨のとんでもない大嘘を平気で『人民日報』に掲載（例えば同日のテレビニュース）している。もちろん、この報道に対し、当時、官房長官の菅《すが》氏は全面否定している。そして、２０１４年の同ニュースによると、中国報道官は、我が国に対し、いずれ四面楚歌になるであろうという主旨のことと共に、彼等の本音の一部を表明するかの如く、前述のことを示唆する発言をしていた。更に、当時の沖縄県知事の仲井眞氏も「不謹慎極まりない」と発言すると共に、官房長官の菅氏の意見に全面的に賛成であると明言していた。これは、至極当然のことであろう。

一貫性に乏しい野党の言動

また、この類に関して、我が国の全野党といえども声高に中国に対して、強く明確に反論すべき立場であるはずにも拘わらず、全国民にはその強く明確なる反論及び反論姿勢やその行動が殆ど聞こえてこないし観えてこないのである。この現象は、逆に、いかに野党の幾つかと与党の一部が、彼等を含むその他の外国の共産党系、社会党系及び労働党系などに弱みを強く握られているか、または連携している可能性やその確率が極めて高いことの証左の一つとも言い得るのではなかろうか。前述の一部の方々は、基地や原発に係わる問題などのときばかり威勢のよい示威行動をして反対の声を上げてはいるものの、肝心のより国家的重要案件については、殆ど常に沈黙しているといっても過言ではないのではないだろうか。一貫性のないこと甚だしいとも言い得るであろう。彼等の種々の主張及び行動内容に対して矛盾を感じているのが、我等全国民の大半ではないだろうか。極めて理解に苦しみ、不快感さえ覚えかつ矛盾の生じる事柄の一つと言い得るであろう。

経済のみの片肺国家の危険性

話を少々変えてみたい。諸外国において、ほぼ経済分野のみに注力した幾つかの国家について簡単に振り返ってみたい。結論的には、そもそも経済のみの発展を目指した国や地域が、永く繁栄を謳歌し継続したことは外国でも殆ど観られないのである。例えば、紀元前８００年頃にカルタゴという国が北アフリカ地域（現代のチュニジア共和国の領域に相当）に誕生した。そこは交易や戦を経て栄えていった。その後、同国は経済、商業の分野に注力したため、繁栄を謳歌していた。ところが、その周囲の国々の民心は彼等の繁栄に対し、憧れ、羨望、嫉妬、恐怖そして憎しみへとしだいに変化していき、ついに、同国は古代ローマ軍により紀元前１４６年の第３次ポエニ戦争で滅ぼされてしまったのである。文献によると、当時のローマ軍の多くは、「カルタゴは滅ぶべし」と述べていたと伝えられている。

そして、時代は少々飛んで、中世期に、欧州のヴェネツィア国は、東ローマ帝国（ビザンティン）内における免税特権を活用し、東西貿易や香辛料貿易の仲介者として莫大な富を築いて[32]いった。そして、更に、交易拡大のために巨大な造船所も建て、国を挙げて、新しい船を建造し、強力な海軍力を持つようになっていった。ヴェネツィアは東ローマ帝国に対し、有事の際に海軍を提供する代わりに交易権の特権を与えられることになった。だが、こうしたことが、逆に、東ローマ帝国人の多くから妬みを買うことになってしまったのである。１１８２年にコンスタンティノポリスへ侵攻した際に、ヴェネツィア人は投獄または追放され、その財産は没収された。１２００年代後半に、この地域の覇権を握ったオスマン帝国はヴェネツィア領を次々と奪い、これが後のヴェネツィア国の滅亡の伏線となるのである。その後もオスマン帝国との戦を繰り返したが、形勢は不利であった。そこでヴェネツィアはペルシャや他の欧州諸国との同盟を模索したが、充分な支援を得ることはできなかった。一方、オスマン帝国はヴェネツィア国への進撃を開始し、ペルシャなどの援軍も撃破され、ヴェネツィアは孤立無援となった。１４７９年にヴェネツィアはオスマン帝国と講和条約を結び、４地域が割譲され、更に賠償金を支払った。その後、カンブレー同盟戦争やレパントの海戦を経て、ヴェネツィア国の総人口は15世紀末の最盛期には２００万人（ヴェネツィアの人口は18万人）であったのが、１５８１年には12万４０００人にまで減少していた。ヴェネツィアの通商は18世紀に衰退した。更に沿岸の海賊により、ヴェネツィア商人は自由に往来できなくなっていったのである。

　前者のカルタゴ国及び後者のヴェネツィア国の歴史は、現代における我が国の置かれている状況にかなり類似していると考えられ得るのである。というのは、ヴェネツィア国は１８６１年に建国されたイタリア王国に併合されているからである[33]。また、最近では、中東のクウェート国が１９９０年８月にイラク軍により軍事侵略されている。

　読者諸兄諸氏は、ここで筆者は一体、何を言いたいのかと問われることであろう。それは、こうお伝えしたいのである。つまり、カルタゴ国、ヴェネツィア国、クウェート国及びその他の一部の国々は、いずれも、ある面、特に経済のみを最優先しかつそれを殆ど最上位に置いて国政を推進してきている面において共通しているのである。そして、現代の我が国の置かれている国際的な立場や状況が、これらの諸国と酷似していると考えられ得るのである。読者諸兄諸氏は、それがどうした、一体何なのか、我々と何の関係があるのか、と更に問われることであろう。それはこうだからである。すなわち、これらの国々は、確かに、いずれも経済的な繁栄を謳歌していた。しかしながら、そのことにより、周辺諸国よりも際立って豊かになっていったのである。なぜなら、それが元で周辺諸国における嫉妬心及び憎しみなどの負の心が引き起こされ、それが増大していったからである。そして、更に、それが次第に政治などの面にも悪影響を与え始め、周辺国との戦へと発展し繋がっていき、やがて国防力及び対抗力もしくは抵抗力の大きな差異により大敗北を喫《きっ》し、その結果、国自体が衰退もしくは滅亡させられており、あるいは、その相手国によって軍事侵略されるに至ってしまったからである。従って、筆者は次のように考える。すなわち、これらの点は極めて重要であり、現代の我が国が充分に教訓としなければいけない事項の一つである、と。

我が国民の反省点と今後の歩む方向

それ故、この点に関し、大いに教訓とすべきことはもちろんであるが、これらに関連する諸外国の興亡の歴史を学びかつその中から我が国に適用可能な部分を抽出して、その内容を教訓化し、それらを全国民に善なる平和目的として、広宣流布することが絶対的に必要不可欠なのである。そして、我々全国民にとって、「現在さえ良ければ、それでいい」という単純で刹那的な思いや満足度では済まされない、極めて融通性と柔軟性と重要な課題であると考えるのである。そして、それらの事実は、我が国が係わる国内外領域のすべてに関して、警戒心及び警戒体制と同時に、関連諸国との信頼関係の早急なる構築などを拡大し強化し継続しなければいけないことをも教示してくれているのである。そのようなことに、まず我々の老若男女の少なくとも青年以上の者は気付くべきであろう。これは、決して強制ではない。しかしながら、その一方で、国民としての最低限の責務の一つではないだろうか。

我が国の現状と改善点

ちなみに、現代の我が国を俯瞰させて頂くと、次のように観えて仕方がないのである。言わば、個人、家庭、地域、社会及び国家のいずれもが、「もっと豊かになりたい」、「もっとあれがほしい」、「もっとこれがほしい」と、際限のない物欲、食欲、金銭欲などの貪欲に駆られ続けているように観える。しかも、「もっともっと贅沢で安楽な生活を味わいたい」、「それらを自分の生活範囲内に取りこみたい」などというような、限りない貪りかつ制動（ブレーキ）のきかない自転車、自動車、高速バス、大型トラックまたは特急列車に乗って、真っ暗闇で光の見えない目的地の見えない下り坂の長い長いトンネルを、法定制限速度を大幅に超えた速度で猛然と突っ走り続けているように考えられ、かつ、そのように観えて仕方がないのである。あたかも暴走する馬車馬の如く、先の大戦中の如く……。確かに、このような状況であるため、限りなく、その経済活動及びその対応にほぼ比例した販売利益、純利益、税収、歳入を得ることは可能であろう。しかしながら、ここで、注意せねばならないことが少なくとも二つある。なぜなら、一つ目は、「忙しく」なればなるほど、その字体が示す如く、「心」が「失（亡）われる」からである。そして二つ目は、我が国は現在までのところ、天然資源については、極めて厳しい状況下に置かれているということを予め充分認識しておかねばならないからである。後者は言わば我が国の宿命の一つと言い得るかもしれない。従って、筆者は次のように考える次第である。すなわち、この愛すべき我等の全国的、全都道府県的及びそれらの各自治体的とでも言い得る対策法に気付いて頂きたいのである。その一例として、少なくとも約２０００年間、様々な困難に遭遇しながらも耐え抜いてきた正しき宗教に対する信仰心及びその教えを判断基準として、日々の実生活を一歩一歩と着実に踏みしめつつ、頑張るほかに道はないのであると。

ところで、繰り返させて頂くが、我々国民の多くは高度経済成長により、それ以前の時代における生活状態よりも平均的に富裕になっていったのである。しかし、ここで、充分に注意または警戒心を奮い立たせて頂くべき重要事項を指摘せねばならない。それは、当時の高度経済成長をある程度達成できたのは、我が国内外の種々の国際情勢、状況もしくは環境に恵まれていたためではないだろうか。確かに、我々の数多くの先達や先輩たちの血のにじむような、全産業分野及び官公庁などで働く人々、並びに彼等彼女等を陰で温かくしかも強く支援し続けてくれた家族、親族、友人、知人、諸先輩、諸同僚、諸後輩などの協力及び存在などがあったためでもあろう。しかしながら、それらと併せて、諸外国における種々の戦争による特需などの影響も受けていたと考えられるであろう。なぜなら、その時代に活躍した多くの先達の徳分によって、次のまたはその次へと続く世代以降である我々（老若男女）は、その彼等彼女等の恩恵もしくは徳分を授かっているかまたは受け取らせて頂いているからである。従って、筆者は次のように考える。すなわち、これらのもしくは彼等彼女等の努力に起因する諸現象に感謝しつつも、その恩恵などに甘えるだけでなく、それに対して真摯に報いるべく、我が全国民の一人ひとりは、それぞれの能力や力量に応じて、努力することを決して怠ってはならないと。なぜなら、もしそれを怠るような事態になれば、前述の先達や多くの先輩方に対して申し訳ないばかりでなく、我が国は、急転直下、国家としての活力、勇気、覇気、エネルギー、実行力などが次々と失速してしまい、それらの水準は今後、短期間のうちに低下してしまう可能性が高くなると予測されるからである。そして、そのような兆候が現実の姿となって現れてきたのが、例えば１９９０年頃からであり、それが我が国の経済分野を含む殆どすべての分野における傾向であるように考えられ得るし観えるのである。ただし、先述した如く、安倍政権以降は、一応、何とか持ち直してきているように観えるが。

我が国民への要望事項

話を前述の、平均的に富裕になった点に戻そう。そこで、それに伴い、富裕層の相対的な増加度合に反比例するかの如く、肝心の我々の心もしくは精神はしだいに驕慢、傲慢もしくは増上慢の状態になっていったのである。これらはいずれも慢心に繋がるものである。すなわち、それ以前の我が国民の過半数もしくは約90％程度の人々が貧乏のどん底に喘いでいた頃は、殆ど多くの誰もが、堅実な努力、謙虚さ、警戒心などを当然のこととして心身に付けていたし心に刻み込み沁みついていたのである。ところが、経済が急速に成長していくのに伴い、それに反比例するかの如く、我々の心の箍《たが》が緩みもしくは壊れてしまい、場合によっては残念ながら、それらを捨て去ってしまったのである。その結果、我々国民が本来有していた正義感や慈悲の精神、道徳心、倫理観もしくは善悪の弁別及び善なる勇気や決断力までもが、しだいに低下してしまったのである。しかも、更に気になることは、我々の平均的な資質及び品格も併せて低下し続けていると考えられる。それと共に、そのような社会現象及び傾向が観えて仕方がないのである。もちろん、その社会現象には、観光や研修などを目的とした来日外国人や在日外国人などの一部の愚者や過激分子などによる反日的愚行や事件も含まれ得るであろう。……。

また、およそ1970年代頃より、巷では食育の必要性が盛んに宣伝され始めた。そのため、世を挙げて、食通（グルメ）に係わる情報が現代までも氾濫し続けてきている。それに伴い、我が国では、例えば、米国の生活様式に類似する傾向が具現化してきている。その一例としては、身体の肥満化や運動不足などに起因する生活習慣病症候群の増加ではないだろうか。但し、一般国民も大衆報道を通じて、その社会現象には幾らか気付き始めたことであろう。それによる反動もあってか、ここ数年前より、確かに、前述とは逆に、ダイエット志向が全国の女性群を中心として、かなりの勢いで流行し続けてきている。

この傾向は現在までも同様である。しかしながら、一旦心身に刷り込まれ習慣付けられた食欲や食通の強い欲望本能は、そう簡単に消去できるものではないはずである。余程の強い切っ掛けがない限りは。なぜなら、その強い食欲やそれを実施し続けてきたことによる様々なストレス解消やそれに基づく心地よさの経験を、当事者ご自身の脳がしっかりと記憶に留めているからである。それ故、筆者はこのように考えている。すなわち、食欲についても他の諸事項と同様に、「ほどほどに」もしくは「腹八分」で満足した方が良いのでは、と。換言するならば、食通に関しても、「少欲知足」の原則もしくは精神を、あなたの心に刷り込み刻み込むことである、と。

その昔、我々の先達の多くは、「武士は食わねど、高楊枝《たかようじ》」と口ずさんできた。それに比して、現代は、拙作ながら川柳や和歌にたとえるならば、「華やかな　グルメグルメで　国亡《ほろ》び」、「獅子居らず　狐ばかりが　徘徊す」、「風見鶏　ゴマすり伺い　国亡び」、もしくは「心肝《しんかん》に　麻酔盛り込む　真の敵」などと詠《うた》うことができるであろうか。また、諸外国から我が国を監視した場合には、例えば、「熱烈に　後押しすると嘘を云い　本音は隠し　笑いこらえる」とでも詠むことができるであろうか。我等が愛する全国民の老若男女の皆々様へ。どうか、このような惨めな事態や状態へ陥らないように、様々な相手の言動や言行を安易にかつ盲目的に信用することのないように、くれぐれもご注意願います。皆様におかれては、まず、相手側と幾分かの心の距離を置いて、冷静沈着さと善悪の弁別とを最優先して何事にも対処して頂きたいと、心よりお願い申し上げたい。

もう少し具体的に言うならば、１９７２年頃に我が国は世界でも稀にみるほどの短期間に、米国に次ぐ世界第2位の経済成長を成し遂げることに成功した。これらの多くは、当時の国内外の新聞、雑誌あるいは書籍類及びその他を見れば明らかである。しかしながら、そのような経済面での成功を得たにも拘わらず、我々は「人間にとって本質的に一番重要で大切なものの一つ」を次第に失っていったのである。それは何であろうか。それは、不動かつ不退の「正しい精神」もしくは「正しい心」を維持し、かつ子孫に伝承すべき善悪の弁別及び悪行を為さず善を実行する心と行動である。邪《よこしま》な心を持った個人、家庭、集団、組合、団体、企業、共同体、地域、社会及び国家などにとって、これほどの煙たい言葉あるいは概念はないかもしれない。だが、これを軽んじて蔑《ないがし》ろにしていると、それぞれ自身が神仏よりいずれ負の功徳もしくは報いを受けることになるのである。例えば、ある善行かつ最重要なる国家事業、企業活動、その他の重要度が格段に高度な課題を成し遂げるためには、少なくともその課題の最高潮の過程では、自身の最高度の精神集中力を発揮するくらいの大迫力、大決定《けつじょう》及び真に善なる執念が必要となる場合もあり得ると心得ておくべきである。

また、類似の課題に係わり、思考や思想を異にする集団に対しても、その真に善なる重要課題を成就するためには、熱い激論を交わすことも躊躇すべきではない。ただし、その場合には当然、制限時間が設定されるべきであるし、かつ、その最後の評決手段の正しい判断結果には、その両者とも従うべきである。もちろん、暴力に訴えてはならないことは当然である。これは、民主主義の基本であろう。現代及びこれからの我が国の将来は、ますます、国家としての根本的に必須の心構えの観点において、重要な状況下に置かれていくものと言えるであろう。

一部過激分子の心の改善の可能性

一部の過激分子を宗教的もしくは信仰的に観た場合、彼等の心の奥底もしくは心の中に、果して神性、または、例えば仏教における、仏性（ぶっしょう。一切衆生《しゅじょう》が本来もっている仏《ほとけ》になれる性質）は存在するのであろうか。確かに、それが全く存在しないということは考え難い。従って、少なくとも次のように考えられ得るであろう。すなわち、彼等彼女等の心の中の神性もしくは仏性より構成される仮想粒子の周辺には数多くの煩悩粒子が存在しているであろうと。但し、その神性もしくは仏性より構成される仮想粒子と種々の複数個からなる前述の煩悩粒子間との結合力などは、大半の国民のそれよりも極めて強いと考えられ得る。つまり、我等の自由かつ民主主義国家圏の大半の国民のそれらよりも極めて強いと。ここで、煩悩粒子とは、人間を含む動物などのあらゆる生物種を包含している。特に、人間の場合は、心の中に存在し得る仮想粒子を意味している。更に、その煩悩粒子は、可算的であり、我々人類などが日々瞬間瞬間に、心の中にもしくは本能的に浮かんだり、眼、耳、鼻、舌などの五感を通じて感知し感得した一つ一つの内容、情報もしくは感情（例えば、喜怒哀楽など）を仮想的な個々の粒子と考えたもの（〔4〕及び〔5〕）である。

筆者の願い

このため、その現代の煩悩粒子が彼等の心の中で消失もしくは消滅されるためには、次に類する心と言動を現実に実行し続けることが必要と考えられる。例えば、善行や菩薩行及び今迄に我々の大半の国民の眼に直接触れることのなかった諸問題、事件、事故なども含めた真正なる反省や懺悔などに類する心と行動など。それが実現可能ならば、前述の煩悩粒子は次々に連鎖反応的に消失もしくは消滅することであろう。ここで、煩悩粒子の内容とは、例えば、自身のみならず、他者に対する憎しみ、妬み（嫉妬）、怒り、闘争心、贅沢や豪奢への強い憧れなどの種々の感情をいう（例えば〔5〕など）。

従って、筆者は次のように考える。すなわち、もし現時点での状況が続くとするならば、彼等自身の意思と行動により、徐々に前述の「心の変革」が現実に実行され始めたと仮定しても、彼等の心の奥底まで、自由と民主主義的に生まれ変わるまでには、恐らく永い時間（少なくとも現在より約200ないし300年）を要すると推察され得る。確かに、そのような時間が必要になる可能性は完全否定できないのではないだろうか。しかしながら、筆者は自身の死後、幾世代を超えてでも、いずれは、国内のみならず、世界中の人々が宗教、思想（イデオロギー）を超えて、あらゆる兵器類及び戦闘機器類と雖《いえど》も、全く不要となる日が来ることを心より願っている。

なぜなら、そのような精神面での大改善が彼等自身の判断と行動とにより、自主的に実施されると仮定するならば、筆者は、天国もしくは霊界の世界から、是非とも、現在から約2000年後の彼等を含む世界のあらゆる地域、社会及び国々を俯瞰させて頂きたいと思っているからである。併せて、神仏に、そのように、真心より、お願いしているからである。そして願わくは、現在から約2000年後の未来の時代には、彼等を含めた世界中の過激派系民族もしくは全体主義系の人々が、我々の全国民と対等で、しかも互いに信頼できる真正な友人関係になっていてほしいと、真心より切望する次第である。

2019年12月頃に公知となった新型コロナウイルス事件

（はじめに）

2020年1月27日の報道によると、「新型コロナウイルス事件」（本書では、以下、本事件」と略称）が世界公知となる前に、中国内にて、中国人医師自身が、アイホーンにて、本件ウイルスの危険性を同国当局に警告する旨が、同国テレビにて放映されていた。その医師は同国当局により拘束され、いつの間にか行先不明となったようである。なお、その後の、報道によると、2021年2月上旬に、WHO調査団が中国武漢市を訪問した際には、登場していたようである。いずれにせよ、もしかすると、本事件の発生日は、報道による2019年12月下旬頃ではなく、むしろその約二か月ないし三か月前から、中国・湖北省・武漢市にて、本事件（2019年発生の新型コロナウイルス事件）のヒトへの感染が既に確認されていた可能性は完全否定できないのではと推察され得る。また、専門家によると、「今回のウイルスは、感染力が従来よりもやや強くなってきている可能性がある」という。しかしながら、それは各種ウイルスの本性からすれば、ある程度、必然なのではないだろうか。ちなみに、この時点で、本件は既に、中国、ドイツ、英国のほか14の国や地域へと感染が拡大していたのである。その一方で、我が国当局は、よもや対岸の火事として楽観視していた訳ではないであろう。確かに、本事件が中国で勃発してから当初は厚生労働大臣（以下、厚労大臣）が対マスコミ的には頻繁に対応されていたように観える。しかしながら、本件のようにヒトに感染する新奇で特異かつ危険な事件については、厚労大臣のみでは荷が重過ぎて無理ではなかろうかと推察され得るのである。なぜなら、本事件のように、ウイルスが指数関数的に増加し、それが更に拡散していくと共に、その性質が不確定かつ極めて危険であるような〝敵〟の場合は尚更だからである。それが準証拠的に、その後の同大臣が発表する内容はというと、例えば、感染者や死亡者の人数及び本件に関連する統計的数字などが主体であったからである。これらは、いわば、受動的もしくは受身的であり、能動的もしくは積極的内容もしくは発想ではないように考えられるからである。つまり、同大臣の声明からは、あたかも、その〝敵〟に対して、完全な防疫服などを着用した上で「その〝敵〟に向かって戦って勝利する」という積極的な心身の姿勢」が曖昧《あいまい》で、殆ど、それを観ることができなかったからである。従って、筆者は次のように考える。例えば、首相が関連閣僚及び自衛隊の幕僚相当の諸兄諸氏と緊急対策本部を開いて、初期段階で、この目前の〝敵〟（ウイルス自体）を撲滅するための優先手段とその順位を決定し、その計画に沿って、直ちに実行に移すべきではなかったのだろうか。具体的には、航空機、船舶などによる入国禁止の発令など。あるいは発生源を中心とする、例えば、半径数キロないし数十キロメートル以内に非常線を張り、交通を遮断して人の移動を禁止するというような強力な命令を発令しないと本事件の早期解決を望む事は殆ど不可能であったと考えるのである。その為にも、今回の宣言は、緊急事態ではなく、やはり、「非常事態」宣言を発令すべきではなかったのではないかと考える。それにより、殆ど、法的にも人命救助を最優先するために、準強制的に、消毒液による洗浄もしくは散布する事ができたのではないかと考えられるからである。それ故、この初期段階で、前述の首相を中心とする方々が、より真剣勝負をする心構えとその防疫行動とを迅速に開始しておられたら、更に早く、感染者及びそれによる死亡者数をかなり少ない段階で半減させ、かつ、より早期に終息宣言を発令することができた可能性が極めて大となっていたのではないかと考える次第である。その為には、例えば、首相及び閣僚各位におかれては、恐らく、現在まで艱難辛苦の連続でありましょう。しかし、本事件を終息させる迄は、気持ちを奮い立せて頂き、この目前の「〝敵〟（ウイルス）に負けてたまるか」という位の気概を全国民に示すと共に、そのように「腹を決めて」頂きたかったのである。なぜなら、本事件は、その位に重く厳しい内容と考えられるからである。

（経緯）

次に、本事件が世界公知となった初期段階における経緯概要について、ふり返ってみよう。まず、その途中からではあるが、２０２０年1月31日の報道によると、ＷＨＯ事務局長のテドロス・アダノム氏（エチオピア国出身の医師）により、「緊急事態宣言」が発せられた。この時に彼は「緊急事態を宣言した主な理由は、中国のみではなく中国以外の国で起きている事にある」と明言されている。しかし、この発言は、明らかに国連としての世界水準における公正性かつ公共性から逸脱しかつ矛盾した内容であるように思われる。

特に、この発言から、少なくとも彼は、中国を極めて強くひいきし、擁護《ようご》している可能性が強いと推察され得る。これは、この時の記者会見の映像や、その後の新聞などを見ていた全世界の推定約80％もしくはそれ以上の国々及び人々の感想である事は否定できないであろう。

なお、当時首相の安倍氏は、本件の新型コロナウイルスを「指定感染症」とする政令の施行日を、来たる同年2月7日から2月1日に前倒しすると表明した。そして、入国者が感染している場合は入国を拒否する旨も述べておられた。しかし、この場合、次の事に注意すべきではないだろうか。すなわち、体温測定や少量の体液（血液やだ液など）による感染有無の具体的選別手段及びその体制が迅速かつ正確に構築されてから実行すべきであると。また、同年2月1日の報道によると、米国保健福祉省は、感染の恐れのある外国人の入国を拒否する大統領令が発令された旨の声明を出している。また、同国は、米国に到着前の14日間に、中国・湖北省に滞在した人は、帰国後最大で14日間の隔離が義務付けられる、としている。なお、この時点での中国の感染者数は1万1791人、それによる死者は259人である。従って、見掛け上の感染死亡率（筆者による仮称、以下、同様）は約2・2%である。また、WHOは、本件ウイルスの「潜伏期間は14日」である（同年2月5日報道）とした。英国政府は、この日、中国に残る英国人約3万人に対し、退避勧告を発令している。一方、我が政府は同日、中国・湖北省・武漢市よりチャーター機で帰国した邦人の経過観察期間を、前記14日から10日に短縮している。しかし、これがもし真実だとすると、かなり危険な判断ではなかっただろうか。なぜなら、この4日間の短縮により、本件ウイルスの拡散、急増などの悪影響に繋がり得る可能性が否定できないからである。更に、2月26日に、我が政府は、全国的スポーツ、文化イベントなどの今後約2週間の中止や延期、及び国立美術館、博物館、劇場などの中止や延期、並びに、企業への時差通勤や在宅勤務（テレワーク）を要請している。

翌3月12日には、WHOが本事件につき、「世界的大流行（パンデミック）」宣言を発した。この時、同局長のアダノム氏は、「このように表現しても、WHOや各国がなすべき事に変わりはない。感染拡大を制御する事は可能だ。各国に対し、〝対策強化〟を求める」と述べている。しかしながら、同氏の声明には矛盾を覚えざるを得ない。というのも、初めは中国を一方的にひいき目の声明を公言しておきながら、他方で、このようなパンデミック状態に世界が陥ってから、初めて世界各国に対し、対策の強化を求めているからである。彼の言動には信用し難いところが観られ得る。今回の彼の言動の経緯を観ている限りでは、WHOの現在のトップに対して、世界の過半数の国々及び人々が不信感を抱いている可能性がかなり高い事は避け難いと考えられ得る。また、翌13日には、英国でも感染が拡大したため、エリザベス女王も避難されたようである。例えば、ロイター通信社によると、「まるで欧州が先の中国・武漢市のようだ」と述べている。そして、イタリア首相のコンテ氏は、「イタリア全土で移動制限を発令している」。この時点で、感染国は我が国を含め、中国、欧州、アフリカ、中東、アジア、北米、南米など世界へ波及し、感染者は16万2657人、死者は6065人となり、見掛け上の感染死亡率は約3・7%とやや増加している。ちなみに、この時点での「我が国の経済への影響は、リーマンショックもしくは、それ以上の水準かもしれない」旨を、当時、経済担当副大臣の西村氏は述べている。更に、3月27日の報道によると、世界の感染者は40万人に達した。しかも、この2日前よりも一気に10万人も増加しているのである。これらにより、例えば、米国では、商品の買い占めが増えたため、65歳以上の高齢者の買物は早朝の時間帯に限定するという規則までが定められた。これなどは、かなり社会的にも有効であろう。我が国の大手スーパーや小売店などでは、既に実施されてきているようであるが。

翌4月に入ると、米国での感染者数が最多となった。当時、大統領のトランプ氏は２０２０年２月までは、本事件に対し楽観的であった。しかし、今回、感染者数が世界で最多となる前の３月13日に「国家非常事態宣言」を発令している。この宣言に基づき、同国では、外出制限及び営業停止などの措置がとられている。その対象州は全米の約47％に及んでいる。この時点では全州ではなかった。ちなみに、同年３月第２週における、同国の新規失業保険に係わる申請件数は、過去最多の約３３０万人に達している。それ以前の、例えば、２０１９年12月より２０２０年３月第１週までの各１週間毎の平均は約30万人程度であった。その為、同年３月第２週より、一気に失業者が約11倍も増加した事になる（同年４月３日の報道）。この増加傾向は、本事件が終息する迄は継続する可能性が高いと予測され得る。また、翌４月４日の報道によると、米国ニューヨーク市内の繁華街からは人が消えている。その時点で出入国を制限している国は全世界で約80ないし90％に達している。そして、全世界で食料品、衣類、自動車、旅客機、その他の経済流通は約30ないし70％減少してしまっている。なお、４月８日頃に、当時、米国大統領のトランプ氏はＷＨＯ事務局長のアダノム氏に対し、「ＷＨＯは中国をひいきしている」旨を述べて、強く批判している。

翻って、我が国の大手企業の何社かは、軒並み２０１９年度の業績予想を下方修正している（４月４日報道）。我が政府は緊急経済対策として、中小規模事業者に対し、民間による無利子の融資、新たに、国民一人あたり10万円を給付する旨を発表している。ちなみに、同日時点での諸外国の経済対策は次のとおりである。例えば米国は、２・２兆ドル（２３７兆円）。個人への現金給付は１２００ドル（13万円）。英国は、休業者の賃金80％を肩代りする。ドイツは、小規模企業の資金繰りを支援する事としている。

こうした状況下での同年４月７日、当時首相の安倍氏は、新型インフルエンザ等対策特別措置法に基づき、「緊急事態宣言」を発した。この対象は当初７都道府県であったものの、その後、同月17日には国内の全都道府県がその対象となった。この時点における国内感染者数は４１１１人、死者は97人、見掛け上の感染死亡率は約２・４％となった。この場合、感染が更に拡大すると仮定すると、２週間後には感染者が約１万人に、１か月後には約８万人超に増大すると推定された。但し、ヒトとヒトとの接触を80％削減すれば、２週間後（４月21日頃）には感染者が減少傾向に転ずるであろうという。併せて、政府より次の要請も発表された。すなわち、外出自粛（５月６日まで）、医療体制（医療現場を守るため、あらゆる手段を尽くす）、学習体制（オンライン学習の解禁）、事業者向け給付金制度を創設（収入が相当減少した事業の幾つかを、向こう一年間猶予）、経済対策（国民一人あたり10万円を支給）、地方への移動を厳に控える事。但し、電気、ガス、水道及び郵便などの準公共的分野については、通常どおり営業して頂く事。また、早期治療薬アビガンの使用拡大も表明している。安倍氏は更にこう述べている。「以上のように、この2か月で我々の暮らしは一変した。政府や自治体だけでは、この緊急事態を乗り切れない。国民の皆様の協力が必要である」と。

確かに、同氏の言われる事は十分に理解でき得る。本事件に係わる一方の経済面については、善なる先手先手を打ってこられた事は評価できるのではないだろうか。しかしながら、一言申し添えさせて頂きたい事項がある。それは、本事件の他方面におけるいわば「大災禍」自体を一刻も早く退治するための先見力、洞察力及び実行力がいま一つ不充分ではなかったのではないだろうかという点である。なぜなら、本事件の本質もしくは根本原因である当該ウイルス自体を撲滅させるための積極的手段が弱く、もしくは消極的であるかのように観えるし、そのように考えられ得るからである。もちろん、当該ウイルスの抗体に係わる臨床実験などは多くの研究所で併行して実施されている事であろう。しかも、より正確な結果及び判断が下せるにはもう少し時間を必要とせざるを得ない事も理解し得るところである。そこで、筆者は次のように考える次第である。すなわち、

第一点は、本事件が勃発したとされる前述の初期段階（すなわち、中国武漢での12月下旬頃）、つまり、我が国内では２０２０年1月初旬頃の時点で、我が政府は、首相を中心とした自衛隊に積極的に協力を仰ぎつつ、その中の、例えば、医療衛生科系部隊（仮称）及びその部隊長、警察庁並びに防衛大臣及び防衛副大臣などの関連閣僚級の諸兄諸氏が、共通の〝敵〟である（肉眼では見えぬ）目前のウイルスを一刻も早く消毒し、撲滅させ、全国民が可能な限り遭遇することなく退治し、それを回避する為には一体どういう手段を講ずれば善いのか等に関する緊急会議を開いて頂き、しかも、例えば、丸一日ないし二日以内に結論を出すべきであったのではないだろうか、と。そして、全国都道府県における本事件の関連地域の全てに「非常線」を張り、その関連する、例えば、県境に、一般国民及び外国人が通行や侵入する事のないような強い体制を、勃発日から例えば三日以内というような期限付き早さで構築させるべきであった、と。従って、先述の４月７日に首相が発した宣言については、幾らか不充分の感は否めないであろう。やはり、「緊急」ではなく、「非常事態」宣言を発するべきであったのではなかろうか。それと同時に、人口密度の高い大都市圏を含む全国都道府県に対する人の動きを約90％程度（同年４月７日の政府発表では80％の外出自粛と要請されているが）に抑制する為には、例えば、自衛隊の一部が実行部隊長的な指揮権を、首相から委託もしくは指示を受けた後、常に、首相と互いに連絡を取り合いながら、全国の関連する各地の現場規制を指揮すべきであったと。

第二点は、本事件の勃発日より土曜、日曜及び祝祭日を含めて、丸三か月（約90日）以内で、本事件を少なくとも殆ど終息

させるべく、その実行計画表（ロードマップ）を例えば同２０２０年１月７日までに作成すること。勿論、その為には、事前に関連省庁など、もし可能ならば年始等の諸行事に係わる休止もしくは中止の許認可を得ておく事は必要でありましょう。その上で、その計画に沿って、政府は関連省庁（自衛隊内の関連部隊や警察庁などを含む）に迅速なる活動開始を発令して頂きたかった。

第三点は、４月７日に発せられた緊急事態宣言の発出日は極めて（約三か月ほど）遅過ぎたと。なぜなら、２０１９年12月下旬における中国武漢市での本事件勃発の公表日か、または、遅くとも、我が国内で最初の当該ウイルス感染者が出た時点で、その正体は未知ではあるものの、少なくとも従来の鳥や豚インフルエンザ・ウイルスよりも毒性が強いはずであろう事は明白だからである。それ故、この時点で、政府は緊急ではなく、「非常事態宣言」を発出すべきであったのではないかと。当然、この時点で、各担当大臣その他の責任者各位におかれては、相応の覚悟を決め、いわば、「腹をくくる」決意を固めるべきであろう。その後の当局の対応のもたつきなどもあってか、２０２０年４月18日には、確かに、我が国内での感染者数が１万人を突破してしまっている。しかしながら、現実には、その理論的な予測期日（４月21日）とは裏腹に、残念ながら、その三日前の４月18日には既に１万人を超えていたのである。なぜなら、４月７日の同宣言の発出時には、「人と人との接触削減を８割（80％）にすれば、２週間後（４月21日）には減少に転ずるであろう」との主旨の予測が発表されていたからである。そして、この事は、明らかに政府及び当局の期待値からズレ始めてきている事を意味しているのではないかと思われた。

第四点は、本書の初刊にて何度も何度も申し述べてきたが、「期待というのは、いつも裏切るものだ」という教訓は、決して忘れてはいけないという事である。具体例としては、我等国民全体の平均的な群集心理としては、その宣言発出を承知してはいるものの、恐らく、家に閉じ込もり続ける事は心理的に極めて困難と推察されるからである。従って、彼等彼女等（特に若い世代）の一部は、「街中もしくは他の都道府県などに移動したい」、もしくは、「より安全な地域や国へ脱出したい」という深層心理が心の中に蠢《うごめ》き、疼《うず》き、湧出する事であろう。あるいは、そのような心が働き易い状態になると考えられ得る。すなわち、長期間そのような本質的な欲望を抑え続ける事はかなり困難であると推察されるのである。だからこそ、医療的かつ防疫面などからして、絶対に当該地域もしくは領域の全人口に対する人の移動率は、少なくとも80％には抑えられねばならなかったのであろう。そして、私案として、願わくは、今回の場合、その数値に「善なるプラス・アルファ分」を更に加えた「約90％」の要請もしくは指示をすべきとしても良かったのではないだろうかと。

第五点は、政府が、全国民の命を第一優先とするのか、それとも、全国民及び国の経済的安定を第一優先にするのかの、二者択一の「危《き》急《きゅう》存亡の秋《とき》」の決断が、全国民から政府及び各大臣各位に委ねられ、かつ、急迫していたのである。しかも、一日もしくは二日以内に重大なる結論を出さねばならなかったはずである。本事件は、真に、「新型コロナウイルス」という、肉眼的には無色、無味、無臭であり、新規で寄生型の法定感染症と言い得る。しかも、これは最悪の場合、死に至るという従来以上に強力な病原体であるという。

従って、換言するならば、まず、第一段階として、政府及び関連部隊の方々は、これを「悪質で強力な病原体」という従来まで存在しなかった新しい〝敵〟に対する国防戦の始まりと位置付けて判断し、決断した方が、その後の対応策を立てる上でも、より明確となった事であろう。そして、その方が、今後の方法論としても、より医科学的合理性を有し、かつ、被害を極小にする事が可能になると推察される。

もし、このような位置付けができるならば、第二段階として次に為《な》すべき事は、次の7点である。すなわち、

一つ目は、国、地域、社会、企業及び個人等の経済的救済方法を、その短期間に検討し、かつ、できるだけ簡潔な手段を講じるべきであろう。

二つ目は、全国民の生命を救う手段を講じる事。目標としては、最長許容期間を三か月（90日）以内に少なくとも約98％程度の全国規模に係わる終息目標を掲げる事。

その為には、感染拡大を迅速に抑止する事であるが、全国民の生活行動をかなり急激に規制する事になるであろう。従って、善なる実力行使を執らざるを得ない。その際の陣頭指揮者が首相や関連大臣だけでは物理的に不可能であろう。従って、日々、規律正しい実訓練を受け、かつ、豊富な実経験を有している自衛隊の関連地域の部隊各位に全面的協力を仰ぐべきであろう。特に、各現場は例えば、佐官級及び全国警察署の各々一部の方々に指揮を執って頂く方がより迅速に活動し易く、より現実的なのではなかろうか。何でもかでも各大臣級の方々が現場を直接指揮する事は避けるべきではないだろうか。勿論、指示、命令や情報の共有などはされなければならないが。

三つ目は、例えば、交通機関としての旅客機、船舶及び陸上の自転車、バイク、乗用車、バス、トラック、電車及び新幹線などを用いて、他の都道府県に移動する者に対して、人の流れもしくは動向を規制する為に、例えば、「非常線」を張るのも一法であろう。前述した全国都道府県に配置されている実行部隊の方々が、少なくとも、例えば、空港、船舶の乗降口及び高速道路や駅の改札口などに配置されて、一人ひとりを検閲して頂く事は必要最小限やむを得ない事であろう。その場合、全国民の移動先、移動目的を尋ねたり、身分を証明できる物及びまたはGPSバンドなどの提示を義務付ける事などは、このような非常事態の際には、やむを得ないであろう。

四つ目は、要は、本事件ウイルスの潜伏期間（今回の場合、

少なくとも十四日間程度と言われているが）との兼ね合いもあるため、それを考慮しつつ、その該当期間内における初期段階の極めて早期に、〝敵〟を撲滅させる事を最優先かつ最重要の目的・目標とし、短期集中して、消毒等の撲滅行動を起こさねばならない。小田原評定に陥ってはいけない。従って、それを唆巡したり、「もたもたしている時間的余裕など一日もない」と、全大臣及び関連各部隊長に相当する方々は真剣かつ強く認識して頂きたいと切望する次第である。その上で、この戦略戦術に沿って実行動を起こすべきであろう。ここでも「油断は絶対に禁物」である。

五つ目は、本書の初版にて、筆者は本事件のような最悪事態が決して発生しないようにと切望し、かつ、関連当局へ届くようにと念じながら、警告していた。しかし、その深憂が、残念ながら、現実となってしまったのである。そして、その中でも述べさせて頂いたが、鶏などの家畜類のインフルエンザ・ウイルスの場合には、当局は殆ど迷う事なく、対象の家畜、畜舎及び必要不可欠な汚染場所に消毒液を直ちに噴霧することで、完全に消毒する事ができたであろう。更に、当該家畜を処分後、それらの家畜を安全な大地に埋葬して、終息宣言を発する事ができたのである。だが、このような場合でさえ、事件の発生から終息までは少なくとも大略4か月程度を要しているのである。況《いわ》んや、本事件はヒトからヒトへの感染事件である。従って、前者のように、ヒトに向けて消毒液を噴霧する事などは絶対にしてはいけないし、してはならない事は至極当然である。ところが、本ウイルスの正体は、初期段階では全くの未知であり、不気味であろう。しかしながら、そうは言っても、最初の一人もしくは二人の「ヒトの」国内感染者が初めて発生したという事は、それ以前までの動物に対するウイルスよりも極めて毒性が強く係わっている事を示唆しているはずである。そして、その初期段階で政府及び関連当局は、少なくともアンテナを鋭く働かせて感得すべきであったと考える。だからこそ、今回の事件は、困難度及び複雑度が極めて高い水準にあると同時に、その解決法が世界中でも未知もしくは未経験であると言い得るのである。従って、我が政府、各大臣及びその関連の方々が、本事件解決に向けて、大変な努力をされ、かつ、苦悩されている事は充分に理解できるのである。しかしながら、通常の火事にたとえるならば、最も重要な初期消火に相当し得る本事件の初期段階において、感染者がたとえ仮に一名であったとしても発生したならば、その場所及びその周辺は、徹底的に消毒すべきであろう。また、その感染者が、世界共通の医学的防疫見地により、少なくとも2週間ないし3週間は強制的に、当局及び自衛隊員各位により事前に設営された大型もしくは中型の野戦病院的なテント内などに、完全隔離すべきであったと考える次第である。

六つ目は、現時点で、自衛隊に前述のような機能が仮に存しないならば、次のような対策を迅速（約一か月以内）に、その機能を有するように態勢を構築すべきではないだろうか。しかも、それに留まらず、実行へと迅速に移行して頂きたいものである。すなわち、

㈠もし自衛隊員の数が絶対的に不足しているならば、例えば、独立した「防災省」（仮称）を創設するか、あるいは、防衛省内の「被災地救援隊」（仮称）に相当する部門を、発展的に独立させて頂きたいものである。そして、その部門を早急（約一か月以内）に昇格させる事も検討し、その実行へと迅速に移行して頂きたいと考える。

㈡そして、今のうちに、防災に係わる専門科を備えた高校及びその系統の大学が、全国都道府県の各々に少なくとも一校ずつ、国公立校として新設されて、今後及び50年後、１００年後……５００年後及びそれ以降の将来にわたり、十二分の機能が国家的及び各自治体的に発揮され、災害発生の際に、それらの卒業生男女が充分に誇りを持って、大活躍される事を心より願ってやまない。併せて、今回のウイルス事件は、今後起こり得る、大地震、津波、土砂災害、火山の噴火等々の災害と共に、ほぼ恒久的に、我々全国民はそれらに対応し対処し、対決していかねばならないと予測され得る。その為、必要な人的、物的な数や容量を、願わくば、遅くとも向こう6ないし12か月以内に、優先的に、国会にて審議して頂きたいものである。その結果を通じて、人や物が具備され配置され、しかる後、彼等彼女等に関連する各種の教育及び基礎訓練が繰り返し実施されるようになる事を熱望する次第である。

七つ目は、我が政府の初期に執った行動が、「緊急事態宣言」であった事である。これは、実質的に、企業及び国民に対して遠慮した「要請」というような極めて曖昧かつ弱気なものであったと解釈され得る。確かに、２０２０年1月下旬ないし同年2月初旬の我が国内の感染者が数名発生した時点及び豪華客船の段階でいきなり「非常事態宣言」や「都市封鎖」を発令すれば、社会全体、人々及び経済的影響は極めて大きいかもしれない。しかしながら、本事件はヒトからヒトへの感染に関する災禍である。従って、その発生地がたとえ外国（中国）であるにしても、一人でも発生し、かつ、死者が出た以上は、我が政府としては一刻も早く「非常事態宣言」を発令すべきであったのではなかろうか。そして、それに基づき、その防疫措置行動としての初期（消毒）及び感染者の隔離対応を、最大でも2ないし3日以内で、関連省庁及び自衛隊の関連部隊の出動要請を含め、完了させるべきであったと考える。これは、我が国の医師会関連の各位も、その初期段階で政府にこの危険性を迅速に告知し、訴える必要があったのではないだろうか。（もちろん、その時点で為《な》されているならば問題ないが）但し、当時の一部報道によると、ある記者からの質問に対し、感染症専門のある医師は次のように答えておられた。「個人個人が基本的な防疫行動を執っていれば、それほど深刻に心配するには及ばない」旨を。確かに、個人的対応法としては、それである程度はよい

かもしれない。しかし、常日頃、群衆的に行動してきている通常の一般国民としては、必ずしも、そのように受け取らないのではないだろうか。というのは、通常、人々は医学的専門的知識をそれほど持ち合わせていないと言い得るからである。そして、全国民の推定約80ないし90%の諸兄諸氏は、その道の専門家が「心配するには及ばない旨の発言をしていたよ」と、先の医師の言葉の尻尾のみを単純化して受け入れ易い傾向にあるであろう。そうだとすると、そのような噂は、ＳＮＳやＬＩＮＥなどの通信手段により、瞬く間に、その情報が全国に拡散してしまった可能性も完全否定し難いのではないだろうか。なぜなら、それが証拠にとは断定し難いものの、次のような現象が観られたからである。例えば、報道によると次のとおりだからである。

⑴まず、我が国内での初期段階に相当する２０２０年1月27日に、本事件のウイルスの封じ込めを行なっている中国消毒部隊の様子が報道された。なお、この時点以前に、同国内の中国人医師が本事件のウイルスの恐さを警告していたのである。

⑵次に、同年1月31日に、ＷＨＯ事務局長が、中国びいきが強く公正性を著しく欠いた緊急事態宣言を発令している。

⑶同日、首相の安倍氏は、本事件に係わる指定感染症の政令施行日を、来たる2月7日から2月1日に前倒ししている。

⑷そして、前述の準証拠もしくは理由の一つとして、次が挙げられ得る。すなわち、同年3月20日から同月22日の三連休の際に、全国各地の国民の多くが、それぞれ個人的に希望していたであろう様々な都市圏や観光地などへ移動した可能性が高いと考えられるからである。というのは、3月20日迄の感染者数が全国規模で１５２８人であったのが、本事件ウイルスの潜伏期間（暫定14日間）が明けた、例えば4月7日時点での我が国内の感染者数は、４１１１人で、死亡者数は97人（感染者死亡率は約2・4%）と、約2・7倍に急増したからである。この結果は、次の事を示唆していると推察される。つまり、その宣言前の2月26日に、首相及び他の大臣各位の発言として、「今後2週間は、全国的なスポーツや文化イベントなどの中止、延期及び規模の縮小、小中高校の春休みの前倒しなどを「要請」していた。それにも拘わらず、感染者及びそれによる死者が増大したという事は、取りも直さず、先の要請発言前から「非常事態宣言」を発令すべきであったと懸念されるからである。例えば、この4月7日時点で、同首相はその宣言の中で、次の事も述べておられた。すなわち、「この2か月間で私達の暮らしは一変した。政府や自治体だけでは、この緊急事態を乗り切るのは困難である」と。本事件に係わる他の各種経済対策の内容について、様々な手を打ってきてくれている努力は認められ得る。しかしながら、肝心要《かなめ》の本事件ウイルスという実在の〝敵〟の撲滅に関しては、注力エネルギー、警戒心、警戒体制、対決力及びその執念が、我々国民には中々観えてこなかったのである。換言するならば、それらが不充分であるかのよう

に強く感じられたのである。

だからといって国民の過半数としては、現在の野党のみでは、例えば、旧民主党の例に見られた如く反日系主義諸国に傾倒し、かつ、指導力及び実行力不足のために、任せきれないのではないだろうか。前述に戻ると、そのため、この目前の〝敵〟と戦うという点のみに関し、その当時、政府はかなり迷いかつ弱気になっていたのではあるまいかとも受け取れるのである。なぜなら、同氏の宣言が、本事件の外国での勃発当初及びその後の我が国内で初感染者が発生した時期と比較して、微妙に文言が変化してきているると、筆者には感取されたからである。従って、筆者は次のように考える。すなわち、本事件が、その後、我が国内で発生したその日から、例えば約24時間以内に、「非常事態宣言」をし、同時に、その日から最長でも3週間ないし4週間で終息宣言が発令でき得る状態に持っていって頂きたかったと。その為には、どうしても経済分野以外の強力なる実行部隊の指導者に登場してもらわねばならないのである。通常の文官系大臣各位ではこのお役《やく》には限界があり、総合的に観て、極めて困難もしくは不可能なはずだからである。従って、我が自衛隊の防疫関連部隊などの実行部隊に出動命令をして頂き、本格的に、強力に、かつ、短期集中して〝敵〟を消毒し退治するという大役を指示・命令して頂きたかったと切望する次第である。その為、当局の方々は多忙を極めるであろう。しかし、本事件の対策法としては、例えば、次の2グループに分けて戦略戦術を立てた方がよかったのではないだろうか。すなわち、一つ目は〝敵〟の消毒及び撲滅実行部隊及び非常線設置部隊（Vと略す）と、二つ目は、社会経済対策実行部隊（Eと略す）とに。このように非常事態（対策）本部が構成され設置されるべきであったであろう。しかも、当該現場での設置、配備、対応など関連項目の全ては迅速に実行されるべきであった。報道より窺《うかが》い知れる範囲では、後者（E）については、細部の詰め（国民への支給などの点）で野党より何点か突《つ》かれて小さな混乱はあったものの、概《おおむ》ね順当に進行したようである。その後、様々な変化により、少々混迷しているようではあるが。……。

確かに、一方で、我が国には現在、必要最小限の自衛隊が存在し活躍し続けてくださっている。とはいえ、今回のウイルス事件に関しては、首相及び各大臣が、本事件勃発と同時に、自衛隊の関連部隊のトップと、迅速かつ頻繁に、その対策法及び戦略戦術を立てた後、その実行計画表（ロードマップ）に沿って、実行へ移行していったのか否かは、国民には不透明であった。しかしながら、肝心要の主目的である「ウイルス〝敵〟を撲滅」させる前者（V）もしくはそれと同等な状態まで沈静化させ、かつ、前述の期限付きで可及的速やかに終息宣言を発令するには至らなかった。つまり、その終息状態に至る迄の「眼に見えない戦闘」については、残念ながら、甚《はなは》だ心許ないと言わざるを得なかったであろう。これは一言で言わせて頂くならば、自衛隊各位に現場で大活躍して頂くべき、本事件の初期段階の絶好の機会に、その指示もしくは命令が出せなかった点にあるのではないだろうか。あるいは、我が国内を俯瞰させて頂いた場合、このような非常事態において、組織的にてきぱきと現場での実行動を積極的に執れるのは、自衛隊以外には考え難いであろう。なぜなら、現時点となっては間に合わないが、筆者は、今後、本事件と同様の生物系もしくは微生物系事件もしくは災禍は、現在の世界情勢を鑑みると、近い将来にも再三再四勃発する可能性が大きいと予測しているからである。勿論、残念ではあるが。それ故、これからの将来の我が国及び世界の安全確保の為に、あるいは、近い将来の同様な有事勃発の際に、決して再び社会が今回のような混乱に陥らず、感染者及び死者を限りなくゼロに抑える為に、少なくとも我が政府当局におかれては、今回の教訓を十二分に活かして頂きたいからである。そこで、筆者としては、例えば、次の提言をさせて頂きたい。すなわち、

㈠我が国の当局が今迄に家畜（鳥や豚など）に係わるインフルエンザ・ウイルス事件の発生から撲滅もしくはその終息までに体験された数多くの貴重な秘法（ノウハウ）や智慧を、今回のヒトからヒトへの感染事件にて、十二分に活用できる事は何でも活かして頂きたい。

㈡本事件と同類の事件が発生した場合、24時間以内に、その内容（感染の拡大速度、潜伏期間など）及び対策を検討し、初期段階にて、「緊急事態」ではなく、「非常事態」に切り替えること。同時に、「要請」ではなく、「禁止令」にすべきではないだろうか。

㈢前記㈡に伴い、文科省は、例えば、今後、1ないし3か月以内に、現在の小中高大学生向けに、非常事態や緊急事態が発令された場合の教師、生徒及び学生の行動指針を伝達すると共に、今後の教科書類にも、その内容と対応方法などを記述して配布すべきではないだろうか。

㈣初期段階とはいえ、政府と連絡を取りつつも、現場の活動主体者は自衛隊、医師などであって、彼等は、互いに誠実に、全面的に協力し合うべきであろう。勿論、各人は完全なる感染防護服に身を固めた上での活動となるであろう。

㈤感染者が発生した都道府県のいずれかは、初期段階で、同時進行的に、いわば野営もしくは野戦病院的な大型テントが複数個、迅速に設営されるべきであろう。勿論、簡易型の本件に係わる専門病院を新設してもよいし、今回のように、事情が許すならば、アパートやホテルの空室を政府が賃借する事も一方法かもしれない。但し、終息前後に徹底的な消毒の要否は事前に専門家の確認を要するであろう。

㈥初期に感染者が発生した場所や地域は、十二分に消毒液が散布されるか噴霧されるべきであろう。もし、この場合に経済的保証などが生じる場合は原則的に、政府及び地元自治体が負担すべきではないだろうか。その散布により、その後の感染伝

搬及びその拡大、並びにパンデミックは最大限可能な努力をして阻止すべきである。だからこそ、この初期は潜伏期間に入る不気味な時期であり、かつ、撲滅効果を殆ど目の当りにする事のできない、この初期段階に、ウイルスという〝敵〟を完全に遮断し消滅させるべく、全力集中して〝敵〟に立ち向かうべき極めて重要かつ絶好の機会なのである。それ故、筆者としては、この最重要時期に、今回の非武官と推察され得るご担当大臣各位では恐らく本事件の核心を突く戦略戦術を立てて、それを実行する事により、短期勝利を得る事は、極めて困難であろうと推察され得るのである。なぜなら、本事件の〝敵〟自体に対する初期対応が甘く、経済優先的であり、本質的な〝敵〟に対する消毒や、人と人との間隔を保つ事、などというその攻撃に関する厳格さや強さなどが不足し不十分であるように観え、かつ、そのように考えられたからである。この初期での対応法は後々まで祟《たた》る事になるのである。すなわち、例えば、緊急事態宣言の「延長」という負の形となって顕れるのである。つまり、初期対応の行動原因がこのような結果となって、そのような声明を出さざるを得ない結果になったと考えられるのである。しかも、この5月初旬頃になると、国民や中小企業からの不満及び左派系の多数のマスコミが、これ幸いとばかりに、聴衆や一般大衆を良からぬ方向へ方向へと煽動し報道し続けてくるものなのである。また、大衆は、そのような枝葉末節な方向へ流され易い傾向にある。そのため、特に、初期対応には決して時間を費すべきではない。というのは、政府及び関係当局にとって、何らの利益にもならないからである。だからこそ、初期段階において、短期終息に向けて、全力を注ぐべきなのである。なお、前述の消毒液の散布に関しては、可能な地域や部分については、ドローンやロボットを活用してもよいであろう。

㈦感染者は、自宅や勤務先などに感染した旨を報告し、かつ、前述の収容施設に収容して頂く事。そして、少なくとも2ないし3週間の潜伏期間が過ぎて安定な陰性（測定）結果が出る迄は帰宅させるべきではないであろう。

以上のようにして、本事件の勃発は、様々な事柄を我が国及び世界に教訓を示唆していると思われる。その一例として、これは、本質的には、金銭の問題ではなく、生死に係わる問題の為、言わば、極論するならば、無色、無味、無臭の病原体（ウイルス）を直接の相手とする「新型微小戦争の時代」に入ったと言えない事はないのかもしれない。また、これは、我が全国各地の春先に、野原などで誰もが観察できる、例えば、たんぽぽが花を開き、白くほおけて、その花1個あたり、周辺に大略100個ないし数十個に分離して飛んでいく状況に類似し、それにたとえられ得る。あるいは、より現実的には、通常、全てのヒトが咳《せき》やクシャミをした際には、自分自身の口からのそれらが放射状に、大略数百個ないし数千個の粒子状となって、四方八方へ散らばって吹き飛ばされるのである。しかも、その際、風などに煽《あお》られて、更に、約数メートルないし十数メートルまで飛散していく事が模擬実験などにより確認されているのである。従って、筆者は本事件の感染者の各人の口から飛び散った唾《つばき》の一個一個の粒子は、たとえるならば、ある毒性を有し、無色の実在する「極小の疑似爆弾」に相当するとも言い得る。勿論、これらに対しては専門家が指摘しているように、十二分な消毒、アルコールや石鹸による手洗い、マスクの着用等々の複数の防疫手段を講じるべきであるし、そのように実施すれば、かなりの度合は防げる事であろう。しかも、今回の場合、ヒトの粘膜を通じて肺臓に至ると、肺炎を患い死に至る可能性が急増すると言われている新型コロナ状病原体なのである。

このように、我が国を含む全世界の人々が全く好まないにも拘わらず、我々は、晴天の霹靂の如く、極めて恐ろしい新時代に巻き込まれてしまったのである。今回の世界的な、この事件がいずれ完全終息したとしても、我が政府及び関連当局は、今後とも、防疫対処法及びその他の危険項目については、全て教訓とすべきであろう。そして、万が一、次回以降、類似事件が勃発した際には、その教訓を十二分に活用し対処して頂きたいと切望する次第である。なお、例えば、2020年5月上旬時点で、評論家、大衆報道及び医師関連の大略80ないし90%の方々が異口同音に叫んでおられる本事件の対策法は、確かに、その殆どが常識論の範疇《はんちゅう》に入る内容であろう。しかも、それらの殆どは経済的観点（被害とその対策）からの危機論である。しかしながら、今回の事件は、人々の生命に係わる非常事態相当に属し得るものである。従って、その一般的な常識論だけでは解決が極めて困難かもしくは不可能なはずである。つまり、この場合、その常識論を超えた新たな事に挑戦せねばならないはずなのである。なぜなら、外国での本事件勃発の公表から既に約5か月を経過してしまった時点においては、我が国を含む世界の約90ないし95%程度の国々の人々が少なくとも外出禁止もしくは自粛要請などにより、かなりの苛立ち、不平不満の気持ち及びストレスを抱えてきていると推察され、かつ、しばしば報道もされているからである。あるいは、家庭内の各種暴力の噴出、中小企業や個人企業の約30ないし40%の倒産、PCR検査器の不足及び病院内感染や病床不足などにより数多くの人々は混乱状態に陥っている。このように、通常の平和な日々の時には殆ど観ることのなかった、全く逆の「異常事態」と人々の「異常心理」が、あちこちで噴出し始めてきているからである。しかも同年5月6日までの大型連休以降までも引き続き、少なくとも同月末日まで緊急事態宣言を継続するという声明が、首相より発表されている。この鬱陶《うっとう》しく辛気臭《しんきくさ》い状態が長期化するのである。それ故、筆者は次のように考える。すなわち、我が政府は、確かに経済面では先手先手を打ってくれてはいるようである。しかしながら、本事件の現今のウイルス自体の〝敵〟に対する本質もしくは〝本丸〟を消滅させ〝陥落〟させるという「初期段階」での最重要判断を見誤まったのが、本事件終息の大幅なもしくは長期化をもたらした主因ではなかろうかと。とはいえ、外国での本事件の勃発日から既に約5か月余りが経過しようとしている時点においては、我が国内及び世界の関連各国の医療系の人々が献身的な努力をしてくれてきている事は充分理解できる。この事は忘れてはならないし、たとえ間接的ではあっても、協力できる事はすべきであろう。なぜなら、過去の事柄を後悔しても、時間が戻ることはあり得ないからである。だからこそ、筆者は初版時点でも繰り返し繰り返し切望し懇願してきたように、このような世界的な危険で負の大事態が発生もしくは勃発しないような対策は、迅速に、国として構築しておいてくださいよと切望していた訳である。そして、前述した如く、少なくとも我が国民及びマスコミから様々な不平不満が噴出し騒ぎ出す前の短時日に、より正しく善なる先手先手を打つべきであったのである。具体的には、たとえ、本事件の発端が外国であったとはいえ、それが分かった時点の初期の感染者が一人もしくは二人発生した時点で、都市封鎖をしてでも、その規定地域を徹底的に消毒し、かつ、感染者を確実に隔離し、治癒すべきであったと考えるのである。併せて、次の処置も当然講じるべきであったであろう。例えば、

㈠本事件の勃発（発生）または、その情報を知得した時点から24時間以内に、政府内で緊急戦略戦術に相当する会議を開催して今後の方針の結論を出して頂く事。

㈡その24時間以内に「非常事態宣言」を発令し、同時に、テレビ、ラジオなどを通じて、全国民に向けて、その意味合いを告知して頂くこと。かつ、発生地域を管轄する自衛隊及び警察などの関連当局の少なくとも大略10％程度の諸兄諸氏に出動して頂くこと。そして、初期にその〝本丸〟を、例えば、散布機を用いて消毒し、かつ、それを可能な限り、完全に〝叩いて〟、消滅させるべく、全力を注ぐべきであったと考える。具体的には、例えば（事例毎に相違するであろうが）次の幾つかを挙げる事ができるであろう。すなわち、

㈠感染者専用の野営もしくは野戦病院的な大型テントをあらかじめ用意しておき、それも迅速に現場に搬送し、複数個を設営する。

㈡そのテント内に、感染有無の確認が可能な検疫検査器具及び関連用具を同時に、搬送し配置する（ＰＣＲ検査、簡易ベッド、医療用具、など）。

㈢感染者をそのテント内へ移送する。

㈣感染者の感染日から少なくとも2ないし3週間は容態を観て、専門病院へ更に移送するかまたは帰宅可能かの判断をし、それに沿って実行する。

㈤その他、その現場での現状に応じて、柔軟に対応する。

以上の事柄は、遅くとも3週間で、終息の判断及びそれによる結論が出せるように実行して頂きたいと切望する次第である。

(まとめ)

このように、本事件に関する最重要事項は、次のようではないかと、筆者は考える。すなわち、新型コロナウイルスというヒトからヒトへ感染する〝敵〟に対し、我が政府は外国での勃発もしくは発生時点にて、短期決戦を執《と》るのか、長期決戦を執るのかという、二者択一の決断を迫られていたのではなかろうかと。筆者は、前述の如く、本事件のような場合、「短期決戦」方式を執るべきであったと考える。なぜなら、短期決戦は次の五項目の長所(メリット)を有しているからである。すなわち、

⑴感染者がより少なく、感染経路がより把握し易いため。

⑵消毒作業等による感染の阻止率もしくは防止率(いずれも仮称)が極めて高くなるため。

⑶該当する「都市封鎖」及び「非常線」を張る事により、消毒すべき該当地域の範囲が、より狭く限定できるため。

⑷該当する地域、社会、企業、学校、商店などを一定期間、その営業等を停止、休止、休日もしくは休校して頂く期間が、より短くて済むため。

⑸前記⑷により、各分野における社会的、経済的、教育的などの損失がより少なくて済むため、である。

逆に、短期決戦での短所は殆ど見出す事が困難なのである。

一方、長期決戦での長所も殆ど見出すのは困難である。そして、「長期決戦」の短所は、前述の「短期決戦」における長所⑴ないし⑸項目全てが「逆」となるからである。

従って、筆者は次の事を将来の為にも当局へ提案させて頂きたいのである。すなわち、経済対策の取り組みを実行する前に、目前の〝敵〟自体に対する医療的、化学的、物理的などの諸手段及び国民に対する防疫行為の遵守指示・命令及び移動行為の自由を一時的に規制し停止させる事による、短期決戦の戦略戦術が、本事件勃発の24時間以内に開始されるべきであったと考える。それと共に、この事を政府当局に提案させて頂きたいのである。今回の場合は、既に間に合わなかった為、全国都道府県の殆ど全てが、本事件の事後処理に追いまくられ続けてきていると言えない事はない。そして、我々全国民はその悪影響の波をもろに受けてきているとも考えられるし、そのようにも言い得るのである。但し、この事は、例えば仮に、現与党が現野党に代わったとしても、恐らく大勢に影響はないと予測され得る。それどころか、却《かえ》って、ある意味で、より不安定な状況に陥ってしまう可能性が大となるのではなかろうか。そのように懸念され得るのである。なぜなら、その理由の一つとして、本書初版でも述べたように、対動物の「鳥インフルエンザ事件」や「口蹄疫ウイルス事件」の場合でさえ、それらの対応や処理に右往左往し、かつ、適切で迅速なる戦略戦術が執れなかったように多くの国民からは観えたし、そのように推察されたからである。もっとも、後者の場合、自衛隊各位及び地元県民などの方々が鋭意努力されたため、終息に至ってはいるが。

……。

　そのような客観的立場で、冷静に観察するならば、今回の本事件に係わる、少なくとも初期段階（例えば２０２０年1月末まで）における戦略戦術の対応の一部は「失敗・失態の域」を免れられないと言い得るのではないだろうか。

　それ故、今回及び過去の類似事件を通じて、与野党共に、ほぼ共通する政治的手腕の一部に関し、弱点が浮上してきたと、筆者は痛感せざるを得ない。そして、これは、現代における一種の、言わば、「日本病症候群（仮称）」的な症状に「我が国民の殆どが罹《かか》っていると判断」され得る。従って、これは極めて迅速に治癒し、改善して、全治させねばならないのではなかろうか。その為には、その原因を探究せねばならない。それは一体何であろうか。それは、善なる防災的かつ国防的意味での病原体（ウイルス）という〝敵〟に対し、関連閣僚及びその他の方々の、次の少なくとも七項目の各々の力量不足の可能性があったと推察され得る。すなわち

(i)初期段階での戦い方が不充分であった事。
(ii)〝的《まと》〟（もしくは〝標的〟）から外れた対応であった事。
(iii)対応及び対決姿勢が遅くかつ弱い事。
(iv)実現可能で迅速なる終息または終結時期をあらかじめ設定し、かつ、それに向けて注力すると共に、国民に対しても規律を守らせる事が不十分であり、弱腰であった事。
(v)危機意識及びその言動が不足していた事。
(vi)その過半数の方々が、常識論の範疇《はんちゅう》で対応していた可能性が大きい事。
(vii)非常事態では、それ迄の常識論を超えるような、より正しき判断とその厳格な実行力とが極めて強く求められる事。

　これは、我が国が先の戦後より現在に至る迄、法律に基づく平和主義のみを金科玉条の如く、それに偏執してきたが為ではなかろうか。なぜなら、逆に、今回のやがて世界的大流行へと繋がってしまい、かつ、切羽詰まった、国家的危機状態に直面した場合、その迅速なる対応かつ対処法が一筋縄《ひとすじなわ》では行かず、（恐らく）分らないからであろう。これは、前述の理由により、やむを得ないのかもしれない。そして、この事態は、既述した先の２０１１年3月11日に発生し、同14日に発令された旧民主党政権時代の非常事態宣言下での対応状況と、ある意味で、一部類似していると言えない事はないのかもしれない。なぜなら、これらは、偏《ひとえ》に、首相及び関連閣僚等の方々に係わり、彼等彼女等の日々の訓練が殆ど実行されてきていない事の裏返し、もしくは、その証左であると言い得るからである。それ故、筆者は、次のように考える。すなわち、今後及び将来にわたり、継続的に粘り強く、それらの為の、例えば自衛隊、警察隊、消防隊などの、本件に関連する部隊や部門の方々との定期的もしくは不定期的な実訓練（机上的のみならず）を、少なくとも春夏秋冬または一年あたり少なくとも二回は実行して頂きたいと。そして、我が国としても、そのような大災害や重大

ウイルス事件及びその他の重大案件に対する臨戦体制がいつでもどこでも、迅速かつ柔敏に執れる強靭なる体制を、今から、期限を定め、それに沿って、着実に構築し、かつ、それを恒久的に維持し、充分に活用し続けていって頂きたいと。そのように熱望し切望する次第である。

あとがき

前著の「あとがき」でも述べたように、現代の我が国は外交面あるいは一般社会生活面においても、厳しい環境や状況下に置かれていると筆者は観ている。従って、本書は、あなたご自身や、あなたのご家族や、近しい方が、日常のみならず、生・老・病・死などに遭われた際に、わずかでもお役に立てば幸いである。あるいは、様々な仮想敵、災害または災禍は、我等が油断し、気の緩んだ時、もしくは、忘却の彼方へ行った頃に、再び攻撃または襲来してくるものである。それ故、お互い様に、日々、気を引き締め、肝に銘じようではありませんか。このような厳しい状況下であるからこそ、筆者は次のことを読者の皆様にお伝えしたいのである。それは、仮に、精神的にあなたがお一人になられたとした場合のことである。その時、あなたは恐らく寂しい思いにかられるのではないだろうか。しかし、あなたが「正しき人の道」から外《はず》れることなく、しっかりと、その大道を自信と誇りを持って一歩一歩前進できるようにお導きさせて頂きたいのである。筆者が切望することは、あなたの生涯の伴侶となり得る書物の一つとして、是非本書をあなたに提供させて頂きたい、という真心からの一点である。なぜなら、あなたが少なくとも本書の一冊さえ持っていれば、この不安定で先行き不透明かつ不確実な現世を落ちついて無事に、安全に生きていけるような書物を世に送り出させて頂きたかったからである。

なお、前著の際にお世話になりました（株）中央公論事業出版の営業部長の神門《かんど》氏及び佐々木氏に謝意を表します。更に、本書の校正等に係わり、同社の方々、特に、神門氏並びに杉﨑氏に大変お世話になりました。心より感謝申し上げます。

最後に、世界と我が国の平和、防災及び国防の安全並びに皆々様のご健康を真心よりご祈念申し上げます。

令和３年（西暦２０２１年）２月　春

馬場　久雄

参考文献

第一章

〔1〕西丸四方、西丸甫夫著『精神医学入門』１６３頁、南山堂（２００７）。

〔2〕佐々木秀一監修、山崎博編著『學校家庭　修身例話選集』尋一の巻、光文社（１９３１）。

〔3〕安部清見著『高等小学　修身学習指導案（高二）』明治図書、（１９３１）。

〔4〕２０１１年12月23日付朝日新聞。

〔5〕２０１２年5月24日付読売新聞。

〔6〕鈴木一雄、外山滋比古編『日本名句辞典』４５５頁、大修館書店（１９９６）。

第二章

〔1〕『月刊ＦＡＣＴＡ』6頁～9頁、ファクタ出版、8月号（２０１１）。

〔2〕北畠親房著、岩佐正校注『神皇正統記』45頁～49頁、岩波書店（１９８０）。

第三章

〔1〕http://www.mh21japan.gr.jp/mh21/kss/　メタンハイドレート資源開発研究コンソーシアム、２０１６年５月閲覧。

〔2〕櫻井よしこ著『異形の大国　中国』90頁、新潮文庫（２０１０）。

〔3〕櫻井よしこ著『異形の大国　中国』90頁～92頁、新潮文庫（２０１０）。

〔4〕https://ja.m.wikipedia.org/「国際連合安全保障理事会決議１９７３」２０１６年5月閲覧。

〔5〕https://ja.m.wikipedia.org/「排他的経済水域」２０１６年5月閲覧。

第四章

〔1〕ベンジャミン・フルフォード著『図解「闇の支配者」頂上作戦』40頁～41頁、扶桑社（２０１１）。

〔2〕http://www.natureasia.com/ja-jp/nature/specials/contents/H5N1-influenza/id/news-views-050212　２０１６年6月閲覧。

〔3〕http://www.maff.go.jp/j/wpaper/w_maff/h22/pdf/z_1_1_5.pdf　２０１６年6月閲覧。

〔4〕https://ja.m.wikipedia.org/「２０１０年日本におけ

る口蹄疫の流行」２０１６年６月閲覧。
〔５〕ベンジャミン・フルフォード著『図解「闇の支配者」頂上決戦』40頁～41頁、扶桑社（２０１１）。
〔６〕ベンジャミン・フルフォード著『図解「闇の支配者」頂上作戦』40頁～41頁、扶桑社（２０１１）。
〔７〕http://www.bioweather.net/column/essay3/gw23.htm　２０１６年５月閲覧。
〔８〕https://ja.m.wikipedia.org/「天明の大飢饉」２０１６年５月閲覧。
〔９〕高文謙著、上村幸治訳『周恩来秘録』（上）、２０５頁、文藝春秋（２０１０）。
〔10〕櫻井よしこ著『異形の大国　中国』74頁～75頁、新潮社（２０１０）。
〔11〕櫻井よしこ著『異形の大国　中国』１９４頁、新潮社（２０１０）。
〔12〕１９８９年11月４日付読売新聞。
〔13〕１９９７年12月16日付読売新聞、http://ameblo.jp/e-fh/entry-11604550065.html「ロシア革命　６６００万人もの犠牲をともなった美名の下に行われた粛清の嵐」２０１６年５月閲覧及びレオ・クーパー著、高尾利数訳『ジェノサイド―20世紀におけるその現実』１１３頁、りぶらりあ選書、法政大学出版局（１９８６）。
〔14〕河上肇著、大内兵衛解題『貧乏物語』、83頁～84頁、岩波書店（１９７８）。

第五章

〔１〕http://www.immi-moj.go.jp/toukei/　２０１６年５月閲覧。
〔２〕麻生川静男著『本当に残酷な中国史―大著「資治通鑑」を読み解く』２２６頁、角川ＳＳＣ新書（２０１４）。
〔３〕２０１１年９月19日付読売新聞。
〔４〕孔健著『日本人は永遠に中国人を理解できない』98頁～１００頁、１１４頁～１４７頁、講談社プラスアルファ文庫（２００５）。

第六章

〔１〕http://jp.reuters.com/article/idJPJAPAN-22837320110824「ムーディーズが日本国債格下げ、中国と同じ『Ａａ３』」２０１６年５月閲覧。
〔２〕http://www.nikkei.com/article/DGXLASFL01HC1_R01C14A2000000/「ムーディーズ、日本国債を「Ａ１」に１段階格下げ」２０１６年５月閲覧。
〔３〕櫻井よしこ著『異形の大国　中国』１９３頁～１９４頁、新潮社（２０１０）。
〔４〕http://www.mofa.go.jp/mofaj/gaiko/oda/shiryo/hakusyo/13_hakusho_pdf/index.html　２０１３年版

政府開発援助（ＯＤＡ）白書　２０１６年5月閲覧。
〔5〕http://www.bbc.com/japanese/34806044「【ミャンマー総選挙】スー・チー氏の野党ＮＬＤが圧勝」　２０１６年5月閲覧。
〔6〕http://president.jp/articles/-/6888「なぜ日本国債は、格下げで金利が下がるのか」２０１６年5月閲覧。
〔7〕河上肇著、大内兵衛解題『貧乏物語』94頁、岩波書店（１９７８）。
〔8〕河上肇著、大内兵衛解題『貧乏物語』31頁〜34頁、岩波書店（１９７８）。
〔9〕２０１５年5月23日付日本経済新聞。
〔10〕https://ja.m.wikipedia.org/「バブル崩壊」２０１６年5月閲覧。
〔11〕https://ja.m.wikipedia.org/「リーマン・ショック」２０１６年5月閲覧。
〔12〕https://ja.m.wikipedia.org/「ＡＩＪ投資顧問－概要」２０１６年5月閲覧。
〔13〕https://ja.m.wikipedia.org/「ＡＩＪ投資顧問－年金資産消失事件－刑事立件」２０１６年6月閲覧。
〔14〕２０１７年10月25日付、読売新聞。
〔15〕金谷治訳『孫子』１１３頁、岩波書店（１９８２）。
〔16〕２０１２年1月20日付朝日新聞。
〔17〕２０１３年2月6日付朝日新聞。
〔18〕２０１１年12月21日付朝日新聞。
〔19〕２０１２年11月16日付朝日新聞。

第七章

〔1〕https://ja.m.wikipedia.org/「大阪地検特捜部主任検事証拠改ざん事件」２０１６年5月閲覧。

第八章

〔1〕https://ja.m.wikipedia.org/「訪日外国人旅行－訪日外国人旅行者数」２０１６年5月閲覧。
〔2〕http://www.moj.go.jp/nyuukokukanri/kouhou/nyuukokukanri01_00013.html「在留外国人数・外国人登録者数」２０１５年8月閲覧。
〔3〕２０１１年8月11日付朝日新聞。
〔4〕https://ja.m.wikipedia.org/「外国人犯罪－日本－来日外国人による犯罪」２０１６年5月閲覧。
〔5〕https://ja.m.wikipedia.org/「外国人犯罪－日本」２０１６年5月閲覧。
〔6〕https://ja.m.wikipedia.org/「外国人犯罪－日本－在日外国人による犯罪」２０１６年5月閲覧。

第九章

〔1〕http://www.meti.go.jp/policy/economy/chizai/

chiteki/pdf/H1812chousa.pdf　２０１６年６月閲覧。
〔２〕 https://ja.m.wikipedia.org/「オリンパス事件－経緯」２０１６年５月閲覧。
〔３〕 https://ja.m.wikipedia.org/「ＰｌａｙｓｔａｔｉｏｎＮｅｔｗｏｒｋ個人情報流出事件－事件の経過」２０１６年５月閲覧。
〔４〕 ２０１６年４月28日付産経新聞。
〔５〕 https://ja.m.wikipedia.org/「ウィキリークス－経緯」２０１６年５月閲覧。

第十章

〔１〕 https://ja.m.wikipedia.org/「六道絵－概説」２０１６年５月閲覧。
〔２〕 村上重良著『日本の宗教』27頁、74頁、岩波ジュニア新書（１９８８）。
〔３〕 黒板勝美著『資料摘録　国史概観』32頁、吉川弘文館（１９４１）。
〔４〕 https://www.dpj.or.jp/article/manifesto2010　２０１６年５月閲覧。
〔５〕 北畠親房著、岩佐正校注『神皇正統記』45頁、岩波書店（１９８０）。
〔６〕 ２０１１年11月７日付朝日新聞。
〔７〕 https://ja.m.wikipedia.org/「日本の女性解放運動」２０１６年５月閲覧。
〔８〕 渡辺照宏著『仏教』45頁、１０５頁、岩波書店（２００２）。
〔９〕 貝原益軒著、石川謙校訂『養生訓・和俗童子訓』岩波書店（１９８１）。
〔10〕 升田幸三著『勝負―人生は日々これ戦場』サンケイ新聞社出版局（１９７１）。
〔11〕 貝原益軒著、石川謙校訂『養生訓・和俗童子訓』２１１頁、岩波書店（１９８１）。
〔12〕 貝原益軒著、石川謙校訂『養生訓・和俗童子訓』２１１頁～２１２頁、岩波書店（１９８１）。
〔13〕 貝原益軒著、石川謙校訂『養生訓・和俗童子訓』２６４頁～２８０頁、岩波書店（１９８１）。
〔14〕 貝原益軒著、石川謙校訂『養生訓・和俗童子訓』２６４頁、岩波書店（１９８１）。
〔15〕 H.Baba:“A Scientific Interpretation of Religion (2), On the Relations among the focus of Devotion, Phenomenon, Ancestors and Person” Nippon Oyo-Suri Gakkai Koen-Yokoshu, (The Proc. Annual Meeting of the Jpn. Soc. Ind. & Appl. Math.), Sept. 19-21 (1994) pp.286-287.
〔16〕 H.Baba:“A Scientific Interpretation of Religion (10), On a cycle model of delusions (IV) ＊”, ibid., Sept. 12-14

(1998) pp.222-223.
〔17〕H.Baba:"A Scientific Interpretation of Religion (4), On the mechanisms that delusions disappear", Nippon Oyo-Suri Gakkai Koen-Yokoshu, (The Proc. Annual Meeting of the Jpn. Soc. Ind. & Appl. Math.), Sept. 19-21 (1995) pp.62-63.

第十一章

〔1〕加地伸行著『現代中国学』33頁、中公新書（１９９７）。
〔2〕https://ja.m.wikipedia.org/「薄熙来事件－その後」２０１６年５月閲覧及び２０１３年10月25日付読売新聞
〔3〕https://www.gsj.jp/hazards/volcano/kirishima2011/及びhttps://ja.m.wikipedia.org/「桜島－火山活動史－２００６年以降－昭和火山活動期」２０１６年５月閲覧。
〔4〕２０１４年10月１日付読売新聞。
〔5〕https://ja.m.wikipedia.org/「アメリカ合衆国の人種構成と使用言語－人種構成」２０１６年６月閲覧。
〔6〕http://www.n.w.nikkei.com/sp/#!/article/DGXLASDG06H5H/「高齢者虐待」２０１６年５月閲覧。
〔7〕北川忠彦、安田章校注『日本古典文学全集』、小学館（２００１）。
〔8〕北川忠彦、安田章校注『日本古典文学全集』60巻、34頁～40頁、小学館（２００１）。
〔9〕北川忠彦、安田章校注『日本古典文学全集』３８０頁、小学館（２００１）。
〔10〕北川忠彦、安田章校注『日本古典文学全集』60巻、小学館（２００１）。
〔11〕http://www.newsweekjapan.jp/「国連決議－シリアでまた拒否権」２０１６年５月閲覧。
〔12〕http://www.nids.go.jp/publication/briefing/pdf/2014/briefing_184.pdf「ブリーフィング・メモ　シリアの化学兵器使用と化学兵器禁止条約」２０１６年５月閲覧。
〔13〕https://kotobank.jp/word/「シリア化学兵器問題」２０１６年５月閲覧。

第十二章

〔1〕１９７６年９月14日付読売新聞。
〔2〕https://ja.m.wikipedia.org/「エジプトのピラミッド」２０１６年５月閲覧。
〔3〕２０２０年５月13日付読売新聞。
〔4〕ベンジャミン・フルフォード著『図解「闇の支配者」頂上決戦』10頁～13頁、扶桑社（２０１１）。
〔5〕２０１３年12月24日付読売新聞。
〔6〕２０１２年12月３日付毎日新聞。
〔7〕https://ja.m.wikipedia.org/「スマトラ島沖地震（２

００４年）」２０１６年５月閲覧。
〔８〕https://ja.m.wikipedia.org/「地震の年表（日本）」２０１６年５月閲覧。
〔９〕http://bushoojapan.com/walker/2014/03/22/16438「マグニチュード７クラスの大地震は昭和・平成で何度起きたか？」２０１６年５月閲覧。
〔10〕ラザフォード・オールコック著、山口光朔訳『大君の都』（上）、２８２頁～２８３頁、岩波書店（１９８０）。

第十三章

〔１〕https://ja.m.wikipedia.org/「漢委奴国王印」２０１６年５月閲覧。
〔２〕https://ja.m.wikipedia.org/「親魏倭王」２０１６年５月閲覧。
〔３〕黒板勝美著『資料摘録　国史概観』32頁、吉川弘文館（１９４１）。
〔４〕https://kotobank.jp/word/「遣唐使」２０１６年４月閲覧。

第十四章

〔１〕ひろさちや著『なぜ人間には宗教が必要なのか』２１６頁～２１７頁、講談社（２００４）。
〔２〕マーヴィン・トケィヤー著、箱崎総一訳『ユダヤ知恵の宝石箱—ラビの語るユダヤ人の生き方』１４２頁、産業能率短期大学出版部（１９７８）。

第十五章

〔１〕ひろさちや著『なぜ人間には宗教が必要なのか』１５６頁～１５８頁、講談社（２００４）。
〔２〕加地伸行著『現代中国学—〈阿Ｑ〉は死んだか』93頁～94頁、中公新書（１９９７）。
〔３〕高文謙著、上村幸治訳『周恩来秘録』（下）、３３２頁～３３３頁、文春文庫（２０１０）。
〔４〕H.Baba:"A Scientific Interpretation of Religion (2). On the Relations among the focus of Devotion, Phenomenon, Ancestors and Person" Nippon Oyo-Suri Gakkai Koen-Yokoshu, (The Proc. Annual Meeting of the Jpn. Soc. Ind. & Appl. Math.), Sept. 19-21 (1994) pp.286-287.
〔５〕H.Baba:"A Scientific Interpretation of Religion (10). On a cycle model of delusions (IV) *", ibid., Sept. 12-14 (1998) pp.222-223.
〔６〕村上重良著『日本の宗教』26頁～27頁、岩波ジュニア新書（１９８８）。
〔７〕https://kotobank.jp/word/「八百万神」２０１６年４月閲覧。

〔8〕　ひろさちや著『なぜ人間には宗教が必要なのか』１頁、講談社（２００４）。
〔9〕　ひろさちや著『なぜ人間には宗教が必要なのか』１３６頁、講談社（２００４）。
〔10〕　ひろさちや著『なぜ人間には宗教が必要なのか』１４０頁、講談社（２００４）。
〔11〕　https://ja.m.wikipedia.org/「無宗教－規模－国別の調査」及びhttps://ja.m.wikipedia.org/「日本の宗教」２０１６年６月閲覧。
〔12〕　https://ja.m.wikipedia.org/「世界三大宗教」２０１６年５月閲覧。
〔13〕　https://ja.m.wikipedia.org/「世界三大宗教」２０１６年５月閲覧及び総務省（２０１３）第63回日本統計年鑑、平成26年、東京、日本統計協会。
〔14〕　ひろさちや著『なぜ人間には宗教が必要なのか』96頁、１３４頁～１４１頁、講談社（２００４）。
〔15〕　H. Baba: “A Scientific Interaction of Religion (9), On delusions”, Nippon Oyo-Suri Gakkai Koen-Yokoshu,（The Proc. Annual Meeting of the Jpn. Soc. Ind. & Appl. Math.), Oct. 1-3rd (1997) pp. 188-189.
〔16〕　H. Baba: “A Scientific Interpretation of Religion (14), On the ‘Nothing has an ego (I)’,” ibid., Oct. 6-8th (2000) pp.578-579.
〔17〕　H. Baba: “A Scientific Interpretation of Religion (16), On the ‘Nirvana is quiescence’”, ibid., Oct. 7-9th (2001) pp. 320-321.
〔18〕　加地伸行著『現代中国学』１５７頁～１６１頁、中公新書（１９９７）。
〔19〕　加地伸行著『現代中国学』１６４頁～１６５頁、中公新書（１９９７）。
〔20〕　加地伸行著『現代中国学』１６６頁～１６７頁、中公新書（１９９７）。
〔21〕　加地伸行著『現代中国学』１６８頁～１７０頁、中公新書（１９９７）。
〔22〕　加地伸行著『現代中国学』１７１頁～１７２頁、中公新書（１９９７）。
〔23〕　H.Baba : “A Scientific Interpretation of Religion (4), On the mechanisms that delusions disappear”, Nippon Oyo-Suri Gakkai Koen-Yokoshu,（The Proc.Annual Meeting of the Jpn. Soc. Ind. & Appl. Math.）, Sept. 19-21 (1995) pp.62-63.
〔24〕　武田善憲著『ロシアの論理―復活した大国は何を目指すのか』１６５頁～１６８頁、中央公論新社（２０１０）。
〔25〕　ひろさちや著『なぜ人間には宗教が必要なのか』１頁、講談社（２００４）。

〔26〕https://socio.k.kyoto-u.ac.jp/rtc/wp-content/uploads/2012/05/10aecbfa3753747ed50647aded6b13f.pdf「社会学基礎論学期末論文　なぜ日本人は無宗教なのか」２０１６年5月閲覧。
〔27〕村上重良著『日本の宗教』付録頁、岩波ジュニア新書（１９８８）。
〔28〕麻生川静男著『本当に残酷な中国史―大著「資治通鑑」を読み解く』角川ＳＳＣ新書（２０１４）。
〔29〕櫻井よしこ著『異形の大国　中国』２６１頁～２６３頁、新潮文庫（２０１０）。
〔30〕櫻井よしこ著『異形の大国　中国』４２４頁～４２８頁、新潮文庫（２０１０）。
〔31〕https://ja.m.wikipedia.org/「中国の核実験」２０１６年６月閲覧。
〔32〕https://ja.m.wikipedia.org/「ヴェネツィア共和国の歴史－中世盛期」２０１６年5月閲覧。
〔33〕https://ja.m.wikipedia.org/「イタリア統一運動」２０１６年5月閲覧。

著者略歴

馬場　久雄（ばば・ひさお）

1945年東京生まれ。1972年大学卒。企業にて技術系、事務系及び管理系の各業務を経験。それらの過程での1980年代に仏教と出会う機会があった。それにより、徐々に従来の人生観が変化していった。
今後とも、基本的には仏教的観点からゆっくりと精進していきたいと考えている。

日本人《にほんじん》の歩《あゆ》む方向《ほうこう》

2021年3月22日初版発行

著　　者　馬　場　久　雄

制作・発売　中央公論事業出版
〒101-0051　東京都千代田区神田神保町 1-10-1
電話 03-5244-5723　Fax 03-5244-5725
http://www.chukoji.co.jp/

印刷・製本／藤原印刷

Printed in Japan　　ISBN978-4-89514-529-9 C0012